LES CANADIENS

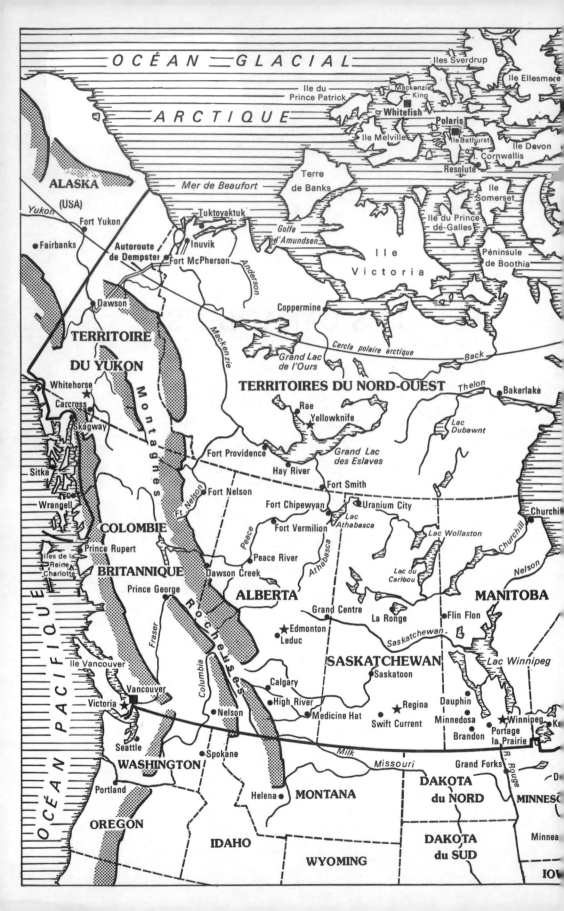

ANDREW H. MALCOLM

LES CANADIENS

LIBRE
EXPRESSION
PRESSES DE LA CITÉ

Titre original :

The Canadians

Publié avec l'accord de Times Books, département de Random House, Inc.

Traduit de l'américain par Catherine Pitiot

Maquette de la couverture : France Lafond

© Andrew H. Malcolm, 1985

© Les Presses de la Cité 1987, pour la traduction française

© Éditions Libre Expression, 1987, pour le Canada

Dépôt légal :
4e trimestre 1987

ISBN 2-89111-338-1

A Connie

Avant-propos

Pierre Berton, écrivain canadien fécond et perspicace, a un jour défini son compatriote comme un homme capable de faire l'amour dans un canoë. Ne flottant que précairement sur des eaux indociles qui le poussent immanquablement vers des rapides proches, déchiré entre des forces opposées suscitées par l'homme ou la nature, à la merci de puissances terribles et invisibles, le Canadien a depuis longtemps le sentiment de n'être pas totalement maître de son destin. A juste titre, en vérité. Il lui a fallu se forger un sens très aigu de l'équilibre et de l'à-propos, à seule fin de survivre.

Deuxième pays du monde par la taille, le Canada fut fondé par un pouvoir étranger pour des raisons qui lui étaient personnelles et ne tenaient pas grand compte des désirs des Canadiens ou des frontières naturelles. Assailli de difficultés, handicaps politiques, climat rude, géographie génératrice de divisions, le Canada, avec ses disparités et dix fois moins d'habitants que son voisin dans un espace de dix pour cent plus étendu, se mit en devoir d'édifier un pays moderne et indépendant dans l'ombre économique, militaire et culturelle de deux superpuissances, les États-Unis et l'Union Soviétique, toutes deux à sa porte. Le simple fait qu'il ait pu s'acquitter de cette tâche sans révolution militaire, sans guerre civile, et sans que soit renversé aucun gouvernement suppose de l'habileté et la grâce des dieux. Et tout cela fut néanmoins accompli sans qu'il y soit prêté grande attention, y compris à l'intérieur de ses frontières.

A travers toute son histoire, le Canada, que le président Ulysses S. Grant appela un jour « cet organisme à demi indépendant et irresponsable », a représenté bien des choses aux yeux des Américains, y compris un sujet de perplexité. Il fut tour à tour voisin amical, allié, lieu de villégiature, ennemi, paradis des investissements, fournisseur de matières premières, d'électricité et d'un grand nombre d'inventions, havre pour ses réfugiés, camp de base pour la guérilla, contrebandier d'alcool, État militaire tampon, sauveteur d'otages, principal partenaire commercial et cousin récalcitrant. On l'a aussi considéré comme faisant partie du décor.

Quels sont donc ce pays et son peuple, « tout là-haut », qui, sous un mince vernis de similitude, sont en même temps si différents? Quelle est la profondeur de cette relation unique qui, le long de la plus longue frontière non défendue du monde, unit – et divise – ces nations dans la plus vaste masse d'échanges commerciaux de la planète? Qu'est-ce donc qui, dans l'histoire et le caractère du Canada, peut bien expliquer son extraordinaire complexe d'infériorité qui, jusqu'à une époque récente, a coloré tant de ses actions et de ses opinions? Qu'arrive-t-il du côté de la nouvelle génération de ce pays trop négligé, qui menace d'en déranger l'harmonie interne, et entraîne de spectaculaires changements dans ses relations avec des États-Unis qui ne se doutent de rien? D'où vient cette nation? Où va-t-elle?

Après une absence de deux décennies, alors qu'avait expiré le temps de ma double nationalité, je m'en retournai vers le Nord, tout plein de questions de ce genre sur ce pays que j'avais connu intimement et tendrement dans ma jeunesse. Il avait été pour moi une seconde patrie, et la première pour mes parents et ma famille tout entière.

Du Canada et des Canadiens me venaient, je crois, bon nombre des valeurs et des façons de voir que j'emportai avec moi en bien d'autres lieux, avant de les ramener dans un pays à présent bien différent, se transformant si radicalement, et pourtant si paisiblement, de l'intérieur que beaucoup de ses habitants eux-mêmes ne paraissaient pas s'en apercevoir.

Quatre années durant, j'ai arpenté l'immense étendue canadienne, du Nord au Sud et d'Est en Ouest, en voiture et à moto, en avion à réaction, en avion-pulvérisateur, en hélicoptère, en avion-ski, en fourgon 4 × 4, à pied, et même en canoë et en traîneau à chiens. Mais ce qui était au début pérégrinations professionnelles du chef de l'agence du *New York Times* à Toronto devint très vite aussi voyage de découverte personnelle pour un homme qui n'était plus très jeune. Et, tout comme je voyais le pays de ma mission se transformer, je découvris que moi aussi, je changeais.

Voici le récit de ces aventures et de ce voyage.

Andrew H. Malcolm,
Toronto, juillet 1984.

PREMIÈRE PARTIE
GÉOGRAPHIE

Il est assis au sommet du continent américain, colosse méditatif, immense, hostile, rébarbatif, et implacable envers ceux qui ignorent ses lois naturelles de survie. Avec ses vingt-cinq millions d'habitants, la population du Canada paraît modeste au regard des normes internationales. Le sauvage pays où elle demeure ne l'est pas, lui. Deuxième du monde par sa taille, c'est un parallélogramme déformé, avec près de onze millions de kilomètres carrés de terre et d'eau s'étalant bien au-delà de ce que peut imaginer l'esprit d'un citoyen moyen. D'est en ouest, il embrasse sept mille trois cent treize kilomètres, et un quart des fuseaux horaires du monde. Éparpillés çà et là sur le territoire, comme des grains de poivre semés sur le sol d'une énorme chambre frigorifique, les hommes se blottissent les uns contre les autres le long de la très perméable frontière des États-Unis. Regardant vers le sud, toujours vers le sud, les Canadiens voient rarement cet espace qui s'étend derrière leur mince ligne de peuplement. Ils n'y pensent même pas. Mais ils le sentent, telle une présence invisible, obscure, puissante dans un rêve au milieu de la nuit.

Les Américains, eux, regardent vers le nord et leurs cousins canadiens, très souvent intrigués et perplexes devant ce peuple à la fois si proche d'eux et si étrangement différent. Et de temps à autre, ils discernent alors quelque chose de vague, qui se dessine au-delà de la frontière de ce voisin. Cela s'étend jusqu'à l'horizon, cela s'étend aussi loin que l'on puisse voir, et probablement beaucoup plus loin encore. Plutôt grand, c'est certain. Grand, c'est trop peu dire en fait. Du sud au nord, le Canada se déploie sur près de cinq mille kilomètres, plus que la distance entre New York et Los Angeles. Les avions de ligne réguliers s'élancent du sud du pays, cap sur le nord. Ils touchent terre six heures plus tard, à treize cents kilomètres encore de ses confins. Tout le temps, ou presque, ils survolent des terres, et c'est à peine si leurs passagers aperçoivent une agglomération de plus de quelques centaines d'âmes. Ils passent au-dessus de banlieues où les bandes de coyotes menacent les chiens et les chats, au-dessus de lacs et de baies plus larges que des États entiers, au-dessus d'une forêt grande comme six fois la France. Ils survolent des troupeaux de caribous sauvages, si nombreux qu'il leur faut une journée pour franchir une cime. Ils passent au-dessus d'un million de lacs, de rivières et de fleuves (si toutefois quelqu'un s'est amusé à les dénombrer) qui renferment trente pour cent des précieuses réserves mondiales en eau douce. Ils planent au-dessus d'immenses systèmes nuageux : ici naissent les tempêtes qui, une semaine plus tard, déchaîneront les feux du ciel et paralyseront les villes américaines et des régions entières. Ils franchissent de longues files d'orages en maraude qui, pendant des jours, passent en grondant au-dessus du paysage sans mouiller un seul humain. Ils survolent d'imposantes cascades gelées à mi-hauteur, une vingtaine de sommets de plus de trois mille mètres, des sites pittoresques et grandioses restés inconnus et sans nom. Enfin, l'avion, qui paraît, on ne sait comment, plus petit maintenant qu'au décollage, atterrit en un lieu désolé et à jamais pris dans les glaces qu'on appelle Resolute, dans des territoires constituant quarante pour cent du Canada, mais qui, cent dix-huit ans après la naissance du pays, demeurent en grande partie inexplorés, indomptés, et non intégrés. C'est le Nord, une fois un quart plus vaste que l'Inde, avec si peu d'habitants qu'on les logerait tous dans un stade.

Ce n'est que l'une des nombreuses régions de ce pays qui ont fait de lui ce qu'il est aujourd'hui – et l'ont empêché de devenir plus. De l'avis de J.M.S. Careless, l'un des historiens les plus respectés de son pays : « L'histoire du Canada fait dans une large mesure état d'un combat pour édifier une nation envers et contre tout, en dépit des obstacles imposés par la nature. »

« Nous devons maîtriser tout ce grand pays, combler les espaces, et rapprocher les gens », dit-on un jour au représentant d'un détachement spécial d'une unité canadienne. L'impressionnante réalité géographique du pays et les climats rigoureux qui l'accompagnent ont, ensemble, le pouvoir de modifier la vie, le travail, les opinions et les valeurs de tout individu. Pour certains, c'est une menace, pour d'autres un défi à relever, et pour beaucoup une excuse.

Quiconque lève les yeux au ciel, par une nuit sombre et sans nuage, peut se sentir humble devant l'immensité des étoiles, mais ce sentiment, les Canadiens l'éprouvent sans même lever les yeux. Les épreuves imposées par la nature comptent parmi les rares liens qui les unissent, sur cette terre qui, depuis peu, éveille les curiosités, se développe rapidement et en est même arrivée à jouer, à l'insu de ses habitants, un rôle profond, influent et croissant, surtout chez son voisin américain, depuis l'immobilier, les livres et les films, jusqu'aux bières, aux banques, aux autorails et même à l'indispensable « bras » de la navette spatiale. Si les Américains, après avoir conquis et apprivoisé la Frontière, sont aujourd'hui convaincus que tout est possible, le Canada, lui, a enseigné à ses captifs le scepticisme. Ils savent que tout, à commencer par eux-mêmes, a ses limites. Jusqu'à aujourd'hui, du moins.

Il existe en inuktitut, le langage simple mais plein de finesse des peuples du Grand Nord, une expression courante très révélatrice : *ionamut*. On pourrait la traduire par « on n'y peut rien », formule ô combien fataliste, que l'on retrouve d'ailleurs dans d'autres langues, comme le japonais. Pendant un grand nombre de siècles, et aujourd'hui encore, *ionamut* a permis à ces hardis Canadiens d'accepter, avec un haussement d'épaules libérateur, le choc de ces forces climatiques et géographiques démesurées, inexorables, que sont les glaces mouvantes, la toundra stérile où le gibier fait si souvent défaut, les vents fouettants et cinglants, les blizzards meurtriers, le froid pénétrant, et les infortunes de la chasse, qui échappent si largement à leur contrôle et modèlent encore leur vie de chaque jour. Les Canadiens du Sud ne connaissent pas cette expression, pas plus en anglais qu'en français. Mais ils ont souvent eu la même attitude, cette espèce de haussement d'épaules mental, cet « A quoi bon? » qui les aide à affronter les dures réalités, ces forces qui apparemment les dépassent, même si d'autres les jugent parfaitement contrôlables, à condition que l'on s'y applique avec un peu de détermination, d'imagination et quelques risques.

Il a fallu aux États-Unis plus d'un siècle pour conquérir entièrement leur portion de continent, et devenir une nation à part entière. Aujourd'hui, alors que le Canada entre dans sa douzième décennie d'indépendance, il paraît, à des signes de plus en plus nombreux et en dépit de divisions incessantes, approcher lui aussi de la maturité dans un certain nombre de domaines.

Sur le plan économique, ses hommes d'affaires et ses banquiers, après avoir développé et exploité au maximum les ressources du marché intérieur, se libèrent peu à peu des liens psychologiques qui bornaient leurs efforts à l'intérieur du pays. Désormais, ils essaient d'entrer dans l'arène des États-Unis, d'y imposer leurs produits, leurs sociétés, voire leur philosophie, avec une énergie, une imagination, un savoir-faire et une agressivité tels qu'ils obligent les Américains à de considérables efforts d'adaptation, trop habitués qu'ils sont à un Canada plus complaisant.

Dans la mer tumultueuse et couverte d'icebergs qui s'étend au large de la côte orientale, et dans tout l'Ouest riche en ressources diverses, une nouvelle génération de chefs d'entreprise, aiguillonnée parfois par un gouvernement nationaliste, se taille de nouveaux empires. Sur les vastes prairies, les fermes familiales récoltent les millions de tonnes de céréales qui nourriront un grand nombre d'autres pays, et aideront ainsi à résoudre les perpétuels déficits de la balance des paiements, tout en surchargeant le réseau de transport ferroviaire relativement restreint du pays. Depuis Vancouver, le plus grand port de la côte ouest de l'Amérique du Nord, les sociétés canadiennes s'en vont prospecter les marchés naissants des nations en rapide expansion de la ceinture pacifique. Dans le Nord, ce vaste désert hostile demeuré enfoui si longtemps tout au fond de la pensée des Canadiens, les chasseurs de richesses imaginent, conçoivent et élaborent des techniques de forage, d'exploitation minière, de prospection, d'extraction ou de survie entièrement nouvelles et informatisées. Sont à l'étude d'ambitieux projets de brise-glace, et même de pétroliers sous-marins, qui, après plus de quatre siècles d'espoirs, pourraient bien transformer en réalité le rêve légendaire d'un passage nord-ouest ouvert toute l'année.

Déployé le long des rives du Saint-Laurent et des lacs Érié et Ontario, le Canada central voit d'un œil jaloux sa position dominante se dégrader, et le pouvoir se déplacer vers d'autres régions, un peu comme le nord-est des États-Unis, tout proche, a vu, dans les années soixante-dix, pâlir sa suprématie devant l'étoile montante des États de la *Sun Belt* [1]. Halifax, autrefois le plus grand port de mer de la côte est, se retrouve aujourd'hui présidant aux destinées de la pauvre région des Appalaches canadiennes, avec pour seul espoir les hypothétiques retombées des découvertes de pétrole et de gaz réalisées près de ses côtes.

Ottawa, cette vieille cité, froide, quelconque, construite sur un canal, et choisie comme capitale de compromis par la reine Victoria qui n'avait jamais vu le pays, est demeurée une vieille cité froide sur un canal. Rien de plus. Toutes les heures, des vols partent en direction des véritables centres de décision du pays. Derrière la façade des quelques entreprises d'électronique et d'une vieille industrie, il n'y a là qu'un gouvernement fédéral, isolé du pays par la géographie et par le sentiment de sa propre importance.

Montréal, la bilingue, qui fut un jour la ville principale d'Amérique du Nord, reste une destination idéale pour ceux qui bien sûr recherchent les délicieux dîners et le charme du Vieux Monde, associés aux commodités de New York. Mais, sous l'effet de forces économiques et politico-linguistiques qu'elle ne peut maîtriser, elle a vu, comme Boston après son âge d'or, son importance nationale décroître et se réduire à une influence régionale. Même ses victoires en hockey, qui ne sont pas au Canada un critère négligeable, ont périclité au profit de l'Ouest et de ses cités parvenues, portant des noms comme Edmonton ou Calgary, où la nouvelle classe possédante, coiffée de chapeaux de cow-boys, s'abonne pour la saison aux meilleures places. Montréal n'est plus désormais la plus grande cité du Canada, le centre des finances et du commerce national.

Pour prendre en charge les multiples besoins et intérêts des plus de vingt-cinq millions de citoyens canadiens, un grand nombre de nouveaux centres de population et de commerce se développent. Jadis, une unique ville dominait tout le territoire; aujourd'hui, elles sont nombreuses, chacune spécialisée dans quelques secteurs, cha-

---

1. « La ceinture du Soleil » : Les États du sud et du sud-ouest des États-Unis.

cune gagnant rapidement en importance, et toutes promptes à défendre leurs forces nouvellement découvertes, même si la menace n'est que supposée.

Présidant toujours cette scène géographiquement fragmentée, mais de plus en plus méfiante vis-à-vis des rusés prétendants à la suprématie nationale, on trouve Toronto, un ancien campement d'hiver indien dont les chemins boueux sont, à présent, doublés de centres commerciaux souterrains tentaculaires, et bordés de voyants gratte-ciel en verre et acier qui abritent bon nombre des énormes sociétés contrôlant l'économie du pays. Toronto, métropole de six cent trente kilomètres carrés, autrefois appelée York, comme son pendant américain, demeure le lieu de résidence d'un Canadien sur huit, et le centre prééminent de la nation pour les affaires, les finances, la culture, la mode, l'édition et les télécommunications. Elle est aussi pour les habitants le symbole de la « Pieuvre Ontario », ce complexe haï de réseaux et de pouvoirs, qui semble avoir longtemps dirigé tout le pays à son seul profit.

Le Canada peut être divisé en un nombre presque infini de régions, de sous-régions et de sous-sous-régions, depuis les forêts humides et les déserts de la Colombie britannique à l'ouest, en passant par trois chaînes de montagnes ou plus, par les vastes pâturages onduleux de l'Alberta, les forêts et les brousses du nord de l'Ontario, pour arriver dans la plaine alluviale du Québec. Plus loin encore, les paysages broussailleux du Nouveau-Brunswick, les minuscules carrés de pommes de terre de la pittoresque île du Prince-Édouard, les luxuriantes vallées de la Nouvelle-Écosse, et les contrées désolées et farouches de l'île de Terre-Neuve, et de son moignon resté sur le continent, appelé Labrador. Au nord, bien sûr, s'étendent la taïga et la toundra de l'Arctique, les eaux, les forêts, les fjords gelés et les falaises de glace du troisième rivage du Canada, qui fait de son littoral le plus long du monde – une zone encore vierge, à exploiter, phénomène unique parmi les nations industrialisées.

Ces royaumes divers, dispersés, indépendants ont très peu de chose en commun, sinon leur tenace détermination à rester séparés, et leur éternelle suspicion à l'égard les uns des autres : du pétrole aux paroles de l'hymne national, les dirigeants en ont fait l'amère expérience, chaque fois qu'ils tentèrent de définir une politique nationale unique.

Large bande à demi stérile embrassant la moitié du pays, traversant le Québec, le nord de l'Ontario, le Manitoba et la Saskatchewan, ainsi qu'une partie des Territoires du Nord-Ouest, soubassement rocheux primitif vieux de sept cents millions d'années, le Bouclier canadien sert au pays de fondation géologique. Il est aussi son trait géographique le plus visible, et, pour les habitants, un austère rappel de la force mélancolique et hostile de leur terre. Le poète E.J. Pratt le décrivait comme « trop vieux pour la mort, trop vieux pour la vie ». Pendant des centaines de milliers d'années, deux plaques de glace massives, épaisses de plusieurs kilomètres, s'avancèrent, se pressèrent, raclant le sol sur leur passage, sur une grande partie de ce qui allait devenir le Canada, écrasant toute une chaîne de montagnes avant de se retirer vers le nord en une retraite glaciaire qui dura six mille ans.

Ces champs de glace errants ne laissèrent derrière eux que de petites zones clairsemées de terres arables, et les milliers de lacs, de fondrières, et de marécages infestés d'insectes, qui constituent, de fait, un couloir large de mille cinq cents kilomètres de terres sauvages et inhospitalières séparant l'est du Canada de l'ouest. C'est le spectre de ce Bouclier jonché de rochers qui amena l'explorateur français Jacques Cartier à noter dans son journal, en 1534 : « Je suis assez porté à croire que c'est là la terre que Dieu donna à Caïn. » Pendant des décennies, ses marais assoupis avalèrent remblai de voie ferrée sur remblai de voie ferrée, et quelquefois même quelques locomotives. Aucune nationale ne le traversa entièrement avant 1943. Et, quarante ans plus tard, de longs tronçons de la route transcontinentale demeurent mal entretenus, et n'ont toujours que deux voies.

A certains égards, pourtant, le Bouclier est une bénédiction. Car, s'il impose au pays de strictes limites, tant physiques que psychologiques, il lui a également prodigué au fil du temps un trésor de ressources diverses, même si ce trésor exigea au départ qu'il soit fait appel aux capitaux étrangers. Ses lacs et leurs abords sont une véritable mine de fourrures, faisant vivre, à ce jour encore, une industrie de plusieurs millions de dollars. Les mêmes eaux, qui servirent de voies navigables rudimentaires aux canoës des premiers marchands, servent aujourd'hui, quand les insectes en sont absents, de lieu de vacances retiré, idéal pour attirer porte-monnaie et chéquiers des pêcheurs, nageurs, campeurs et autres touristes, pour la plupart étrangers, impatients de fuir, pour un temps, leur existence dans les civilisations plus méridionales. Le sol du Bouclier produit une surabondance de minerais (quarante pour cent de la production du pays) ainsi que des forêts en grand nombre, fournissant bois de construction, de chauffage, et pâte à papier pour les industries du monde entier. A elles seules, les eaux de la région fournissent au Canada de vastes quantités d'hydro-électricité à bon marché, représentant soixante-dix pour cent de son énergie électrique, et constituent un produit d'exportation très populaire vers des États voisins, avides d'énergie et moins favorisés.

Le romancier Hugh MacLennan a parlé avec éloquence des deux solitudes du Canada, ces Anglais et ces Français vivant tout à la fois ensemble et séparés sur le même sol. De fait, le pays est moins une nation homogène, unie par une identité commune, qu'un assemblage de solitudes régionales immuables, isolées les unes des autres par de formidables barrières naturelles, et de leurs voisins naturels, les Américains, par d'artificielles frontières politiques.

La faute en est à sa géographie. Les distances comptent parmi les obstacles les plus sérieux. Le pays est si grand, si vide – sa densité de population est plus faible que celle de l'Arabie Saoudite –, que le gouvernement fédéral dépense cent trente-cinq millions de dollars chaque année à rechercher les personnes disparues ou en difficulté sur mer ou dans les airs. Les régions politiques du pays – dix provinces et les deux territoires du Nord – sont immenses, et peut-être bien ingouvernables, même si leurs populations sont rassemblées en groupes relativement compacts. A son endroit le plus large, par exemple, la seule province du Québec s'étire sur une distance égale à celle de New York à Omaha, dans le Nebraska. Il faut, par la route, en s'avançant vers l'ouest, trente-six heures pour aller de Toronto à Winnipeg, la grande ville la plus proche. Alors qu'aux États-Unis huit États bordent les Grands Lacs, en face s'étend le seul Ontario, qui continue en direction de l'est quasiment jusqu'au Vermont. La plus petite province, l'île du Prince-Édouard, est presque deux fois plus grande que Rhode Island, le plus petit des États américains, tandis que le Texas, le plus vaste, tiendrait facilement dans le seul Québec. On peut loger quatre Grande-Bretagne en Colombie britannique, et presque trois France dans le Québec. Près de trois Japon tiendraient dans l'Ontario, moins peuplé que Tokyo. Et les deux territoires du nord du Canada, pas encore organisés ni intégrés pleinement dans le pays en tant que provinces, sont à eux seuls plus grands que l'Allemagne de l'Ouest, la France, la Grande-Bretagne, l'Italie, l'Égypte, l'Autriche, l'Espagne, le Portugal et toute la Nouvelle-Angleterre et les États du *Middle Atlantic* [1] réunis.

Les habitants n'ont qu'un sentiment très vague de cet ensemble géographique. Au Canada anglais, la question fondamentale n'est pas « Qui suis-je ?, mais « Où est-ce ? », a pu dire Northrop Frye, un éminent savant du pays. Les Canadiens connaissent leur ville, leur coin de province, probablement aussi un peu le territoire américain adjacent, et la route la plus directe vers la *Sun Belt*. Mais pour le reste, une bonne part de leur patrie demeure une grosse masse confuse, prisonnière de désobligeants stéréotypes perpétués par la géographie, l'indifférence, l'ignorance, et les médias régionaux qui, à quelques exceptions près, débitent colonne après colonne des reportages sur les États-Unis, mais ne jettent sur les autres régions de leur propre pays que des coups d'œil épisodiques. Alors dans l'esprit de l'homme de la rue, il reste un Canada peuplé de Torontoniens calvinistes moralisants, de bûcherons francophones en chemise écossaise, d'Indiens ivres, de fermiers mâchonnant du foin, de Montréalais conduisant comme des fous, d'immigrants d'Europe centrale mangeurs de viande et de pommes de terre, de Colombiens amateurs de bains collectifs et s'engouant pour toutes les modes, et de « cheikhs » albertains aux yeux bleus nouvellement enrichis par

---

1. *Middle Atlantic States*, c'est-à-dire les États de la côte est des États-Unis allant de Washington D.C., au sud, au Maine, au nord.

leur pétrole. Quand les Canadiens racontent des blagues sur les étrangers, ils ne vont pas chercher en Pologne ou en Italie; ils ont Terre-Neuve. (Connaissez-vous celle de la Terre-Neuvienne qui prenait la pilule parce qu'elle ne voulait plus avoir de petits-enfants?)

La plupart des régions du pays, l'une après l'autre, furent peuplées directement de l'étranger, et non, comme aux États-Unis, par de larges vagues d'immigrants de la deuxième ou troisième génération s'avançant inexorablement à travers un paysage fertile, apprenant à connaître un peu mieux leur nouveau pays à chaque kilomètre parcouru. Selon Cole Harris, historien à l'université de Colombie britannique : « Ce schéma de colonisation différencia très nettement les expériences canadienne et américaine. Aux États-Unis, le territoire était aussi spontanément perçu comme un jardin que comme une étendue sauvage; il attira beaucoup plus de colons, et devint le point de mire des rêves européens... A mesure que divers courants issus de peuplements initiaux des colonies de la côte est, augmentés de nouveaux venus d'Europe, traversaient les Appalaches en direction de l'ouest, diverses manières de vivre entrèrent en contact, et se mêlèrent intimement... L'occupation par les Américains d'une terre essentiellement accueillante fut capable d'opérer la fusion de peuples divers dans une culture relativement homogène, tout en les faisant se répandre sur une zone étonnamment vaste. Au Canada, tout ce processus fut enrayé par l'inéluctable avarice du sol. »

Au Canada, les nouvelles communautés disséminées un peu partout conservèrent le plus souvent de fortes attaches avec leur pays d'origine, ou avec un autre endroit lointain du Canada, franchissant comme à saute-mouton la vaste zone géographique et psychologique qui les en séparait. Aujourd'hui encore, les Canadiens de l'Est feront visiter la Nouvelle-Angleterre en long et en large à leurs rejetons; ceux de l'Ouest leur montreront le célèbre Ouest américain; et puis, les deux couples de parents vous diront qu'ils espèrent parvenir, un jour, à voir la capitale du Canada, dans l'Ontario. Le fossé d'incompréhension se creusa à tel point, à un moment donné, que le gouvernement fédéral parraina un programme d'échanges d'élèves étrangers... entre des enfants de provinces voisines.

Entre les deux îles de Terre-Neuve et de Vancouver qui l'enferment comme en une parenthèse, d'un océan à l'autre, d'est en ouest, les réalités géographiques de ce pays ont découragé tout sentiment national et favorisé, en revanche, un approfondissement des relations avec les régions américaines voisines, plus faciles d'accès. Cela ne va pas sans surprises : il existe par exemple une bière canadienne, la Mossehead Lager, dont beaucoup de Canadiens n'ont jamais entendu parler, et qu'il leur est impossible d'acheter. Brassée au Nouveau-Brunswick, cette bière, qui compte parmi les dix premières bières d'importation aux États-Unis, se trouve dans n'importe lequel des cinquante États américains... mais dans quatre provinces canadiennes seulement.

A l'est, dans les Provinces maritimes, qui furent en grande partie peuplées à l'origine par les réfugiés loyalistes fuyant par mer l'avance de la « populace » démocrate du général George Washington, on désigne encore la Nouvelle-Angleterre sous le nom d'« États de Boston ».

Les Provinces maritimes ou atlantiques – Nouvelle-Écosse, Nouveau-Brunswick, île du Prince-Édouard et Terre-Neuve – semblent rarement être en harmonie avec le reste du pays. En 1867, les trois premières tentèrent de s'opposer à sa formation. Neuf ans plus tard, bien avant que le Québec n'attire l'attention du monde en revendiquant l'indépendance, le corps législatif de la Nouvelle-Écosse votait une résolution de sécession d'avec la nation.

Cette résolution, même si elle n'est jamais entrée en vigueur, illustre bien une grogne politique endémique, qui se nourrit des antipathies régionales à l'encontre du pouvoir fédéral. Pour les Provinces maritimes, une intégration au Canada comportait peu d'avantages réels et apparents, mais en revanche de nombreux inconvénients immédiats. Cela signifiait, en effet, la réduction, voire la rupture, des liens étroits, tant économiques que sentimentaux, qui l'unissaient à la Nouvelle-Angleterre, où des milliers d'habitants de la région, sans compter les Québécois, allaient chercher du travail quand, dans le Nord, les temps devenaient trop durs.

Les quatre Provinces atlantiques réunies couvrent grosso modo six fois la superficie du Maine (États-Unis). Elles représentent quatre des dix provinces du pays, mais elles ne contiennent que dix pour cent de sa population, et ne correspondent qu'à six pour cent de sa surface. Elles supportent, en revanche, une large part de ses problèmes, essentiellement économiques. Agricoles, champêtres, vallonnées et fières, elles se sont étiolées, puis ont été reléguées aux oubliettes, victimes d'un chômage chronique, d'une économie à peine dégrossie et fondée sur les ressources naturelles, loin des principaux marchés de la technologie moderne.

Les choses allaient bien au début. Halifax, en Nouvelle-Écosse, était un port de mer très important. Durant des dizaines d'années, les grands arbres vigoureux de la région servirent de mâts aux voiles de la Royal Navy. Lorsque les vents de la prospérité retombèrent avec l'arrivée de la vapeur, la Nouvelle-Écosse avait encore ses mines de charbon sous-marines. Halifax était la première escale d'Amérique du Nord pour les navires à destination de l'ouest ayant bravé les orages de l'Atlantique Nord, et jusqu'à la Seconde Guerre mondiale le point de départ le plus commode pour les bateaux en route vers l'est, quand les convois de ravitaillement se rassemblaient là avant de s'élancer vers l'Angleterre.

A l'origine, ce fut bien sûr le poisson qui attira les premiers habitants. Première colonie britannique d'outre-mer, et protectorat qui ne rejoignit le Canada qu'en 1949, l'île de Terre-Neuve ne fut d'abord qu'une simple plate-forme de pêche, proche du littoral, pour les flottes européennes qui, arrivées avec le beau temps, en repartaient l'hiver venu les cales pleines de morues, de haddocks et autres produits de la mer abondants dans la région. La tradition voulait que le premier officier du premier bateau arrivé chaque année gouvernât la ville ou la région pour cette saison-là.

La ville principale, Saint-Jean, dont le nom provient de la fête de Saint-Jean-Baptiste (le 24 juin), date supposée de la découverte par John Cabot, en 1497, de cette « terre neuve », est l'un des plus anciens centres de colonisation d'Amérique du Nord, et devint en 1901, grâce à Guglielmo Marconi, le lieu où fut reçu le premier message transatlantique sans fil. Avec la saveur très irlandaise qui caractérise son anglais, Terre-Neuve commerçait avec les colonies américaines dès l'an 1641.

Mais cette île, qui souffre du taux de chômage le plus élevé et du plus bas revenu par habitant du pays, demeure très à l'écart du Canada. Sur cette terre séparée du continent par des détroits glacials et par un archipel, Saint-Pierre-et-Miquelon, toujours territoire français d'outre-mer, la vie est modelée par cette certitude que tout est incertain, soumis aux forces naturelles comme l'Arctique et la mer. Avec son propre dialecte, les fréquents brouillards qui l'isolent, ses propres traditions très différentes et même son fuseau horaire personnel, décalé d'une demi-heure par rapport à ceux de tous les autres, Terre-Neuve n'est reliée à la terre ferme que par des avions souvent immobilisés par les brumes épaisses, des ferry-boats malmenés par les orages et menacés par les icebergs semblables à celui qui coula tout près de là le *Titanic*, et enfin par un document politique qui a fait d'elle, officiellement du moins, une partie intégrante du Canada. Si bien que plus de trente ans après, lorsqu'une société de Saint-Jean désire embaucher quelqu'un sur la région, elle doit bien souvent passer une annonce dans un journal du lointain Toronto, où des centaines de Terre-Neuviens se sont vus contraints de déménager pour trouver du travail. Et dans cette ville, tout là-bas, on peut entendre un journaliste à la télévision ayant fait des études universitaires déclarer très sérieusement à une personne étrangère de connaissance : « Oh, je ne suis pas canadien non plus. Je suis de Terre-Neuve. »

Récemment, les Provinces atlantiques, notamment la Nouvelle-Écosse et Terre-Neuve, ont vu poindre l'espoir d'une prospérité nouvelle. Les prix sans cesse croissants du pétrole et du gaz naturel sur les marchés internationaux avaient fini par rendre économiquement possible l'accès périlleux aux profondeurs marines au large de leurs côtes. Une fiévreuse chasse à l'énergie, encouragée par quelques belles découvertes initiales, s'empara de ces régions, fièvre qui contenait en germe la faillite ou, au contraire, le développement. La région avait déjà connu de semblables espérances lorsqu'une raffinerie, une usine automobile et autres produits de l'ère techno-logique y avaient été installés, avec un bel optimisme qui sombra sans gloire devant les intimidantes réalités économiques et géographiques. De tels échecs suffisent à rappeler, même à un Terre-Neuvien plein d'espoir, ce vieux dicton de l'île disant : « Nofty avait quarante ans lorsqu'il perdit son porc. » L'expression, apparemment inintelligible, et intraduisible littéralement, fait allusion à la marque d'un jeu de cartes de la province. Elle est aussi, à sa manière, un avertissement : il faut toujours garder à l'esprit les incertitudes nées de la brièveté de la vie et de l'âpreté du sol, afin de modérer l'espoir intempestif d'un avenir meilleur.

A l'ouest des « Maritimes », en remontant un peu le large Saint-Laurent, gelé et fermé quatre mois sur douze, s'étend le Québec, la plus vaste des provinces. C'est là que débuta véritablement la colonisation du Canada, le long de la grande plaine alluviale rocailleuse, autour des clochers de chaque petite communauté, dans ces champs que l'on fit très étroits pour permettre au plus grand nombre de familles d'avoir accès au fleuve. C'est aussi là que vivent la plupart des Canadiens francophones, lesquels constituent un quart de la population du pays. C'est là, enfin, que se situent, pour des raisons purement géographiques, Québec et Montréal. Comme le fleuve devient à cet endroit étroit et plein de rapides, les navires ne pouvaient aller au-delà. Le réseau intérieur de lacs et de rivières de l'État de New York procura à Montréal ses premiers débouchés commerciaux – les colonies américaines –, à l'armée britannique et à ses alliés indiens d'efficaces voies de communication, et aux deux camps un chemin pour s'envahir l'un l'autre.

A peine quittées les deux cités, les voyageurs se dirigeant vers le nord se trouvent plongés dans les espaces vierges du massif Bouclier, riche en minerais et en eaux douces courantes, produisant à peu de coût d'énormes quantités de ce que les Canadiens de l'Est appellent « hydro » : l'électricité. Là, les routes sont rares ou inexistantes, et le territoire n'est pas encore quadrillé par les lignes droites et le ciment de la civilisation.

Le même paysage se poursuit plus loin vers l'est, jusque dans les forêts désertes et les mines du nord de l'Ontario, où des trains solitaires serpentent lentement à travers bois, ployant sous le poids des lourds amas de neige, s'arrêtant encore en chemin pour faire monter des trappeurs ou quiconque leur fait signe du bord de la voie, en agitant un drapeau. Mais l'Ontario du Sud, lui, est un autre monde, enfoncé profondément dans la région des Grands Lacs américains, plein de fermes propres, riches et verdoyantes, adroitement reliées à des foules d'agglomérations industrielles, pas toujours aussi propres, mais responsables d'une bonne moitié de la production manufacturière canadienne. Les liens familiaux et économiques avec les États-Unis et leurs énormes marchés tout proches ont toujours été étroits ici. En vérité, pour les pionniers dans leurs chariots bâchés, comme pour les routiers d'aujourd'hui dans leurs semi-remorques, traverser le sud de l'Ontario était, et demeure, le plus court chemin pour aller de New York et Buffalo jusque dans l'ouest des États-Unis, en passant par Detroit et Chicago. Vu depuis l'Ontario, cœur vieillissant de la Confédération, qui attire les matières premières de ses lointains membres et leur renvoie les produits finis, le reste du Canada anglophone peut sembler une masse assez compacte et uniforme. Mais, de tout autre lieu du pays, l'image devient plus nette, et l'on voit apparaître un assemblage de peuples très divers, éprouvant tous vis-à-vis du centre le même malaise, et le même dégoût.

Il n'existe pas, au Canada, de *Corn Belt*, cette vaste zone de culture de maïs du Midwest américain. Ce qui s'en rapproche le plus, ce sont les régions de cultures très peuplées de l'Ontario. Mais, à partir de sa frontière ouest, si nette que l'on dirait un trait de crayon colossal, tracé dans la campagne après avoir gommé ce qui dépasse la hauteur d'un buisson, s'étalent les Prairies canadiennes – plates, assez fertiles, mais farouchement intransigeantes. Ces vastes plaines semi-arides, situées au nord très exactement des deux Dakotas, englobent les deux provinces du Manitoba (une combinaison de mots sioux et assiniboines signifiant « eau de la prairie ») et de la Saskatchewan (déformation du terme cree *kisiskatchewan*, c'est-à-dire « aux flots rapides »).

Ici, la vie est dominée par les céréales et les trains, les premières parce que ces cultures bénéficient de l'ensoleillement intense de la région sans avoir besoin de précipitations fréquentes, les seconds parce que le Canada n'a pas la chance de disposer d'un gigantesque réseau fluvial intérieur analogue à celui des États-Unis, dont les artères vitales charrient les eaux, les récoltes et les marchandises depuis le cœur du pays. Nombre des fleuves canadiens sont en effet souvent pris par les glaces et coulent en direction du nord, vers plus de glaces encore, et loin des marchés. Aussi les encombrants chargements de blé, de seigle, d'orge et d'oléagineux doivent-ils être transportés, au départ du moins, sur un réseau ferré surchargé et insuffisamment financé.

Assis sous la coupole transparente de l'un de ces wagons pano-ramiques surchauffés qui s'avancent en grinçant le long de rails scintillants, en une de ces nuits d'hiver illuminées par la lune, j'ai toujours été impressionné par les forces qui œuvrent en silence dehors, derrière la vitre souillée. Des vents furieux soulèvent les congères et projettent la neige dans les halos lumineux des lampes solitaires brûlant dans les cours des fermes. On voit des arbres dénudés, dérisoires brise-vent érigés par l'homme, se courber et osciller lorsqu'on dépasse une agglomération. Haut, imposant, se dresse au bord des voies dans presque chaque ville un silo à grain géant, debout comme quelque cathédrale de la Prairie plongée dans les ténèbres. Non loin de là, sont immanquablement remisés deux ou trois fourgons à bestiaux rouillés, portières de guingois, et neige soufflant par leurs fentes sombres. Par-delà les barrières des passages à niveau, dans les rues désertes s'échelonnent des pick-up en stationnement, points noirs le long des allées verglacées, tandis que des petites taches jaunes et chaudes filtrent à travers quelques fenêtres soigneusement recouvertes de feuilles de plastique pour tenir jusqu'au printemps.

C'est une dure destinée que d'être toujours exposé à des éléments imprévisibles, incontrôlables, quand la grêle, les insectes, le vent, la nourriture ou les taux d'intérêt peuvent en quelques minutes, ou quelques heures, anéantir toute une année de travail. Les briques chaudes qui vous réchauffaient les pieds dans les traîneaux à chevaux ont peut-être disparu depuis quarante-cinq ans, et les cabines de tracteurs, aujourd'hui, sont sans doute climatisées, mais la souffrance physique est encore une dure réalité dans les champs. Elle ne diffère qu'en intensité de ce qu'elle pouvait être au début de ce siècle, lorsque, la Frontière américaine enfin colonisée, le gouvernement canadien entreprit d'attirer les immigrants d'Europe et des États-Unis avec ses publicités pour le « last best West » (le dernier Ouest, le meilleur). La vie familiale dans la Prairie est encore empreinte d'une prudence économe rappelant trop vivement les jours des « sales années trente ». Ces temps où la sciure se vendait plus cher que le blé, et où il entrait dans les corvées d'un enfant de briser la glace le matin dans la cuvette du lavabo et de vendre du lait au porte-à-porte pour aider sa famille.

Certains ont cherché, sincèrement, des solutions immédiates et radicales à ces problèmes tenaces, par la grève générale, parfois violente, par l'élection régulière de partis politiques peu orthodoxes, voire par le soutien apporté aux mouvements séparatistes, qui font aujourd'hui, pour la première fois, une percée dans l'ouest du pays.

Dans les parties septentrionales des deux provinces, et débordant à l'ouest dans l'Alberta, inaccessible aux routes et aux lignes téléphoniques ordinaires, on retrouve encore le Bouclier, leitmotiv géographique réunissant les différentes régions du Canada dans l'adversité. Certaines de ces communautés sont les anciens forts de la Frontière, où les fourrures passaient dans d'autres mains en échange de couteaux. D'autres sont des villes provisoires, créées à seule fin de creuser et d'exploiter le sol pendant que les prix en Allemagne ou au Japon s'y prêtent, puis de disparaître. Les dernières, enfin, ne sont rien sinon des avant-postes, de simples camps dont les habitants reçoivent des primes d'isolement supplémentaires, et où les loups dévorent les chiens et les chats sans méfiance. Là, les rivières gelées deviennent les routes locales. La seule liaison avec l'« extérieur » sur laquelle on puisse compter, ce sont les avions. Et des cortèges de bulldozers tirant vers de lointains villages d'énormes traîneaux de carburant et de nourriture s'avancent pesamment, à sept ou huit kilomètres à l'heure, broyant le sol sous leurs roues, tout au long des longs hivers, à travers bois et marécages gelés.

Voilà à peine plus d'un siècle, les fonctionnaires chargés du recensement organisaient des trains de mules de somme pour pénétrer dans la région de la rivière de la Paix en Alberta. Les cavaliers chassaient en chemin pour se nourrir, ou mangeaient dans les cuisines des cabanes isolées qu'ils rencontraient. Parfois, des prédicateurs itinérants passaient par là. Aujourd'hui, les seuls à faire encore des tournées sont les juges de la cour provinciale, arrivant par avion affrété spécialement ou en voiture pour dispenser la justice dans les sous-sols des patinoires ou des casernes de pompiers.

L'Alberta se transforme rapidement. La province, appelée ainsi en souvenir d'une sœur de la reine Victoria, depuis son Nord sauvage et accidenté, où les bisons à longs poils vagabondent encore en liberté, jusqu'à ses pâturages vallonnés du Sud, le long de sa frontière avec le Montana, a longtemps été un coin de campagne perdu, poussiéreux, spécialisé dans la production de bétail et de céréales et dans les panoramas à couper le souffle des Rocheuses, que photographient chaque été des millions de touristes. En bien des endroits, bien des jours de l'année, l'Alberta est resté le même. Mais son avenir – et la physionomie économique et énergétique du Canada – commencèrent à prendre un autre visage un après-midi venteux de février 1947, à cette heure où la pâle lumière du crépuscule s'efface.

Une foule de curieux était rassemblée à deux cent soixante-dix kilomètres environ au nord de Calgary, dans un champ près d'Edmonton, un de ces petits centres provinciaux miséreux éparpillés comme des grains de maïs desséchés à travers les provinces des Prairies canadiennes et où planait encore dans l'air le goût âcre de la Grande Crise. Tous regardaient le derrick, quand le grondement commença. « Le voilà! » s'écria un homme. Il y eut un bref silence très intense. Et puis, soudain, avec violence, comme s'il avait été emprisonné trop longtemps, l'avenir de l'ouest oublié du Canada jaillit de terre dans un grondement. « C'est du pétrole! » hurla la foule. Après avoir creusé en vain cent trente-trois trous, l'équipe de forage de l'Imperial Oil de Vernon Hunter avait décroché le gros lot dans une dernière tentative. Si gros, de fait, que l'Imperial Leduc nº 1 et à sa suite des milliers d'autres puits, prélevant leur part des immenses richesses emmagasinées sous le sol des provinces occidentales, allaient déclencher une vague de prospérité économique qui est en train de changer l'équilibre du pouvoir au sein de la Confédération.

Paradoxalement, mais de manière typiquement canadienne, ces richesses et la prospérité qui les accompagna ne furent pas gages de fortune et d'abondance offrant des perspectives nouvelles aux générations présentes et à venir. Bien au contraire, elles devinrent d'authentiques menaces pour les fragiles fondements de l'unité du pays. Elles nourrirent les féroces querelles toutes féodales qui y surgissent souvent, jetant une région contre une autre, au détriment de toutes.

Longtemps, les Canadiens ont bénéficié en matière d'énergie de tarifs plus de deux fois inférieurs à ceux du reste du monde, grâce à une production égale à quatre-vingts pour cent de leur consommation, et à un ingénieux système de fixation des prix. Et l'allure à laquelle ils brûlaient cette énergie, associée aux rigueurs du climat et aux distances impressionnantes du pays, en firent très vite le premier consommateur mondial par habitant.

Mais les règles du système fédéral veulent que les provinces contrôlent elles-mêmes leurs ressources : des négociations sur les prix furent donc nécessaires entre gouvernements aux deux niveaux.

Jalouses de la chance de l'Ouest, irritées de le voir essayer de rapprocher les prix de son pétrole et de son gaz naturel des normes internationales, les autres provinces reprochèrent aux Albertains de payer leur essence un tiers moins cher, les revenus pétroliers ayant permis d'éliminer toute taxe sur la vente au détail. Pourtant, elles faisaient elles aussi une « affaire », par rapport aux autres pays importateurs de pétrole.

Inversement, le boom de la construction et de l'emploi dont furent alors témoins Edmonton, capitale de l'Alberta, et Calgary, capitale énergétique du Canada, symbolisait les exigences de plus en plus pressantes de la région en faveur d'une réorganisation du pouvoir économique et politique à l'échelle nationale.

« Le temps de l'Ouest est venu dans la Confédération, déclarait Peter Lougheed, Premier ministre de l'Alberta, et il était plus que temps. »

Le dernier maillon dans cet Ouest riche en ressources diverses est la Colombie britannique, empire social et économique indépendant et diversifié. Séparée du reste du pays par des montagnes, un désert, un climat côtier tempéré, un fuseau horaire et un air d'aimable supériorité, la Colombie britannique fut la première des régions canadiennes à songer à l'indépendance. Mais, en ce dernier quart du XIXe siècle, les Anglais la considéraient comme un chaînon essentiel sur la route de l'Inde qu'ils tenaient tant à se ménager. Aussi se vit-elle promettre une voie ferrée transcontinentale qui la relierait à l'Est.

Ces rails constituent l'un de ses rares liens réels avec la nation, même si glissements de terrain, neiges et fleuves déchaînés peuvent encore couper pendant plusieurs jours de suite cet accès au reste du pays. D'un point de vue physique, la province est, pour l'essentiel, une contrée sauvage tournée vers l'ouest et qui, aujourd'hui encore, s'emploie à bâtir un réseau de transport par voie de terre afin d'ouvrir, pour la première fois, au développement économique sa partie septentrionale.

Recouverte aux deux tiers de forêts qu'elle scie, débite et expédie vers les marchés gros consommateurs des États-Unis et de l'Asie, B.C. (de British Columbia, son nom anglais), comme on l'appelle, est en outre dotée de gaz naturel, de charbon, d'un peu de pétrole, de poisson en abondance, et de vergers. Sa tradition politique, unique en son genre, n'accorde pas le moindre rôle aux deux principaux partis canadiens, conservateurs progressistes et libéraux, leur préférant sa propre division politique entre conservateurs et socialistes locaux. C'est loin du Canada qu'elle regarde, très généralement, lorsqu'elle recherche des débouchés, penchant plutôt pour un développement sur le marché américain, plus vaste, juste un peu plus bas en descendant sa côte plate, et sur les marchés naissants des pays en voie de développement de la ceinture pacifique, sans oublier le Japon. Dans ces conditions, Vancouver – plus proche d'ailleurs de Tokyo que de Halifax – expédie la plus grosse partie des exportations canadiennes de charbon (quatre-vingt-treize pour cent de celles-ci) vers le Japon. Elle est le siège des bureaux d'une quantité de sociétés américaines, lesquelles n'emploient pas moins d'un cinquième de la population active de la province.

Comme partout ailleurs dans le pays, la population de la Colombie britannique est rassemblée dans de petites poches situées essentiellement le long de la frontière sud avec les États-Unis, regroupement qui fait du Canada, en dépit de ses dimensions gigantesques, une espèce de mince Chili horizontal.

Mais au nord, sur toute la largeur des dix provinces, de l'Alaska au Groenland, se déploient les deux territoires du Canada, le Yukon et les Territoires du Nord-Ouest – formant, en dépit de ce nom pluriel, un seul territoire. « Le Nord, m'avait averti un juge qui y vivait, il vous agresse, et pourtant, vous voulez y retourner. »

La Grande-Bretagne ne céda au Canada ses possessions des régions arctiques de l'Amérique du Nord que plusieurs années après l'indépendance de celui-ci, en 1867. Les territoires du Grand Nord n'étaient alors qu'un réservoir de fourrures pour la Compagnie de la Baie d'Hudson. Aujourd'hui, même après avoir perdu les provinces des Prairies au début.de ce siècle, ils représentent encore les quatre dixièmes de la superficie terrestre du pays. C'est un monde à part, aux règles de vie très particulières. Sa taille colossale dilate l'esprit et agit à la manière d'une drogue. Ici, les hommes sont encore des intrus, et l'on trouve, gelées dans le sol, des empreintes d'animaux remontant aux années soixante. Le Grand Nord demeure en grande partie inexploré, mais on estime qu'il renferme, dans son enceinte glaciale et inhospitalière, quarante pour cent au moins des ressources non renouvelables du pays : treize pour cent de son or, vingt pour cent de son argent, quarante-quatre pour cent de son plomb, la totalité de son tungstène, sans parler de quantités d'uranium, de pétrole et de gaz naturel dont on n'a pas fait le compte.

On a pu, de loin en loin, assister à des sursauts d'intérêt épisodiques de la part de la nation pour ce vaste désert, comme lors de la ruée vers l'or du Klondike, ou lors de la campagne de l'ex-Premier ministre John Diefenbaker, bâtie autour de l'image de la *Northern Vision* (la Vision Nordique). On observa aussi un regain d'attention quand, en 1968, la traversée, de l'Atlantique au Pacifique, des eaux territoriales arctiques canadiennes par le pétrolier brise-glace américain *SS Manhattan* souleva la question de la souveraineté nationale. Mais, jusqu'à une date très récente encore, ces régions et leurs perspectives d'avenir demeuraient enfouies sous des glaces mentales éternelles, comme l'île de Guam reste oubliée des Américains. Le Grand Nord est là. Il pourrait être utile un jour. En attendant – bâillement – il y a des affaires plus importantes à traiter. Et Ottawa continue à gouverner son Nord comme on le ferait d'une lointaine colonie silencieuse, anachronisme sorti tout droit du XIXe siècle, perché au sommet de l'Amérique du Nord.

A certains signes, on entrevoit pourtant un changement des mentalités vis-à-vis de l'une des zones géographiques véritablement uniques du Canada, un peu comme le printemps de l'Arctique arrive en juin, si lentement, si imperceptiblement, que seuls les plus perspicaces remarquent un quelconque changement dans les températures, jusqu'à ce qu'un jour, soudain, la glace craque, et qu'avant le milieu de la matinée, elle soit balayée par les frais courants de l'été.

Le Yukon (de *Yucoo*, un mot indien signifiant « eau claire »), avec sa forme approximative de L, est assez vaste pour contenir près de cinq Pennsylvanie. On y trouve vingt et un sommets de plus de trois mille mètres, moins de gens (vingt-trois mille personnes) que dans un quartier citadin, et quatre mille trois cent quatre-vingt-six kilomètres de routes, dont seulement cent quatre-vingt-douze goudronnés. Depuis ses anciens établissements des forêts du Sud, près de lacs d'où partaient, jadis, radeaux et vapeurs qui emportaient vers le nord les chercheurs d'or et en ramenaient des hommes pauvres, le Yukon s'étend le long du fleuve tumultueux qui porte son nom, englobant des mines d'or ou de cuivre, des huttes abandonnées, et une grande cabane de rondins, propriété d'un jeune couple du New Jersey bien déterminé à faire son chemin sur ces terres sauvages.

Ses pistes de terre serpentent à travers des bois où les chouettes de l'Arctique, perchées immobiles sur des branches en surplomb, regardent les voitures passer comme des flèches, filant vers la vieille ville historique de Dawson, blottie dans ses collines boisées que seuls, jusque dans les années cinquante, desservaient les bateaux à vapeur. Dawson, où jadis les hôtels affichaient : « Chambres : 1,50 dollar ; avec lit, 2 dollars », est l'endroit où les jaunes trésors de deux petits ruisseaux ont donné un sens nouveau aux mots de la langue anglaise, *klondike* et *bonanza* (« aubaine » ou « riche filon »), et où la plume d'un caissier de banque nommé Robert Service légua à la littérature des personnages aussi mémorables que Dangerous Dan McGrew, et des phrases, tout aussi inoubliables, sur le Grand

Nord, telles que « la grande terre sans harnais » avec son « silence dont les coups vous rendent muet ».

Dawson est aujourd'hui un trou boueux, seul reste d'une chimère. La fumée paresseuse des feux de bois flotte toujours dans l'air coupant des nuits de la mi-été, et la cité vit sur son passé légendaire, avec son casino de *Diamond Tooth Gertie*, longtemps le seul légal au Canada, et quelques nouveaux bâtiments construits pour paraître anciens, d'autres, déjà anciens, restaurés pour le paraître plus encore, et enfin quelques vieilles constructions ayant simplement l'air de vieilles constructions. L'espoir, avec un peu de chance, de se frotter aux fantômes des avides chercheurs d'or, pour la plupart américains, attire chaque année à Dawson quelque soixante-dix mille touristes, américains eux aussi. Ses trois cent cinquante habitants permanents en font la plus petite ville du pays, et ne sont qu'un pâle reflet des trente mille personnes qui un jour y vécurent.

On ne peut toujours pas atteindre par voie de terre les communautés du Yukon situées le plus au nord, telle Old Crow, et les membres de la Police montée moderne, en bonnet de fourrure, sont toujours les seuls signes de la souveraineté du gouvernement sur ces terres. En fait, il a fallu attendre 1979 pour que soit achevée la route Dempster, première voie publique, longue de sept cent quarante kilomètres, qui relie le Yukon au territoire voisin après vingt-deux années d'efforts sporadiques, tant civils que militaires, ayant coûté quatre-vingt-dix-sept millions de dollars.

La « nationale » – en fait, une piste de terre sujette aux glissements de terrain, aux fondrières et aux inondations dévastatrices – prend son départ à côté de Dawson, serpente à travers une série de vallées luxuriantes, franchit les monts Ogilvie, pour arriver sur une ligne de crêtes, sur les hautes plaines de l'Aigle, coupe le Cercle polaire arctique, passe les monts Richardson balayés par la neige, traverse les fleuves Arctic Red et MacKenzie, par bac l'été et sur des ponts de glace l'hiver, et suit le delta poussiéreux jusqu'à Inuvik, dans les Territoires du Nord-Ouest.

L'hiver, de téméraires convois de camions, charriant leur propres bulldozers et leur équipement de survie, peuvent mettre deux semaines pour parcourir cette route, plongée dans une nuit permanente. L'été, c'est une impressionnante aventure de deux jours à travers d'arides paysages lunaires suivis d'épaisses forêts, pour déboucher sur un sommet ensoleillé envahi d'airelles bleues et d'épilobes rose vif, puis redescendre une déclivité nuageuse jusque dans une vallée à l'horizon bouché, où la pluie tombe doucement en larges ondulations comme un immense rideau de théâtre long de vingt kilomètres. En l'espace d'un instant, un sentier caillouteux se transforme en un ruisseau doré bouillonnant, tandis que, tout près, surgit au bord de la route un étang immobile reflétant merveilleusement le ciel et les conifères alentour, avant qu'une famille de canards ne brise le calme miroir de ses légers sillages triangulaires.

En toute une journée, neuf heures de route, mes fils et moi n'avons rencontré que dix autres véhicules. Nous avons traversé des vallées désertes larges de vingt kilomètres pour atteindre une ligne de faîte d'où la vue s'étendait sur d'autres amples vallées, aussi loin que le ı gard pouvait se porter. Rien que la main de l'homme ait construit, sur des centaines de kilomètres.

A minuit, un été, je me tenais seul sur les plaines de l'Aigle et, tourné vers l'est, contemplais un immense orage, plein de nuages gris-bleu tourbillonnants, d'où fulguraient en silence de grands éclairs jaunes en forme d'Y, tombant sur quelque lointain sommet sans nom. Je me retournai alors vers l'ouest et vis, se déroulant en ce même instant, un spectaculaire coucher de soleil, perçant entre des rubans de nuages aux tons pastel changeant à chaque seconde.

Couchers de soleil orageux. Lumière du jour après minuit. Fleurs dans l'Arctique. Soleil luisant dans la tempête. Propriétés sans clôtures. Neige en juillet. Nationale sans circulation. Pas la moindre maison, après des heures de route. Et puis, un match de football en direct reçu par satellite sur le téléviseur d'un motel perdu. Pris individuellement, tous ces spectacles sont relativement familiers. Mais, dans le Nord, leur échelle est plus imposante, et leur mélange différent. Et ils vous laissent pressentir quelque chose de rare.

Les Territoires du Nord-Ouest couvrent un tiers de la superficie du Canada. Ils sont en réalité un assemblage de régions isolées, si vaste qu'il faut deux jours au moins aux habitants d'Inuvik, à l'extrémité occidentale, pour rejoindre par avion la Terre de Baffin, à l'extrémité opposée, et que, ce faisant, ils parcourent un huitième de la circonférence terrestre.

Les paysages varient selon les régions, depuis les broussailles et la végétation rabougrie des environs de Yellowknife, capitale du territoire, où il faut parfois aux arbres des générations de courts étés pour atteindre la grosseur d'un bras d'homme, en passant par les glaces de l'océan Arctique, où les maîtres d'école font circuler des feuilles d'arbres dans les salles de classe pour que les enfants inuit puissent toucher ce que les Canadiens du Sud doivent ratisser, jusqu'aux fjords de type scandinave de la Terre de Baffin, dont les eaux vous mènent au parc national d'Auyuittuq (« le lieu qui ne fond jamais »), le plus septentrional du monde.

Le parc n'est qu'un immense panorama de vingt et un mille cinq cents kilomètres carrés de plaques de glace, de rochers couverts de neige, et de montagnes hautes de près de deux mille mètres à cheval sur le cercle polaire. L'eau, généralement lisse comme la glace, dort, bleu foncé ou noire, sous les nuages bas et menaçants, empalés sur les sommets des montagnes, qui ne laissent filtrer que de petits rayons de soleil dorés.

Ce qui frappe le plus, dans l'Arctique canadien, est ce qu'il n'est pas. Il n'est pas chaud, il n'est pas amical, il n'est pas coloré, ni peuplé, ni engageant. Tous les éléments de la vie y sont réduits à la portion congrue : quelques humains, quelques animaux, quelques couleurs de base, et quelques instincts fondamentaux comme la faim, la peur, la survie, et ce respect craintif qu'inspire l'écrasant aspect de la nature.

D'abruptes falaises brunes hautes de cent vingt mètres entourent les eaux lisses du fjord, toujours plus étroit jusqu'à l'entrée du parc. En dépit de l'attrait des excursions, des escalades et des descentes à ski sur des neiges encore vierges des années après avoir été soufflées par les tempêtes depuis l'Atlantique Nord, rares sont les touristes qui s'aventurent au-delà des abris spéciaux installés à côté des réserves de nourriture et des radios de sauvetage.

La géographie économique du pays reflète en général sa géographie physique. Là où les conditions sont les plus dures, dans la région inhospitalière du Bouclier, par exemple, ou plus au nord, dans les glaces de l'Arctique, l'activité économique est réduite au minimum, économie de subsistance regroupée dans quelques foyers de population dispersés, et en grande partie fondée sur les ressources locales, tant humaines que naturelles. Le transport vers ou en provenance de marchés si limités, lorsqu'il est possible, est coûteux et, avant la brusque et récente augmentation de la valeur des ressources, se révélait souvent peu rentable, donc impraticable sans subventions diverses du gouvernement. A ce jour encore, nombre de pittoresques petits villages de pêcheurs de Terre-Neuve, les *outports*, demeurent physiquement isolés, sans route menant au-delà des lieux de cueillette des baies, aux abords de la ville. La seule liaison publique avec le Canada ou le reste du monde consiste en un bateau-taxi, propriété du gouvernement, qui, lorsque le temps le permet, vogue de crique en crique, apportant courrier, ravitaillement et visiteurs. Pourtant, devant la hausse des coûts, le gouvernement fédéral a même cherché à restreindre ce lien ténu. Le poisson, qui sera, pour finir, consommé en Europe et aux États-Unis, est envoyé ailleurs pour y être transformé.

Là où les conditions climatiques et géographiques sont plus douces, plus au sud, par exemple, le long de la frontière des États-Unis, aux vastes marchés desservis par des voies navigables et des nationales bien équipées, les perspectives attrayantes se sont multipliées. Et la population et ses réussites en ont fait autant.

D'immenses disparités économiques sont donc inhérentes à l'aspect physique des régions du pays. D'autres disparités importantes, bonnes ou mauvaises, varient avec les saisons, la demande mondiale, ou le cours des marchandises. D'autres changements, enfin, se mesurent plus en termes de générations.

Ainsi, la prospérité dont ont joui les provinces de l'Est au XIXᵉ siècle s'est vue ruinée, peut-être à jamais, par l'arrivée des bateaux à vapeur d'acier, qui prirent le contrôle des mers, sapant la demande mondiale en bois de construction des Provinces maritimes. De même, aujourd'hui, lorsque les réserves en minerais diminuent sous l'une de ces villes du Nord bâties à seule fin de servir la mine, celle-ci ferme, et avec elle, disparaît l'agglomération provisoire qui devient, ni plus ni moins, une moderne ville-fantôme perdue dans la nature. Ses habitants expédient leurs possessions vers le chantier de mine suivant, par péniches en été, ou, en hiver, sur de périlleuses routes verglacées traversant fleuves et lacs gelés. Inversement, quand après la guerre la demande accrue en pétrole et gaz naturel, puis la hausse vertigineuse de leurs prix, ont encouragé la recherche à grande échelle d'autres gisements et leur exploitation économique, la sombre image de malchance collant à l'Alberta dépressive, poussiéreuse et à la merci des bovins s'est transformée en image d'une capitale de l'énergie en plein essor. Les emplois, sinon l'or, couraient les rues encore jonchées des mottes de boue du dernier chantier de construction. Et les autorités faisaient de grandioses projets pétrochimiques pour la génération suivante.

Le Canada est extraordinairement mal pourvu pour faire face aux extrêmes disparités de ses régions. Ceci peut avoir de sérieuses conséquences lorsqu'il s'agit de gouverner le pays pris dans son ensemble. Dans d'autres nations ainsi diversifiées, comme les États-Unis par exemple, où la densité de population est de vingt-trois habitants au kilomètre carré, les forces naturelles du marché ont joué un rôle notable dans la réduction des inégalités économiques. Les ouvriers au chômage des usines de l'Est avaient tout un choix d'autres grandes villes accueillantes où aller vivre et travailler. Les mineurs de Virginie occidentale n'avaient que trois cents ou trois cent cinquante kilomètres à parcourir pour atteindre les usines de caoutchouc d'Akron, en Ohio. Les ouvriers de l'automobile licenciés pouvaient emprunter une voie express dans la banlieue de Detroit et, sans même rencontrer un feu rouge ni la moindre piste de terre, aller proposer leurs compétences à un nouvel employeur dans l'industrie de l'énergie de Houston.

Mais au Canada, où ne vivent qu'un peu plus de deux habitants au kilomètre carré, on est loin de ce choix de villes ou de ce nombre d'industries et d'emplois. En se déplaçant de trois cents kilomètres, un conducteur n'arriverait pas même dans la province voisine, dans un pays où la simple traversée, disons, de l'Ontario équivaut à un voyage de Dallas à Los Angeles. D'autre part, les qualifications de chacun étant étroitement associées à l'économie singulière de sa région, elles sont moins souvent transportables; il y a peu de homards à attraper en Saskatchewan pour un Néo-Écossais. Et l'on a toujours constaté une grande répugnance générale à essayer de nouveaux lieux. L'identité de tous étant très liée à une région donnée et à sa culture, un déménagement hors de cette région ressemble à un départ pour l'étranger : une géographie, un climat différents, une autre culture, des partis politiques, des diplômes, des impôts nouveaux, et même des langues différentes. Les habitants francophones du Nouveau-Brunswick, du Manitoba ou du Québec quittant leur province d'origine n'ont aucune certitude de retrouver la langue française, des films français, de la musique, des journaux, des informations en français en dehors des aéroports, lesquels sont gérés par le gouvernement fédéral, officiellement bilingue. Les Canadiens anglophones qui déménageaient pour le Québec ne pouvaient choisir la langue de l'école où iraient leurs enfants : c'était le français.

En dépit de nouvelles dispositions constitutionnelles qui affirment le contraire, il existe en outre de puissants obstacles légaux à la mobilité des Canadiens. Chaque province a édifié tout un système défensif, sous la forme de lois et de règlements destinés à rendre très difficile l'emménagement, même temporaire, de nouveaux venus. Ainsi, l'Alberta Law Society, qui contrôle les professions juridiques dans cette province, a édicté une règle interdisant à ses trois mille trois cents membres de s'associer à des juristes extérieurs à la province, empêchant bel et bien, de ce fait, les cabinets d'avocats non albertains d'y ouvrir des filiales. Si un mécanicien auto du Manitoba part habiter l'Ontario, il ne pourra légalement occuper d'emploi dans sa branche pendant une durée de six mois, mesure qui a pour effet de réserver de tels déplacements à des mécaniciens auto très riches...

Les ouvriers du pétrole de l'Alberta ne peuvent trouver de travail à Terre-Neuve, qui présente à l'état chronique le plus haut taux de chômage du Canada, parce que cette province tient un registre des ouvriers locaux qui doivent se voir accorder la préférence dans tous les emplois en relation avec la prospection de pétrole dans ses eaux. Nul étranger à la petite île du Prince-Édouard – et tous les Canadiens, sauf cent dix mille, lui sont étrangers – ne peut y acquérir de propriétés en front de mer : c'est illégal aux termes du Real Property Act de l'île du Prince-Édouard. Si une société du Québec fait une offre dans l'espoir de vendre des ordinateurs ou des autobus en Colombie britannique, elle perdra sûrement la compétition, à moins que cette offre ne soit de dix pour cent inférieure à celle de ses concurrents locaux. De telles règles peuvent exister au sein même d'une région. Lors d'un vote récent, les Territoires du Nord-Ouest tentèrent de faire passer une mesure requérant un temps minimum de résidence de trois ans avant obtention du droit de vote, ce qui privait de ce droit des milliers de nouveaux venus, beaucoup envoyés en mission par le gouvernement pour la durée habituelle de deux ans.

Les lois naturelles du marché n'ayant pu établir un équilibre des chances économiques à l'intérieur du pays, les Canadiens sont restés, durant toute leur histoire, radicalement soupçonneux vis-à-vis de la doctrine du laisser-faire, et foncièrement favorables à une intervention du gouvernement dans de nombreux aspects de leur vie, qui serait qualifiée d'ingérence dans d'autres sociétés démocratiques.

Par suite, l'histoire du gouvernement fédéral canadien est faite d'une longue série de tentatives, fructueuses ou non, pour triompher des disparités géographiques et économiques dont souffre le pays. Dès ses débuts officiels en 1867, l'une des pierres angulaires de la Confédération – le désir professé et le but désigné de son gouvernement – fut de répartir avec équité les différents legs de son sol. L'un des premiers en date de ces efforts fut la promesse faite à la Colombie britannique de rompre son isolement par la construction d'une voie ferrée transcontinentale franchissant les redoutables Rocheuses; un siècle plus tard, Pierre Elliott Trudeau, quand il mena campagne pour sa réélection au poste de Premier ministre, chercha à attirer les votes des Canadiens de l'Ouest en leur promettant de doubler cette même voie, restée unique.

Certains autres efforts en vue d'une meilleure distribution des biens ont porté leurs fruits. Ils concernaient des programmes spécifiques, comme par exemple une assistance accordée à telle ou telle société particulière, ou à telle industrie locale, sous la forme d'aides à la création d'entreprises, de subventions pour la recherche de produits, ou d'encouragements aux exportations. En 1982, le gouvernement Trudeau proposa même cinquante mille dollars de subventions annuelles à certains journaux pour les encourager à ouvrir de nouvelles agences dans d'autres régions, afin d'accroître la circulation de l'information et d'améliorer la communication entre les provinces.

Par le biais d'un système complexe – et coûteux – de lois, de traditions, de réglementations, de programmes, de mesures fiscales, le gouvernement fédéral a octroyé à ses provinces une quantité de plus en plus importante d'aides financières, souvent appelées paiements de transfert. Qu'elle soit destinée à des besoins tels que l'éducation, les plans d'assurance maladie, les prestations sociales, les subventions pour faire baisser le prix des combustibles dans les régions reculées ou les primes d'éloignement visant à attirer professeurs qualifiés et fonctionnaires vers des avant-postes lointains, une telle assistance a pour but de renforcer ce que l'on appelle le contrat social de la Confédération. L'objectif est de faire naître ainsi chez les Canadiens le sentiment décisif que tous peuvent tirer bénéfice de leur participation à la même grande entreprise nationale, quel que soit l'endroit où ils vivent.

Les provinces sont entrées, de leur côté, dans un processus parallèle de réduction des disparités en leur sein même. Par le biais de dépenses directes, ou par l'intermédiaire de sociétés nationales telles que les compagnies de téléphone et d'électricité, elles cherchent à stimuler une nouvelle croissance économique ou même, souvent, à simplement soutenir ou remplacer des entreprises privées existantes. Ainsi, dans les années quatre-vingt, le gouvernement du Québec obligea sa propre caisse de retraite des fonctionnaires à investir massivement dans certaines compagnies privées d'exploitation de ressources et créa une nouvelle société nationalisée d'exploitation de l'amiante, son but étant de venir en aide aux industries déjà existantes et de contribuer à la création de nouveaux emplois. Lorsqu'une nouvelle impulsion s'avéra nécessaire pour l'économie, et qu'elle fut financièrement possible, le Québec fit mettre en œuvre par son gigantesque service public d'électricité de nouvelles phases d'un énorme projet hydroélectrique pour ses régions vierges; lorsque l'économie s'emballa, et que les taux d'intérêt montèrent en flèche, il leva le pied de l'accélérateur.

Au bout du compte, le gouvernement se mit à jouer un rôle croissant, et généralement bien accepté, dans l'économie. Certaines années, les dépenses publiques, prises dans leur sens le plus large, ont sous-tendu, estime-t-on, quatre-vingt-six pour cent de toute l'activité économique dans les Provinces atlantiques. Même dans l'Ontario, plus développé et plus prospère, ce taux s'élevait à quarante et un pour cent. Un dollar sur cinq des dépenses fédérales est tout simplement transféré dans les caisses des gouvernements provinciaux, ce qui représente parfois, pour certains d'entre eux, une bonne moitié de leurs revenus globaux.

Ce processus détermine des besoins toujours plus importants en nouveaux revenus fédéraux, donc en nouveaux emprunts de l'État, souvent à l'étranger. Il est une source permanente de rancœurs dans les négociations entre gouvernement fédéral et provinces à propos des formules de répartition. Mais cette aide ne semble guère avoir eu un effet bénéfique sur les structures économiques des régions les plus pauvres, pas suffisamment du moins pour commencer à engendrer une croissance saine et se perpétuant d'elle-même. Ainsi, la croissance économique des Provinces atlantiques est demeurée inférieure à la moyenne nationale, cependant que celle de l'Ontario, au centre, se maintenait à ce niveau et que l'Ouest, stimulé par le boom de l'énergie, bénéficiait d'un développement soutenu, le tout aboutissant finalement à un élargissement du fossé économique entre les régions.

Il est clair que cet effort égalitaire de la part d'un gouvernement fédéral bien intentionné et généreux (les provinces le qualifieraient plutôt de pingre) a contribué à soutenir ou à améliorer modestement certains niveaux de vie, mais il a en même temps permis que se perpétue un cycle de pauvreté fondamentale et, surtout, il a créé une dépendance économique et psychologique à long terme vis-à-vis de gouvernements de toute nature, qui n'auront peut-être pas toujours les moyens budgétaires ni la volonté politique de dispenser ces soins économiques à court terme. Et le chômage élevé – jusqu'à cinquante pour cent dans certaines communautés – tient bon, et se propage même, comme un cancer, avec tout son cortège de détresses familiales et sociales.

Les implications pour l'avenir sont évidemment imprévisibles, et le seraient dans quelque société que ce soit. Mais ces faits paraissent de mauvais augure quand les liens nationaux sont aussi fragiles que dans le cas du Canada, où les forces centrifuges latentes, inhérentes à sa géographie, se sont toujours réveillées dans les périodes d'incertitudes économiques. Le Canada, a-t-on dit, n'est pas tant un pays qu'une magnifique matière première pour un pays. Il est, dira un de ses Premiers ministres, géographiquement impossible et politiquement ridicule. Sa vaste et intimidante géographie et ses climats sans compromis ont été des constantes dans toute son histoire, amenant un conférencier du début du siècle à intituler ses exposés sur le pays : *L'homme sans terre et la terre sans hommes*.

Cependant, en l'absence de guerre civile, le pays est resté soudé comme une entité unique bien que très étendue, à travers tout un siècle de querelles, de grogne et de malentendus. En dépit de quelques notables exceptions récentes, comme certaines insurrections sans espoir de métis et quelques bombes explosant dans des boîtes aux lettres de Montréal, la violence au Canada a toujours été essentiellement verbale.

Et l'esprit de son peuple, des individus qui le composent, œuvrant souvent dans l'isolement, a engendré, et continue d'engendrer, une longue série de triomphes passant presque inaperçus. Ces victoires remportées sur une terre peu accueillante sont notamment peu remarquées par les Canadiens eux-mêmes, qui, sans en avoir vraiment conscience, sont parvenus à connaître, utiliser, et exploiter leur environnement avec un talent subtil, affiné par la nécessité de survivre. Ils ne veulent pas discuter de ce qu'ils ont su accomplir et, d'une manière générale, ne veulent même pas en entendre parler. Peut-être sont-ils tout à la fois trop proches et trop éloignés de leur pays pour se rendre compte de leurs propres réussites. Mais elles sont légion. Et sans doute sont-elles plus visibles pour les simples visiteurs, dont le regard neuf n'est pas déformé, comme celui des autochtones, par des idées préconçues.

En raison, je crois, de cette géographie écrasante d'où naissent leurs divisions, les Canadiens ont tendance à reculer devant les concepts grandioses à l'échelle du continent, comme l'aventure nationale des Américains apprivoisant leur Ouest sauvage, celle des Australiens conquérant leur *outback*, ou celle des Brésiliens se battant pour les trésors sauvages de l'Amazone. Les Canadiens eux aussi apprivoisent, conquièrent, et se battent avec leur propre pays encore inexploité. Ils le font depuis le commencement. Et, à la différence de bien des nations industrialisées, ils continuent de le faire aujourd'hui, le plus souvent dans leur *Far North*, leur « Extrême-Nord ». Mais ils le font par innombrables fragments, et autant de manières différentes; et, pour les raisons déjà énoncées, aucune perspective nationale puissante ne vient rassembler tous ces éléments singuliers en une grande réalisation collective.

De tous les Canadiens, ce sont peut-être les Esquimaux, qui préfèrent maintenant être appelés Inuit (« les gens »), qui ont élaboré – et conservé – les rapports les plus étroits avec la géographie. Un de leurs proverbes dit : « Notre terre est notre vie. »

Sachant n'être qu'un des éléments de leur terre, et certainement pas le plus important, ils se servent de la nature hostile qui les entoure pour survivre, de même qu'un élève de judo astucieux utilise à son propre avantage l'élan d'un attaquant se ruant sur lui. La langue inuit est pleine de références affectueuses et familières à cette nature qui gouverne leur existence. La calotte polaire géante, par exemple, la vaste masse qui jamais ne s'en va, est appelée « Mère Glace ».

Les Inuit ignoraient tout des cours d'économie domestique, de l'éducation sexuelle ou des modernes conseillers conjugaux. Mais, étant donné le besoin vital d'un travail d'équipe très intime au sein d'une famille en lutte pour sa survie dans l'Arctique, ils ont depuis longtemps permis les mariages à l'essai parmi les jeunes, et les ont même encouragés, la tentative se déroulant souvent dans la demeure des parents. Si l'arrangement ne fonctionne pas, il y est mis fin d'un commun accord avant que la jeune famille ait commencé à voler de ses propres ailes. S'il semble convenir, un mariage officiel a alors lieu. Et si cette union semble se dégrader par la suite, il peut arriver que le couple en difficulté soit envoyé sur la glace, au loin, pour se débrouiller seul pendant quelques semaines, afin que la grande nature lui enseigne ce qui importe véritablement face à la vie et à la mort.

Dans le Sud des écoles novatrices ont surgi, décidées à utiliser les espaces vierges du pays comme des classes de plein air où l'on enseigne aux hommes et aux femmes des villes l'indépendance, la confiance en soi, et une meilleure gestion de ses tensions internes.

Grâce à un réseau de satellites de télécommunication mis en place au-dessus de l'équateur, le Canada a relié par le téléphone et la télévision ses avant-postes les plus éloignés à ses plus grandes cités. Certains numéros de radiotéléphone peuvent paraître peu conventionnels : à titre d'exemple, le numéro de téléphone de l'auberge d'*Eagle Plains Lodge*, sur la longue et solitaire route Dempster, est Rat Pass JL 25889. Les antennes paraboliques blanches que l'on voit partout dans le Nord, toujours dirigées très bas vers le lointain horizon méridional, captent des émissions de télévision et amènent matchs de football ou de hockey en direct et variétés américaines piratées jusque sur les plates-formes de forage et dans les campements miniers ou dans ces petites communautés de l'Arctique où l'on met au frais des carcasses de phoque sur le pas de sa porte. Il m'a toujours paru si merveilleusement canadien que n'importe qui à Pangnirtung, sur la lointaine Terre de Baffin, puisse s'emparer d'un téléphone ordinaire et composer, tout simplement, un numéro d'Ottawa, à près de cinq mille kilomètres de là. Pour que ces hommes puissent converser cependant, les signaux doivent faire un petit voyage ailleurs, jusqu'à un point situé à trente-six mille kilomètres de là dans l'espace, au-dessus de l'équateur, et reparcourir les trente-six mille kilomètres en sens inverse.

Une ville, Igloolik, vota contre l'installation de tout équipement de télévision, de crainte que les valeurs et les modes de vie locaux n'en soient défavorablement affectés. Mais la plupart des autres communautés adoptèrent avec empressement la liaison électronique. Et le petit écran se mit à occuper bien des heures de loisir, et devint même le centre de beaucoup d'activités sociales, tout spécialement durant ces longues nuits d'hiver qui durent tout le jour. Des couples, ou des familles entières, dans leurs bottes de peau de phoque, descendent alors les rues verglacées jusqu'à la maison d'un voisin pour regarder la télévision, siroter du thé, et échanger des récits. Dans de nombreuses demeures, le poste reste allumé vingt-quatre heures sur vingt-quatre, comme une lampe dans une cour de ferme, espèce de réconfort psychologique, assurance qu'un autre monde s'étend, loin, tout là-bas. Outre les informations, la météo et les sports, le *Northern Service* de la Canadian Broadcasting Corporation (C.B.C.) [1] diffuse des dramatiques canadiennes, des comédies hollywoodiennes, des reprises de vieilles émissions, et des documentaires sur des sujets comme l'élevage des chevaux en Espagne, dont le rapport avec la vie dans l'Arctique est pour le moins lointain.

Certains enseignants du Sud en poste dans le Nord se montrent inquiets des effets de cet assaut désorganisé du petit écran, puissant symbole de la vie urbaine canadienne, sur le développement intellectuel des enfants inuit. « Ils arrivent, à peine sortis des simples luttes de la vie des nomades de la toundra, et on les expose sans la moindre préparation à la vue de poitrines se trémoussant, de chevaux parlants et de colossales batailles de vaisseaux spatiaux pour la suprématie galactique », me confia un jour un instituteur soucieux. Nous nous trouvions dans une cafétéria servant hot-dogs et hamburgers, ainsi qu'un mets étrange et délicat appelé carottes, à des enfants élevés au phoque et au caribou. « Quand vous avez grandi dans cet environnement, reprit-il, vous pouvez faire la part des sornettes et du reste. Mais si tout vous semble irréel, comment discerner ce qui est vrai, et quelles valeurs adopter? C'est terriblement déroutant pour ces gosses. » Comme nombre de sociétés modernes renfermant en leur sein de grands secteurs à développer, le Canada n'a pas encore appris à combler avec efficacité les fossés dus à la rencontre entre deux cultures, à aplanir les malentendus et apaiser les frottements et les différends pouvant apparaître lorsqu'un État-providence moderne, avec ses satellites, entre en contact avec une très ancienne société fermement enracinée, dont la culture tout entière devait pouvoir être transportée sur un traîneau. Des enseignants, telle Kathleen Purchase à Resolute, à l'extrême nord de l'Arctique, tentent d'utiliser au mieux la télévision, notamment pour permettre aux enfants, qui ne parlent l'anglais qu'à l'école, d'enrichir leur vocabulaire. Au cours de discussions quotidiennes sur les émissions de la veille, elle les aide aussi à analyser et à critiquer ce qu'ils ont vu.

1. La C.B.C. est le service public de radio et télévision canadien.

Son directeur, Mike Pembroke, l'un des trois instituteurs à plein temps de l'école qui compte cinquante-trois élèves, s'est adapté aux exigences de la région. Chaque école du Grand Nord peut programmer ses cent quatre-vingt-dix journées d'enseignement quand elle le veut dans l'année, parce que les traditions et les habitudes de chasse varient selon les communautés. Aussi, avec l'accord des cent soixante-dix-sept habitants de la ville, l'année scolaire de M. Pembroke commence vers la fin août, moment de l'arrivée de l'automne en Arctique, pour s'achever vers la fin mai, le printemps, à Resolute. Afin de tenir les parents informés des progrès scolaires de leurs enfants comme il l'aurait fait dans une école du Sud, le directeur avait prévu une assemblée entre parents et professeurs un soir à l'école. Trois personnes seulement s'étaient présentées. Aussi, maintenant, après chaque remise de bulletin scolaire, M. Pembroke, ses instituteurs et un interprète s'en vont en bande faire le tour de l'agglomération, maison par maison, s'arrêtant dans les familles de chaque enfant pour y passer le jour ou la nuit, siroter le thé omniprésent que, dans l'Arctique, l'on prépare sous le moindre prétexte, et glisser çà et là quelques remarques sur le travail scolaire de l'élève. « Ils ne semblent pas beaucoup se soucier des notes, me dit M. Pembroke durant une longue conversation que nous eûmes ensemble un sombre après-midi, mais ils s'intéressent beaucoup à la conduite de leurs enfants. Et l'on constate une nette amélioration pendant une quinzaine de jours après chaque rencontre. »

Tous les hivers, il engage pour une semaine ou deux quelques hommes du coin pour emmener les plus âgés de ses élèves « sur la terre », comme disent les Inuit. L'expression, chargée d'affection, est prononcée avec fierté, et m'a toujours fait songer à la manière dont nous disons, « rentrer chez soi ». Ces hommes vieillissants les initient aux techniques de survie, tâche qui, jusqu'à la récente désagrégation de leur rôle et de leur autorité, était autrefois couramment assumée par les pères. Ils montrent aux jeunes comment construire des igloos, un savoir-faire qui peut vous sauver la vie dans les subites tempêtes de l'Arctique. Ils leur apprennent à fabriquer des traîneaux, à s'orienter en observant la manière dont le vent soulève la neige, à trouver les orifices où viennent respirer les phoques, à savoir ce qui s'étend au-delà de l'horizon en déchiffrant les reflets sur les nuages et, science d'une grande importance, à déterminer si une glace est assez ancienne pour ne plus contenir de sel et pour qu'on puisse sans danger la faire fondre et la boire. Un jour, M. Pembroke et ses élèves ont appris à connaître par la pratique les marées de l'Arctique. Les vieux professeurs les avaient laissé creuser pendant des heures à travers un mètre quatre-vingts de glace pour ne découvrir au-dessous, au bout du compte, que des rochers, la marée étant descendue dans l'intervalle.

Et, de temps à autre, dans le courant de chaque année scolaire, notre directeur se voit obligé de supprimer les récréations en raison de la présence d'ours polaires. Les énormes et puissants animaux

aux longues dents et à l'haleine nauséabonde errent alentour quand bon leur semble, attirés par l'odeur de la nourriture, des chiens et des gens, et par le spectacle, somme toute intrigant, d'autres créatures essayant elles aussi de vivre tant bien que mal sur la toundra stérile. Dans certaines communautés plus accessibles, les vagabondages urbains des ours ont été transformés en attraction pour touristes. Mais à Resolute un panneau dans l'aéroport vous met en garde : ATTENTION! LA MAIN QUI NOURRIT POURRAIT SE FAIRE MANGER. LES OURS SONT DANGEREUX. ILS SONT PLUS GROS ET PLUS RAPIDES QUE VOUS. NE LEUR DONNEZ PAS A MANGER. Il y a peu de temps, ils eurent faim, et pour de bon. Aussi attrapèrent-ils pour les dévorer cinq chiens appartenant à des gens de Resolute. « Mais ils ne se sont pas montrés trop méchants cette année », m'assura Raymond Girard, l'un des habitants de la ville, qui ne trouvait pas la vie dans l'Arctique si désagréable, comparée aux deux années qu'il avait passées dans un camp de prisonniers en Chine, pendant la guerre de Corée.

Les ours, à l'instar de beaucoup d'humains dans le Nord canadien, vivent sur la glace, un élément faisant, là-haut, partie de la vie, la dominant même, comme la terre dans une ferme ou le béton dans la ville. Pour 99,74 % des Canadiens, la glace est une chose qu'on laisse tomber dans son verre ou sur quoi, plusieurs mois par an, l'on répand du sel, quand elle recouvre les allées des maisons. Mais pour soixante-trois mille autres Canadiens, elle est une brutale réalité géographique, une chose de la vie – et de la mort. Les histoires comme celle de cet homme de Fort Chipewyan en Alberta du Nord, qui, peut-être éméché, et certainement imprudent, avait entrepris par un soir d'hiver de traverser à pied les huit cents mètres d'un lac gelé pour rejoindre la ville, ne sont pas exceptionnelles. On le retrouva à mi-chemin le jour suivant, le corps immobilisé par la glace, dans les affres de l'agonie. On le dégela et on l'enterra au printemps.

La surface gelée de l'océan Arctique, une fois et demie celle des États-Unis, constitue un ensemble de routes et de ponts naturels pour les animaux sauvages dans leurs migrations, et pour les hommes qui les suivent. Elle peut devenir terrain de chasse ou cour de récréation à Resolute, piste de courses pour voitures, camions et autoneiges à Pangnirtung, terrain d'aviation un peu partout, et plate-forme de travaux dans la mer de Beaufort. Elle sert de socle à des avant-postes scientifiques à la dérive au nord d'Alert, poste militaire prétendument secret à l'écoute de l'Union soviétique. Et sa surface rugueuse déserte, éblouissante, réverbérant la faible chaleur du soleil, contribue à donner son visage au climat régnant sur l'Amérique du Nord.

Taillée d'une certaine façon par des mains expertes, la glace de l'Arctique, ses habitants l'ont appris, fait un réfrigérateur très pratique pour conserver congelés jusqu'au printemps les produits de la chasse. On peut aussi recouvrir sa prise de cailloux et verser de l'eau dessus. La nouvelle glace non seulement conserve la viande, mais maintient solidement les pierres en place, qui découragent les voleurs de toutes espèces, humains ou animaux.

Elle peut aussi devenir un abri qui vous sauve la vie lorsque soufflent ces vents violents qui vous gèlent la chair en quelques instants, danger dont je pris conscience en une sévère journée de mars où l'une de mes pommettes partiellement exposée devint tout engourdie, en dépit d'une cagoule, d'un bonnet, et d'un capuchon de parka m'enfouissant le visage dans un tunnel de fourrure et de plumes. J'étais sorti pendant dix minutes, peut-être, pour me rendre à pied jusqu'à un aéroport tout proche. J'avançais courbé contre le vent, respirant prudemment par le nez, plissant mes yeux pour les protéger de la lumière éblouissante du soleil et des rafales de neige, et commençant à souffler comme si j'escaladais une colline escarpée. Une fois à l'intérieur, je constatai que le devant de ma cagoule, avec ses trous ménagés pour les yeux, était raide de glace, ma respiration ayant produit une humidité suffisante pour geler la laine à l'instant même où l'air quittait mon corps. Ma moustache était un glaçon horizontal. Vivifiant, admis-je... Jusqu'au moment, quelques minutes plus tard, où ma joue droite commença à me cuire, puis à me brûler comme un feu. Dans un miroir, elle luisait, rouge et brillante. En ces courts instants, la chair avait été gelée, à mon insu, et ma peau devenue grise allait peler pendant de nombreux jours, comme après un mauvais coup de soleil. Une petite leçon, mais de grande portée.

Ces mêmes vents et ces mêmes courants invisibles passant sous les glaces et non répertoriés sur les cartes peuvent s'emparer de cette surface gelée dont les étendues lisses, recouvertes de neige, offraient jusque-là une route sûre. En un moment, ils peuvent la transformer en un enchevêtrement confus de crêtes provoquées par les pressions, en d'insurmontables mini-montagnes fendues de chemins d'eau, entrecoupées de fines couches de neige blanche, qui dissimulent perfidement des gouffres d'eau salée et de neige fondue, engloutissant en quelques secondes leurs victimes sans méfiance. En pliant, se heurtant et se brisant en un mouvement permanent, les énormes plaques de glace semblent même parler, émettant des sons graves et plaintifs, des gémissements réellement obsédants dans le vide de l'Arctique, lorsque toute terre et toute vie semblent si loin de là.

« La grande constante ici, me dit en un jour de froid mordant une voix sortie de la capuche d'un parka, c'est la glace, cette menace merveilleuse, tout à la fois si mortelle et si salutaire, et si prévisible dans son imprévisibilité.

Ledit parka enveloppait le Dr Joseph B. MacInnis, médecin de Toronto faisant partie d'un groupe relativement réduit de Canadiens considérant leur vaste Nord comme un héritage écologique unique méritant une attention beaucoup plus grande et des études beaucoup plus poussées, ceci pour deux raisons essentielles : parce qu'il est là, et fait, à un point extrême, partie intégrante de l'identité physique du pays, et parce que des révolutions économiques immenses, impossibles à prédire, pouvant influer de manière radicale sur son avenir, approchent, ou menacent, selon votre point de vue personnel.

Prêter attention à ce Nord unique, ou le célébrer, ou entendre d'autres le faire, met de nombreux Canadiens mal à l'aise. Chaque fois que je préméditais un voyage dans ces régions, je réalisais un petit test très peu scientifique. Je décrivais mes projets à des amis. Immanquablement, les Américains me bombardaient de protestations jalouses et s'offraient à me servir de porteurs, tandis que mes amis et voisins canadiens lançaient simplement : « Mais pourquoi voudrais-tu donc aller là-haut ? » Le Dr MacInnis, qui avait rencontré des réactions similaires au cours de ses conférences internationales, observait : « Plus on vit loin de l'Arctique, plus il semble fascinant. »

L'image que le monde se fait du Canada, celle qui lui revient, ressemble à un pays rempli de membres de la Police montée et d'Inuit ne vivant que dans des paysages enneigés, avec feuilles d'érable en toile de fond. Évidemment cette image est inexacte. Aucune nation, et particulièrement pas une terre aussi vaste que le Canada, ne peut être réduite à une seule image. Mais la crainte que ses habitants expriment de perpétuer un cliché réducteur n'est en fait bien souvent qu'un prétexte brandi pour expliquer sans fin leur attitude ou, plutôt, leur absence d'attitude, vis-à-vis de leur Nord. Selon la formule de l'ex-Premier ministre Louis Saint-Laurent, les Canadiens ne s'occupent de celui-ci que « dans des accès de distraction ».

« Nous devons apprendre à mieux faire face à la glace et au Nord, ajouta le Dr MacInnis, et à mieux les utiliser tous deux. » Nous nous tenions sous un pâle soleil, debout sur un mètre soixante de glace vert clair dominant cent mètres de profondeur d'eau, à un kilomètre et demi environ de l'île de Beechey, dans les Territoires du Nord-Ouest.

Nous étions parvenus jusque-là dans un minuscule Twin Otter, l'avion de dix passagers qui sert de bête de somme dans les étendues sauvages du Canada, utilisant tour à tour roues, flotteurs et skis métalliques pour se poser en tous lieux. Après avoir décrit un cercle à très basse altitude pour évaluer la glace, le pilote avait fait atterrir notre appareil avec un bruit sourd suivi d'un raclement. Dès que les moteurs avaient été coupés, le froid avait commencé à s'infiltrer.

Même en inuktitut, la langue des Inuit, le mot « froid » (*iki*) à lui seul est inapte à décrire dans sa vérité la température régnant en ces lieux. Le froid arctique est un vrai froid professionnel. Comme un couteau, il transperce les meilleures bottes. Il gèle les stylos en quelques secondes. Il engourdit les nez. Enraye les machines. Colle les skis des avions à la neige comme de la glu.

Il fait si froid si constamment que personne ne se donne la peine d'indiquer le signe « moins » avant les mentions de températures. Par conséquent, il n'y a rien d'incongru à voir quelqu'un enfiler deux paires de longs sous-vêtements, un pantalon de laine, trois épaisseurs de chaussettes, trois chemises, un chandail, deux paires de gants, une cagoule, d'immenses bottes de caoutchouc, une écharpe et un parka avant de sortir, quand le thermomètre indique « quarante »... c'est-à-dire quarante au-dessous de zéro – ce qui, si une modeste brise locale de, disons, cinquante kilomètres à l'heure vient à souffler, fait descendre la température jusqu'à moins cinquante-quatre. C'est en vérité trop froid pour qu'il neige, aussi l'Arctique est-il un désert ne recevant que très peu de précipitations. Il ne tombe que quelques centimètres de neige par an, mais ces quelques centimètres, soulevés par des vents furieux, soufflent en tous sens pendant neuf mois, s'amoncelant en énormes congères contre tout obstacle sur leur chemin (et procurant ainsi aux maisons une petite isolation naturelle).

Il ne faisait que « trente-sept », cependant que le Dr MacInnis et moi-même traversions le collier de glace persistante entourant l'île de Beechey. Ses falaises à pic, hautes de deux cent dix mètres, étaient autrefois un fond marin qui se trouva soulevé vers le ciel par des forces inconnues, voici quelques millions d'années. La neige rendait un son de verre brisé sous nos pieds. Deux sandwichs au thon, durcis par le gel depuis leur déchargement une demi-heure plus tôt, étaient en train de fondre à la chaleur de nos corps dans nos manteaux de duvet. Du haut de la falaise de glace, nous regardions les courants du détroit de Wellington tordre, tourner et torturer les glaces flottantes au-dessous de nous. Nous vîmes notamment une énorme plaque de près de deux mètres d'épaisseur, de la taille d'une maison, être poussée hors de l'eau verte à la manière d'une pesante baleine faisant une trouée pour respirer, et retomber, pour regeler instantanément, sur un gros bloc voisin, deux fois plus épais à présent.

Le Dr MacInnis, qui prêche l'Arctique à ses compatriotes avec un zèle de missionnaire, a effectué un grand nombre de plongées sous la glace, y compris au pôle Nord. « Il y a près de treize millions de kilomètres carrés d'océan Arctique, déclare-t-il avec fièvre. C'est un continent entier de glace! Et l'homme n'a vu que l'équivalent de quelques pâtés de maisons sous sa surface. »

Cependant, attirée par l'appât des ressources, une nouvelle génération d'hommes et de sociétés canadiennes est en train, tranquillement, sans tambour ni trompette, de lancer une foule de programmes de recherche, qui mettent en place les fondations scientifiques et définissent les règles de base pour l'exploitation future, et même la protection simultanée, des zones sauvages du Nord canadien.

En cette froide mi-journée, le Dr MacInnis et moi-même fûmes rejoints sur la glace par Peter Jess, l'un des membres d'une de ces petites troupes d'experts en glace qui commencent à apparaître dans le pays. Pour son employeur, la Dome Petroleum, ici le prospecteur privé le plus actif peut-être dans le domaine du pétrole et du gaz naturel, la lutte avec la géographie de la région est une tâche quotidienne.

« Dans l'Arctique, dit le Dr MacInnis, tout est obstacle à surmonter. Pour l'homme, ici, il ne s'agit pas simplement de trouver des réponses à des questions. Il s'agit d'apprendre pour commencer quelles sont les questions à poser, et comment obtenir les réponses, aux conditions fixées par la nature. »

Quand, par exemple, une compagnie pétrolière peut-elle espérer affronter avec succès les éléments, et donc maintenir sur place son bateau de forage tandis que des glaces flottantes approchent? Et quand peut-elle employer ces éléments à ses propres fins, et utiliser, par exemple, le froid pour geler les énormes caissons de ciment entourant son puits de prospection? Quels genres d'équipements, de métaux et de matériaux sont les plus opérationnels dans les climats extrêmes, lorsque les trépans doivent passer des chaleurs et des frictions souterraines à des températures inférieures à zéro? Quels genres de personnalités, de politique en matière de personnel, de commodités matérielles et, même, de nourriture sont les plus appropriés dans l'environnement le plus hostile du monde?

Ce que l'on sait réellement à présent, c'est combien l'on en sait peu. Il n'existe pas, par exemple, d'études définitives établissant la corrélation entre les aspects de surface de la glace et ce qui gît au-dessous. Existe-t-il dans cet élément des caractéristiques et des mouvements prévisibles, qui pourraient permettre à un capitaine de pétrolier brise-glace comme ceux en cours de conception de découvrir ses emplacements les plus fragiles pour s'y frayer un chemin? Quel genre de vie trouve-t-on dans et sous la glace? Quelle est l'origine des grands chenaux qui apparaissent clairement sur certaines photos du fond de l'océan Arctique? Sont-ils l'œuvre de l'homme (par exemple des traces laissées, voici un siècle, par les ancres des premiers explorateurs), ou sont-ils d'origine naturelle, marques, peut-être, du traînement des « pieds » d'icebergs géants? Les réponses à ces questions ont d'importantes applications pratiques, puisque de tels icebergs pourraient aisément sectionner un oléoduc sous-marin. Et quelles seraient les terribles conséquences pour l'Arctique, sa glace, sa faune, et même pour les autres océans du monde, si de massives quantités de pétrole venaient à se déverser, ou si un puits explosait un jour, laissant le gaz ou le liquide se répandre doucement sous la glace, juste deux mètres au-dessous d'équipes de nettoyage impuissantes?

Le système de remplacement que les Canadiens sont en train d'imaginer pour le transport des ressources découvertes jusqu'ici est une flotte de bateaux réservoirs brise-glace pouvant contenir du gaz liquéfié, ou même de sous-marins à l'épreuve des glaces, qui emporteraient leurs coûteux chargements vers les marchés mondiaux consommateurs d'énergie.

Mais nul ne sait encore l'effet qu'un tel trafic maritime régulier pourrait avoir sur cet environnement hostile mais fragile, où les empreintes de pieds ou les marques de pneus laissées l'été sur la toundra peuvent ne pas s'effacer durant des décennies. Ces brèches constamment ouvertes dans la glace détruiraient bien des « routes » traditionnellement suivies par les hommes et les animaux, bloquant peut-être le chemin aux troupeaux en migration vers des lieux d'hivernage au climat moins rigoureux, ou usant leur énergie en les contraignant à de longs détours. Et même, quel en serait l'effet à long terme sur la température de l'eau et ses fragiles écosystèmes, alors que chaque fracture de la couverture de glace expose l'eau à une perte de chaleur plus grande? C'est là l'objet d'une controverse encore sans solution, analogue à celle touchant à l'allongement des périodes d'ouverture des Grands Lacs à la navigation, mais avec, cette fois, des conséquences sur l'environnement et le climat du monde entier.

L'homme moderne n'est au fond arrivé dans le Nord canadien que voilà vingt-cinq ans, et c'est à une époque plus récente encore que l'augmentation des prix de certaines ressources sans cesse moins abondantes a rendu attractives les richesses de l'Arctique. En ce laps de temps très bref, on a déjà pourtant beaucoup appris et réalisé. Les Canadiens utilisent à présent la glace plutôt qu'ils ne la combattent. Si la route Dempster, seule route publique d'Amérique du Nord franchissant le cercle polaire, est ouverte toute l'année, c'est uniquement parce que des ouvriers, travaillant par des températures au-dessous de zéro, associent rondins entrecroisés et canons à eau pour construire des ponts de glace sur les fleuves Arctic Red et Mackenzie. De nouveaux canons spéciaux, à vapeur ceux-ci, peuvent aujourd'hui creuser des orifices extrêmement précis dans une glace épaisse, ou dégager des objets gelés, sans risque de destruction, de danger et en faisant l'économie du coût des explosifs.

L'étude de la dynamique des glaces et l'utilisation judicieuse de mini-ponts d'acier portables ont permis aux sociétés de transport de construire, pour six semaines tous les hivers, une route de soixante-dix kilomètres sur le lac Athabasca, dans le nord de la Saskatchewan, constituant le seul lien terrestre pour certaines communautés minières isolées. Les camions, lourds véhicules de plus de trente-trois tonnes, traversent au pas la dure surface du lac, la sentant se craqueler, ployer, et travailler sous leurs gigantesques chargements. Parfois aussi, il leur arrive de sentir la glace craquer sous eux.

En 1978, cette mésaventure arriva par deux fois en une seule journée à Eli Sherstobetoff. La première fois que son camion sombra, il parvint à sauter sur un morceau de glace tout proche. Un de ses collègues le ramassa quelques instants après, le fit partir en avant dans son propre véhicule et resta en arrière pour avertir les autres. Un ou deux kilomètres plus loin, le malheureux dans son second camion passait à travers la glace, et là encore, en réchappait de justesse.

Fred Oberg, un autre routier, passa quant à lui une minute interminable au fond du lac, un jour, attendant que l'eau glacée se soit infiltrée lentement dans la cabine jusqu'à hauteur de son cou, suffisamment pour que, la pression s'atténuant, il puisse ouvrir sa portière. Il ressortit sous la glace et eut la chance de retrouver le trou. Tandis qu'il se dirigeait vers la terre, ses vêtements gelèrent.

– Ici, il vous faut penser à la glace de manière différente, me dit P. Jess, l'expert de la Dome Petroleum. Y penser non comme à un socle sur lequel les choses seraient posées, mais sur lequel elles flottent. Ce n'est pas le sol d'une maison. C'est un immense radeau.

Lorsque, grâce à des études sismologiques, on localise l'emplacement probable d'un gisement de pétrole ou de gaz, on fore un petit puits à travers cette glace, et l'on installe une pompe au-dessus. Elle aspire avec régularité un mince filet d'eau de mer, qu'on laisse suinter pendant de nombreux jours, en minuscules ondulations, sur une surface d'un kilomètre carré et demi environ, par des températures tournant toujours autour de moins quarante. Les minces couches d'eau gèlent progressivement les unes sur les autres, et finissent par former un dôme géant à l'envers.

Dans le ciel se dressent les silhouettes dégingandées des dispositifs de forage. Le travail de Spike Sheret, c'est de les apporter, pièce par pièce, laborieux chargement après laborieux chargement, à bord de son avion-cargo C-130 Hercules. Vêtu d'un pull-over à col montant et d'une combinaison de saut bleue, mâchonnant toujours un cigare, le capitaine Sheret, comme les autres pilotes des charters de la Pacific Western et de la Northwest Territorial, vole toute la nuit à travers les ténèbres, aussi longtemps que dure l'hiver et que la glace résiste.

Les appareils géants peinent, vingt-quatre heures sur vingt-quatre, le long de pistes rudimentaires, transportant leurs cargaisons, combustible, nourriture, hommes ou ravitaillement, vers de lointains points lumineux sur la glace, atterrissant sur des pistes balisées d'une simple série d'ampoules de cent watts, et faisant demi-tour pour recommencer.

Ces petites communautés d'une cinquantaine de personnes, qui portent des noms comme Cisco, Sculpin, Cape Mamen ou Whitefish, sont blotties en pleine mer dans des logements de type caravane exposés aux vents, aux neiges, et à des températures qui, le vent aidant, peuvent descendre au-dessous de moins soixante et les couper du monde pendant des jours. Leurs trépans commencent par percer les sept mètres cinquante de glace, puis glissent à travers quelque cent cinquante mètres d'eau noire, pour poursuivre leur chemin dans trois à cinq kilomètres de rocher, broyant tout sur leur passage, à la recherche de poches de pétrole et de gaz qui permettront de chauffer les maisons du Sud ou de faire tourner des moteurs, ailleurs, très loin, dans dix ou vingt ans.

Spike Sheret, trente-six ans, travaille pour la Pacific Western depuis quatorze ans. Il a transporté pour elle hommes d'affaires, bébés et bagages jusqu'à Toronto ou Hawaii. Mais il préfère la vie plus indépendante, plus riche d'imprévu, et peut-être plus tumultueuse, des « rats d'Hercule », comme on les nomme, alternant deux semaines de travail et deux semaines de repos, en journées de vingt-quatre heures.

Il promène son gros appareil dans le monde entier, partout où il y a des cargaisons lourdes ou démesurées à transporter.

– Une fois, me dit-il alors que je volais avec lui, nous avons emporté un voilier, du caviar et des milliers de poissons rouges pour l'anniversaire d'un cheikh à Oman. Et, une fois, un chargement de poivrons verts en Suède, et un très lourd équipement agricole de France en Algérie. Eh bien, ce soir, c'est de l'essence pour une plate-forme pétrolière. Nous avons amené la plate-forme voici trois semaines; ça nous a fait cent vingt-cinq chargements.

Il avait reçu ses ordres sur la radio de la compagnie à vingt heures : prendre dans les réservoirs du dépôt de Resolute vingt mille litres de carburant – ce qu'il faut pour faire tourner une plate-forme de forage pendant une journée – et les emporter à Whitefish, à quatre cent huit kilomètres au nord-ouest.

– Oui monsieur, avait-il répondu dans le récepteur. C'est une nuit ma-gni-fi-que pour voler.

Nous montions dans un ciel sans nuages, et le capitaine l'annonça au monde.

– Attention, trafic aérien, disait-il, ne s'adressant à personne en particulier, mais à tout le monde en général. Pacific Western 383 quitte Resolute et monte direction nord-ouest de six cents à six mille, destination Whitefish.

Le code arctique, à l'opposé de l'usage des grandes villes qui encourage les gens à s'ignorer, exige que chacun annonce à tous où il se trouve, où il va, et de quelle façon. Cette procédure, en l'absence d'un réseau complexe de contrôles du trafic aérien, aide à éviter des collisions. Plus important encore, elle permet de faire connaître un itinéraire et une heure d'arrivée qui, s'ils ne sont pas observés, feront déclencher aussitôt des efforts de sauvetage. Elle renforce, en outre, la fraternité entre pilotes, dont les voix, à défaut des visages, deviennent familières durant les longues heures d'obscurité passées à six mille cinq cents mètres au-dessus de la glace.

Le capitaine Sheret, qui jamais, dans l'Arctique, ne décolle sans avoir plusieurs terrains d'aviation de rechange en tête, a appris de nombreuses petites particularités de la géographie du Grand Nord.

– Chaque saison de l'Arctique a pour vous ses petits frissons, dit-il en désignant du doigt les carcasses d'avions jalonnant le parcours.

En hiver, il y a le brouillard givrant, minuscules gouttes de glace en suspension dans l'air. L'été a sa purée de pois, qu'on peut parfois prévoir. En l'espace d'une nuit, la terre durcie des pistes d'aéroport peut se transformer en bouillie. Les altimètres fonctionnent mal quand le froid est trop vif. Et les aiguilles des boussoles tournoient, inutilisables, si près du pôle magnétique.

Parfois, au printemps, en dépit des exhortations inquiètes des pilotes, les foreurs calculent un peu juste le temps nécessaire pour le démontage et le déménagement de leurs plates-formes vers l'île où elles seront entreposées pour l'été. Le capitaine me raconta comment il avait fait décoller son gros avion de transport, un jour de printemps. Tandis que son responsable de chargement et les gens du puits embarquaient à la force de leurs muscles vingt nouvelles tonnes de matériel dans l'appareil, le pilote alla prendre un café dans le réfectoire voisin. Quelques minutes après retentissait un cri épouvantable : « La glace s'en va! »

— Je me précipitai dehors, se rappelait Spike Sheret, et, en effet, on pouvait voir l'eau commencer à recouvrir la glace et avancer à bonne allure dans notre direction. Nous avons mis le cap sur l'avion à bonne allure aussi, pour sauter à bord, démarrer et filer en vitesse. L'eau atteignait le haut des roues quand nous avons décollé.

De fait, la glace ne coulait pas : elle se tassait, perdant un peu de sa flottabilité. Aussi chargea-t-on très vite le reste de la plate-forme dans des camions qui partirent dans de grandes gerbes d'eau de mer, immergés jusqu'aux enjoliveurs.

L'autre danger, lorsqu'on est pilote dans l'Arctique, c'est de trop regarder par la fenêtre.

— C'est très tentant, me dit le capitaine tandis que nous volions à vitesse de croisière à six mille sept cents mètres d'altitude. C'est si beau ici, tout en haut. Ces étoiles ressemblent à des diamants, n'est-ce pas? Ça, c'est Saturne, Mars et Jupiter, en rang d'oignon. Dans le Sud, on a les lumières des villes et autres jalons pour s'orienter. Mais, par ici, aucun repère visuel, rien, juste le trou noir là dehors. Vous voyez un horizon, vous? On pourrait tout aussi bien se trouver à dix kilomètres ou dix mètres. C'est comme voler dans un gigantesque encrier. Alors, si vous regardez un peu trop le paysage en oubliant vos instruments, vous allez au-devant de sérieux problèmes.

La mise au point, grâce au programme spatial américain, du système de navigation à l'inertie, qui mesure tous les mouvements de l'avion dans n'importe quelle direction, fut une véritable bénédiction pour les aviateurs de la région. Coincé dans le fouillis du cockpit près du genou du capitaine, l'appareil relève et indique en permanence ses propres latitude et longitude, les vents à l'extérieur, la vitesse de l'avion par rapport au sol, la diminution de son poids à mesure que son carburant est consommé, ainsi que la latitude et la longitude de son lieu de destination.

Le capitaine repoussa quelques graphiques, fit quelques calculs, et introduisit quelques chiffres dans l'ordinateur.

— A cette vitesse, avec ce vent, il nous faudrait neuf heures et trente-trois minutes pour aller jusque chez vous, annonça-t-il quelques minutes plus tard.

Puis il lança l'appel de détresse consacré du cockpit :

— Café! Café! Café!

Et le commandant en second Dave Graham arriva avec le liquide chaud que les hommes consomment comme le moteur son carburant.

Allumant la radio, Spike Sheret annonça au monde qu'il descendait. Dehors, on ne voyait pas le moindre signe de quoi que ce soit, mais le système de navigation lui avait dit que c'était le moment. La plate-forme à quelque douze cents kilomètres du sommet de la terre l'avertit de la présence de brouillard givrant. Le capitaine haussa les épaules.

— Whitefish! s'écria Dave Graham, pointant son doigt droit devant, dans les ténèbres.

Une minute plus tard, une double ligne de faibles lumières commença à se distinguer vaguement, et l'équipage entama son échange laconique :

— Train?

— Sorti.

— Feux?

— Allumés.

Le capitaine Sheret descendait en vrombissant à deux cent vingt-cinq kilomètres à l'heure vers une piste improvisée pour tenter d'y déposer vingt tonnes de carburant inflammable entre deux rangées d'ampoules lumineuses, au milieu d'un océan de glace nue, émaillé de plaques de brouillard et dévasté par des vents contraires soufflant à cinquante-cinq kilomètres heure.

— Allez, ma vieille, fit-il.

Le cigare ne bougeait pas.

Il y eut une secousse, la glace arrachée racla les pneus ballons, et l'avion partit à toute allure. Les lumières défilaient comme des éclairs. Le pas de l'hélice changea. Les moteurs rugirent. D'énormes tourbillons de neige s'envolèrent de toutes parts. L'appareil ralentit. On ne distinguait pas de craquelures dans la neige. Il faisait moins trente-neuf.

— Bienvenue sur l'océan Arctique, dit Spike Sheret. A un mètre quatre-vingts en dessous de vous, vous avez une hauteur d'eau de cent cinquante mètres qui pourrait vous tuer en une minute.

Il replaça son cigare dans sa bouche et se tourna vers un visiteur.

— Assommant, n'est-ce pas? ajouta-t-il.

En moins de trente-cinq minutes, le numéro 383 de la Pacific Western serait déchargé, et l'Hercules allégé repartirait dans le noir firmament. La plupart des nuits, Spike Sheret fait quatre voyages.

Lors du premier trajet de retour cette nuit-là, il montra du doigt une pâle lumière jaune et isolée filtrant à travers les nuages, très loin au-dessous de nous.

– C'est Polaris, dit-il.

Depuis le nombre d'années que je prenais l'avion, il me paraissait étrange d'être saisi par la vue de ces lumières tout en bas. Elles ne semblaient pas à leur place. Je baissai les yeux vers la petite île de Cornwallis, perdue au milieu de cette immense et profonde obscurité; elle était vraiment pareille à une brillante étoile solitaire. Mais, de plus près, une fois au-dessous des nuages, du brouillard givrant et des rafales de neige, la lumière unique devint amas, puis tout un complexe bâti par l'homme émergea d'un paysage lunaire désolé. C'était la nouvelle mine pionnière de plomb et de zinc de Polaris, la plus septentrionale de toutes les exploitations de métaux vils au monde. Beaucoup de projets ont été conçus là. Beaucoup d'autres y sont à l'étude. Et arpenteurs, sismologues et foreurs découvrent régulièrement de nouveaux gisements.

L'attrait des ressources naturelles a toujours été la force historique présidant au développement économique du Canada. D'abord, il y eut le poisson. Puis vinrent les fourrures. L'or et le cuivre en attirèrent beaucoup dans le Yukon. L'uranium en amena d'autres dans le nord de la Saskatchewan et en Ontario. C'est l'amiante qui fascina dans le nord du Québec. De lourds sables pétrolifères commencèrent à être exploités en Alberta. Et les possibilités de production d'électricité à bon marché à partir de toute l'eau douce du Labrador – et, en vérité, de toute la partie nord du Canada – firent monter les bulldozers toujours plus haut au fil des années. Il faudra plus de dix ans pour construire le seul projet hydro-électrique de la baie James, seize milliards de dollars, des travaux comprenant une série de barrages, des centrales électriques, et une salle des générateurs grande comme cinq terrains de football, creusée dans le granit à cent trente mètres sous terre. Incluant le détournement de grands fleuves et la création du lac le plus vaste du Québec, le projet a employé, à certains moments, jusqu'à seize mille ouvriers, et même nécessité le transfert prudent de mille cinq cents castors vers des eaux plus sûres.

C'est à plus de trois mille kilomètres de là, grosso modo en direction du nord, que se trouve la mine de Polaris. Conçue pour produire cent quatre-vingt-sept mille tonnes de zinc et quarante-deux mille de plomb par an, elle a représenté, au départ, un pari de cent cinquante millions de dollars pour son propriétaire, la Cominco Ltd, l'une des branches minières du tentaculaire empire de la Canadian Pacific. Le défi, sur le plan physique, mécanique et économique, était de construire une énorme exploitation minière souterraine très au nord du cercle polaire arctique, la faire fonctionner avec efficacité trois cent soixante-cinq jours par an, en dépit du temps et de l'isolement géographique, de l'approvisionner pour une année et d'expédier par cargos la production de l'année précédente durant la courte période de quarante-deux jours où la mer n'est pas encombrée par les glaces.

Ce regroupement de lumières autour du site, qui a jusqu'à son propre code postal et sa piscine particulière (couverte, comme on peut s'en douter), c'est le foyer de deux cents hommes, vingt-six femmes et cinq chiens de la *Canine Polar Bear Patrol*, tous, sauf les chiens, vivant dans un luxe douillet. Ils creusent une nouvelle mine très profonde, et frayent un nouveau chemin dans l'histoire des affaires.

– C'est chez nous, me dit Sam Luciani comme j'entrais dans sa demeure.

Directeur de la mine, M. Luciani, bourru, les cheveux gris, a cinquante-sept ans. Il a travaillé dans les exploitations minières du Grand Nord une grande partie de sa vie.

– En 1942, me dit-il au cours d'une longue conversation que nous eûmes un soir, j'ai passé un mois à Goose Bay, dans le Labrador, à attendre un vol de correspondance. Depuis, je n'ai plus guère traîné dans le Sud.

Sa petite cité représente un complexe de deux cents chambres et appartements confortables sur trois niveaux, émaillés de bureaux et de réserves contenant l'approvisionnement en nourriture d'une année, où l'on peut trouver des articles comme des champignons de Corée, des ananas d'Afrique, et des pommes de Chine. Des laitages, des produits frais et un peu de viande arrivent, de loin en loin, par avions *Hercules*. Tandis qu'on décharge le tout avec empressement, les pilotes, tel Spike Sheret, vont faire un rapide plongeon dans la piscine, dont la vaste fenêtre panoramique s'ouvre sur la toundra traversée par des rafales de vent, à exactement mille trois cent vingt-sept kilomètres du Pôle Nord. Polaris dispose aussi d'un gymnase, de deux saunas, d'une petite bibliothèque, et de tout un bataillon de confortables fauteuils pour les travailleurs fatigués qui se reposent en regardant les programmes de télévision par satellites.

Au bas de la colline, après une petite promenade en bus de trente secondes dans des vents pouvant atteindre cent dix kilomètres à l'heure, on découvre une usine complexe, et une sorte de bâtiment un peu plus vaste qu'un terrain de football. Construit sur une péniche au Québec, transporté par voie d'eau sur quelque quatre mille huit cents kilomètres, le long de fleuves, à travers golfes et détroits, il fut pour finir débarqué et installé ici pour les vingt-cinq années qui suivirent ou à peu près. Sa coque vide contient maintenant du mazout.

Et, juste sous la colline, George Casavant et ses équipes de mineurs vêtus de combinaisons de travail orange, tel un commando d'assaut d'un film de James Bond, approchent du niveau moins trois cents mètres. Dans le fracas de tonnerre souterrain d'énormes machines Diesel, ils forent des puits, font sauter et évacuent le riche permafrost, concassent les rochers scintillants en fragments de la taille d'un poing, qui sont emportés sur un tapis roulant jusqu'à l'usine, et ensuite dans un entrepôt.

Le minerai subit un traitement chimique qui fait apparaître à la surface de l'eau d'abord le plomb, puis le zinc. A la chaleur des échappements des générateurs Diesel, les poudres de métal sèchent, puis sont transportées sur les convoyeurs vers un entrepôt contigu mais non chauffé. En chemin, elles perdent de leur chaleur dans les températures constamment inférieures à zéro, provoquant souvent des sortes de rafales d'une neige d'intérieur, qui adhère à toutes les surfaces, s'y accumulant en de jolies formes cristallines, si fragiles que le plus léger mouvement de l'air les fait voler dans la lumière. Les résidus s'en vont vers un lac tout proche, à présent biologiquement mort.

– C'est pour cela que nous sommes ici, me dit Bob Owen, métallurgiste, en me tendant une motte de terre froide constituée à quatre-vingt-dix pour cent environ de plomb.

Toute la réserve de la mine (vingt-trois millions de tonnes), découverte par les prospecteurs en 1960, n'est pas aussi riche. Mais des hommes comme Jean-Paul Brazeau, un mineur gagnant quarante mille dollars par an, remontent régulièrement à la surface du minerai à soixante pour cent. Dans d'autres parties du monde plus civilisées, la Cominco est ravie lorsque la teneur est de six pour cent.

Il fallait que le filon soit aussi riche pour compenser toutes les dépenses supplémentaires occasionnées par une exploitation dans un environnement à ce point hostile et éloigné.

Les ouvriers travaillent six journées de douze heures par semaine pendant dix semaines, et sont payés en heures supplémentaires à l'issue des quarante-quatre premières heures de chaque semaine. A la suite de quoi ils sont transportés par avion, aux frais de la société, pour quinze jours de vacances. Logés et nourris gratuitement, ils reçoivent en outre une prime spéciale d'isolement particulière au Grand Nord, équivalant à cinquante pour cent de leur salaire. Comme on peut le comprendre, trois mille candidats sont inscrits sur la liste d'attente. Durant les mois d'hiver, lorsque l'obscurité est totale vingt-quatre heures sur vingt-quatre, le renouvellement des employés est de douze pour cent, chiffre considérable, et coûteux. Pendant de nombreuses semaines d'affilée, aucune activité n'est possible à l'extérieur. Les rafales de neige sont parfois si violentes que le bus ne peut sans danger parcourir même les cent mètres séparant les dortoirs de la mine. Et une équipe d'ouvriers peut devoir assurer un double roulement, en attendant que le temps s'améliore.

Outre les primes et les vacances supplémentaires, les compagnies canadiennes ont imaginé un certain nombre de méthodes pour combattre les problèmes psychologiques. Elles ont conçu des aires de vie aérées, aux couleurs éclatantes, dotées de nombreux espaces privés (deux personnes par chambre au maximum). On y trouve des films, de nombreux téléviseurs, des clubs sportifs et des salles de détente, et, puisque les moments des repas, qui rompent la monotonie du travail et du mauvais temps, tendent à jouer un rôle social tout à fait essentiel, la nourriture et les pâtisseries sont délicieuses et en quantité illimitée. Lors de l'embauche, préférence est donnée aux couples en raison de leur stabilité affective très appréciée.

— Ici, ce qui me manque, ce sont les restaurants, les magasins, et de pouvoir me faire coiffer, faisait observer Lyn Luciani, l'une des vingt-quatre femmes mariées travaillant là au temps de ma visite. Mais, en bas, je regrette la paix et la tranquillité d'ici.

— Lorsque vous commencez à ne plus supporter la réclusion, vous devenez très grincheux, fit alors remarquer son beau-père, Sam Luciani. Bien entendu, à moi, cela n'arrive pas, mais l'une des pires est ma femme Kay. Vous savez, les gens vivant dans l'Arctique sont une race curieuse mais merveilleuse. Ils peuvent se montrer bigrement silencieux par moments. Mais jamais nulle part vous ne trouverez des amis meilleurs ni plus sûrs. Dans les instants cruciaux, ils se feraient tuer, littéralement, pour vous aider. Parce que ici chacun sait bien qu'il peut avoir besoin d'aide d'une minute à l'autre. C'est tous ensemble que nous sommes dans ce bateau.

— Tout est plus difficile à faire dans le Grand Nord, ajoute M. Owen, trente-cinq ans, et père d'un enfant. Une chose qui, dans le Sud, vous prendrait quatre heures, ici vous en prend huit. Tout est plus intense, votre travail, vos amitiés, le climat, et vos frustrations. Difficile de s'y faire.

De nombreuses mises au point sont nécessaires lorsqu'on veut vivre dans ces régions. Avec le froid, les poignées des portes se brisent dans vos mains. On laisse tourner les moteurs des véhicules d'octobre à mai. Et, même après, il ne faut pas oublier l'antigel dans l'huile.

— Essayez un peu de faire des levés de terrain dans l'obscurité de l'Arctique, me dit Mike DeGruyter en enfilant sa tenue d'extérieur au grand complet. C'est qu'il gèle un peu là dehors.

Mais dans la mine elle-même, toute zone un peu chaude doit être réfrigérée, parce que c'est le permafrost qui maintient les parois.

La Cominco a entrepris d'engager des Inuit, qui représentent dix pour cent environ des effectifs. Cette mesure nécessite l'organisation d'une formation professionnelle et culturelle des surveillants aussi bien que des indigènes, lesquels n'ont pas toujours été habitués dans leur vie nomade à pointer le matin, à entendre hurler les contre-maîtres et à manger des hamburgers. C'est pourquoi le directeur du personnel, Rick Luciani, fils de Sam et mari de Lyn, doit faire des voyages de relations publiques dans les villages inuit, et il garde toujours en réserve à Polaris de grandes quantités de viande de phoque et de caribou pour les casse-croûte. Les ouvriers inuit sont en outre autorisés à partir en congé après six semaines de travail seulement, afin qu'ils puissent aller chasser pour leurs familles.

Tout ici, à l'exclusion du ravitaillement en nourriture apporté une fois par an par cargo, arrive par avion, des Twin Otter pour la plupart. Ils sont pilotés par des hommes comme Brian Duncan, lequel rend à Polaris des visites si fréquentes qu'il fait partie de son équipe de volley. Quand le temps le permet, il apporte le courrier, des denrées périssables, quelques pièces détachées pour les machines, des instructions de la société, et des mineurs reposés. Toujours quand le temps le permet, il remporte le courrier, des documents pour la société, des mineurs ayant besoin de repos, et quelque journaliste égaré.

En ce matin de mars, le temps ne le permettait pas. Lorsque nous avons mis nos casques, fixé nos lanternes à pile, enfilé nos grosses bottes de caoutchouc et nos combinaisons de couleur vive pour descendre au fond de la mine, la journée était belle et ensoleillée – avec une température de trente-neuf degrés au-dessous de zéro, certes, mais ensoleillée néanmoins. Lorsque nous sommes ressortis quatre-vingt-dix minutes plus tard, les vents étaient venus et soulevaient la neige du mois de décembre précédent, la faisant tournoyer si vite qu'on n'y voyait pas à trente mètres. Les conversations en plein air sont brèves dans ces conditions, car les voix sont étouffées par capuches et cagoules, et les gens doivent se mouvoir tout d'un bloc pour se tourner vers leur interlocuteur.

Notre pilote Brian Duncan avait tout emballé et était prêt à partir, mais y renonça en constatant qu'il ne pouvait distinguer la piste d'envol.

– Je vais manger quelque chose, dit-il à l'adresse du groupe de candidats passagers. Nous verrons où nous en sommes dans une heure.

Une heure après, il vit.

– Non, fit-il.

Les voyageurs somnolaient dans l'entrée. Une heure encore s'écoula, et l'on entendit :

– Peut-être.

On poussa dehors dix personnes, avec armes et bagages, pour le trajet en car de quinze secondes jusqu'à la piste.

La tempête s'était calmée. Les vents ne soufflaient plus qu'à cinquante-six kilomètres à l'heure, et l'on put charger l'appareil. M. Duncan ôta les habituelles couvertures protégeant le capot du moteur, débrancha les radiateurs électriques qui chauffaient ce dernier, puis nous donna le signal d'un geste de la main. Un par un, nous sortîmes du car, grimpâmes sur la fragile échelle métallique qui pendait hors de l'avion, trouvâmes une petite place dans l'étroit appareil, et attachâmes nos ceintures dont les boucles nous faisaient l'effet de glaçons contre l'estomac.

– J'ai dit que peut-être nous pourrions faire une tentative dans quelques minutes, annonça Brian Duncan.

Il jugeait que le temps était en train de se lever.

On mit les moteurs en marche, et le petit avion attendit dans un bruit de ferraille. En homme prudent, notre pilote aimait pouvoir discerner trois balises lumineuses au moins, soit cent quatre-vingts mètres de piste, avant tout décollage. Or, une seule lampe était visible. L'avion demeura immobile dans son fracas discordant. Dix minutes plus tard, comme l'avait prévu M. Duncan, un petit coin de ciel se dégagea. Dans une brusque secousse, le Twin Otter s'inclina dans le vent et partit, cahin-caha, sur la piste caillouteuse. Comme au bout d'une corde, il bondit dans les turbulences du ciel, et bientôt toutes les vitres de la cabine furent couvertes de givre.

En quelques secondes, nous étions sortis de l'orage, peu étendu, et entrions dans le même beau ciel ensoleillé que nous avions vu le matin.

Lorsque, trente minutes plus tard, nous descendîmes sur Resolute, après avoir traversé d'innombrables poches d'air, nous ne trouvâmes pas d'orage non plus. Pas plus que d'avion à réaction long-courrier. Le 737 attendait ailleurs qu'un autre orage se dissipe. Il essayerait peut-être de passer nous prendre plus tard dans la journée, un vendredi en l'occurrence, ou peut-être pas, et peut-être alors devrions-nous attendre le prochain avion pour Montréal... le mardi suivant. On aurait peut-être des nouvelles plus tard.

Attente de nouveau. Nouveaux assoupissements. Autres bavardages. Autres réflexions. Ces désagréments si coutumiers ne peuvent longtemps éclipser les victoires, grandes et petites, remportées sur cet environnement. Elles sont beaucoup trop nombreuses pour qu'on puisse en dresser la liste complète.

Le simple fait d'avoir bâti et de faire fonctionner un si grand nombre d'aéroports en situation d'avant-postes, et reliant tant de communautés, est un notable exploit.

Ailleurs, des Canadiens surveillent continûment par avion des milliers de kilomètres carrés de banquise, et les étudient. Et ils ont conçu et construit des avions qui bombardent d'eau les nombreux incendies de forêts qui font rage tous les ans partout dans le pays; les gros appareils, munis sous leur ventre de larges écopes, peuvent recharger en vol dans n'importe quel lac à proximité.

Des hommes entreprenants essayent, chacun pour leur part, de tirer utilement parti de la géographie du pays : Jacques Van Pelt, en organisant des expéditions d'étude de la faune à Fort Smith, dans les Territoires du Nord-Ouest; de petits fermiers à Yellowknife, dans les mêmes territoires, en employant leurs vingt-quatre heures quotidiennes pour faire pousser des melons; des scientifiques d'une mine de nickel au sud de Sudbury, en Ontario, en se servant de la température constante du sol de treize degrés pour faire pousser des légumes à la lumière artificielle...

Le gouvernement des Territoires du Nord-Ouest a en projet la première université inuit, fondée sur la formule du télé-enseignement, et utilisant radios, satellites et ordinateurs. Dans le haut Arctique, d'autres scientifiques courent la calotte polaire voguant à la dérive, à la recherche d'indices permettant de comprendre l'histoire de l'Alpha Ridge – une chaîne de montagnes longue de mille trois cents kilomètres, aussi vaste que les Alpes, mais entièrement recouverte par les eaux.

Une branche commerçante de la communauté inuit investit des fonds indigènes dans des projets d'exploitation des ressources du Grand Nord. Des ingénieurs imaginent et construisent des « moulins à vent » subaquatiques et autres ingénieux appareils pour exploiter le vaste potentiel de production électrique des bassins à flots du Canada, production en grande partie destinée à l'exportation vers les États-Unis. D'autres font des projets pour ensevelir les déchets nucléaires indésirables dans des cavités creusées dans le roc de l'inhospitalier Bouclier. Et dans le même temps, Rangar Jonsson, un vieux trappeur de quatre-vingt-quatre ans vivant seul dans un wigwam des contrées sauvages du nord du Manitoba, peut se rendre à Winnipeg pour la première fois depuis soixante ans, et s'étonner de l'allure de la circulation moderne, tout en faisant remarquer que, dans ses forêts il n'a pas eu de migraine depuis maintenant un peu plus d'un demi-siècle.

Pour relier plusieurs cours d'eau de l'Ontario servant de lieux de loisir et coulant à des niveaux différents, les autorités ont construit une grande voie ferrée inclinée, à seule fin de tirer les bateaux de plaisance hors de l'eau et de les hisser jusqu'au plan d'eau suivant.

A l'université du Manitoba, le géographe H. Leonard Sawatzky s'est associé à Waldemar H. Lehn, un collègue informaticien, pour mettre au point une nouvelle thèse qui pourrait bouleverser l'explication classique de la découverte de l'Amérique. Selon une théorie très généralement acceptée, les marins scandinaves, poussés par les tempêtes, auraient traversé l'Atlantique vers l'an mille de notre ère. Mais nos deux universitaires font appel à leurs souvenirs d'enfance, à la géographie du pays, aux ordinateurs et à des traductions d'anciennes légendes scandinaves pour réunir une masse de preuves tendant à démontrer que cette découverte historique pourrait bien avoir été en fait l'aboutissement d'une série de sauts faits d'île en île par des hommes à la poursuite d'un mirage arctique, phénomène visuel des hautes latitudes qui permet aux voyageurs de « voir » au-delà de l'horizon. Les mirages arctiques diffèrent de leurs cousins du désert en ce qu'ils sont le reflet d'une chose existant réellement, mais non à l'endroit où elle paraît se trouver. Ainsi, un automobiliste dans le désert « voit » un lac qui, en fait, n'existe pas. Mais dans certaines conditions, un enfant sur le chemin de l'école, un jour d'hiver, dans les prairies canadiennes, peut voir à l'horizon les bâtiments reconnaissables d'une ville située à soixante-cinq kilomètres de là, bien au-delà de la ligne incurvée qui limite la vision ordinaire. Les conditions de température dans l'Arctique peuvent infléchir les rayons lumineux autour de la courbe terrestre, plaçant une image bien réelle sur un horizon surélevé qui lui n'est réel qu'en apparence. Outre son intérêt historique, ce phénomène trompeur est d'une grande conséquence, par exemple, pour les aviateurs, qui pourraient vouloir essayer d'atterrir sur une piste ne se trouvant pas là où elle en a l'air.

Ma rêverie fut interrompue, en cet après-midi d'attente sur l'aéroport, par l'apparition d'un avion à réaction qui, lui, existait bien. Il avait moins de deux heures de retard. Cependant que les passagers en descendaient par l'arrière, des tonnes de chargement, y compris une Toyota, sortaient par l'avant. Dans ces avions, des sièges peuvent être enlevés ou ajoutés, et la paroi de la cabine avant est mobile pour prendre en compte les variations des cargaisons d'hommes et de marchandises. Elles étaient à peu près égales ce soir-là lorsque nous décollâmes pour nos cinq heures de vol en direction du sud. A peine prenions-nous de l'altitude au-dessus de l'île de Beechey, que déjà les boissons commandées avaient été servies, et que l'on réchauffait les canapés au foie de volaille dans la cuisine, à l'arrière.

Plus bas, invisible à présent, la banquise avançait en gémissant vers son anéantissement printanier. Spike Sheret se préparait à une nouvelle longue nuit de transport de carburant sur l'océan de glace miroitant. Mike Pembroke corrigeait des dictées au son des informations de la radio, en inuktitut d'abord, en anglais ensuite. Plusieurs chasseurs inuit préparaient leurs autoneiges, ces sortes de traîneaux à moteur, et leurs puissants fusils pour un voyage d'une semaine. Une compagnie de soldats partis pour une longue marche d'entraînement à la survie faisaient cuire les conserves de leur dîner sur des appareils de chauffage. L'équipe du soir avait encore plusieurs heures de travail devant elle, sous terre, dans la mine de Polaris, où les concepts de jour et de nuit, de samedi et de dimanche, sont totalement hors de propos. L'équipe qui faisait la nuit était profondément endormie. Et, après un repas composé de bœuf et de tarte aux pommes, l'équipe de jour se détendait en regardant sur un écran mural géant un match de basket émis par une station de télévision d'Atlanta. Brian Duncan était déjà retourné à la mine avec le courrier, puis était reparti (pas de match de volley prévu ce soir-là). Sam Luciani parlait, via satellite, à sa fille au loin, à un sixième de circonférence terrestre de là, tandis que les gars sur la plate-forme pétrolière de Whitefish faisaient en secret des essais pour trouver du gaz à six cents mètres sous terre.

Tout en bas, il faisait nuit depuis longtemps. Ici dans le ciel, près de onze kilomètres plus haut, c'était la fin de l'après-midi. Le soleil se couchait au sud dans un mélange de bleus, de rose pâle et de jaune délavé. On n'y sentait rien de chaud ni de chaleureux. Le coucher de soleil dura toute une heure, le temps du dîner.

Au-dessous, on ne distinguait rien qui fût humain. Les espaces sauvages, blancs et déserts, se déroulaient, heure après heure. C'est là que naissent et grossissent les tempêtes des hivers nord-américains avant de se précipiter vers le sud et d'y éclater. Ces froides zones de hautes pressions – les météorologues américains les appellent toujours « fronts froids canadiens » – s'attardent sur le nord du pays pendant des jours, accumulant des pressions toujours plus élevées, cependant que les températures dégringolent toujours plus bas, jusqu'à moins soixante-trois, une fois, dans le Yukon, la plus basse température jamais enregistrée au Canada. Après s'être élevés jusqu'à seize mille mètres, ces dômes de froid intense finissent par s'écrouler sur eux-mêmes, faisant gicler, comme de longs jets, des fronts glacés en direction du sud et de l'ouest. Là, ils se heurtent à l'air chaud méridional, déclenchant des orages en chaîne qui dévalent en direction des Grands Lacs, rechargés de tonnes d'une chaude humidité... et plusieurs centimètres de neige par heure peuvent alors se déverser sur le sud du pays et sur le Midwest américain. Vues de dessus, ces perturbations ressemblent à quelque gigantesque tasse de café noir aux dimensions d'un continent, surmontée d'orages blancs pouvant atteindre parfois des longueurs de deux cent quarante kilomètres, et tourbillonnant ici et là comme du lait qu'on verserait en remuant.

Mais le ciel était clair au-dessus et au-dessous de nous cette nuit-là lorsque les ténèbres rejoignirent notre avion qui volait à haute altitude. Tandis que, par degrés, nous avancions vers le sud dans le plein clair de lune, la nappe blanche sur la terre n'était interrompue que de loin en loin par des crevasses grises et dentelées, formées par des eaux libres là où les vents avaient séparé les plaques de glace. Nous coupâmes à travers la baie d'Hudson, simple bras de mer à l'échelle du pays, et pourtant presque cinq fois plus grand que le Michigan. Nous taillâmes à travers le nord du Québec sans que la blancheur ait encore été souillée.

Lentement, furtivement presque, quelques arbres rabougris commencèrent à tacheter le blanc éclatant. Le ciel était d'un bleu sombre et profond, étincelant du vif scintillement de milliers d'étoiles. Près de l'horizon, leur éclat diminuait à mesure que les grands rubans bleutés devenaient plus pâles, avant de se fondre dans le sol, sans qu'on pût discerner entre eux et lui de ligne précise de séparation. Une demi-heure encore, et les taches formées par de maigres forêts se firent plus denses, et d'énormes lacs inconnus mouchetèrent le paysage solitaire de petites masses d'un blanc immaculé.

Nulle part on ne distinguait le moindre signe de vie ou de civilisation. Une heure. Puis une autre. Et une autre encore. Aucune lumière. Aucune route droite. Aucune fumée. Seulement la masse silencieuse et glacée, aussi loin que l'on puisse désirer voir.

Certains de mes compagnons de voyage et moi-même restions immobiles, en silence, scrutant l'espace à travers les hublots d'un regard interrogateur. Je ne parvenais pas à détacher mes yeux du grand vide régnant là, et regardais attentivement, à la recherche de quelque signe, même infime, de civilisation. J'éprouvais une joie étrange à m'en déceler aucun; dans le même temps je me sentais vulnérable et terriblement minuscule.

Et puis, c'est arrivé : une lueur rougeoyante apparut soudain au-dessous de nous, illuminant le paysage tout entier. C'était Montréal, et avec elle, entassée là, la mince masse méridionale du Canada urbanisé. Des lumières. Beaucoup de lumières. Des rues. Toutes droites. Des voitures. Des files entières de voitures avançant au pas. Des usines. De la brume. Des camions. Des parkings. Des panneaux d'affichage passant comme des flèches. Des clôtures. Des peintures colorées. Des enseignes clignotantes. Des lignes. Des buissons. Des foules. Alors, nous atterrîmes dans un autre monde. Et le Nord canadien semblait loin, très loin.

DEUXIÈME PARTIE

LES GENS

Une centaine de parents s'étaient assemblés avec empressement, ce soir-là, dans la salle de réunion d'une petite école de Toronto. Leurs rejetons, alors en cours moyen première année, levaient le rideau sur la scène de carton-pâte édifiée par leurs soins. Ils présentaient un texte entièrement écrit par eux-mêmes, dans un spectacle de marionnettes.

— Bonsoir, dit le maître de cérémonie. Ce soir, nous allons bavarder avec les finalistes de notre concours de beauté.

— Je m'appelle Betty Lou Jones, dit la première concurrente avec cet accent que les Canadiens croient à tort être celui du sud des États-Unis, et je suis de Durham, Caroline du Nord.

— Bonjour, fit la jeune marionnette suivante, je m'appelle Amy Sue Barker. Et je suis de Little Rock, Arkansas.

La dernière finaliste parla d'une toute petite voix.

— Je m'appelle Roberta Mackenzie, et je suis du Canada, dit-elle. Mais je ne sais pas ce que c'est.

L'explosion de rire instantanée, complice, des parents donna le signal d'applaudissements prolongés.

Les statistiques, en effet, peuvent révéler d'où viennent les Canadiens, où ils vivent à présent, à quel âge ils se marient, ont des enfants, divorcent et meurent, comment ils gagnent leur vie, passent leur temps et dépensent leur argent, mais, après plus de trois cent soixante ans de colonisation et près d'un siècle un quart d'indépendance, nul n'a été capable – et les Canadiens moins que tous les autres – de définir qui ils sont.

Ce qui, sans doute, surprend le plus leurs voisins américains est de découvrir qu'un pays si riche de bien des façons, si pur encore en tant d'endroits, doté d'un peuple si évidemment intelligent, robuste et chaleureux, s'interroge encore sur son identité nationale. C'est que, fondamentalement, les Américains ignorent la plupart des aspects du Canada. Du moins se le représentent-ils comme un seul et même pays. L'image qu'en ont généralement les Canadiens est au contraire celle d'un vaste assortiment de morceaux épars.

Peut-être les écoliers américains, et même leurs parents, éprouvent-ils quelques difficultés à déterminer avec exactitude ce qu'est un Américain. Peut-être plongent-ils alors dans le passé pour en ramener des noms comme Paul Revere [1], George Washington, Abraham Lincoln, Daniel Boone, Davy Crockett, et d'autres encore tirés de la pittoresque histoire de leur nation. Peut-être parlent-ils de la Révolution, ou de la Guerre Civile, ou de Pearl Harbor, ou de la manière dont leurs arrière-grands-parents sont arrivés d'Italie, ne parlant pas un mot d'anglais, chargés d'une unique valise, et brûlant du désir de devenir citoyens des États-Unis. Tous les jeunes Américains pourront évoquer ce passé, quel que soit l'endroit où ils ont grandi et sont allés en classe, ce qui leur permettra de présumer qu'ils savent qui ils sont.

Tout change dans le cas du Canada. Il semble que certains habitants ignorent même où il se situe. Leo Doucet, du Nouveau-Brunswick, raconte l'histoire, pas si exceptionnelle, de son déménagement voilà quelques années pour Whitehorse, capitale du Territoire du Yukon. Ayant écrit à sa compagnie d'assurances (canadienne) pour modifier l'adresse de sa police, il reçut sans tarder un courrier lui notifiant l'annulation de ladite police... la compagnie n'assurant les automobilistes qu'en territoire canadien.

Il n'y a pas eu de Révolution, de Guerre Civile, de vaste mythologie de héros nationaux, au Canada que les habitants, à travers leur immense pays géographiquement fragmenté, puissent partager, fût-ce inconsciemment. A titre d'exemple, leur premier Premier ministre en date fut Sir John A. Macdonald, austère Écossais alcoolique, au nom souvent mal orthographié. Son anniversaire (11 janvier 1815) n'est plus célébré de nos jours. En revanche, les Canadiens célèbrent religieusement en mai celui de la reine Victoria, la souveraine britannique, lequel passe désormais inaperçu dans sa propre nation. Peut-être, le seul « héros » d'envergure nationale connu de la plupart des Canadiens est-il Louis Riel, un Indien métis dont la rébellion à la fin du XIXᵉ siècle a véritablement été le symbole des profondes divisions linguistiques entre Français et Anglais dont le Canada souffre encore. Il mourut pendu.

Le pays fut établi en tant que nation par les Britanniques, qui ne se soucièrent pas plus des conséquences possibles de cette décision sur le plan intérieur qu'ils ne le feront, un siècle plus tard, lorsqu'ils libéreront leurs colonies africaines, les dotant de frontières artificielles fort éloignées des réalités géographiques et tribales. Au moment de leur départ officiel en 1867, ils étaient magistralement parvenus, comme dans leurs autres colonies, à insuffler dans l'esprit des Canadiens un sentiment d'infériorité.

1. Graveur et orfèvre, et grand patriote (1735-1818).

Un matin de janvier à Toronto, je me dirigeais en voiture vers le quartier de Moore Park en compagnie de John Hirsch, l'un des millions d'immigrants dont les grandes aspirations et les ambitions ont ensemencé cette terre conservatrice. Tandis que les écureuils traversaient en sautillant la neige étincelante, il me confia son analyse de la situation.

— Le complexe d'infériorité du Canada prend racine dans la mentalité coloniale. Le succès, pour un colonisateur, consiste à convaincre les indigènes que tout ce qu'ils possèdent, ou peuvent produire, est a priori inférieur à la culture, au savoir-faire et aux modèles du pouvoir colonial. Les Britanniques étaient passés maîtres en cet art. Ils parvenaient avec un charme brutal et une incroyable arrogance à faire irruption dans de nombreux pays de culture plus ancienne, et à les persuader qu'ils ne valaient rien. Chez eux, les Écossais étaient foulés aux pieds comme de la racaille; alors, ils sont venus ici rendre à d'autres la pareille, et perpétuer cette terrible répression. Mais je n'arrive pas à comprendre comment un pays accepte de croire qu'il ne vaut pas autant que son voisin. Lorsque j'étais petit, en Hongrie, on nous enseignait que le monde est le chapeau de Dieu, et que la Hongrie est le bouquet posé dessus. Un tas de sornettes, évidemment... Ce ne sont que des fleurs mélangées à de mauvaises herbes... Mais on vous apprend à penser que vous êtes exceptionnels. Vous êtes ici-bas pour y réaliser quelque chose et pour y prendre plaisir. Vous ne démarrez pas en vous croyant inférieur au reste du monde. Si j'en avais les moyens, j'enverrais le Canada chez un bon psychiatre pour une vingtaine d'années.

Mais M. Hirsch devint simplement directeur artistique du célèbre Festival Shakespeare de Stratford, rehaussant encore, en dépit des maintes déconvenues que lui infligèrent ses compatriotes, l'une des rares images de qualité reconnues au Canada sur la scène internationale.

« Les étudiants américains, déclare Northrop Frye, professeur à l'Université de Toronto, ont été conditionnés dès la petite enfance à se considérer comme citoyens de l'une des grandes puissances mondiales. Les Canadiens, eux, sont conditionnés à se considérer comme citoyens d'un pays à l'identité incertaine, au passé déroutant, et à l'avenir aléatoire. »

Et de poursuivre en faisant remarquer quelques différences historiques très sensibles :

« Le profil de l'histoire canadienne s'oppose presque trait pour trait à celui de l'histoire des États-Unis. Ceux-ci ont livré une guerre d'indépendance contre une puissance européenne au XVIIIe siècle, et une guerre civile sur leur sol un siècle plus tard. Le Canada a, lui, été le théâtre d'une guerre entre puissances européennes sur son propre sol au XVIIIe siècle, et d'un mouvement d'indépendance vis-à-vis de son partenaire américain au XIXe siècle. »

L'historien J.M.S. Careless voit l'origine du conditionnement des

Canadiens dans un « syndrome du perdant » issu des rigueurs de l'état de pionnier sur des terres septentrionales, et des nombreuses défaites politiques et sociales qui avaient marqué les immigrants avant même qu'ils ne se réfugient dans leur nouveau pays.

Il est bien sûr impossible d'opérer une généralisation, mais on a le sentiment que, parmi ceux qui partirent pour les États-Unis, beaucoup avaient pour but d'y faire quelque chose qu'ils ne pouvaient faire ailleurs – pratiquer une religion particulière, par exemple, comme les Pères Pèlerins. En revanche, un grand nombre des immigrants vers le Canada ne faisaient que fuir quelque chose – la famine due à la pénurie de pommes de terre en Irlande, l'évacuation des Highlands en Écosse, la persécution contre les Indiens au Kenya, ou, pour certains membres de la haute noblesse anglaise, une réputation quelque peu ternie. On surnomma ces derniers les « hommes aux versements » ; ils n'essayaient pas réellement de se forger une vie nouvelle au Canada, mais vivaient d'envois de fonds arrivant d'Angleterre.

– Les Américains, me dit un jour le professeur Careless alors que nous déjeunions ensemble, ne peuvent concevoir de perdre. Les Canadiens, entravés comme ils le sont par le climat, les distances et l'histoire, ne voient aucune raison d'espérer la victoire.

De fait, ils s'en méfient.

Voici quelques années, Nordair, une petite compagnie aérienne régionale, perpétuelle perdante dans la course à la clientèle, se mit soudain à offrir une excursion gratuite en limousine, ou une journée de location de voiture, à tous ses passagers sur la ligne très encombrée de Montréal à Toronto. Quelques jours plus tard à peine, la commission canadienne des Transports, chargée d'accorder les licences aux compagnies aériennes, donna ordre de suspendre cette promotion.

Selon l'analyse de Dick Smythe, commentateur à la radio, « il n'est pas canadien de montrer un esprit compétitif et imaginatif ».

Au retour d'une tournée de compétitions internationales, une athlète canadienne amateur de tout premier ordre souligna la différence entre Canadiens et Américains. Ses compatriotes, dit-elle, félicitent l'un des leurs lorsqu'il obtient une dixième place ; les Américains, eux, disent : « Cinquième place ? Pas de veine. Vous ferez mieux la prochaine fois. »

Donald Sutherland, un Canadien qui quitta son pays pour briller en d'autres lieux, décrivit un jour ses concitoyens comme des enfants qui s'écrasent le nez sur les vitres de la vie, se doutant bien, tout au fond, qu'ils ratent tous les plaisirs dont jouissent leurs exubérants voisins américains, mais trop anxieux pour essayer eux-mêmes, par crainte d'échouer.

Parallèlement cependant, à certains signes, on voit émerger sous la grisaille rassurante du vieux Canada une volonté de changement, une impatience à rivaliser de manière plus offensive sur diverses scènes internationales, depuis les courses de voiliers de l'*America's Cup* jusqu'à la Coupe du monde de ski, où leur audace toute neuve en descente a valu aux Canadiens le surnom de *Kamikaze Kids*.

Cette attitude nouvelle régnant parmi une minorité grandissante s'observe même au niveau des activités sportives de quartier : un homme comme Mike Tzekas, entraîneur de « football américain », a si bien organisé et formé son propre club de jeunes qu'en règle générale, ils écrasent leurs adversaires. Pour toute récompense, ils se sont vu exclure du championnat de leur ligue, parce que trop bons. « Ce pays, déclare le jeune M. Tzekas (qui a investi de sa poche plusieurs milliers de dollars en équipement pour " ses garçons "), a terriblement peur de la compétition. Mais s'ils croient pouvoir me démoraliser, ils se trompent lourdement. » Il ne tarda pas à attirer d'autres entraîneurs partageant son état d'esprit. Ensemble, ils entreprirent de constituer leur propre ligue, et se trouvèrent bientôt submergés de garçons ambitieux et désireux de parvenir au sommet.

Les Canadiens ont grandi dans le seul pays du Commonwealth britannique contraint de se développer dans l'ombre imposante d'une super-puissance. Jour après jour, ils sont soumis à l'écrasante influence culturelle, économique, politique, et sportive, d'États-Unis dynamiques, rustres parfois, qui ont allègrement drainé vers eux une grande partie de ce que la société canadienne a produit de meilleur – ses inventeurs, les célébrités de sa télévision, ses chanteurs, ses hommes d'affaires, ses athlètes... Ils les reconditionnent et les lancent sur le marché international sans se soucier de leur identité.

Peu importe au monde que l'homme qui a découvert l'insuline, ou Alexander Graham Bell, ou encore l'acteur célèbre pour avoir incarné Abraham Lincoln, ou même l'inventeur du basket-ball, soient canadiens – comme c'est le cas. Il semble, pourtant, que cela importerait aux Canadiens. Au fond d'eux-mêmes, ils souhaiteraient désespérément être reconnus selon leurs mérites, tout en se sentant désemparés lorsqu'il leur arrive de l'être.

Rarement chantent-ils leurs propres louanges ou celles de leurs concitoyens. Un éditorial du *Globe and Mail* de Toronto du 2 janvier 1984, célébrant le niveau historique qu'a atteint la population du Canada, fournit un exemple du plus haut degré de ferveur qu'ils puissent manifester à leur propre égard : « Avec vingt-cinq millions d'habitants, nous ne sommes encore qu'une poignée d'âmes s'agitant çà et là dans un grand pays vide, et cependant si comprimées dans nos villes que seuls quelques fermiers, quelques trappeurs et chauffeurs de camion ont vraiment eu l'expérience de ce vide. Nous sommes très loin d'avoir donné toute notre mesure, mais nous ne nous débrouillons pas trop mal, merci, si nous nous comparons à la plupart des autres nations du monde, que l'on s'en réfère au nombre de ventres remplis ou de libertés acquises. »

De plus en plus de Canadiens savent lorsqu'une chose, chez eux, est bonne ou excellente. Mais tout se passe, semble-t-il, comme si la reconnaissance de cette excellence subodorée devait venir d'ailleurs. « Les Canadiens, naturellement flegmatiques, se méfient de l'adulation, a écrit dans sa rubrique le très populaire journaliste Allan Fotheringham, mais les Américains adorent les héros; tout leur système repose sur eux. » Cette réflexion venait à la suite d'un rappel de l'accueil délirant que réservèrent lesdits Américains à l'ambassadeur canadien Kenneth Taylor pour être parvenu à libérer certains de leurs otages détenus en Iran, et de l'embarras dans lequel avaient alors été plongés les Canadiens.

Le succès peut même rendre amis et collègues férocement jaloux, comme l'ont découvert à leur grande consternation certains écrivains canadiens connus à l'étranger. Le Canada, beaucoup l'ont observé, est un pays de « démythifieurs », entretenant des relations difficiles avec la célébrité. Dans ce pays, écrit Charles Gordon dans l'*Ottawa Citizen*, chacun connaît quelqu'un qui connaît les travers de telle ou telle personne célèbre. Et, à défaut de travers, sa vertu même peut se retourner contre elle. On cite la réflexion : « Wayne Gretzky [1]? Il est vraiment... ma foi, il est vraiment trop parfait. »

Ces dernières années, on jouait une pièce de théâtre très populaire sur la Prairie canadienne. Son titre était : *Si tu es si doué, que fais-tu donc à Saskatoon ?*

Façonnés à l'origine par un climat rude, un héritage de timidité sur le plan international, une immigration historiquement tout différente de celle des autres Américains du Nord, et une crainte immense de l'échec, les Canadiens ont toujours été enclins, en toute circonstance, à s'attendre au pire. Si on essuyait un revers, on le savait depuis le début. Et si une réussite soudaine survenait, on ne sait comment, il devait y avoir une erreur quelque part – peut-être s'agissait-il d'une simili-victoire, ou alors le vainqueur n'était plus vraiment très canadien.

– C'est très simple, m'expliqua Pat Muelle, directeur d'une entreprise de déménagement, l'un des derniers jours de mon séjour au Canada. Vous, les Américains, êtes toujours plus sûrs de vous que, nous, les Canadiens. On vous apprend ça dès la naissance. A nous aussi.

Et l'on cite toujours l'histoire de la vieille dame qui s'était exclamée d'un ton impérieux, lors de la remise du Prix Nobel de la Paix au Premier ministre Lester Pearson : « Mais pour qui se prend-il donc? »

La « Royal Canadian Air Farce », cette troupe de comiques si sensibles à l'air du temps, rend compte de ce sentiment dans nombre de ses sketches télévisés ou radiophoniques. Dans l'un d'eux, par exemple, le Canada lance ses premiers astronautes, deux ivrognes planant déjà bien haut, et leur satellite, baptisé Castor, fendant l'air, ne parvient péniblement qu'à quinze mètres d'altitude.

1. Wayne Gretzky est l'un des champions de hockey du Canada.

Dans un autre, la troupe suggère que le Canada constitue une compagnie théâtrale qui jouerait les pièces de Shakespeare avec des voix du genre Donald Duck. Cette innovation aurait l'avantage de propulser enfin le Canada parmi les chefs de file. Dans certaines de leurs saynètes, un de leurs membres compare la société canadienne aux États-Unis, attitude instinctive dans le pays. « Les Américains disent : " Nous n'avons rien à craindre, sinon la peur elle-même ", fait remarquer le personnage. Un Canadien dit : " Les choses vont terriblement empirer avant de tourner mal ". »

Pris individuellement, les Canadiens se signalent aux visiteurs comme l'un des peuples les plus amicaux, les plus ouverts et raisonnables, les moins dogmatiques, et, aujourd'hui, parmi les plus offensifs et imaginatifs dans le domaine économique.

Aucun des traits de ce peuple ne pouvait se déceler, bien sûr, voici plus de quatre cent cinquante ans, en l'une de ces journées d'automne si caractéristiques, venteuses et fraîches en dépit d'un brillant soleil, annonciatrices de l'hiver blafard à quelques semaines de là. Mais Jacques Cartier, rude marin breton, pourrait bien avoir pressenti quelque chose de radicalement autre en ces lieux, cependant qu'avec lenteur il remontait, au mois de septembre de l'année 1535, un énorme fleuve sans nom.

A l'époque, François Ier était en quête d'une Nouvelle France, de nouvelles colonies, de nouveaux trésors, et de voies de navigation inédites afin de rivaliser avec la Nouvelle Espagne que son voisin européen se taillait dans le sud du Nouveau Monde. Au cours d'une première expédition, Jacques Cartier – qui comme beaucoup d'autres cherchait le passage du Nord-Ouest, la légendaire route maritime vers les non moins légendaires richesses de l'Orient – avait atteint une péninsule maintenant appelée Gaspésie. Là, en juillet 1534, il avait érigé une croix de bois haute de neuf mètres et proclamé la nouvelle souveraineté française sur cette terre. L'écho de cette déclaration devait se faire entendre en ces dernières années du xxe siècle, lorsque ses descendants, habitants du Québec, cherchèrent à se séparer du Canada pour bâtir enfin la nouvelle société française dont Cartier avait eu la vision.

Revenu, l'année suivante, en cet automne 1535, Cartier est passé devant la croix rongée par les intempéries, et a poursuivi son chemin sur la puissante voie navigable qui, espérait-il, le mènerait jusqu'au large, non loin de là. Mais les eaux se rétrécirent toujours plus et, en un lieu qui serait plus tard connu sous le nom de Québec, il descendit à terre pour parler avec quelques Indiens.

Comment appelle-t-on cet endroit? demanda, dit-on, Cartier, d'un geste du bras balayant sans doute l'horizon. Les Indiens pensant, selon toute apparence, qu'il voulait parler de leur ville, répondirent naturellement « Kanata ». C'était le mot huron-iroquois pour désigner un village. Cartier retourna en France annoncer la découverte d'une nouvelle terre au nom étrange et dur. C'est ainsi, que, fruit d'un malentendu bilingue, le pays reçut pour toujours le nom de Canada.

C'était l' début d'un symbolisme approprié pour ce pays, mal nommé, mal compris et pris pour un autre endroit. On suggérerait, par la suite, d'autres noms pour lui : Britannia, Albionara, Norland, Transatlantia, Superior, Borealia, Hochelaga, et, mon favori, Tuponia. Mais de quelque manière qu'on le nommât, ce n'était pas l'Inde. Le pays était riche, sans doute, mais pas de diamants, de joyaux ni d'épices. Et tandis que, paisiblement, deux des nombreuses cultures qui peupleraient la nouvelle terre se parlaient avec sérieux et franchise, les discours de chacune restaient incompris par l'autre. Il y aurait de nombreux autres « kanatas » dans l'histoire du Canada.

Quelques années plus tard, les Français tentèrent de coloniser le pays. Une fois encore, ils remontèrent à la voile le fleuve que Cartier baptisa Saint-Laurent, du nom du saint chrétien du IIIe siècle. Mais, à l'issue du premier hiver, les colons firent leurs bagages et rentrèrent chez eux. Le Canada, et ce ne serait pas la dernière fois dans son histoire, allait devoir attendre pour que le monde lui prêtât attention et le comprît. Soixante-quinze ans allaient s'écouler avant que la colonisation blanche ne commençât réellement, non loin de Québec de nouveau.

Dans l'intervalle, les explorateurs britanniques promenèrent leur drapeau, faisant connaître l'intérêt que leur monarque portait à la région, et ajoutant au mélange ethnique existant. En 1576, 1577 et 1578, les équipages de Martin Frobisher exécutèrent de furtives reconnaissances dans le vide glacé de l'Arctique, abandonnant cinq des leurs ensevelis dans des sépultures gelées à la suite d'escarmouches avec des indigènes. En 1610, Henry Hudson poussa à travers les glaces en direction de l'ouest. A la suite d'une mutinerie de son équipage, effrayé à l'idée de s'enfoncer plus avant dans la terrible nature canadienne, il fut abandonné à la dérive, et périt dans la vaste baie qui plus tard porta son nom.

Mais Français et Britanniques n'étaient pas les véritables pionniers. Les premiers Canadiens arrivèrent plusieurs milliers d'années avant Cartier, non à travers l'Atlantique, mais du Pacifique dans sa partie la plus étroite. C'était les Esquimaux et les Indiens, qui, s'étant aventurés dans le détroit de Béring, parvinrent en Alaska, un trajet ne représentant plus aujourd'hui qu'une distance approximative de quatre-vingts kilomètres. Chasseurs accomplis, ils vinrent probablement dans des embarcations de peaux de bêtes, alléchés, peut-on penser, par les prolifiques colonies d'oiseaux marins nichant sur les îles Diomèdes dans le détroit. Attirés vers de nouveaux terrains de chasse, ces peuples découvrirent le Canada sur leur chemin.

Une fois en Amérique du Nord, ils errèrent à travers le pays au fil des siècles, longeant la côte et poussant vers l'intérieur. Ils élaborèrent ces langues, ces techniques, ces structures sociales fondées sur l'entraide et apprirent cette patience si adaptée à la survie dans leur rude environnement. Ainsi, les Esquimaux du Canada, qui seraient plus tard appelés Inuit, disposaient de cent mots pour désigner les différentes sortes de neige, mais d'aucun terme pour « guerre », trop occupés qu'ils étaient à lutter contre le climat pour se tourner les uns contre les autres. Ce n'est que lorsque ces bandes d'immigrants se dispersèrent dans les régions plus tempérées de ce qui allait devenir les États-Unis qu'ils songèrent à passer du temps à se combattre. Les Canadiens savent d'ailleurs depuis toujours que les Américains sont plus violents qu'eux.

Confrontés aux exigences contradictoires de la géographie écrasante du pays, ces groupes, dont certains ne comprenaient que quelques centaines de membres, se séparèrent peu à peu en bandes distinctes avec leurs coutumes propres, leurs caractères différents, et leurs dialectes oraux incompréhensibles même aux nomades voisins. S'ils voulaient survivre, ils n'avaient pas de temps à perdre en frivolités. S'ils avaient des lois (l'une des règles fondamentales étant l'obligation de tout partager), ils ignoraient le concept d'art, et n'avaient pas de mot pour lui. Même l'écriture devrait attendre le XXe siècle, et c'est par des hommes blancs venus d'autres pays qu'elle fut alors imposée. Ainsi, ces nomades fondèrent le premier des nombreux royaumes du Canada qui allaient proliférer au fil du temps.

Alimentés par les diverses immigrations, fondés tour à tour sur la culture, la langue, le pays d'origine, le métier, la province d'adoption, le parti politique, les besoins économiques ou la race, ces groupes de diverses allégeances se développèrent au cours des siècles comme des centaines de stalagmites dans une immense caverne aux dimensions d'un continent. Certaines grandes, d'autres petites. Il en était qui se fondaient ensemble. D'autres demeuraient obstinément séparées. Chaque stalagmite était belle et tenait debout seule. Considérées dans leur ensemble par les visiteurs venus de loin, toutes formaient un panorama d'une pittoresque et fascinante diversité. Mais, vus de plus près, dans un pays quasiment sans liens nationaux d'importance, ces royaumes faisaient du Canada un archipel terrestre de jalousies et de suspicions.

Comme dans beaucoup d'autres pays, l'immigration de millions d'hommes a joué un grand rôle dans la formation de la personnalité du Canada moderne.

Les premières générations avaient toutes chances d'être issues de milieux britanniques à l'accent vraisemblablement aristocratique, reconnaissant l'importance du gouvernement, de l'existence d'une autorité, et, naturellement, du roi ou de la reine. (Au Canada, le gouvernement n' « annonce » pas ses budgets ou ses programmes, il les « octroie », image révélatrice plaçant les autorités, souvent évoquées dans la presse sous le nom de « Mandarins », à un niveau plus élevé que les citoyens pour lesquels, dans une démocratie, elles sont pourtant censées travailler.) De fait, le flot initial le plus massif arriva pendant et après la Révolution américaine, lorsque des milliers de Loyalistes fuirent au Canada, par terre ou par mer, la cohue populacière de la démocratie naissante. Ils ne venaient pas dans ce pays pour y trouver une nouvelle frontière exaltante, ni parce qu'ils y voyaient une promesse d'avenir; ils vinrent simplement parce que le Canada leur paraissait moins atroce que l'endroit qu'ils quittaient. C'est l'un des traits clés qui détermina cette personnalité généralement conservatrice du pays, qui rend si perplexes ses amis. Comme l'écrivit un jour le romancier Scott Symons : « Les Canadiens ne sont, après tout, que des romantiques qui ont perdu le courage de leurs espérances. »

Les vagues d'immigration plus tardives modifièrent totalement le caractère de la population. En 1984, un Canadien sur huit était né dans un autre pays. Ceux-là sont arrivés après la forte libéralisation des lois sur l'immigration, au début des années soixante. Beaucoup d'entre eux ne parlaient ni l'anglais ni le français, et ne parlent vraisemblablement toujours pas ces langues. En 1983, une enquête sur les écoles communales de Vancouver révéla que près de la moitié des élèves y parlaient une langue maternelle autre que l'anglais, et que, parmi eux, les deux tiers parlaient essentiellement chinois, italien, ou l'une des langues de l'Asie du Sud-Est. Un grand nombre des immigrants se concentrèrent à Toronto (le New York du Canada, sans toutefois sa réputation de saleté), ville dont une étude a montré que quatre résidents sur dix étaient nés hors des frontières du pays.

Ces nouveaux venus vivent dans les zones urbaines, dans des enclaves ethniques où ils peuvent porter les mêmes vieux châles pour se rendre dans leur épicerie spécialisée, où ils parlent le même vieux patois avec des amis venus d'au-delà des mers tout en achetant les légumes qui leur sont familiers pour préparer les plats traditionnels de leur « ancien pays », expression qui dans ma famille se rapportait à l'Écosse, et courait encore dans les conversations un siècle après l'arrivée de mon arrière-arrière-grand-père au Canada, au début du XIXe siècle. C'est que, voyez-vous, être Canadien signifie d'ordinaire conserver aussi de fortes attaches sentimentales avec un autre territoire. Non pas que l'on ait l'intention d'y retourner. Mais, dans le cas du Canada, il n'est pas nécessaire de renoncer à l'ancien pays pour épouser le nouveau. Cela explique en partie pourquoi les Canadiens acceptèrent si facilement les déserteurs américains de la guerre du Vietnam, ainsi que tous ceux qui fuyaient la conscription, au-delà de la répulsion que leur inspirait le conflit. Il existe, en effet, au Canada un statut d'immigration particulier, celui du *Landed Immigrant*, aux termes duquel une personne peut vivre dans le pays comme un citoyen sans en devenir réellement un, et sans renoncer à sa nationalité antérieure.

Tout ceci concourt à constituer une charmante diversité ethnique attirant de nombreux touristes, et qui, dans les villes des États-Unis, disparaît très rapidement à mesure que les diverses nationalités se mêlent pour former une personnalité américaine plus large. On touche là à l'une des différences capitales entre le Canada et son voisin. Les États-Unis croient aux vertus du grand creuset, du *melting pot*, où toutes les influences se rejoignent, chacune apportant sa contribution, chacune ajoutant sa saveur particulière à un ensemble plus vaste. Les Canadiens en revanche croient plutôt à une mosaïque de fragments séparés, dont chacun devient physiquement une part du grand tout, mais conserve sa couleur propre et son identité. On aboutit certes à un résultat intéressant, et les Canadiens y trouvent un signe distinctif, une plaque d'identité, et l'une de leurs manières principales de se démarquer des Américains, comme ils le doivent.

Mais, ajouté à l'étendue du territoire, cet alliage rend le pays très difficile à gouverner, entraînant la décentralisation et la faiblesse d'un système fédéral où les provinces politiques, si on les compare aux États américains, sont plus proches des gens et détentrices d'une puissance bien plus grande.

L'exemple le plus évident en est le Québec, autrefois colonie française, dont les habitants et les hommes politiques se sont accrochés, avec les encouragements officiels, à leur particularisme avec une obstination de presque trois siècles, qui les a conduits à représenter aujourd'hui un quart de la population canadienne.

La culture du Québec est à bien des égards la plus vivante du Canada. Musique, peinture, théâtre et littérature y jaillissent spontanément et témoignent des espoirs et des besoins des Québécois, qui restent un monde inconnu pour les Canadiens de langue anglaise vivant physiquement à côté d'eux mais dans une autre culture. Ce sont les « deux solitudes » évoquées par le romancier Hugh MacLennan. En 1837, Lord Durham, homme d'État britannique envoyé au Canada, avait fait une découverte analogue : « J'ai trouvé deux nations en guerre au sein d'un unique État ; j'ai trouvé une lutte, non de principes, mais de races. » Et, de nos jours encore, les Canadiens français rappellent la discrimination et les humiliations longtemps infligées au Québec d'un percutant petit slogan inscrit sur leurs plaques minéralogiques : « Je me souviens. »

Mais il est, en vérité, à travers tout le Canada, de nombreuses solitudes, plus modestes peut-être, mais pas moins intenses. Les Inuit dans la partie est de l'Arctique. Les Inuit encore dans l'Arctique occidental. Les Indiens d'au-dessus de la limite nord de la forêt. Les Indiens d'au-dessous. Les Indiens pur-sang, et les métis. Les Canadiens d'expression anglaise dans l'océan francophone du Québec. Les Canadiens francophones dans la mer anglaise de Winnipeg. Les Allemands dans l'Alberta. Les Ukrainiens dans le Manitoba. Les Chinois, les Pakistanais et les Indiens à Vancouver et Toronto.

Les discours de l'ex-Premier ministre Pierre Elliott Trudeau, fervent défenseur de l'unité canadienne, sur les deux peuples du pays – les Anglophones et les Francophones – avaient coutume de provoquer des rires de dérision dans certaines régions de l'Ouest. Bien des citoyens âgés de l'Alberta, par exemple, n'avaient jamais rencontré de Canadiens de langue française, lesquels étaient, dans cette province, largement dépassés en nombre par les germanophones ou les sinophones.

L'une des stations de radio de Toronto diffuse des émissions en trente langues, y compris les annonces des retards des avions en provenance « du pays ». L'une des chaînes de télévision de la même ville survit en se contentant de diffuser dans une multiplicité d'idiomes des programmes destinés à des communautés ethniques spécifiques, dont des films en ourdou, la langue du Pakistan (avec sous-titres anglais). Et les autorités municipales de Toronto doivent préparer leurs avis annuels d'impôts locaux en six langues : anglais, français, chinois, italien, grec et portugais.

Dans certains cas, tels que des formes variées de subventions ou de législations spécifiques, les gouvernements ont bel et bien contribué à perpétuer de telles divisions ethniques. Déjà, en 1774, le Parlement britannique avait, avec l'Acte de Québec, entériné et renforcé la séparation des deux communautés linguistiques d'alors en garantissant la liberté religieuse aux Canadiens français catholiques et en instituant, pour les Français d'origine, le recours au droit civil français dans les tribunaux canadiens. Ces dispositions, entre autres choses, entraînèrent – différence capitale d'avec les Américains – une aide financière importante de l'État en faveur des écoles confessionnelles qui, avec beaucoup de franchise, sont appelées « Écoles Séparées ». Originellement institutions françaises, leur séparation était donc inhérente à leur conception. Certains en tirèrent alors argument pour proclamer que l'héritage ethnique d'un individu est aussi sacré que son identité personnelle, et devrait être, par suite, libre de toute ingérence de l'État. Il m'arriva de me demander, moi, l'un de ces reporters américains éternellement soupçonneux qui exaspèrent si fort les journalistes canadiens, si ces divisions n'étaient pas subventionnées pour maintenir les nouveaux venus dans une catégorie de sous-citoyens naturalisés, et par conséquent isolés et politiquement soumis.

Ces différences sont en outre doublées, historiquement, d'un sentiment régionaliste puissant, nombreux étant ceux qui s'identifient bien plus étroitement à leur province ou à leur territoire qu'à un pays plus vaste et mal défini. « Il existe un patriotisme ontarien, un patriotisme québécois, ou un patriotisme de l'Ouest, chacun d'eux fondé sur l'espoir que leur patrie absorbera les autres, mais il n'existe pas de patriotisme canadien », se lamentait déjà en 1907 Henri Bourassa. Et, de fait, des émeutes éclatèrent à l'occasion de la conscription pour la Seconde Guerre mondiale.

Voilà un an ou deux, des courses de stock-car allaient prendre le départ à Calgary, symbole trépidant de l'Ouest et de ses richesses énergétiques, lorsque l'annonceur sur la piste demanda à chacun de se lever pour l'hymne national *O Canada*. Tout le monde se mit debout. Dès les premières notes, le disque s'arrêta dans un grincement déchirant. « Vous connaissez tous la suite », dit le speaker. Et les moteurs se mirent à rugir.

Isolés les uns des autres par la géographie, la langue, la culture et les intérêts économiques personnels, les Canadiens vaquent à leurs affaires quotidiennes, dans l'aisance pour la plupart, mais curieusement portés aux critiques sournoises incessantes et aux chamailleries régionales. Bruce Rankin, l'un des ambassadeurs canadiens doués de la plus grande expérience et du plus grand franc-parler, s'attira beaucoup d'ennuis sur le plan politique, voilà quelques années, pour avoir déclaré que ses compatriotes comptaient parmi « les peuples les plus négatifs, les plus enclins aux querelles de clocher, et les plus divisés du monde ». Il y eut des Canadiens pour dire qu'il n'aurait pas dû tenir ce langage, mais nul ne contesta son analyse.

Il n'a pas existé de partis politiques qui, occupant au niveau national une position permanente, auraient permis de définir ce qu'est un Canadien et l'intérêt des Canadiens, calmé les mésententes et les doléances, et aidé à proposer à chacun des compromis. Au lieu de cela, on trouve, fondamentalement, deux partis régionaux – les Libéraux et les Conservateurs progressistes – qui firent parfois des incursions dans les places fortes l'un de l'autre, auxquels il convient d'ajouter les Nouveaux Démocrates, de tendance socialiste, une minorité idéologique.

Il s'ensuit que les Canadiens ne peuvent tomber d'accord que sur très peu de points, comme peut-être l'importance vitale du hockey dans le monde, le fait que les Montagneuses Rocheuses canadiennes sont plus belles que les Rocheuses américaines, et les bienfaits d'un voyage vers le chaud soleil du sud des États-Unis au moins une fois par an, chaque hiver.

Ils s'accordent néanmoins toujours sur ce qu'ils ne sont pas, à savoir : des Américains. C'est une définition bien négative pour un pays, et qui ne fait rien pour contrarier les forces centrifuges qui écartèlent sans cesse la nation, surtout dans les périodes d'incertitude économique.

Jusqu'à présent, au risque de simplifier à l'extrême, s'incliner ensemble devant la reine et savoir ce qu'ils ne sont pas semblait suffire à maintenir soudés, si faiblement soit-il, ces fiefs en sempiternelles dissensions. « Imaginez un rêve canadien qui impliquerait que chacun dans le monde devrait le partager! a écrit Hugh Hood, romancier montréalais. Imaginez un comité sur les activités canadiennes! Impossible. Le non-canadianisme est pour ainsi dire la définition même du canadianisme. »

Mais le Canada n'a pas besoin d'essayer de refaire le monde, car de puissantes forces internes sont aujourd'hui à l'œuvre sur tout son territoire. « Au Canada, dit Mordecai Richler, l'auteur éminent de *Joshua Then and Now* et de *L'apprentissage de Duddy Kravitz*, une

tradition se développe enfin, et elle vaut la peine d'être défendue. »
En un mot, un plus grand nombre de Canadiens commencent à
mieux se supporter.

A beaucoup d'égards, en dépit de son âge et du style de vie déjà
bien établi de son colossal voisin, le Canada demeure un pays en
voie de développement dans lequel nombre de traditions et de
modèles ont encore à prendre forme. Cependant, après cent quinze
ans d'indépendance et un demi-siècle de querelles intestines, le pays
a enfin confectionné sa propre Constitution et sa charte des Droits et
des Libertés, un événement de première importance dans son
histoire. Il ne lui est plus nécessaire désormais de passer par le
Parlement britannique pour modifier son fondement législatif, le
vieil Acte de l'Amérique du Nord britannique. Et le nouveau
document, résultat, comme toujours au Canada, de divers compromis entre des régions semi-autonomes, a très sensiblement transformé les règles fondamentales du pays sur des points qui ne
deviendront apparents qu'au fil des ans.

Dans le temps même où, ces dernières années, le gouvernement
fédéral voyait son pouvoir s'accroître, celui des provinces, déjà
puissantes, suivait la même voie. Ce sont elles qui contrôlent, entre
autres, les structures éducatives de la nation et les ressources
naturelles de leurs territoires respectifs. La hausse du prix de
beaucoup de ces ressources, comme le pétrole et le gaz naturel, a
donné à quelques-unes des provinces les plus pauvres l'espoir de se
libérer un jour des aides de l'État, qui, si elles ont maintenu leurs
économies à flot, les ont fait psychologiquement dépendre d'une
lointaine capitale. A d'autres, comme l'Alberta, la hausse a procuré
un pécule se chiffrant en milliards de dollars, qui lui a servi à
réorganiser son économie et, par là même, à créer de nouveaux
emplois. Ceux-ci ont attiré des Canadiens par milliers sur le marché
du travail migratoire, brisant un peu plus les barrières traditionnelles à l'intérieur même du pays. Ces déplacements de population et
les redécoupages administratifs qui les accompagnent se refléteront
pour finir dans une réorganisation politique à l'échelle nationale,
donnant aux régions une part plus grande d'une influence que seuls
se partageaient traditionnellement le Québec et l'Ontario.

L'un des fruits de la Révolution Tranquille, tenue pour si
importante au Québec que ces mots sont toujours écrits avec des
majuscules, fut un changement discret des attitudes et des ambitions
de la province au cours des années soixante. C'est ainsi que l'on
observa un déclin de l'autorité de l'Église catholique et une plus
grande assurance de la part des Francophones, ce qui rendit
possible, en 1976, la stupéfiante victoire du Parti Québécois, le parti
du Premier ministre René Lévesque, grand fumeur, ancienne
personnalité des médias, gratifié du surnom populaire de « Ti'

Poil ». Le P.Q. continue son habile campagne populiste en faveur d'une séparation d'avec le Canada, et s'organise maintenant pour présenter également des candidats aux élections fédérales. En 1980 cependant, il perdit un référendum visant à obtenir l'autorisation de négocier un nouveau statut d'indépendance-association avec le reste du pays. Le parti n'a jamais défini avec précision quelles parts respectives de souveraineté et d'association il souhaitait dans le cadre de cette nouvelle relation. Mais un référendum aussi peu contraignant a peu de chances de ternir ou d'étouffer le grand rêve fait par un peuple démocratique d'un nouveau statut dans un pays ancien. Et la question d'une éventuelle nouvelle entité politique le long de la frontière nord des États-Unis sera certainement de nouveau soulevée, comme elle l'a été tout au long de l'histoire du Canada.

Continuellement traité comme une colonie du Canada central, l'ouest du pays lui aussi se sent écarté, blessé, irrité, à tel point que, lors des élections de 1980 (celles qui virent l'arrivée au poste de chef du gouvernement de Joe Clark – le premier à être né dans la région, et évincé, d'ailleurs, après un court règne de neuf mois), pas un seul membre du Parti Libéral de Trudeau ne fut élu dans toute la région à l'ouest de Winnipeg. Aux élections de 1984, la force des Libéraux s'effrita même au Québec, leur bastion traditionnel, cependant qu'un seul Libéral, le Premier ministre fédéral d'alors, John Turner, était élu dans l'Ouest.

Certaines zones occidentales virent l'émergence de mouvements séparatistes dont les buts politiques peuvent sembler irréalistes, mais dont les convictions (et l'antipathie à l'égard des Francophones) sont fort affirmées. Tandis que le gouvernement fédéral, dirigé par un Québécois, consacrait des milliards de dollars et des efforts considérables à satisfaire les griefs bien connus du Québec au sein de la confédération, il qualifiait d' « hystériques » de similaires doléances des provinces occidentales.

L'Ouest, peuplé de bandes fanfaronnes d'entrepreneurs dynamiques ayant quelque chose de la fougue texane, et des airs de ceux à qui rien n'est impossible, a bâti de nouveaux empires économiques capables de menacer la prédominance historique de l'Ontario. L'adaptation du Canada à cette nouvelle réalité régionale sera une pilule amère à avaler, un processus lent et douloureux risquant de compromettre l'avenir du pays autant, pour le moins, que ses divisions linguistiques.

Aux divisions linguistiques s'ajoutent frictions régionales et fossés culturels dans les terres septentrionales, ce vaste domaine continental s'étendant jusqu'aux abords du pôle et peuplé de bien plus de caribous que d'hommes, tous s'efforçant d'arracher de quoi vivre à cette terre splendidement délaissée. Ces immenses Territoires du Nord-Ouest ont voté en faveur d'une division territoriale selon les lignes de partage ethniques, afin de séparer les vingt-quatre mille Inuit des dix mille Indiens.

Tous ces peuples du Nord, opposés par le langage, sont cependant unis dans leur militantisme paisible mais grandissant en faveur d'une transformation de leur statut au sein de la nation, et pour plus de liberté dans la prise en charge de leur destin. En un geste symbolique qui rappelle la récente adoption du terme « Noir » en lieu et place de « Nègre » aux États-Unis, les gens du Nord canadien évitent à présent les mots « Indiens » et « Esquimaux » (littéralement « mangeurs de viande crue ») au profit de « Dene » et d' « Inuit », tous deux signifiant « les hommes ». Ils demandent un changement du nom de leur territoire en faveur de « Nunavit », disposent déjà de la majorité à l'assemblée consultative territoriale élue, et sont en train d'organiser leur propre réseau de télévision afin de combler les immenses distances isolant les communautés. Ils ont su remporter de menues victoires, forçant, par exemple, les compagnies aériennes desservant le Nord à imprimer leurs horaires dans la langue inuit, l'inuktitut, et des négociations sont toujours en cours, ici ou là, pour obtenir des dédommagements de l'État en échange des terres prises aux indigènes, et qui n'ont jamais fait l'objet d'un traité.

En dépit de tous ses discours idéalistes sur des communautés ethniques séparées qui œuvreraient sur un pied d'égalité dans le cadre du grand Canada, Ottawa a gouverné ses territoires du Nord à la manière de simples colonies. Bien qu'englobant près de la moitié de la masse des terres, l'image du Nord s'est figée en un grand espace vierge, lointain, romantique peut-être, mais visité seulement par les oiseaux migrateurs, les bureaucrates du gouvernement, aux frais de l'État, et par de hardis voyageurs en quête de solitude.

De multiples et complexes différences culturelles ont coloré, mais aussi bien souvent dégradé, les relations entre les fonctionnaires de l'administration et les timides indigènes du Nord, différences que les Canadiens revendiquent bien haut comme un avantage mais qu'ils ont souvent tenté de gommer systématiquement. Ils se targuent, avec quelque raison, d'avoir mieux résolu leur « problème » indigène que ne l'ont fait les violents Américains, voulant dire par là que les massacres à grande échelle des Indiens des Prairies n'ont pas été si nombreux. Mais, en dépit des aides gouvernementales, la pauvreté est largement répandue parmi les tribus aujourd'hui. Personne ne peut nier la survivance au Canada d'un certain racisme. Durant la Seconde Guerre mondiale, des milliers de Canadiens d'origine japonaise furent transportés en charrettes vers des camps d'internement à l'intérieur du pays, comme ce fut le cas aux États-Unis. Bien qu'il ait été l'ultime destination des esclaves américains en fuite grâce au fameux *Underground Railroad* [1] d'avant la Guerre de Sécession, le Canada n'a pas vu, jusqu'à une date récente, se constituer de fortes concentrations de minorités raciales,

1. Un réseau de coopération qui, avant 1861 aux États-Unis, aidait les esclaves fugitifs à trouver refuge au Canada.

susceptibles de devenir des points de mire pour l'hostilité des Blancs. Mais il se produisit à Vancouver et Toronto bien des incidents raciaux mettant en scène des Noirs, souvent venus des Caraïbes, des Chinois, ou encore des Sikhs. Il n'est pas rare d'entendre au Canada des réflexions racistes. Je bavardais un jour avec un membre de la Police montée à Frobisher Bay, dans les Territoires du Nord-Ouest, lorsqu'il lâcha : « Les Inuit sont des gens vraiment très braves, très braves, mais ils sont si paresseux. »

Dans le Nord, ces attitudes se doublent d'une approche très différente de la terre. Pour les Blancs qui sont là deux ans, en simple mission, et qui reçoivent une indemnité de « difficultés de vie », le sol et le climat de l'Arctique sont choses à maîtriser vivement au moyen de routes, de radars, de radio-balises, de machines, et d'un peu de détermination. Ils jugent naturel de rassembler, comme ils l'ont fait, les Inuit, autrefois nomades, en des communautés de pure forme. Accordons-le, cela a amélioré le niveau des soins médicaux et de l'éducation, mais, aux yeux des Inuit, la terre est un lieu spécial, presque sacré, la source de toute vie, un foyer naturel, avec ses règles aux conséquences prévisibles et ses créatures familières, au nombre desquelles figure la race humaine. Elle récompense la patience, et non la hâte. Si dix jours de tempête viennent à interdire toute activité à l'extérieur, y compris la chasse, un Inuit traditionaliste haussera les épaules et demeurera chez lui, à boire son thé à petites gorgées. Lorsque le printemps, ignorant le calendrier scolaire de l'homme blanc, appelle les familles esquimaudes loin de leurs villes artificielles jonchées d'ordures vers leurs lointains campements de tentes, tous doivent partir. « Retourner sur notre terre, expliquait John Amagoalik dont la famille a été transportée à plusieurs centaines de kilomètres dans une ville fabriquée de toutes pièces, c'est redécouvrir la réalité, se sentir petit, conserver un sentiment exact de ses proportions et de son importance dans le monde. » Pour l'un des groupes, les Blancs, la norme est le changement. « C'est ce qui rend la vie intéressante », me déclara un agent de la police fédérale à Frobisher Bay, une ville de deux mille habitants située juste au-dessous du Cercle polaire arctique. Pour l'autre groupe, les Inuit, le changement est une notion nouvelle, et le brusque passage du traîneau à chiens aux avions à réaction a été, pour ceux accoutumés à se conformer aux traditions, une expérience effrayante et déroutante. L'idée était de permettre aux autochtones de mener une vie décente et de se débrouiller dans une économie de type moderne. Mais tout n'a pas toujours fonctionné comme l'avaient escompté les planificateurs.

— Ce que nous avons fait ici, me dit un jour Bryan Pearson, maire de Frobisher Bay, alors que dehors le vent soufflait en hurlant depuis la baie gelée, c'est construire une pseudo-ville du Sud avec beaucoup de ses défauts, et peu de ses avantages.

C'est ainsi que l'on peut voir, dans l'épicerie-bazar du maire Pearson, une femme Inuit, dont le garde-manger est plein de viande de phoque fraîche, acheter des boîtes de réglisse et de pizzas congelées.

A maintes occasions, la police fédérale s'est sentie découragée par l'apparent manque de discipline parentale, qu'elle rend responsable du vandalisme régnant et des nombreuses effractions. Les enfants traînent dans les rues à toute heure, s'introduisant à leur guise dans les maisons d'autres membres de leur bande, dormant en classe parfois, et sautant des repas. De fait, tout ceci provient d'un sens profond de l'éternité, d'une indulgence tout asiatique à l'égard des enfants, et d'une volonté d'éviter les conflits ouverts du genre de ceux qui opposent les parents en colère à leurs garnements de fils. Les bureaucrates, investis de la mission de promouvoir le développement démocratique des Inuit, s'impatientent des longues discussions truffées de digressions, aboutissant à des consensus, mais pas à des votes en bonne et due forme qui puissent être versés aux dossiers.

Les prescriptions gouvernementales en matière de chasse stipulent que certains gibiers à plume ne doivent être abattus qu'en automne... lorsque, précisément, ils sont absents du Nord et volent au-dessus des régions plus méridionales. Mais la chasse est, depuis des siècles, une activité de toutes les saisons pour les Inuit, à qui l'on a même interdit, au nom de la défense de l'environnement, de ramasser des œufs d'oiseaux sauvages. Des œufs de poule sont néanmoins disponibles dans les magasins des Blancs au prix d'environ trois dollars la douzaine. « Mais qui irait prendre plus d'un œuf dans un nid? » me demanda un vieil Inuit.

Les écoles de la région illustrent très bien le problème culturel typique, et son caractère corrosif. Afin de s'acquitter du mandat confié par le gouvernement, qui veut donner une éducation égale à un coût abordable, on emmène les collégiens Inuit à des centaines de kilomètres de leurs villages, on les nourrit généreusement dix mois par an, et on leur fait suivre des cours modernes dans un collège secondaire central, sans que leurs parents déboursent un centime. Cette politique aboutit cependant à saper l'autarcie de la famille ainsi que le rôle traditionnel du père comme principal pourvoyeur de nourriture et comme maître dans les techniques indispensables de chasse et de survie.

En dépit de leurs efforts méritoires, les écoles laissent bien souvent les jeunes mal armés pour se débrouiller dans la vie, que ce soit dans leur propre économie traditionnelle ou dans l'économie urbaine locale, où les emplois sont rares. On peut en dire autant des adultes, à qui il n'est plus nécessaire de trouver du gibier, mais qui ne disposent pas des savoir-faire modernes qui sont la clé de l'emploi dans l'économie actuelle. Il en découle, entre autres, qu'alcoolisme, consommation abusive de drogues et suicides sont fréquents parmi les jeunes Inuit comme chez les plus âgés. Je me souviens avec acuité du choc que j'ai ressenti, une nuit de fin d'automne, alors que j'attendais dans un vestibule traversé de courants d'air près du collège de Frobisher. Je lisais distraitement le tableau d'affichage, lorsque je remarquai des graffiti tracés sur le mur, à hauteur d'adolescent à peu près. Les mots semblaient jaillir du mur comme un cri : « Je crève d'envie de me tuer. »

– Mon père, tel que je le connaissais, était un fier et indépendant chasseur, le maître de son destin et du nôtre, me dit M. Amagoalik, un défenseur des droits des indigènes. Mais, quelques années après notre transplantation, avec le développement de la prospection des ressources naturelles, j'ai vu l'alcool et la vie citadine ravaler ces hommes fiers au rang de mendiants à la sortie des bars. Nous ne pouvons fermer la porte au monde extérieur. Nous voulons simplement vivre de nouveau de façon autonome, que notre langue, nos traditions aient une importance égale, et exercer un contrôle plus important sur les décisions qui nous touchent sur le plan local.

Est-ce vraiment là un objectif si anormal ou révolutionnaire dans une société démocratique? Mais, dans le contexte géographique, économique et culturel existant, en considérant que ce type d'exigence se retrouve dans un grand nombre d'autres royaumes du Canada même si les priorités sont différentes, étant donné également les pressions considérables qu'exerce étourdiment le grand pays voisin du Sud, atteindre cet objectif, simple en apparence, peut en réalité se révéler une tâche très ardue à entreprendre, et plus encore à mener à bien.

Qu'apprend-on sur les Canadiens à travers études officielles et statistiques?

Pour commencer, à en croire diverses études que j'ai rassemblées pour me distraire pendant mon séjour au Canada, on compte dans le pays 8,5 millions de ménages environ, représentant aux alentours de 25,2 millions de personnes, et plus de 4 millions d'animaux domestiques, les chiens étant de loin les plus populaires, et les chats leur emboîtant le pas. A l'arrivée de l'homme blanc, la population du Canada comprenait environ 200 000 Indiens, nombre qui, en 1900, avait diminué de moitié, mais atteint aujourd'hui 290 000, auxquels il faut ajouter 300 000 métis.

De nos jours, trois Canadiens sur quatre vivent dans une ville, deux sur trois sont propriétaires de leur maison, et une maison sur sept est chauffée par un poêle à bois. La moitié à peu près de l'eau utilisée sert à vider la cuvette des W.-C., mais les réserves suffisent pour l'instant : huit milliards de tonnes d'humidité tombent sur le Canada chaque année, rendant le débit des fleuves assez important pour remplir toutes les baignoires du pays toutes les dix secondes, même si les habitants qui prennent des bains aussi fréquents sont assez rares.

Les Canadiens ont aujourd'hui en moyenne 33,7 ans, mais plus de deux millions d'entre eux en ont plus de 65, ce qui révèle un vieillissement de la population. Lorsque la génération issue de l'explosion démographique de l'après-guerre prendra sa retraite dans trente ans, le nombre des personnes du troisième âge doublera, imposant un lourd fardeau financier au sacro-saint programme d'aides du gouvernement, en un temps où la population active, qui les soutient financièrement, sera elle-même en déclin.

Les Canadiens achètent plus de bagues de fiançailles de diamant par habitant que les résidents de tout autre pays, mais quatre unions sur dix se solderont par des divorces (dont 20 pour cent après plus de vingt ans). Il semblerait que les mariages durent plus sur l'île de Terre-Neuve, mais moins sur les rochers de l'autre côte, en Colombie britannique. Un Canadien de plus de dix-huit ans sur dix vit avec un membre du sexe opposé sans être passé devant le maire.

Les Canadiens ont moins d'enfants de nos jours; une femme en met au monde en moyenne 1,7 au lieu de 3,4 voilà quarante ans. Une mère sur dix a moins de vingt ans, et elles constituent une grande partie des 600 000 « foyers » à un seul parent. En 1945, un bébé sur vingt mourait dans le courant de sa première année; le taux actuel de mortalité infantile est inférieur à un pour cent, c'est l'un des chiffres les plus bas du monde, de deux dixièmes de point inférieur à celui des États-Unis.

La diversité des régions se reflète dans les dimensions des familles selon les provinces, depuis les quatre personnes de moyenne dans la région rurale de Terre-Neuve, jusqu'aux 3,3 de la Colombie britannique et aux 3,4 de l'Ontario, ces deux dernières provinces comprenant de vastes zones urbanisées. Il est clair que ces chiffres sont d'une grande importance pour l'industrie de l'habitat. Actuellement, moins d'une famille sur dix compte quatre enfants ou plus. Ceci n'a pas seulement une conséquence sur les effectifs scolaires, les carrières de l'enseignement et les professionnels de l'habillement, mais signifie, en outre, que les couples passeront beaucoup plus d'années seuls après le départ de leurs enfants, ce qui intéresse considérablement l'industrie du voyage et des loisirs, ainsi que les planificateurs de la Santé Publique (sur chaque dollar dépensé en soins médicaux, le gouvernement prend d'ores et déjà en charge soixante-quinze cents, contre quarante-trois aux États-Unis, ce qui explique le taux beaucoup plus élevé des impôts au Canada).

Du fait de l'amélioration du service de santé le Canadien de sexe masculin peut maintenant espérer vivre en moyenne soixante-douze « saisons de hockey », sept de plus qu'un Canadien né pendant la Seconde Guerre mondiale, et 1,2 année de plus qu'un Américain des États-Unis. L'espérance de vie d'une femme est, quant à elle, de soixante-dix-neuf ans, dix ans et demi de plus que celle de sa mère née durant la dernière guerre, et de huit dixièmes d'année supérieure à celle d'une Américaine.

Les causes les plus fréquentes de décès, tant masculins que féminins, à l'âge de vingt-cinq ans, sont les accidents de la route, suivis des suicides. Les Canadiennes nagent mieux, semble-t-il, que leurs compatriotes masculins, à moins qu'elles ne nagent moins, car c'est la noyade qui vient en troisième position pour les hommes, et les attaques pour les femmes. A l'âge de quarante-cinq ans, c'est d'abord de crises cardiaques que les hommes meurent, puis de cancers du poumon et de cirrhoses du foie; les femmes, elles, meurent de cancers du sein, de crises cardiaques, et encore d'attaques d'apoplexie. A soixante-cinq ans, les deux sexes risquent, à part égale, de périr de crise cardiaque. Viennent ensuite le cancer du poumon pour les hommes, et l'attaque pour les femmes, le cancer de l'intestin arrivant en troisième position pour ces dernières.

A la fin de la Seconde Guerre mondiale, plus de la moitié des Canadiens n'avaient pas dépassé un niveau scolaire de quatrième. Aujourd'hui, plus de 80 pour cent d'entre eux ont pour le moins atteint celui de troisième, cependant que le nombre des personnes à avoir bénéficié d'une éducation supérieure est passé d'une sur trente à une sur trois. Il faut y voir l'une des raisons majeures de l'intérêt croissant du public pour tous les aspects de la culture canadienne.

Seules 24 pour cent des femmes travaillaient en 1945; aujourd'hui, la moitié d'entre elles sont entrées dans la vie active, et, parmi elles, deux tiers sont mariées. A travail égal, la plupart gagnent toujours moins qu'un homme.

Le taux des emplois agricoles a chuté de 21 à 4 pour cent, cependant que celui des emplois de bureau grimpait de 9 à 17 pour cent.

Un travailleur canadien type passe moins de quarante heures par semaine à son travail, et plus de cinquante en activités de loisir – 100 pour cent regardant la télévision, 83 pour cent lisant le journal ou écoutant la radio, et presque la moitié de la population pratiquant un sport.

L'employé moyen manque son travail quatre jours et demi par an pour cause de maladie. Dans une journée de labeur ordinaire, plus de quatre cent mille Canadiens, parmi une main-d'œuvre dépassant les onze millions de personnes, sont absents pour une raison ou une autre, perte sèche pour l'économie du pays s'élevant à plus de vingt millions de dollars par jour.

Pris dans leur ensemble, les Canadiens dépensent six milliards de dollars au moins chaque année pour leurs vacances. « Voyager pendant ses vacances, concluait une étude du ministère du Tourisme, est de toute évidence considéré par les Canadiens comme une nécessité plutôt que comme une activité et une dépense discrétionnaires. »

Ils consacrent, estime-t-on, huit milliards de dollars par an à un autre genre d'évasion : les drogues prohibées, c'est-à-dire un tiers de plus qu'ils n'investissent en boissons alcoolisées autorisées. De fait, la seule industrie des brasseries participe pour près de deux pour cent dans le produit national brut, et on compte six cent cinquante mille alcooliques dans la population.

Presque en tête des consommateurs d'alcool, arrivent les Albertains, avec, selon les statistiques, une absorption par individu – hommes, femmes et enfants confondus –, de 87 litres par an. Ces mêmes Albertains, cependant, viennent également en tête pour la consommation de lait, avec 114,3 litres par personne. Les Canadiens sont, de plus, les troisièmes buveurs de boissons non alcoolisées du monde, ne le cédant en cela qu'aux États-Unis et au chef de file, le Mexique.

La moitié des enfants essayent le tabac avant l'âge de douze ans, mais seulement quarante pour cent environ de la population adulte fume de nos jours. Néanmoins, ceux des Canadiens qui le font sont apparemment de gros fumeurs, assez en tout cas pour classer le pays au quatrième rang mondial pour la consommation quotidienne individuelle, derrière Chypre, la Grèce et la Turquie. (Les États-Unis sont lamentablement, ou fort heureusement, selon vos goûts, à la traîne.)

La population active ayant augmenté, on gagne plus, et on économise de même, soit près de 14 pour cent des salaires. Le nombre de comptes-épargne est même supérieur de trois millions au nombre d'habitants.

Le pays est aussi l'un des mieux équipés du monde en lignes téléphoniques. On compte un téléphone pour 1,74 personne. Tous ensemble, les Canadiens passent environ vingt-trois milliards de coups de téléphone par an, c'est-à-dire près de mille appels chacun – hommes, femmes et enfants confondus. En quel jour de l'année utilisent-ils le plus leur appareil? A Noël, comme on pouvait s'en douter. Le jour venant en seconde position? La Fête des Mères. Et lorsque le moment vient de régler la note, les Canadiens, le peuple du monde le mieux assuré, préfèrent payer comptant, se démarquant de leurs voisins américains, inséparables de leurs cartes de crédit.

On peut mesurer la richesse du pays, entre autres critères, au fait que ses habitants, possesseurs de radios (98 pour cent) et de téléviseurs (97,8 pour cent), peuvent éteindre leurs postes à modulation de fréquence (82 pour cent) et sauter dans leurs voitures (79 pour cent), leurs bateaux (14 pour cent), ou l'une de leurs autres voitures (25 pour cent), et partir pour leur travail dans un de leurs onze millions et demi de véhicules automobiles en maugréant contre la situation économique. Avec le taux le plus élevé d'autosuffisance pétrolière des sept principales nations industrialisées (ils produisent près de 90 pour cent de leurs besoins en pétrole, et plus de 150 pour cent du gaz naturel qu'ils utilisent), les Canadiens se plaignent encore du coût de l'énergie, qui est pourtant le plus bas parmi ces sept mêmes pays.

Bien sûr, tous ne sont pas satisfaits de leur sort. Plus d'un million de dollars de marchandises est volé chaque jour à l'étalage. Bien que disposant de 2,3 agents de police pour mille citoyens, chaque groupe de cent mille personnes parvient pourtant à commettre aux alentours de deux mille six cents délits par an, les plus nombreux étant, et de loin, les atteintes à la propriété. Au cours d'une année, les Canadiens assassinent moins de six cents de leurs concitoyens, c'est-à-dire un tiers du nombre des New-Yorkais périssant de mort violente dans le même laps de temps. Sur douze mois encore, Montréal, championne américaine toutes catégories des hold-up de banques, en subit 2,5 quotidiennement, un tiers de plus que New York et deux fois plus que Los Angeles. Selon une estimation récente d'une commission spéciale sur les violences sexuelles, un garçon sur dix et une fillette sur quatre âgés de moins de seize ans ont subi de telles violences. On compte plus de vingt et un mille Canadiens résidant en prison (contre quatre cent cinquante-quatre mille Américains).

Néanmoins, le week-end venu, ceux des Canadiens qui respectent les lois montent dans leurs autoneiges (10 pour cent de la population en possède une), chaussent leurs skis (20 pour cent), ou sortent leurs vélos (41 pour cent), leurs motos (5 pour cent) ou leur matériel de camping (24 pour cent). Ceux qui restent chez eux peuvent regarder leurs programmes de télévision par câble (47 pour cent), jouer du piano (12 pour cent), regarder leurs autres téléviseurs (34 pour cent), ou mettre en marche leurs tondeuses électriques (51 pour cent). Ceux qui ont moins d'ambition encore peuvent prendre un bain chaud (98 pour cent) ou opérer une razzia dans leur réfrigérateur (99,4) pour cent.

Mais, comme pour n'importe quel pays, derrière les statistiques grouillent des myriades d'individus. Leurs personnalités, au fil du temps, se confondent dans votre esprit pour laisser l'image tenace de la nation que le Canada est en train de devenir rapidement.

Le Canadien demeuré le plus présent et vivace dans mes souvenirs est un homme appelé Napoleon Snowbird Martin. Il avait soixante-dix-sept ans lorsque mon fils Spencer, alors âgé de sept ans, et moi-même, le rencontrâmes, tôt, par une belle matinée de mars, dans les faubourgs de Fort Chipewyan. Fort Chip, comme on la nomme, est la plus ancienne communauté de l'Alberta ; c'est un petit rassemblement de mille quatre cents âmes autour d'un comptoir commercial de la Compagnie de la Baie d'Hudson, au nord-est de l'Alberta, tout près des Territoires du Nord-Ouest, et à mille trois cents kilomètres du reste du monde, que l'on rejoint par une piste gelée. Durant l'été, les péniches arrivent régulièrement par le fleuve Athabasca et l'on voit des avions une ou deux fois par semaine, si le temps le permet.

C'est avec répugnance que Snowbird (il ne se sert jamais d'un autre nom, et chacun, là-bas, sait qui il est) était venu à la ville cet hiver-là. Sa femme était malade. Haut d'à peine un mètre cinquante-cinq dans ses bottes de peau de caribou, il avait des mains sombres et puissantes, à la peau épaisse comme un cuir; on y distinguait – comme, je m'en souviens, dans celles de mon grand-père – à la fois toutes les cicatrices et toute la force recueillies au cours de nombreuses années en plein air. On ne remarquait aucune expression sur son visage sillonné de rides profondes, tandis que, sous la visière de sa vieille casquette de base-ball (un sport dont il n'avait jamais entendu parler), il observait. Mais ses yeux vieillis, même derrière des verres à double foyer, avaient le regard vif et perçant. Depuis le début du siècle Snowbird avait vécu dans la nature, dans des cabanes, sur des matelas de branchages, sous des couvertures de peau de buffle et sous les étoiles scintillantes. Il est incapable de lire des mots sur un papier, mais il sait déchiffrer les empreintes et le sang sur la neige, les branches brisées d'une certaine façon, et les bruits qui flottent dans l'air. Il connaît les couleurs des bons et des mauvais nuages, les couchers de soleil, et les différents vents qui annoncent le temps du lendemain. Il sait des histoires aussi éternelles que leur morale. Il a quelques théories sur les problèmes modernes et parle quatre langues, le cree, l'anglais, le chipewyan et le chien, le tout parfois dans la même phrase.

– J'ai soixante-dix-sept ans, nous dit-il. Je commence seulement à grandir.

Par la magie de ce lien invisible et particulier qui attache les très vieux aux très jeunes, mon fils Spencer comprit immédiatement Snowbird. « Il est super », m'avait-il déclaré. Gêné par le silence initial du vieil homme, il me fallut une heure de plus pour tomber sous son charme. Mais, à la fin de notre première journée sur la piste en sa compagnie, alors que le vent secouait les parois de la tente et que les hurlements des chiens répondaient à ceux d'un loup qu'ils ne verraient jamais, les deux citadins venus découvrir les traîneaux et les étendues sauvages du Canada faisaient aussi la découverte de l'étonnante présence d'un homme qui n'était vieux que par le nombre des années.

Snowbird est l'un des rares Canadiens à entretenir encore des chiens. La plupart ont opté pour les modernes autoneiges, qui peuvent circuler plus vite et plus loin sur les lacs, le long des rivières gelées, et à travers les forêts glaciales du pays. Les autoneiges n'attrapent pas de vers et ne se battent pas entre elles, mais il arrive à leurs bougies de s'encrasser à de très grandes distances de tout secours, et l'on ne trouve pas tellement de stations-service dans les bois. Les chiens de traîneau de Snowbird, pas des chiens de race bien sûr, ne l'ont jamais laissé tomber, ne l'ont jamais attaqué, ni même mordu. Ils ne demandent rien qu'un ou deux poissons gelés par jour qu'ils avalent tout entiers, de fréquentes goulées de neige en chemin, et d'entendre derrière eux, une grande partie de la journée, la voix rassurante de Snowbird tandis que le traîneau de bois glisse en murmurant sur la neige.

Comme un couple, après des années de vie commune, en vient à deviner à de simples petits signes, à des gestes, à des inflexions de voix, les humeurs l'un de l'autre, Snowbird sait déchiffrer ses chiens. Il interprète les signaux de leur queue, sait ce que signifient une oreille dressée, une truffe qui remue, reconnaît l'instinct derrière grognements ou hurlements, et devine quand une bagarre va éclater. Selon sa philosophie : « Les chiens ne peuvent vivre sans amour. Tous mes chiens sont amicaux, sauf le dernier là-bas. Je l'ai emprunté, et il ne connaît pas encore mes règles. »

Les animaux, tous des mâles, et sans nom, apprennent à leur tour les petits signaux de Snowbird – ce que veulent dire « click-click » et « yah », quand et où ils peuvent espérer manger. Ils savent que, si deux ou trois d'entre eux tentent d'avaler une lampée de neige tout en courant, leur maître donnera le signal d'une pause pour un « rafraîchissement » de neige plus conséquent. Ils savent que des ennuis sont en perspective lorsque, ayant cassé une branche d'arbre à portée de main, il approche à grands pas en marmonnant. Mais ils savent aussi déceler dans sa voix une immuable affection, sans comprendre le sens de ses paroles.

– Ce chien est vraiment débile, avait-il dit en souriant tout en soulevant une patte mal placée et en la glissant dans son harnais.

L'animal avait donné à Snowbird un petit coup de langue de gratitude.

– O.K., les gars, avait-il fait, click-click hop maintenant yah (traduction : allons-y, on tourne à gauche maintenant).

Le chemin, à présent, est facile à repérer suivant le lit d'une rivière gelée. Mais Snowbird continue sans relâche son bavardage bilingue.

– Ils aiment m'entendre à cet endroit, dit-il, omettant de dire combien, lui, aime leur parler.

Puis, s'adressant aux chiens, il siffle et ajoute :

– Hapsiko hop tchi tchi allons-y, ne faites pas les fous, les gars, attention, ou je vous tue et je vous mange click restez tranquilles.

Nous allions passer de nombreuses heures ainsi, mon fils sur mes genoux, à demi assis sur les moelleux sacs de couchage, avec la douce sensation que procure le balancement irrégulier du traîneau de chêne filant à travers bois, tertres et collines. Les six bêtes allaient à leur petit trot habituel, tirant plus de deux cent cinquante kilos de charge à six ou huit kilomètres à l'heure, légèrement haletantes lorsqu'elles tournaient la tête à droite ou à gauche, agitant leur museau en tous sens pour repérer les odeurs de la nature environnante. Une fois, le chaos s'empara de la gent canine : un minuscule mulot traversa le sentier comme une flèche entre les pattes de nos amis. Aussitôt, six gueules tentèrent d'intercepter l'intrus et, pendant un instant, course et traîneau furent oubliés. Il nous fallut plusieurs minutes pour démêler les vingt-quatre pattes et les onze mètres de harnais de cuir avant de pouvoir reprendre notre route.

Le soleil de mars se faisait plus chaud et hâlait nos visages sous les capuches de nos parkas. Snowbird nous parlait, à ses chiens et à nous, parfois dans le même souffle, lâchant tout à la fois ordres, remarques, souvenirs et bribes de son savoir sur les grands espaces.

– Voyez ce bouleau en forme d'Y? dit-il une fois. Cela fait un bon étau naturel... Un loup est passé par ici la nuit dernière. Un gros... Et ce sang, par là, c'était son petit déjeuner. Un daim... Si seulement je pouvais vous garder un mois dans la nature. Mon gamin, je te montrerais comment vivre drôlement bien, ça c'est sûr.

Le vieil homme avait pris le petit Spencer sous son aile, le surnommant Petit Snowbird, lui confiant certaines tâches du camp, lui donnant de petites leçons de choses, en passant, lui transmettant ainsi les connaissances qu'il avait reçues de son père voilà soixante-dix ans.

– Les animaux sont comme un jardin, dit le vieux trappeur à l'enfant aux yeux écarquillés. Traite-les bien, ils poussent bien. Traite-les mal, ils poussent de travers.

Une fois, Spencer s'écarta de la piste de neige battue, et s'enfonça aussitôt dans la poudre jusqu'à la taille. Snowbird lui attacha une paire de raquettes aux pieds, et l'enfant partit cahin-caha au milieu des congères.

Il nous apprit à harnacher les chiens, à les nourrir en leur jetant de loin des poissons gelés, à allumer des feux le matin quand le bois est encore humide (les pommes de pin restent toujours sèches); il nous enseigna aussi des rudiments de vocabulaire cree : *dahnsi* (« bonjour »), *atins* (« chien »), *peahtik* (« fais attention »), *hay-hay* (« oui »), *nehmoyeh* (« non »), *kaynana-skoh-mitten* (« merci »), *etahtomskahgan* (« au revoir »), et son expression favorite, *aygotah* (« tout droit, mon frère »).

Cette équipée à travers les sauvages contrées du Nord en compagnie de Snowbird fait partie de ces excursions organisées par les Canadiens pour tirer parti des ressources de la région, et injecter dans l'économie indigène un argent dont elle a grand besoin. Ce n'est pas un voyage de luxe. Il y a le bois à couper, la neige à faire fondre pour le thé, la nourriture à préparer, et d'innombrables corvées à effectuer. La salle de bains est en plein air. On ignore ce qu'est une douche. Nous avons passé deux nuits sur le sol d'une cabane, une autre sous une tente. La température tournait autour de moins vingt-huit. Nous nous levions d'ordinaire à sept heures, et, une heure ou deux plus tard, le traîneau était prêt à partir. Nous nous arrêtions pour déjeuner en milieu d'après-midi, lorsque le soleil printanier commençait à rendre la neige collante sous les traîneaux, et reprenions notre course vers les cinq heures, quand la fraîcheur du soir avait durci la neige, rendant l'effort des chiens moins pénible.

Ceux-ci paraissaient aimer ce travail dès l'instant où la température ne remontait pas trop près de zéro, niveau où la « chaleur » commençait à les incommoder. Tous les matins à notre arrivée, ils se mettaient à sauter en tous sens et à aboyer avec exaltation.

Si des visiteurs s'aventurent dans cet arrière-pays inhabité, c'est en principe avec l'idée de réaliser un circuit à travers le parc national de Wood Buffalo. Avec ses quatre millions d'hectares de bois, de marais et de lac, c'est le plus grand parc d'Amérique du Nord. C'est aussi, en été, l'aire de nidification des grues blanches américaines, et toute l'année le refuge d'environ cinq mille cinq cents bisons de forêt.

Mais plus encore que les vues splendides, c'est l'expérience du monde sauvage canadien qui me touchait profondément. Je devais retrouver plus tard ce même sentiment de crainte et de respect, cette même soif d'émotions en lisant les mémoires inédits de mon grand-père, qui bourlingua plus ou moins dans les mêmes régions, du temps où elles n'étaient pas encore des provinces, où les routes n'étaient signalées que par des entailles pratiquées dans les troncs d'arbres, et où les portes n'étaient fermées qu'à l'aide de courtes ficelles.

Ce voyage m'obligea aussi à quelques importants efforts d'adaptation mentale. « Deux cultures, deux mondes se rencontrent dans ce parc », m'avait averti Jacques Van Pelt, un immigrant hollandais de haute taille, installé dans une maison ronde creusée dans le flanc d'une colline à Fort Smith, dans les Territoires du Nord-Ouest, à quelque trois cent vingt kilomètres au nord du théâtre de notre randonnée. Sa société, la Subarctic Wilderness Tours Ltd, sert d'intermédiaire entre les voyageurs et leur guide indien. Lui-même organise également ses propres randonnées à ski, en car ou en radeau, dans la région et sur les zones de nidification autour de Fort Smith. Cela ne l'empêche pas d'élever par ailleurs des lapins à des fins commerciales, pour servir de la viande à bon marché à ses clients et à sa famille.

Un des premiers efforts d'adaptation que chacun doit faire dans de telles régions, est d'élargir sa conception du temps, d'en éliminer des détails mesquins et contraignants comme les minutes, voire les heures, car il faudrait s'encombrer d'un gadget bien inutile qu'on appelle une montre.

Snowbird et ses amis comptent en saisons ou en périodes d'ensoleillement et d'obscurité, attitude éminemment logique, les trappeurs n'ayant guère besoin de pointer lorsqu'ils se rendent à leur travail. Dans cette société, le temps est une chose à dépenser, pas à économiser. Il y aura toujours un lendemain, et un surlendemain.

Le premier jour où Spencer, notre guide et moi devions commencer notre expédition – départ de Fort Chipewyan à huit heures du matin – nous démarrâmes en fait à midi et demi. Et, le premier après-midi, Snowbird, l'homme qui avait maintenant charge de nos vies, m'interrogea :

– Combien de temps resterons-nous dehors ?

– Euh... répliquai-je, jusqu'à vendredi.

– Entendu, dit-il avec entrain. Nous sommes aujourd'hui lundi, non?

– Non, mardi.

– Entendu.

A l'exclusion du dernier soir, où les choses tournèrent mal, nous nous arrêtions pour la nuit aux alentours de sept heures. Snowbird déteste se déplacer en traîneau dans l'obscurité, ayant dû un jour regarder mourir, sans pouvoir rien faire, un compagnon qui s'était empalé sur une branche qui dépassait. Et nous, les derniers en date de ses compagnons de route, nous souhaitions éviter de subir le même sort.

Nos repas, délicieux, étaient préparés dans des fourneaux à bois près de lanternes à huile. Toute la journée, nous grignotions de gros morceaux de caribou séché enveloppés dans un sac de papier, et lors des pauses, des sandwichs improvisés. Mais, le soir, nous nous régalions de canard, de lapin et de bison accompagnés de purée instantanée, de boissons en poudre et de *muffins*. Après le repas, Snowbird se grattait la tête à travers sa casquette verte et lâchait son inévitable commentaire :

– Bonne nourriture. Maintenant, j'ai des forces pour deux jours.

A certains moments aussi, si on le cajolait un peu, il s'asseyait sur les couvertures de peau de bison qui lui servaient de lit, et, tout en buvant son thé, parlait un peu de sa vie « sur la terre », c'est-à-dire dans la nature. Il évoquait des plaisirs simples, tels ceux que procurent les rats musqués.

– Vous attrapez quelques rats, vous les dépouillez, vous faites un petit feu, et vous les rôtissez. Délicieux, c'est moi qui vous le dis.

Il parlait de sa philosophie personnelle de la vie. Jamais, cependant, il n'aurait utilisé un terme si pompeux. C'était plutôt un ensemble d'observations, un amalgame de ce qu'il avait vu et de ce que ses aînés lui avaient appris. Il pense qu'au nombre des valeurs primordiales de la vie figure le respect de la nature, car nous faisons partie de cette nature, et nous ne devons pas nous y comporter en intrus. Il coupera un arbre pour son bois, et chassera les animaux pour se nourrir, jamais pour le plaisir. Il est important d'avoir une épouse, et plus encore, de bien la choisir. Cet hiver-là, il avait déménagé pour Fort Chipewyan (1 400 habitants) pour la première fois, parce qu'il l'avait fallu, mais il ne s'y plaisait pas. « Trop de gens », disait-il. S'il cherchait femme à présent, il irait à la ville. Les femmes semblaient plus aventureuses de nos jours, ajoutait-il. Et bien sûr, les mères devaient nourrir leurs bébés naturellement. Il avait vu trop de tristes cas d'enfants ou d'animaux qui n'avaient pas été nourris par leur mère et qui étaient devenus ensuite de chétives créatures sans caractère.

Il se souvenait du temps où lui et ses amis passaient tout l'été à se préparer pour l'hiver, et tout l'hiver à poser des pièges, à chasser et à couper du bois pour gagner de l'argent et emmagasiner de quoi manger, afin, à nouveau, de pouvoir passer tout l'été à se préparer pour l'hiver...

– Dans le temps, me raconta-t-il tandis que nous suivions une rivière gelée, les gens vivaient tout le long de cette rivière dans huttes et tentes. Eux pêchaient, chassaient, et posaient des pièges. Tous des Cree. Maintenant ils sont tous partis. Pas partis vers la ville, partis sous la terre. Tous morts. Certains sont devenus fous, vous savez. D'autres sont morts, simplement.

Mais les choses ont aujourd'hui changé dans le Nord.

– Aujourd'hui, continua Snowbird, les jeunes gens s'en vont dans la nature, et ils se perdent. Ils n'écoutent pas leurs pères, et les pères n'essayent pas d'enseigner. Toujours boire, ou ce genre de choses. Maintenant, ils achètent tout dans les magasins. Je ne sais pas pourquoi... fous, ou paresseux, je crois.

Il nous cita l'exemple d'un ami plus âgé, qui avait quitté la vie sauvage pour se rapprocher de la ville. Deux jours avant notre visite, on l'avait retrouvé sur le lac gelé, transformé en un bloc de glace, victime probable de la promenade zigzagante qu'il avait faite, ivre, à minuit. Ce que voulait faire comprendre Snowbird était que pareil drame ne se serait jamais produit dans le *bush*, où chacun connaissait les règles et veillait sur les autres.

Puis, à mesure que le feu se mourait, tandis que les chiens à l'extérieur mastiquaient bruyamment des os, il nous raconta un conte que les grands-pères cree rapportent depuis neuf mille ans – depuis le temps où les glaciers se sont retirés, laissant derrière eux ces plaines boréales toutes grêlées et éventrées, l'un des plus riches réservoirs de fourrures au monde. L'histoire est celle d'un vieil Indien, aveugle et incapable de chasser pour assurer sa subsistance. Un sort épouvantable. Il était tristement assis près du lac lorsque approcha un oiseau, un plongeon. «Suspends-toi à mon cou, dit celui-ci, comme ceci, et viens nager avec moi.» Ainsi fit le vieillard. Trois fois l'oiseau plongea, et trois fois l'homme ouvrit les yeux sous l'eau. Lorsqu'ils refirent surface pour la troisième fois, les eaux canadiennes avaient accompli leur œuvre de guérison, et les forces de la nature, qui se répartissent entre chasseurs et gibier, avaient retrouvé leur équilibre. L'homme voyait.

– Il pouvait de nouveau chasser pour manger, conclut Snowbird. C'est une histoire vraie.

Aucun de ses deux auditeurs, les yeux écarquillés, ne songea à le contredire.

Ensemble, nous parcourûmes plus de cent soixante kilomètres. Nous vîmes un des villages du *bush*, la petite communauté de notre guide, vingt-cinq personnes peut-être – et un nombre apparemment égal de chiens – vivant au sommet d'une berge abrupte de l'Athabasca.

A une centaine de mètres de la dernière hutte, on ne distinguait plus trace de vie humaine, mais seulement les splendides étendues sauvages, sur des centaines de kilomètres, vous donnant conscience de votre petitesse, et imposant le silence. On ressentait comme un privilège le fait d'être là, mais un sentiment d'humilité vous envahissait comme devant une force invisible qu'il convenait de respecter. Nous vîmes de nombreuses traces et signes de vie, vie sauvage du moins. Loup, renard, lapin, lynx, mulot et rat musqué.

Une fois, Snowbird arrêta le traîneau et s'éloigna à bonne distance de la piste pour examiner des sapins baumiers de petite taille. Il en abattit un, et découpa un tronçon d'une douzaine de centimètres d'où jaillissait une longue et fine branche. La nuit venue, il le tailla à l'aide d'un couteau, en pela l'écorce et les épines, et le mit à sécher. Puis il nous fit cadeau de notre instrument de prévision météorologique personnel : lorsque la petite branche se redresse, c'est signe que le beau temps approche; lorsqu'elle penche vers le bas, c'est le mauvais temps qu'elle annonce. Aujourd'hui, le sapin de Snowbird prédit le beau temps.

Le troisième jour de notre sortie, nous déjeunâmes dans la tente d'Ernie Courtorielle, où nous apprîmes que deux cents bisons environ paissaient dans un marécage gelé non loin de là. Ils étaient les descendants à poils longs d'un troupeau menacé d'extinction que l'on avait rassemblé dans un nouveau parc en 1922. Par souci de justice, le gouvernement avait promis que tous les Indiens qui vivaient en ce lieu, ainsi que leurs descendants, pourraient y demeurer et chasser sur le territoire du parc. Et là, malgré loups et anthrax, les bisons s'étaient multipliés.

Après deux heures de route le long du ruisseau de Beaver Ass, nous atteignîmes le lac Hilda. Au loin, nous pouvions apercevoir d'énormes silhouettes sombres. Il est malaisé pour six chiens, deux hommes, un petit garçon et un plein traîneau de matériel de traverser subrepticement un champ de glace à découvert sans être vus ou sentis... Quelques minutes plus tard à peine, nous voyions les silhouettes sombres s'éloigner en bondissant. Vingt minutes après, nous pouvions constater les dégâts que leur fuite avait provoqués, dans l'herbe, les buissons et sur le tapis de neige. Inconscients de l'aventure qui nous attendait plus loin, nous prîmes la direction de la cabane d'Archie Cardinal, sur la rivière Hay, pour y passer notre dernière nuit.

Il était six heures du soir lorsque nous y parvînmes, mais l'endroit était désert, barricadé de planches, et fermé à clé. Il commençait à faire sombre. La température dégringolait. Placés devant le choix entre une nuit en plein vent ou trois heures de trajet supplémentaires pour atteindre la cabane la plus proche, nous avalâmes quelques barres de céréales et de fruits secs, un peu de caribou séché, et, enveloppés dans les peaux de bisons, nous remîmes en route.

L'air était vif. Le ciel à l'est s'obscurcissait. Après les quarante kilomètres couverts ce jour-là, les chiens trottaient encore allégrement. Le moral était au plus haut. Nous regardions par-dessus nos épaules le soleil se coucher, laissant après lui d'éclatantes traînées de pastel, bleues, roses et jaunes. Nous suivions, méandre après méandre, le cours de la rivière Prairie, et ne tardâmes pas à déboucher sur le lac Mamawi –, dix-neuf kilomètres à traverser. Quelques étoiles à l'est commençaient à scintiller, et mes doigts de pieds à s'engourdir. L'espace manquait un peu à nos jambes. Mon genou droit, qui dépassait des couvertures, était frigorifié, même sous ses trois épaisseurs de vêtements. Mais la beauté toujours plus grande des ténèbres, le halètement régulier des bêtes et la griserie de ces espaces sauvages nous tenaient éveillés.

Étendu sur le dos, Spencer comptait les étoiles. Peu à peu, je sentais que certaines zones découvertes de ma peau brûlaient. Snowbird était inhabituellement silencieux. Mais la lune était apparue, conférant à la neige un aspect livide et projetant sur notre gauche de longues et étranges ombres de monstres immenses aux allures de chiens. La nuit était toujours obscure, le ciel toujours parsemé d'étoiles, et la neige toujours paisible. Lorsque la chose arriva.

Nous quittions le lac pour nous engager dans la rivière du Chenal des Quatre Fourches, lorsque soudain, devant un éventail de sentiers enneigés s'enfonçant dans toutes les directions, le nouveau chien de tête hésita, désorienté. Tous les autres se mirent à lever très haut les pattes. Et les craquements commencèrent.

– On s'enfonce! s'écria Snowbird.

Traîtrise du printemps précoce du Nord. Le soleil qui brille sur la rivière durant la journée fait un peu fondre la neige. La glace s'enfonce sous le poids; l'eau s'infiltre alors dans les cassures, et la glace est emprisonnée entre deux couches de liquide glacé. Ce manège cependant reste caché sous un perfide tapis de neige.

Aussi incroyable que cela puisse paraître dans le froid qui régnait, la nuit était pleine de gargouillements. L'arrière du traîneau commençait à sombrer. Le tout ne tarda pas à s'incliner sur un bord, menaçant de nous faire tous chavirer dans quelques mètres de neige fondue et glacée. Je fis un geste brusque de mon bras vers le côté.

– Ne bougez pas, dit Snowbird.

Et il se mit à parler aux animaux, doucement, mais avec fermeté, leur indiquant le chemin à suivre pour éviter les pires brèches visibles devant nous. Éclaboussant de toutes parts, les chiens bataillaient dans l'ombre. Mais la toute nouvelle recrue qui menait l'attelage avait grand mal à trouver sa route parmi les multiples voies tracées dans leur sauve-qui-peut par les autoneiges et les traîneaux qui nous avaient précédés. Le chien mettait du temps à comprendre les ordres de Snowbird. Pendant un petit moment, l'Indien descendit même et, pataugeant dans la gadoue jusqu'à mi-cuisse, guida à la main les bêtes jusqu'à proximité de la rive.

On continua sur trois kilomètres, le traîneau glissant bien maintenant sur une neige ferme, puis ce fut de nouveau un craquement, et le gargouillis et les éclaboussures trop familiers, et l'impression de flotter sur la neige fondue. Chaque fois qu'il embarquait de l'eau, qui gelait aussitôt, le traîneau devenait plus lourd.

– C'est génial, dit Spencer.

– Je suis heureux que ça te plaise, lui dis-je.

– Aucun danger, assura Snowbird.

Le risque, semble-t-il, n'est pas tant de se noyer, et d'être enseveli dans la glace jusqu'au printemps, que de se retrouver trempé, puis exposé à l'air glacial. Mais Snowbird savait que la cabane était toute proche. Les chiens aussi apparemment, qui s'élancèrent dans la dernière courbe, vers une cheminée qu'un bon feu ferait bientôt fumer en lançant des étincelles.

Là, en dépit de températures avoisinant moins trente, les bêtes purent dégeler leurs pattes en passant dessus leurs langues chaudes. Nous bûmes à petites gorgées du chocolat bouillant pendant que Snowbird faisait dégivrer son pantalon, raide comme du carton. Patiemment, il décolla ensuite peu à peu un anneau de glace de plus de deux centimètres autour de ses chevilles. Les chiens reçurent une ration supplémentaire de nourriture cette nuit-là. Puis, à une heure du matin, après avoir lui-même mangé, et jeté un dernier coup d'œil sur les animaux – grosses boules de fourrure lovées dans la neige balayée par le vent, museau enfoui dans leur queue pour leur somme nocturne –, Snowbird alla se coucher sur le sol. Avant six heures, parfois, il était dehors de nouveau, abattant un arbre.

– Nous avions besoin de bois, expliquait-il.

Le jour suivant, celui où nous devions quitter le *bush*, devait être long. L'avion du vendredi ayant été annulé, nous allions devoir parcourir en voiture les trois cent vingt kilomètres séparant Fort Chipewyan de Fort Smith. En l'absence de toute route, à l'exclusion d'une piste raboteuse que seules les gelées de la nuit rendaient praticable et de quelques ruisseaux et rivières pris par les glaces et pas encore assez touchés par la débâcle pour être dangereux, nous couvrîmes cependant la distance dans la camionnette de M. Van Pelt. La course dura huit heures, à travers les bois et le long des rivières. Nous arrivâmes juste avant l'aube, à temps pour un vol de deux heures en avion à réaction qui nous ramena vers une autre forme de civilisation.

Au cours de la dernière journée passée en sa compagnie, nous avions bien sûr aidé notre guide à débarrasser le traîneau des quelque quarante-cinq kilos de glace qui le recouvraient. Après un ultime repas, nous avions parcouru les treize derniers kilomètres jusqu'à la ville, où était venu le moment de nous séparer.

– *Etahtohmskahgan*, avait dit Spencer.

– *Kavnana-skoh-mitten*, avais-je dit.

– Au revoir, avait dit Snowbird.

Le cargo *Stanislavski* venait d'accoster à Toronto avec un chargement de tracteurs en une froide journée d'automne, lorsque le commandant Youri Sournine, voyant une foule de personnages officiels, de policiers et de reporters qui attendaient sur la jetée, ordonna de dérouler le tapis rouge. Il se trompait sur les honneurs qui l'attendaient.

La première erreur avait été commise longtemps avant par l'ambassade soviétique au Canada, lorsqu'elle avait négligé de payer à Wallace Edwards les vingt-six mille dollars qu'elle lui devait pour un travail d'imprimerie qu'elle lui avait confié. Avec une obstination, une insistance et une détermination qui conféraient une toute nouvelle dimension aux relations soviéto-canadiennes, Edwards, cinquante-quatre ans, avait passé treize ans à tenter de contraindre un État étranger à payer sa note.

– Personne, déclarait l'ombrageux Canadien, pas même un gouvernement étranger influent, ne devrait pouvoir se soustraire à nos lois.

En faisant prendre en otage un navire russe de treize millions de dollars, M. Edwards parvint finalement à récupérer son dû, auquel s'ajoutèrent dix mille dollars d'intérêts. Mais il ne s'en tint pas là ; il voulut également, et obtint, que les Russes assument les frais de location d'une salle de réunion dans un hôtel et lui offrent une caisse de vodka, ainsi qu'une respectable quantité de caviar, afin de pouvoir se porter à lui-même un toast devant la foule... et humilier quelque peu ses adversaires.

M. Edwards n'est pas un Canadien de l'ancienne école, tranquille, modeste, ne réussissant que laborieusement. Ayant constaté une injustice, il décida de ce qu'il convenait de faire, et agit conformément à cette décision. Il eut à essuyer de nombreux revers, et même à faire face à un certain nombre d'obstacles placés sur son chemin par son propre gouvernement. Mais il persista, avec quelque ostentation, et, à la fin, eut gain de cause.

C'est en 1967 qu'un membre de l'ambassade d'U.R.S.S. refusa de payer les revues que M. Edwards avait imprimées, revues destinées à être distribuées lors de l' « Expo 67 » de Montréal. « Cela fut comme une blessure au fer rouge infligée à ma, comment dire, dignité », déclara le plaignant. Sa colère augmenta encore lorsque ce même Russe, de retour à Moscou, se mit à lui envoyer avec insistance des cartes exprimant des vœux de « Paix sur la Terre ». L'ambassade soviétique à Ottawa persista dans son refus de s'acquitter de sa dette, et M. Edwards dut constater que son gouvernement éprouvait certaines réticences à engager des poursuites.

– Ils me dirent que les Russes bénéficiaient de l'immunité diplomatique, rappelait-il. Je leur ai demandé de quel genre d'immunité je bénéficierais si j'allais à Moscou et violais leurs lois.

Il décida donc d'utiliser les outils de sa démocratie, et s'adressa aux tribunaux. Il songea à faire saisir les patins de l'équipe d'U.R.S.S. de hockey, ou les animaux pensionnaires du Cirque Russe, puis arrêta son choix sur un avion de ligne soviétique. Il obtint les documents juridiques nécessaires, mais le chef de la police du comté, un peu anxieux à l'idée de provoquer un incident international, demanda avis au ministre de la Justice de l'Ontario, qui demanda conseil à son tour au ministère des Affaires Étrangères à Ottawa, lequel répondit au ministre de la Justice de dire au chef de la police de dire à M. Edwards de laisser tomber. Les Russes jouissaient de l'immunité diplomatique.

M. Edwards intenta un procès au chef de la police.

Le gouvernement lui retira l'aide judiciaire. M. Edwards trouva un cabinet d'avocats dont la curiosité fut éveillée par ce litige inhabituel, et que le déploiement de force hostile des autorités n'impressionnait pas.

– Notre position, dit Ron Manes, l'ancien avocat de Toronto devenu habitant de l'Ohio, était que si un pays s'abaisse à prendre part à notre système capitaliste, il doit se conformer aux mêmes règles que tout un chacun, et payer ses dettes.

M. Edwards était un peu plus direct :

– Je veux mon argent, pas un sou de plus, pas un sou de moins.

Mais il se trouva beaucoup de ses amis canadiens pour le déclarer « trop américain », signifiant par là qu'il était devenu exigeant et impertinent, et ne craignait plus de susciter une épreuve de force.

– Il y a trop de Canadiens empesés, avec du béton dans la tête, déclare Edwards. Nous nous sommes laissé étouffer par notre système au lieu de nous en servir comme d'un outil pour le bien des gens. Nous avons trop peur d'échouer; alors bien souvent, nous n'essayons même pas. »

Il fit appel sur appel, jusqu'au jour de 1980 où, enfin, le chef de la police Joseph Bremmer apparut sur la jetée de Toronto, au numéro 51, pour accueillir le *Stanislavski*, coller un avis de saisie sur son mât, et poster des policiers à son bord. Il y eut quelques bousculades, une porte fut forcée à la pince-monseigneur après que l'équipage eut changé en cachette les serrures du bateau, incidents que la *Pravda* déclara ensuite avoir été provoqués par des « brutes de la police agissant comme des pirates du Moyen Age ».

La compagnie de navigation menaça Edwards d'une longue bataille judiciaire, arguant que le gouvernement soviétique n'était pas propriétaire du navire. Notre homme s'en prit aussitôt aux comptes bancaires de l'ambassade, qu'il fit geler. C'est alors que les hommes de loi œuvrant pour le compte des Russes cédèrent. Ils dirent à M. Edwards qu'ils acceptaient de régler leur dette, plus des intérêts, plus les frais judiciaires de leur adversaire, plus les frais de représentation du chef de la police, et même les droits de maintien à quai du bateau.

— A propos, ajouta M. Edwards, je veux du caviar et de la vodka également.

Alors, dans un hôtel du centre ville orné de pas moins de douze drapeaux canadiens, il savoura sa victoire.

La Justice fait son entrée à Grand Centre, Alberta, tous les mercredis. Le vendredi, aussi, parfois. Elle est représentée par Marshall Hopkins, l'un des seize juges provinciaux de l'Alberta à encore « faire le circuit », comme au bon vieux temps (quatre-vingt-douze autres juges, au nombre desquels trois femmes, officient par ailleurs dans une salle de tribunal ordinaire).

De nos jours, les juges itinérants ne voyagent plus à cheval : ils circulent en avion, ou dans des véhicules munis de platines magnéto et de régulateurs de vitesse automatiques. D'autres font de même dans les parties septentrionales d'autres provinces. Ils rendent la justice dans les patinoires, les postes de police ou les casernes de pompiers.

En Alberta, province agricole, en raison de l'essor des nouvelles ressources, nos magistrats ont à traiter des affaires de tous ordres. Calgary et Edmonton, les deux plus grandes villes d'une province sept fois plus vaste que l'État de New York, devraient voir leur population doubler d'ici l'an 2000, pour atteindre chacune un million de personnes. Agglomérations rurales, dépérissant naguère, elles sont aujourd'hui envahies d'immigrants attirés vers la province du Canada dont l'avenir semble le plus prometteur. Ils viennent travailler dans la recherche et l'extraction des énormes quantités de pétrole et de gaz dissimulées sous les prairies, les forêts, les pâturages et l'herbe à bisons. De nouvelles cités-dortoirs font leur apparition. Trois semaines par mois, ces communautés sont peuplées d'enfants et de mères au travail. L'autre semaine, les pères reviennent se reposer et dépenser l'argent gagné sur de lointains chantiers pétroliers, parfois situés jusque dans l'Arctique ou la mer du Nord. Cette vie de famille ne va pas, souvent, sans problèmes parmi les jeunes, et sans querelles à la maison.

La zone de treize mille kilomètres carrés qui dépend du juge Hopkins était, à l'époque de ma visite, peuplée de vingt-six mille habitants concentrés autour de la petite ville de Grand Centre. En Alberta, on considère qu'un juge a rendu son lot de jugements s'il a présidé à trois mille cinq cents procès par an. Le juge Hopkins traite régulièrement quelque six mille cinq cents affaires, siégeant certains jours de neuf heures du matin à neuf heures du soir, et voyageant à travers tempêtes de neige et nuages d'insectes pour un salaire annuel d'environ trente-six mille dollars.

— Franchement, me dit un jour ce grand gaillard d'un mètre quatre-vingt-treize alors que nous avancions tranquillement sur la route nationale gelée et déserte qui nous conduisait aux procès du jour, franchement, j'aime beaucoup ce travail, parler aux gens, les écouter. Je ne puis imaginer en préférer un autre, où que ce soit. Vraiment aucun!

Âgé de cinquante-sept ans, fils d'un pionnier qui jadis explora cette région de l'Alberta du Nord, le juge Hopkins a eu pour arrière-arrière-grand-père un capitaine des Fusiliers gallois venu au Canada combattre les Américains lors de la Guerre de 1812. Capturé, récupéré par les Britanniques moyennant rançon, il s'en retourna au Canada pour s'installer près d'Hamilton, dans l'Ontario, et y élever sept fils, dont quatre finirent cow-boys aux États-Unis. La mère du juge Hopkins, une Québécoise, avait passé une partie de sa vie en Nouvelle-Angleterre, où elle se réfugiait chaque fois que la situation de l'emploi au Canada devenait trop mauvaise. Son père était un géomètre anglais, et le juge avait grandi convaincu que tout enfant parlait anglais à son père et français à sa mère.

Il se rappelle avoir couru pieds nus, l'été, dans ces paysages, et comment son père marchandait, chaque automne, avec les Indiens pour offrir à sa famille des paires de mocassins faits main. Dans l'esprit des Canadiens de l'Ouest la Dépression, les « sales années trente », ont laissé une empreinte indélébile. Sa famille était si pauvre qu'elle ne pouvait payer l'essence de sa Ford T. Alors, son père retira le moteur, et attela ses chevaux au pare-chocs pour en faire une sorte de buggy métallique. Le petit Marshall s'asseyait dans le sens inverse de la marche, laissant ses jambes pendre à l'arrière afin de tracer avec ses orteils des figures dans la poussière du chemin. Encore adolescent lorsqu'il quitta la maison, il passa les dix-sept premières années de sa vie active en tant que membre de la Police montée. Puis un autre emploi, dans la construction, l'entraîna vers le Canada oriental. Mais les vastes ciels de l'Ouest et le travail quotidien sur les subtilités de la loi lui manquaient. Aussi entreprit-il d'étudier seul le droit et, avant le temps où un examen devint nécessaire pour accéder à la magistrature, il fut nommé juge provincial, poste dans lequel il se tailla une réputation d'homme sévère mais compréhensif.

Il se remémore avec tendresse ses nombreuses missions comme membre de la Police montée (aujourd'hui Gendarmerie Royale du Canada, ou G.R.C.), avec tristesse en revanche les préjugés linguistiques des Québécois qui voyaient en lui le symbole détesté de l'autorité fédérale (c'est-à-dire anglaise).

— Si nous étions en patrouille, dit-il, et que nous nous arrêtions dans une ferme pour demander un verre d'eau, on nous le refusait.

A huit heures tous les matins d'hiver, Marshall Hopkins, vêtu d'un complet-veston, de santiags et d'un parka, quitte son domicile pour être deux heures plus tard à son lointain tribunal, où il devient l'Honorable juge Marshall Hopkins, de la Cour provinciale d'Alberta. Ce jour-là, sa salle de tribunal à Grand Centre était une ancienne galerie de dancing au-dessus d'une cafétéria que la propriétaire,

Judy Sjerven, lui loue cent dollars la journée. « Cela paie notre note de gaz », dit-elle. Il entendit quarante-quatre cas, huit des procès se déroulèrent sans jury, et dix-huit autres furent ajournés à une date ultérieure. Il ordonna l'arrestation de trois personnes pour n'avoir pas répondu à ses assignations.

– Je suis très strict sur le respect des tribunaux, dit le juge. Lorsque cela se détériore, c'est tout le tissu de notre société qui se désagrège.

Quatorze des défenseurs plaidèrent coupable et furent condamnés à des amendes s'élevant à plus de mille six cents dollars au total, la majorité d'entre eux pour des délits commis en état d'ivresse. Le juge Hopkins menait les choses rondement et avec fermeté, distribuant par moments quelques sévères avertissements.

– La prochaine fois que je vous retrouve ici pour avoir trop bu, vous en prenez pour quatre mois de trou, et si cela ne vous motive pas, tant pis pour vous.

Avec quatre enfants, dont un jeune Indien adopté, et les souvenirs de ses propres incartades adolescentes, le juge Hopkins a habituellement une attitude paternelle envers les jeunes, se contentant souvent, pour un délinquant primaire, de quelques conseils.

– Nous ne reverrons jamais 85 % de ces gosses. Alors, à quoi bon se montrer plus dur?

Tambourinant des doigts sur le bras de son fauteuil, il parvient à ne jamais se départir d'un calme apparent, mais avoue que, dans les cas de violences à enfant, il réclame une suspension d'audience afin de recouvrer sa sérénité, sachant bien que c'est en appliquant la loi, et non en se laissant aller à son sentiment de colère, qu'il pourra rendre la justice.

A Grand Centre, les hommes de loi se retrouvent devant une tasse de café à l'auberge *Burger Inn* (la ville compte trois mille habitants et elle est toute proche d'une zone où se déroulent des manœuvres militaires des forces aériennes de l'O.T.A.N). Autour des tables, procureurs de la Couronne et avocats de la défense – qui eux aussi font leur tournée dans les campagnes – cherchent à faire avancer une affaire ou une autre.

Devant les délits qu'il rencontre ordinairement, le juge Hopkins a une attitude de philosophe.

– Je ne me frappe pas de ce que les gens se font les uns aux autres, dit-il. C'est inquiétant, bien sûr. De nos jours, les gens ne semblent plus se demander : « Où est le Bien? » Tout ce qu'ils se disent, c'est : « Combien puis-je tirer de ce type-là? » Il ne faut pas se laisser troubler, je crois. Cela ne sert à rien. Tout ceci existe depuis des milliers d'années et existera encore dans des milliers d'années. Je m'assois, et j'observe. Je regarde l'homme jouer son jeu. Nous nous complaisons dans l'illusion... Nous créons à notre usage une image d'humains trop pleins d'humanité, et ce faisant, nous refusons d'admettre l'existence de nos instincts animaux. Nous sommes loin d'être parfaits, tous autant que nous sommes.

En fin d'après-midi ou en début de soirée, le juge Hopkins ajourne la séance et prend, dans la nuit, le chemin du retour vers sa femme, Toni, à travers la campagne couverte de neige dont les saisissants silences nocturnes sont encore parfois troublés par les cris des coyotes.

La vie sauvage reste un trait constant du paysage canadien, même par exemple dans des villes comme Toronto, dont le vaste et complexe ensemble de parcs sert de gîte à des milliers de ratons laveurs. Ces audacieux polissons à fourrure surgissent très fréquemment dans les arrière-cours, sur les trottoirs de la ville, et plongent dans les poubelles mal fermées. En Alberta, l'été, le gouvernement laisse certaines récoltes non moissonnées dans quelques champs, afin de nourrir la chaîne alimentaire des lapins, hérons, canards, oies, élans, aigles, daims et belettes – population non contribuable de la province.

C'est en ces moments propices à la rêverie où la musique d'une cassette s'égrène doucement tandis que le régulateur de vitesse maintient la voiture aux cent kilomètres à l'heure réglementaires, que M. Hopkins médite sur certaines de ses actions.

– Un jour, vous savez, lorsque j'étais beaucoup plus jeune, me raconta-t-il, j'ai vu un coyote dans un champ, assez loin de ma route. J'ai tiré un coup de pistolet en l'air, juste pour l'effrayer. Eh bien, vous savez, même à cette distance, il s'est écroulé. J'y suis allé : il avait les deux pattes arrière brisées. Et je suis resté là, interdit. Il m'a fallu abréger ses souffrances. J'étais vraiment stupide, voyez-vous. Je m'amusais sans réfléchir, et le malheureux en a fait les frais. Un bel animal. Il avait le droit de vivre aussi. Seigneur, j'y ai repensé si souvent au cours des années! J'imagine que nous commettons tous des erreurs. C'est pourquoi j'ai choisi d'être juge.

Le premier son qu'entendit Reid Tait, pas très bien réveillé encore en ce petit matin d'hiver, en ces ténébreuses minutes juste avant six heures, fut le gai indicatif de *Sesame Street* qui, sorti du téléviseur et transmis par le satellite canadien planant à quelque trente-six mille kilomètres au-dessus de l'équateur, s'insinuait jusqu'à sa chambre.

La journée précédente avait été longue, ou la nuit, plutôt, avait été courte. Un nouvel accident s'était produit sur la nationale non goudronnée, comme le sont presque toutes les routes du Yukon, et, en tant qu'unique représentant de la Couronne, du gouvernement et de la loi dans le secteur de treize mille kilomètres carrés qui lui avait été confié, le caporal Tait, de la Police montée, avait sauté dans son fourgon bleu foncé avec panier à salade à l'arrière et insignes dorés sur la portière (une couronne accompagnée de la devise « Maintiens le droit »). A deux heures du matin, donc, il était parti superviser le nettoyage de la chaussée, la rédaction du procès-verbal, l'enlèvement des véhicules, et les soins aux blessés. L'accident n'avait pas été trop grave, comparé à ce qu'ils sont souvent dans ces contrées reculées : pas de morts, pas de feu à cent kilomètres de tout secours, pas de bagarres, pas de fragments de corps collés par le gel à la chaussée. Les gros corbeaux noirs perchés haut dans les arbres, vigilante équipe de nettoyage de la nature, resteraient sur leur faim ce matin-là. Et le caporal Tait était de retour au lit à quatre heures et demie.

Reid Tait est l'un des dix-huit mille membres de la Police montée, cette institution canadienne unique en son genre qui combine les éléments d'un F.B.I., d'une police de la route, d'une police municipale, de services secrets et d'une section de gardes forestiers. Au cours de ces dernières années la « force », comme la nomment ses membres, a fait l'objet d'accusations d'autoritarisme et d'abus de ses considérables pouvoirs. Mais dans le Yukon, où quarante policiers couvrent une zone grande comme vingt-cinq fois le Massachusetts, rares sont ceux qui ont des mots de désapprobation pour les hommes en bleu.

– Nous faisons ce que fait n'importe quelle police, me dit le commissaire Harry Nixon, le supérieur du caporal Tait. Seulement, nous n'avons pas le volume de travail qu'ils ont. Dans le temps, avant qu'on entende parler d'un crime, qu'on aille voir sur place, qu'on mène l'enquête, qu'on trouve le coupable, et qu'on fasse venir un juge itinérant, cela pouvait prendre deux ans. Aujourd'hui, il s'agirait plutôt de quelques jours.

Grâce aux ordinateurs, le commissaire peut dire instantanément que les vingt-trois mille habitants du Yukon signalent chaque année environ douze mille délits de toute nature, allant de l'intrusion dans les propriétés privées jusqu'au meurtre. Grâce aux ordinateurs et aux satellites, il lui est possible d'informer toutes les forces de l'ordre d'Amérique du Nord qu'il est à la recherche de telle ou telle personne ; c'est ainsi qu'un policier de Floride découvrit récemment qu'un individu arrêté là-bas pour un simple excès de vitesse était recherché pour meurtre dans le Yukon.

Grâce aux satellites et aux ordinateurs encore, et aux réémetteurs plantés au sommet d'une vingtaine de montagnes battues par les vents, Harry Nixon peut parler à n'importe lequel de ses hommes, en tous lieux, ce qui vaut à Michael Macy, un skieur de fond solitaire venu du New Jersey, d'être encore vivant aujourd'hui. Averti du retard de l'Américain par certains de ses amis, Nixon envoya par radio à Tait l'ordre de commencer des recherches. Après avoir survolé pendant des heures d'innombrables vallées rarement foulées par un pied humain, le caporal découvrit le jeune homme, perdu, gelé, et affamé.

– C'était un sentiment très agréable, dit Tait. Il a dessiné un cœur dans la neige pour me remercier.

Fils d'un fermier de la Prairie, le caporal Tait était entré dans la Police montée seize ans plus tôt. Il avait alors dix-neuf ans. Après les sept mois de formation de base, il avait eu quinze affectations, dans tout le Canada, dont une période avec le concours hippique itinérant de la G.R.C. – la seule fois où il soit monté à cheval ou ait porté le fameux chapeau à bord plat. « Ils sont trop encombrants », déclare-t-il, leur préférant les toques de fourrure à oreillettes sans visière.

Grâce, en partie, au charme de Nelson Eddy – chantant en uniforme *Indian Love Call* à une souriante Jeanette MacDonald dans le film *Rose Marie* les policiers montés sont l'une des trois choses que les Américains croient connaître du Canada, les deux autres étant les Esquimaux, que l'on n'appelle plus ainsi, et la reine, qui n'y a jamais habité.

Étant donné l'attitude globalement plus respectueuse du Canadien envers les autorités, le policier monté a joué un rôle exceptionnel dans l'histoire du pays, tout particulièrement sur le plan régional. De tout temps, il a été le principal représentant des forces de l'ordre; mais, dans les provinces qui demandent à la G.R.C. de leur servir de police tant régionale que provinciale, il est en outre devenu juge non officiel, médiateur, directeur de conscience et oncle tranquille. Il peut lui arriver, connaissant les problèmes familiaux d'un jeune délinquant, de ne pas pousser plus avant une enquête et d'y substituer des conseils réguliers. Il peut lui arriver encore d'organiser des matchs de base-ball, de tapoter des petits garçons sur la tête, ou de haranguer les gamins d'un jardin d'enfants, frappés de terreur, au sujet des règles de sécurité à bicyclette. Il devra souvent faire acte de présence fédérale par des apparitions en uniforme dans les fêtes locales importantes – ou moins importantes. En des occasions moins amicales, il peut jouer un rôle de médiateur social : dans leurs querelles, les Canadiens se tournent instinctivement vers les autorités fédérales, source présumée d'un compromis désintéressé. Il fut un temps où les vigilants policiers servaient même d'agents d'immigration en l'absence d'autres personnes compétentes. Ils plantaient leurs tentes dans les montagnes, au sommet des cols gouvernant l'accès au Yukon, et siégeaient là, interrogeant les Américains de la ruée vers l'or, repoussant ceux dont la situation financière, le caractère, ou les réserves ne suffiraient pas à un séjour d'une année entière.

En dehors des villes (et du Québec, où les membres de la G.R.C. sont aux francophones ce que les Anglais sont aux Irlandais), le policier monté est enveloppé d'une aura à la Gary Cooper – grand, plein de principes, lent à s'emporter, solitaire, séduisant et vulnérable, mais toujours fort. On le voit jeune et plein d'énergie. Il est le rêve que caresse toute mère pour sa fille.

Lors de la visite de quelques jours que je lui rendis, le caporal Tait vivait dans la minuscule ville de Carcross, Yukon, à une croisée de chemins, et logeait dans une caravane double avec sa femme, Bonnie, et leurs trois enfants, dont une petite fille de six ans nommée Heather, qui avait des idées très arrêtées sur les précautions que devait prendre papa.

Après la sonnerie de clairon de *Sesame Street*, la journée du caporal pouvait comporter une comparution au tribunal de la lointaine ville de Whitehorse, une enquête au sujet d'un élan abattu illégalement, l'immatriculation d'un bateau, ou le contrôle du chargement d'un avion en provenance des États-Unis. Mais, une journée de travail, ce pouvait être aussi boucler sa prévision de budget pour l'année suivante, venir en aide à un jeune Indien en difficulté, mettre fin à une violente bagarre familiale, bavarder avec les habitants du coin, rédiger un rapport d'activité, faire une nouvelle promenade en ville pour y être vu, et essayer, pour la énième fois, de dresser son chien Smokey à venir quand on l'appelle.

— La seule chose que je ne fasse jamais dans les parages, c'est de flanquer une contravention pour stationnement interdit, observe-t-il.

Pour son travail, le caporal Tait reçoit un salaire de vingt-quatre mille dollars par an, plus une allocation de vie chère. Son bureau, c'est sa maison; ses horaires sont irréguliers, et ses tâches embrassent tous les domaines.

— Reid adore tellement son travail que je m'efforce de lui cacher mes inquiétudes, dit sa femme, qui a reçu une formation pour se charger du bureau et de la radio en son absence. J'ai de grands projets pour plus tard, quand nous ne serons plus dans la police, mais je sais que, tout au fond de lui, il ne changera jamais; et je me dis que, si c'est votre destin de vous faire descendre, eh bien, on n'y peut rien changer. Nous avons des amis qui se sont fait tuer à un stop. Il ne sert à rien de s'inquiéter. Et puis, tous ces déménagements deviennent moins pénibles. Nous avons des amis partout à présent.

Le caporal Tait, qui, pas une fois, ne s'est servi de son arme dans l'exercice de ses fonctions, en minimise les dangers. Il reconnaît cependant que l'on court certains risques à faire des tournées dans les zones presque inhabitées, comme il le fait fréquemment. Ces patrouilles sont encore en partie considérées comme d'irritantes démonstrations de souveraineté.

— Ce pays ne pardonne pas les erreurs, dit-il. On ne sait jamais ce qu'on va trouver en patrouillant. Mais lorsque les gens vous voient aller et venir régulièrement, ils ont tendance à rentrer leurs griffes.

Le matin, il lui arrive de descendre tranquillement jusqu'au café du coin pour bavarder et garder le contact avec les habitués.

Ce jour-là où je l'accompagne, il signale à un automobiliste du secteur son feu arrière cassé.

— En ville, je lui mettrais une contravention. Ici, je lui glisse un mot à l'occasion. C'est une petite ville. Tout le monde connaît tout le monde. Et un jour, peut-être, il me donnera un renseignement dont j'aurai besoin.

Il parle avec Johnny Johns, un Indien travaillant comme guide dans la région depuis 1917.

– Je vais vous dire, les choses ont changé dans la chasse, dit celui-ci. Avant, on partait pour deux mois d'affilée, et on ne tirait que sur les meilleures pièces. Si on ne voyait rien de vraiment intéressant, on n'abattait rien. Sans rancune. J'ai eu un comte autrichien une fois, ou quelque chose de ce genre. « Johnny, il me dit, j'aimerais un peu voir poser des pièges. » Je lui réponds : « Il faut attendre la neige pour ça. » « D'accord », il me répond. Alors, il a attendu deux mois, et nous sommes partis. Maintenant, on part pour six à dix jours, on tire en vitesse, et on s'en va.

Le caporal écoute avec une vive attention, comme le ferait un politicien.

– J'ai beaucoup d'amis aux États-Unis, continue M. Johns. Ils me disent : « Descends donc par ici, Johnny, et prends ta retraite. » Ils ont des propriétés de dix kilomètres de large sur quarante-cinq de long. Eh bien, je vais vous dire, ce n'est pas assez grand pour moi. J'ai vadrouillé partout, jamais je n'ai vu un endroit meilleur que celui-ci.

Le caporal approuve. Puis, la conversation en venant aux animaux, il se plaint de son chien. Tout le monde rit. Il s'enquiert de l'état de certaines pistes dans les montagnes. A propos, mentionne-t-il, tout le monde est-il au courant des nouveaux règlements sur les armes à feu? Non, non, non, personne n'en n'avait entendu parler, en fait. Alors, Reid, leur voisin au chien désobéissant, les met au courant. Tous hochent la tête. L'échange d'informations est terminé. Ils ont tous réaffirmé leur amitié. Et Reid n'a pas trop imposé. Il est encore un des leurs.

Une fois dehors, il enfile son casque, vérifie son P.38, s'assure que d'autres sont informés de son itinéraire, et charge des provisions et du carburant supplémentaires sur l'une de ces autoneiges que la police utilise depuis 1969 à la place des chiens, plus coûteux.

– Le problème, dit-il, c'est que si on se retrouve coincé là-bas, on ne peut pas manger son carburateur.

Pour parer aux problèmes de culture ou de langue qui peuvent survenir, il se déplace souvent avec Richard Baker, un Indien appartenant à une nouvelle catégorie d'agents indigènes de la « force ».

Le premier arrêt, après plusieurs kilomètres sur un lac gelé, fut pour la demeure des Harder. Tait s'assura de la santé de la famille – des bûcherons –, transmit les messages de la ville, et s'enquit des événements du secteur. Rien de suspect ou d'inhabituel? Aucun retard signalé? Des étrangers dans les parages?

– Dans les villes, m'expliqua Tait, personne ne veut voir de policier, mais, par ici, ils se jugent insultés si vous ne vous arrêtez pas.

Il reprit sa route, à travers lacs et collines, traversant des forêts épaisses et d'immenses prairies, infime poussière dans le paysage. Sur le lac Lime, le traîneau de ravitaillement s'enfonça dans la mince couche de neige, embourbant ses patins dans trente centimètres de gadoue glacée. Après qu'on l'eut dégagé, Reid Tait rendit visite au ménage Eastwick; on parla de chiens, du temps, des étrangers dans les environs.

Puis Tait partit vers la destination de la journée, la cabane de rondins d'Art Smith et Lloyd Reid, deux trappeurs. Ils allaient jeter un coup d'œil sur leurs pièges; il les accompagna. Il leur apportait des nouvelles, un peu de compagnie, quelques blagues et, comme tout hôte bien élevé dans ces régions perdues, de la nourriture fraîche.

On dîna de maïs, de purée instantanée, et de steaks d'élan grillés sur un réchaud à bois. Puis le caporal aida aux tâches ménagères, alla chercher de l'eau au lac, fit la vaisselle, et débarrassa les patins de l'autoneige de la glace et de la neige qui les recouvraient, en prévision de son départ du lendemain matin. Attablé sous une rangée de peaux d'écureuils mises à sécher au plafond, il écouta des histoires de la vie du Yukon, et en raconta. A un moment, il expliqua les nouveaux règlements sur les armes à feu. Art Smith, habitant du Yukon depuis sa naissance, était quelque peu excédé, semblait-il, par toutes ces réglementations gouvernementales à propos de tout.

– Dans le temps, dit-il, on faisait comme on jugeait bon, aussi longtemps qu'on ne faisait de mal à personne. Vous connaissez mon oncle, là-haut, au nord de Whitehorse...? Vrai, il a été des tout premiers dans ce pays, et aujourd'hui, voilà qu'un bureaucrate du gouvernement s'amène, et lui dit qu'il ne peut pas construire sa nouvelle cabane, parce qu'il n'a pas les bons fils électriques, qu'il dit, ou un truc comme ça... Tous ces règlements, ils n'ont l'air de rien, mais les braves gens qui travaillent dur, ça ne leur facilite pas la vie. Ils ont eu l'habitude de faire ce qu'ils voulaient, quand ils voulaient. Tout change si vite. Avant, on pouvait voyager sur ces routes sans voir personne des jours durant, et si on voyait du monde, on s'arrêtait, et on passait la journée. Maintenant, il y a des gens partout, et vous pourriez être allongé, saignant, au beau milieu de la route, que personne ne s'arrêterait. On vous contournerait.

Tout en buvant leur thé, les hommes causèrent et jouèrent aux cartes jusque tard dans la soirée, ne s'interrompant qu'un moment pour une promenade dans l'air à moins dix-huit degrés. Ils contemplèrent en silence la neige éclairée par la lune, les milliers d'étoiles scintillantes, les silhouettes raides des arbres et les puissantes montagnes dressées, menaçantes, au-dessus d'eux. Le clair de lune baignait tout le paysage dans un demi-jour bleu et inquiétant. Un rugissement étrange, assourdi, traversait la vallée : le vent, s'engouffrant dans une gorge au loin, chassait la neige haut au-dessus du lac pour la laisser retomber en un rideau blanc et silencieux.

– Seigneur, comme j'aime cet endroit, lança M. Reid, le trappeur.

Après une dernière partie de cartes, le caporal Tait pressa un bouton sur sa radio. On entendit un déclic; un relais automatisé, à trente kilomètres de là, se mettait en marche. Trois autres boutons, une sonnerie, et une réponse : « G.R.C., Carcross. » C'était Bonnie Tait. Son mari, le policier voyageur, vérifiait que tout allait bien, depuis son coin perdu, à une cinquantaine de kilomètres. Les trappeurs firent semblant de ne pas écouter. Puis la petite Heather parla dans l'appareil pour souhaiter une bonne nuit à son père, au-delà des collines.

– Bonsoir, papa. As-tu assez chaud, là-bas?

– Oui, Heather.

– Bon, couvre-toi bien. Et fais bien attention, papa. Je t'aime.

Durant de nombreuses années, Warren Hughes avait trimé comme nutritionniste, vendeur de savonnettes et courtier en publicité. Des boulots classiques, respectables, astreignants, et tellement normaux. C'est alors, racontent certains, que par une nuit d'orage, un sorcier déguisé en l'un de ses amis arriva chez M. Hughes, porteur d'un étrange message : un petit commerce, plus bas dans la rue, se portait si mal que ses créanciers s'apprêtaient à le faire saisir. Pourquoi ne le reprendrait-il pas? En moins de temps qu'il ne faut pour le dire, M. Hughes avait rejoint les rangs de l'immense et énergique armée des dirigeants de petites entreprises canadiens.

– Mon métier, dit-il, c'est celui de la fantaisie.

M. Hughes loue des costumes de déguisement.

En s'employant à deviner qui les Canadiens, si conservateurs, aimeraient vraiment être, ou du moins ce que pour une soirée ils désirent devenir, il a transformé, en dix ans de plaisir et de surprises, une affaire moribonde en un commerce florissant, avec un revenu de plus de trois cent cinquante mille dollars par an. De tout le Canada, mais aussi du nord-est des États-Unis, des clients viennent rendre visite à sa boutique de Toronto. Grâce à son enthousiasme communicatif, à son sens du marketing, à un étage entier d'étoffes, et à son respect pour les rêves, il a su bâtir une terre de féerie, et tirer de ses clients ravis de gros rires, des gloussements, et des exclamations extasiées. Il expédie aussi des costumes, parfois par cent ou deux cents, qui lui sont commandés par courrier pour des bals masqués.

M. Hughes et son petit commerce sont des rouages fondamentaux de l'économie canadienne. Pour une Canadian Pacific, l'exemple type de l'énorme complexe industriel, on trouve des milliers de petits chefs d'entreprise, et quatre-vingt-cinq pour cent des sociétés comprennent moins de vingt personnes. De fait, les petites entreprises emploient cinquante pour cent des travailleurs du privé. Les rues de Toronto, parmi celles d'autres villes, ne sont pas bordées de magasins à succursales multiples, mais de milliers de boutiques familiales, où une cloche à la porte annonce encore l'arrivée des clients.

A cinquante-cinq ans, M. Hughes est un magicien, nanti d'une moustache à la gauloise, à qui son succès a permis de créer quinze nouveaux emplois. Et c'est avec une impatience mal contenue qu'il court à son magasin chaque matin.

— J'aime tant ce travail, me dit-il tandis que nous parcourions tour à tour une vingtaine d'allées pleines de costumes.

Souvent, il s'interrompait pour siffler ou s'exclamer.

— Oh! Attendez un peu ici. Il faut que je vous montre celui-là.

Il s'emparait d'un cintre, disparaissait quelques instants dans l'allée suivante, et revenait déguisé de pied en cap en un nouveau personnage, complet, « avé l'assent », comme on dit.

Il dissuada un client d'acheter un maquillage assez cher : une autre marque à meilleur marché ferait tout aussi bien l'affaire pour une seule soirée.

— Je pars du principe que j'aurai à rencontrer chaque personne au moins deux fois, dit-il, et je me comporte en conséquence.

Le nombre de ses costumes ? Il n'en a aucune idée. Chacun peut se subdiviser en de nombreux éléments, qui peuvent, à leur tour, être assemblés avec d'autres pour donner corps à un rêve différent. Son trésor comprend aussi une foule de coffres pleins de bonnets divers et des placards bourrés de casquettes. Il sait toujours quoi faire lorsque, de bon matin, le téléphone sonne, et qu'il entend un client lui dire : « Vite, il me faut vingt-six policiers montés pour dix heures. »

M. Hughes a beaucoup appris sur ses compatriotes au fil des années, et d'abord que la masse des revenus disponibles se trouve en centre ville, où il a déménagé sa *Costume House*. L'expérience lui a enseigné que les Canadiennes à la recherche d'un déguisement exagèrent d'ordinaire leur tour de poitrine, mais que les Canadiens, par contre, sous-estiment leur tour de taille. Aussi prend-il toujours la précaution de remesurer discrètement chaque client. Il garde dissimulés les costumes de Père Noël, « pour le cas où des gosses entreraient ». Jamais il ne dira à un client que son idée est stupide, et jamais n'essayera de louer à un homme quoi que ce soit du nom de « collants ».

— Ici, dit M. Hughes en souriant, nous appelons ça « bas-culottes ».

De même, le vêtement ample qui entre dans la tenue du soldat romain n'est jamais appelé « jupe ». Au Canada, c'est un kilt.

A l'entrée de certains clients américains dans sa boutique, il arrive à M. Hughes de les croire déjà déguisés. Les Canadiens sont gens plus réservés, et cultivent un certain conservatisme dans l'habillement. Cependant, lorsqu'ils louent un costume, ils rêvent d'une certaine excentricité, sans toutefois dépasser des limites acceptables en société.

— Ils entrent sur la pointe des pieds... Un monsieur sympathique,

généralement seul, qui dit avec douceur : « Je voudrais être Zorro. »
Les super-héros sont d'excellents articles, surtout les policiers. Les
gorilles marchent très bien également. Les Canadiens adorent
cavaler dans les rues, un régime de bananes à la main, en faisant les
idiots. Avec leurs masques, nul ne peut les reconnaître, vous
comprenez?

Il accueille un nombre croissant d'hommes désirant se déguiser
en femmes, et les femmes sont, elles, plus nombreuses à aimer le
cuir. Il doit, bien sûr, faire prendre conscience aux clients de
certains petits problèmes d'ordre pratique :

– Impossible de faire un costume d'animal à fourrure qui ne
tienne pas chaud, et difficile de se rendre à une petite fête en
conduisant sa voiture avec une armure sur le dos.

M. Hughes suit rêveusement le fil de ses pensées.

– Et, qu'est-ce qu'une sorcière d'après vous? demande-t-il soudain. Pour moi, c'est une nonne coiffée d'un chapeau pointu et
munie d'un balai. Eh bien, j'ai rencontré une femme qui la voyait en
robe de lamé argent, avec pas grand-chose sur le devant, et une jupe
fendue jusqu'au balai, précisément.

Une des joies de ce métier est de pouvoir satisfaire les demandes
extraordinaires, comme celle de cette dame qui souhaitait se rendre
à une réception habillée en laitue, avec deux bouquets de feuilles sur
la poitrine.

– Son ami, lui, était déguisé en lapin, se souvient M. Hughes. Ce
sont des aspects du métier que vous n'imaginez pas au début.

Après les gilets rayés et les chapeaux de paille, les succès
masculins qui ne se démentent pas – et qui rapportent le plus – sont
les tenues de sorciers, de Zorro et des Mousquetaires. Les femmes
optent le plus souvent pour les *bunnies* du magazine *Playboy*, les
nonnes enceintes, et les pensionnaires de harem. « Nous avons les
slips transparents ou non, selon les goûts. »

Néanmoins, les sirènes demeurent toujours impopulaires.

– Trop incommode pour marcher bien que nous ayons mis une
fermeture-éclair au bout de la queue.

Et la tenue de kangourou continue à poser des problèmes
techniques.

Le garde-manger de Johnny Bryk était à peu près garni, et sa liste
de commissions ne comprenait que trente douzaines d'œufs, vingt-
deux pains, vingt-sept kilos de viande, trente de poulet, vingt-deux
de pommes de terre, dix-huit laitues, dix kilos de tomates, et une
douzaine de boîtes d'une douzaine de céréales diverses pour le petit
déjeuner. Ce n'est pas seulement que M. Bryk mange beaucoup mais
qu'il reçoit deux cents invités ou plus à table, tous les jours, et ceci
trois fois par jour.

Johnny Bryk est chef cuisinier aux chemins de fer, une espèce en voie de disparition qui, durant des décennies, a permis à des millions de voyageurs canadiens de traverser l'Amérique du Nord dans l'élégance et le confort, tout en mangeant et en admirant ces paysages à vous couper le souffle dont les autochtones ne s'émeuvent plus.

Les trains ont toujours été un facteur essentiel dans l'histoire du Canada, les rails et leurs traverses devenant les liens d'acier qui maintiennent assemblés les morceaux disparates de ce pays si divers. Récemment, certaines administrations fédérales – dont les membres font carrière en sillonnant le pays à toute allure, munis de billets de faveur pour les lignes aériennes – ont réduit de façon systématique les services sur les chemins de fer, arguant de considérations budgétaires. Sans doute, les compagnies d'aviation transportent leurs passagers d'une côte à l'autre en six heures, en leur offrant des repas réchauffés, aux portions contrôlées, qui, enveloppés d'une double feuille d'aluminium, sont servis à l'aide de pinces métalliques après avoir été extraits d'un chariot isolant... tandis que les cuisiniers de wagon-restaurant exercent un métier qui requiert des compétences très particulières.

Ces vagabonds de la cuisine n'utilisent peut-être plus de fourneaux à charbon, ils n'ont plus à découper dans la chambre frigorifique une pièce de bœuf ballottée par le roulis du train, et le service en argenterie a cédé la place aux couverts en inox... mais on embrasse encore la carrière comme on choisirait un mode de vie plus qu'un métier.

Trente-cinq fois par an, Johnny Bryk, fils de cheminot, quitte sa maison du centre de l'Ontario, monte à minuit à bord d'un train en gare de Union Station à Toronto, et travaille tout au long de la route vers Winnipeg, située à trente-six heures de train et cinq repas de distance. Il s'y repose six heures, puis rentre chez lui par un autre train, cuisinant toujours en chemin.

Il a voyagé ainsi à travers tout le continent. « Je me souviens, en 1962, à Chicago, je suis entré dans un bar, et tout ce que j'avais, c'était de la monnaie canadienne, et ils m'ont jeté dehors. Ils croyaient que c'était des imitations, ils disaient. » A l'époque où je l'ai rencontré, M. Bryk avait passé quarante de ses cinquante-cinq années de vie sur des rails.

– Ça finit par vous couler dans les veines, me dit-il. Vous voyez ce que je veux dire ? On voit des types qui prennent leur retraite, et puis qui reviennent traîner autour de la gare.

Pour un chef comme Johnny Bryk, une traversée du pays représente quatre petits déjeuners, trois déjeuners, trois dîners, d'innombrables en-cas, et plusieurs grandes fournées de sa soupe spéciale de poisson, qui jamais n'est préparée deux fois de la même façon. Sans parler des rôtis, du porc, des omelettes, des spaghettis et pâtés de volaille du chef. Tout ceci doit être préparé dans une cuisine de quatre mètres cinquante sur trois branlant dangereusement à soixante-dix kilomètres à l'heure. M. Bryk ne doit pas seulement savoir cuisiner, mais savoir aussi où il peut cuisiner quoi.

— Il fut un temps, se souvenait-il, un matin, en préparant le repas du soir... où, quand vous faisiez des crèmes anglaises ou des tourtes, il fallait attendre un certain tronçon sans secousses, sinon c'était fichu.

Mieux vaut, par ailleurs, que la soupière ne soit pas trop pleine.

De sa voix rocailleuse, sa toque de papier repoussée loin sur le crâne, il me parla d'un chef de ses amis qui, aux cahots de la voie, savait quel poteau kilométrique on dépassait.

— Sidérant, grommela-t-il. Bien sûr, il est devenu dingue, après.

Sa journée de travail débute vers cinq heures du matin. Avec son second, Mike Wolfe, et un cuisinier nommé Chico Wong, il allume la cuisinière à gaz et prépare la bouillie d'avoine, le café, les petits pains et les œufs pour les quelque deux cents passagers encore endormis dans leurs compartiments entre les draps blancs et raides. Dehors, défilent les lacs et les bois gelés, mais il fait chaud dans la cuisine, et les plaisanteries vont... bon train.

Lorsque le chef steward accompagne le premier client de la journée jusqu'à sa place, où celui-ci rédigera lui-même sa commande de petit déjeuner, la cuisine fume et sent déjà curieusement la dinde. M. Bryk, qui croit à la cuisson lente et aux assaisonnements légers, prépare le dîner. Lors d'un trajet que je fis avec lui, il concocta en secret un repas spécial, ne figurant pas au menu, pour ma femme Connie et moi. Nous étions alors en voyage de noces. A notre montée à bord, nous sommes entrés dans notre compartiment, et, là, trônait un grand plat de hors-d'œuvre exquis, avec les compliments de quelqu'un dans le wagon-restaurant un peu plus haut.

L'exiguïté de la cuisine rend préférables les gestes efficaces et une utilisation rationnelle de l'espace. Les serveurs aboient les commandes. Les œufs et le bacon commencent à grésiller.

Une équipe de cuisiniers peut ainsi voyager de concert pendant des années, au cours desquelles ils passent plus de temps ensemble qu'en compagnie de leurs familles.

— On est content de rentrer chez soi, dit M. Bryk d'un ton bourru, mais on est content de filer. Et parfois, la maison semble comme ailleurs, et ailleurs semble comme chez soi.

Le menu de base sur le train qui relie Toronto et Montréal à Vancouver change trois ou quatre fois par an. VIA Rail, la compagnie nationale de trains de voyageurs, édite un livre de recettes officielles, mais les vétérans comme M. Bryk ont tendance à suivre leurs goûts. De la soupe, par exemple, il dit :

— J'y mets tout ce qui me tombe sous la main — un petit peu de ceci, un brin de cela, et une noix de crème par la suite. Je ne sais pas vraiment. Il faut que je sois en train de le faire pour savoir ce que je fais. Nous n'avions pas d'école de cuisine. On regardait les autres gars, et, au fil du temps, on forgeait son propre style. C'est tout.

Lorsque les voyageurs ont mangé, M. Bryk doit encore nourrir les membres de l'équipage, une vingtaine de personnes environ, qui ne tarissent pas d'éloges sur sa cuisine. Aussi est-il toujours devant ses fourneaux.

– Le seul moment où je ne cuisine pas, c'est le jour de la paye; ce jour-là, ma femme me laisse l'inviter au restaurant.

Les journées de travail sont longues. On termine rarement avant dix heures du soir. On peut avoir mal aux pieds. Le paysage devient moins exaltant, à la six centième fois. On est loin de chez soi, et les villes sont parfois des lieux bien solitaires durant les brèves haltes, et en été la température dans la cuisine peut atteindre soixante degrés.

Mais errer dans le pays au gré des horaires des trains a aussi ses bons côtés. M. Bryk sort son portefeuille de sous son tablier taché. Il en extrait la minuscule photographie jaunie d'une enfant souriante. C'est un portrait de Diane. Elle avait dix ans à l'époque où elle prit un repas dans son wagon-restaurant; c'était en 1965. Elle était entrée droit dans la cuisine ce jour-là, et avait tendu sa photo au chef.

– Elle m'a dit qu'elle aimait ma cuisine, dit M. Bryk.

Nancy Sorg nettoyait une tache de boue, un jour, dans sa cuisine à Moose Creek, ainsi que du sucre que son mari, pensait-elle, avait renversé et n'avait pas ramassé. Du coin de l'œil, elle vit quelqu'un passer devant la fenêtre, et s'avança vers la porte pour recevoir le coupable avec quelque remarque désobligeante. Lorsqu'elle ouvrit, c'est avec un ours brun d'un mètre quatre-vingts qu'elle se trouva nez à nez. L'animal revenait terminer son dessert. Elle referma la porte assez brusquement.

– Cela n'arrive pas aussi souvent dans le New Jersey, dit-elle.

Voir un ours n'est jamais qu'un des aléas quotidiens pour un jeune couple d'immigrants de la côte est des États-Unis ayant décidé de troquer les contrées sauvages du New Jersey contre la civilisation raffinée du Yukon, et de se forger une nouvelle vie dans leur coin perdu du Canada. Dans leur cas, la ville la plus proche était à trois cent soixante-quinze kilomètres par la piste.

Des millions de Canadiens et d'Américains, comme mon père, ont au fil du temps échangé leurs pays, pour des raisons personnelles, politiques ou alimentaires. Le plus souvent, par le regard neuf qu'ils posaient sur de vieux problèmes, qu'ils transformaient en nouveaux défis, ils ont enrichi leur nouvelle patrie. Les immigrants américains que j'ai eu l'occasion de rencontrer, bien des années après la période angoissée où les jeunes gens fuyaient la conscription du Vietnam, se montraient enthousiastes, à l'aise dans leur nouvel environnement;

on eût presque dit qu'ils avaient trouvé là leur vraie patrie.

Ce qui trahit les Sorg, ce fut le drapeau américain que mon fils Christopher repéra, flottant auprès de la bannière à la feuille d'érable au-dessus de leur cabane du Yukon.

Du temps où Chris Sorg, alors âgé de vingt-six ans, travaillait dans l'imprimerie familiale sur la Huitième Avenue, à New York, Nancy avait, elle, vingt et un ans et suivait les cours de l'école des Beaux-Arts Parsons. L'idée de tenir l'auberge de Moose Creek – et de constituer, de fait, l'entière population de l'endroit – était alors aussi éloignée d'eux que, disons, le nord-ouest du Canada.

Rétrospectivement, il semble que ce soit le destin qui les ait conduits en ce lieu. Au retour de vacances passées en Alaska, ils redescendaient la route (de terre) du Klondike, lorsque leur voiture tomba en panne au moment de s'engager dans le sentier menant au refuge, en ce temps propriété de Mike et Shirley MacKinnon. Les Sorg, qui n'étaient pas encore mariés restèrent plusieurs jours, travaillant en échange du gîte et du couvert.

Puis, nantis d'une invitation à revenir quand ils le voudraient, ils s'en retournèrent dans la région new-yorkaise, où Nancy poursuivit ses études et Chris continua à faire la navette, chaque jour, entre Manhattan et Ridgewood, New Jersey, en bus et en train.

– Je ne débordais pas vraiment d'enthousiasme pour ce genre de vie, se rappelait-il en s'arrêtant d'actionner la pompe à essence (une pompe manuelle située devant la maison), et j'étais immédiatement tombé amoureux de ce coin perdu là-bas.

Deux mois plus tard, il prenait un congé exceptionnel, et retournait à Moose Creek. Il étala des mottes de gazon sur le toit d'une cabane, tira l'essence à la pompe et aida à couper les quatre-vingts stères de bois nécessaires pour le chauffage de chaque hiver. Et puis, un jour, M. MacKinnon lui annonça qu'il voulait vendre. Après marchandage, le prix de départ, soixante-dix mille dollars pour deux hectares deux cents de terrain, la grande maison de rondins, et la petite affaire de restauration et de station d'essence, fut ramené à cinquante mille. Chris Sorg repartit sur-le-champ, et, deux jours plus tard, se présentait devant sa famille étonnée. A son père, il proposa un emprunt; à Nancy, le mariage. Les deux parties acceptèrent.

Il retourna travailler à la boutique de l'imprimerie quelques mois. Au printemps, Nancy obtint le diplôme de son école de dessin. Cinq jours plus tard, ils étaient mariés. Quatre jours encore, et ils obtenaient leurs visas canadiens; ils entamèrent un voyage de noces long de sept mille kilomètres jusqu'à Moose Creek.

Leur maison est une grande cabane de rondins à trois niveaux éclairée par des lanternes au propane. L'eau provient d'un ruisseau qui ne semble proche qu'à ceux qui n'ont pas à traîner le tombereau d'eau jusqu'à la citerne de la maison. Le courrier arrive de Mayo, à quatre-vingts kilomètres de là, quand quelqu'un songe à l'apporter. Tout le ravitaillement vient de Whitehorse, à plus de quatre heures de route sur la piste à deux voies. On ne reçoit pas de coups de téléphone. Parce qu'il n'y a pas de téléphone. Mais les clients arrivent de partout.

– On rencontre plus de gens intéressants ici, dit Chris, qui s'est si bien fondu dans sa nouvelle vie rude qu'il s'est laissé pousser une barbe de circonstance. On voit des mineurs, des trappeurs, des touristes venus de Floride, d'Allemagne, de partout. C'est drôle... C'est si calme ici qu'on peut entendre les gens arriver de trois kilomètres à la ronde.

Les visiteurs trouvent là toute une variété de crêpes au levain servies à toute heure du jour, des boissons chaudes ou froides, des petits pains à la cannelle, des biscuits avec des éclats de chocolat, et du pain fait à la maison. Et puis, une pompe sert de l'essence aux véhicules assoiffés; elle date de 1912 et porte le numéro de série 599. Il y a toutes sortes de choses à faire avec un endroit comme celui-ci, dit Nancy avec tout l'enthousiasme d'une jeune mariée. Il n'y a pas tellement de coins dans le Yukon qui ressemblent à ce que les gens attendent d'un coin du Yukon.

Ils ont construit des petites cabanes de rondins où passer la nuit et tracé un sentier de randonnée. L'automne venu, ils abattent un élan, ce qui leur fournit plus de quatre cent cinquante kilos de viande d'un coup. Chris fait un peu de prospection d'or, pendant que Nancy presse des fleurs de l'Arctique et fabrique des souvenirs artisanaux. Ils peuvent couper leur arbre de Noël devant leur porte et fumer eux-mêmes leur saumon; et ils projettent de lancer une vente par correspondance de « poêles à frire » du Yukon – les batées servant à laver les sables aurifères – venues tout droit de Moose Creek.

Ces activités occupent les longs hivers où les températures dégringolent jusqu'à moins quarante, et où un feu doit être allumé dans le garage cinq heures avant de tenter de faire démarrer la voiture, dont on enlève par ailleurs la batterie chaque nuit.

– En réalité, dit Nancy, ce sont les étés qui sont durs. Debout à six heures, et jamais couchés avant minuit passé. C'est alors que je me dis que je n'étais pas faite pour être une femme de pionnier. Mais l'hiver, on met simplement une marmite de soupe à chauffer toute la journée, et on se détend.

– Nous avons bien profité de New York, enchaîne son mari, mais, une fois intégré à la vie du coin, on s'aperçoit qu'il y a beaucoup d'animation ici aussi. New York semble bien loin. On s'entraide plus ici. On a tellement de place. Et si peu de choses nous menacent. Le Canada et le Yukon sont des terres d'avenir, comme l'étaient autrefois les États-Unis.

– Notez bien, nous n'avons pas entrepris ceci pour faire fortune, reprit Nancy. Nous souhaitons seulement gagner notre vie. Et les avantages sont fantastiques. Une nuit, nous avons passé trois heures devant la maison à regarder l'aurore boréale.

Il y a aussi ce sentiment de solitude tranquille dont ils ne sauraient plus se passer.

A un moment, un auto-stoppeur fit son entrée dans la vieille boutique des nouveaux immigrés, et s'avança sur le plancher grinçant. Il voulait savoir quand viendrait le prochain car en direction du sud.

– Voyons voir, dit Chris Sorg, quel jour sommes-nous?

La première fois que j'entrai dans High River, en Alberta, entre Calgary et la frontière américaine, c'était un mardi, en fin d'après-midi, et l'air était glacial. La station-service Marathon n'avait pas vendu un seul permis de pêche depuis de nombreuses semaines. Les tuyaux d'échappement des voitures crachaient des panaches de vapeur qui s'élevaient tout droit dans l'air immobile. La neige crissait bruyamment sous les pas.

Chez lui, Charles Clark tirait des bouffées de sa pipe tout en observant par la fenêtre les scènes de la rue, et en admirant une fois de plus les impeccables rangées de sapins géants. Ils ne dataient pas d'hier. Les premiers colons les avaient plantés voilà quatre-vingt-cinq ans. Beaucoup de ces hommes étaient des Américains qui, depuis le Montana, accompagnés du grincement des roues de bois, avaient remonté la piste Macleod en direction des terres promises par le gouvernement canadien. Les gens de High River aimaient les arbres en ce temps-là, et les aiment encore aujourd'hui. Seul un étranger à la ville pourrait songer à élargir la piste, et à abattre les sapins... Et il aurait quelques bagarres sur les bras.

Du temps de la jeunesse de Charles Clark, les voyageurs se déplaçaient à cheval, et les routes étaient signalées par des encoches sur les arbres. Mon grand-père avait arpenté ces régions solitaires, et était allé tout l'été dans le *bush* pour dénombrer quelques dizaines d'âmes intrépides à l'occasion du recensement de 1911. M. Clark et ses petits camarades étaient alors des enfants de la Frontière, ignorant qu'ils vivaient des temps historiques. Maintenant ils constatent que ces temps ont changé, et peut-être pensent-ils que l'on vivait mieux alors.   On comptait des Anglais parmi les premiers habitants, cadets ou troisièmes fils de famille contraints à tenter l'aventure, l'héritage principal ayant échu de droit à leur aîné. Mais la majorité des familles arboraient les drapeaux canadien et américain, car nombre de colons, parmi lesquels Grace, l'épouse de Charles Clark, étaient venus des États-Unis. La ville, comme beaucoup d'autres au Canada, célébrait donc deux fois *Thanksgiving* (en octobre pour les Canadiens, en novembre, avec l'arrivée des Pères pèlerins, pour les Américains), ainsi que deux fêtes de l'indépendance en juillet – le 1er pour le Canada, et le 4 pour les États-Unis. Tout ceci semblait naturel, et n'était entaché d'aucune arrière-pensée.

Lorsque M. Clark créa son journal, les habitants de High River travaillaient tous dans la ville ou aux alentours. La réputation d'une personne était fondée sur sa fidélité à la parole donnée. Tout le monde connaissait tout le monde. High River n'avait pas encore ses quatre mille habitants actuels. Les soirs d'été les gens s'asseyaient sous leur véranda, parlaient de la journée écoulée, du travail, de ce qu'ils avaient entendu. Beaucoup de ces menues informations aboutissaient dans le *High River Times* de M. Clark.

– L'endroit a été colonisé par des gens qui étaient venus pour rester, dit celui-ci, pas pour faire fortune et repartir. J'ai connu les premiers colons. Ils ne paraissaient pas si exceptionnels à l'époque, mais aujourd'hui, si. C'était des gars robustes et indépendants. Le week-end, j'allais faire des virées dans la nature avec mes gamins. Nous campions dans les collines. Et on tombait sur eux. Certains ne venaient en ville peut-être que deux fois par an, pour régler leurs factures et se ravitailler. On voyait des chaussures pendues au plafond des boutiques, et des harnais, ou de gros fromages posés sur le comptoir.

Les communautés étaient fondées sur la coopération. Tout le monde s'y mettait lorsqu'il s'agissait de reconstruire la grange brûlée d'un voisin. Si quelqu'un était dans une mauvaise passe, un ami provoquait une occasion de troc, et s'arrangeait pour que l'échange se fasse à l'avantage de la personne en difficulté. L'ami disait, par exemple, qu'il avait besoin d'aide pour un jour ou deux, que le travail serait dur mais qu'il ne pouvait offrir qu'un porc. Ainsi, le travail était fait et l'homme recevait plus que son dû, mais conservait sa dignité. Pas d'aumône, pas de charité. Et, sans aucun mot, le geste était compris. Et il serait rendu un jour, d'une manière ou d'une autre.

M. Clark, qui allait devenir un homme politique régional très en vue, et l'une des figures de High River, avec son journal et ses nombreuses autres activités dans la commune, fait remonter les débuts du changement à la Grande Crise : tous furent alors terriblement frappés, et pour longtemps, sans oublier tous les espoirs mort-nés.

– Le Canada a perdu une génération entière au cours de ces années. Ils vivaient, mais n'étaient pas réellement en vie. Lorsque enfin les choses auraient pu s'arranger, et que le pays redémarrait, les pires craintes étaient déjà devenues réalité. Cela a terriblement retardé l'évolution du pays. A une époque ici – continua-t-il en tirant sur sa pipe – personne n'aurait songé à réclamer de l'aide à un gouvernement. On faisait les choses soi-même, ou on allait voir un voisin. S'il vous fallait un caniveau au bord de la route, eh bien, vous le creusiez vous-même et vous déduisiez la somme de vos impôts suivants. Aujourd'hui, il vous faut passer par des dizaines de commissions, et tout cela sape l'esprit d'indépendance et d'initiative. Et puis, bien sûr, il y a toujours quelqu'un pour s'opposer à n'importe quoi. La vie quotidienne est de plus en plus encombrée de lois et de règlements. Ils ont complètement transformé le caractère de notre société. Autrefois, les liens sociaux rapprochaient les individus entre eux. De nos jours, ils relient les individus à un gouvernement lointain. Les gens se préoccupent de leurs intérêts personnels, l'égoïsme a pris le dessus. Les jeunes s'attendent à ce qu'on leur apporte tout sur un plateau. Chaque communauté, grande ou petite, se retrouve fragmentée par tous ces intérêts rivaux. Les compromis n'existent plus; seuls subsistent des affrontements incessants. Le Canada n'est pas né dans les affrontements. On ne peut rien bâtir de neuf ici sans compromis et sans coopération. Mais ces types à Ottawa se complaisent dans les querelles, et ils s'agitent tellement qu'ils oublient le véritable Canada. Les temps de la vie simple que nous avons connus sont révolus à jamais, et, dans tous les champs, on voit des pancartes « ACCÈS INTERDIT ».

Les Clark continuent néanmoins à mener leur vie simple mais active de retraités, lui, vaquant à ses affaires, se rendant aux réunions du conseil d'administration de l'hôpital dans son petit pick-up, elle, entretenant leur maison, avec sa salle de séjour ornée des photos de tous leurs petits-enfants. Elle garde toujours la radio allumée pour ne rater aucune des dernières nouvelles.

Joe, un de leurs fils, avait suggéré qu'ils achètent un lave-vaisselle.

– Je craignais qu'ils ne nous en offrent un pour Noël, dit Mme Clark. L'an dernier, ils nous ont fait cadeau d'un four à micro-ondes. Je crois que Charles s'en est servi une ou deux fois, mais moi pas. Je n'y suis pas habituée, et j'ai besoin du mode d'emploi ne serait-ce que pour ouvrir la porte. Alors, nous les laissons parler, et nous faisons à notre manière.

Une année, ils allèrent passer des vacances en Europe, et en revinrent très heureux.

– Nous étions juste des gens parmi d'autres, là-bas, dit Grace. Notre nom est si répandu que personne ne nous reconnaissait.

Mais ils comprirent qu'ils ne pouvaient se passer de leur petite maison sur la piste Macleod.

– Je ne parviens pas à comprendre pourquoi certaines personnes se tuent à la tâche dans les villes pour gagner suffisamment d'argent et finalement retourner là d'où elles viennent.

M. Clark n'avait jamais quitté sa ville natale, et lorsque vint le moment de s'en aller pour toujours, le vieux pionnier mourut dans la chambre où il était né.

Ses fils, Joe et Peter, sont nés là eux aussi. Mais lorsqu'ils apprirent la nouvelle du décès de leur père, Peter était à Calgary et Joe, l'ex-Premier ministre, à Ottawa, tous deux menant une autre vie. Un pan du passé du Canada disparaissait.

La vie quotidienne et sa routine dans les villes minières du Canada ont quelque chose tout à la fois de rassurant et de terriblement oppressant. Ces agglomérations sont disséminées sur tout le territoire. Des milliers de Canadiens ont passé la plus grande partie de leur vie à extraire des matières diverses de leur sol.

Un jour, il y a bien longtemps, le jeune Reggie Bouffard rentra chez lui, à Thetford Mines, de son école de Québec pour apprendre que son père était mort, à trente-trois ans et quelque trois cents mètres sous terre, dans la mine d'amiante du bas de la rue. Un rocher de la taille d'un camion était tombé de la voûte. Quelques jours plus tard, R. Bouffard, encore adolescent, accédant à la requête de sa mère trop pauvre, quitta l'école pour aller travailler dans la mine.

– Pour avoir l'argent, il fallait bien travailler, non? se souvient-il.

Plus de trente ans plus tard, il est toujours là.

Depuis le XIXᵉ siècle, époque à laquelle les habitants du sud-est du Québec découvrirent dans le sous-sol les fibres embrouillées de l'amiante et commencèrent à en faire des vêtements, l'exploitation de l'amiante est restée la première activité économique de Thetford, une communauté de 28 595 personnes, dont 27 870 parlent le français, et où presque tous sont concernés par l'une des multiples mines de la région. Ici, les garçons grandissent pour suivre les traces de leurs pères et de leurs grands-pères dans les puits. Les hommes travaillent de longues heures dans les ténèbres poussiéreuses pour un salaire fort honnête, en attendant les vacances dans le Maine ou au bord d'un lac. Ils font exploser le roc, l'emportent au loin, le broient, traînent déchets et cailloux jusqu'à des sortes de chaînes de montagnes édifiées à main d'homme, qui s'étendent de tous côtés. Ils séparent les petites fibres d'amiante en quatre-vingt-quinze catégories, et en remplissent des sacs qu'ils chargent ensuite sur des camions ou des bateaux à destination d'endroits lointains aux noms imprononçables.

Dans toutes les exploitations minières, de l'est à l'ouest du Canada, des grèves éclatent de temps à autre, dures parfois, mais il y a aussi les promotions, les augmentations, les mariages... A la suite de vagues de licenciements, certains essayent sans enthousiasme de rompre les amarres, et de trouver un travail ailleurs. Beaucoup de ceux qui se sont éloignés de leur lieu d'origine reçoivent généralement de leur famille, chaque semaine, la page des offres d'emplois du journal, et si quelque chose semble intéressant, n'importe quoi, ils sautent sur l'occasion et reviennent « chez eux ». Certains hommes périssent de mort violente. D'autres meurent des années plus tard, se plaignant de leur souffle court, que l'on associe toujours à l'âge ici.

D'autres encore, comme Reggie Bouffard ou Denis Lessard, n'ont aucune intention de disparaître avant d'avoir passé de nombreuses années encore à boire bière et whisky, à chanter et à rire, et à raconter des histoires à leurs petits-enfants. Tous deux ont aujourd'hui la cinquantaine, et sont descendus dans la mine adolescents. D. Lessard se souvient, avant l'apparition des énormes broyeurs mécaniques balançant huit heures par jour leurs lourds marteaux de près de quatre kilos, avoir cassé des rochers dans un puits poussiéreux où les hommes ne se voyaient pas à une distance de quatre ou cinq mètres.

– Je suis descendu à dix-sept ans, comme tout le monde, dit-il en français. Pour la sécurité de l'emploi, bien sûr. Vous descendez là-dedans une fois, et vous pouvez y passer votre vie.

Ils étaient payés vingt-six dollars la semaine de quarante-huit heures, en ce temps-là. Ils pouvaient conserver deux dollars pour eux, et le reste servait à entretenir leurs parents et leurs frères et sœurs. Aujourd'hui, ils gagnent en moyenne onze dollars de l'heure, auxquels s'ajoute une allocation de vie chère tous les quatre-vingt-dix jours.

Certains des garçons descendaient directement dans les puits. D'autres, comme Luc Bouffard, essayaient de travailler ailleurs. Il avait exercé un bon emploi de machiniste chez Pratt & Whitney à Montréal, à trois heures de route pour des conducteurs normaux, à un peu plus de deux pour les Québécois. Mais, au bout de cinq ans, Thetford manquait trop à sa femme, et les jeunes fugitifs s'en revinrent dans la ville minière, où Luc Bouffard devint balayeur à l'usine d'amiante.

Le travail est plus rare dans ces mines de nos jours. Les cours des fibres ignifuges ont baissé sur les marchés mondiaux, ces fibres tant appréciées pour les garnitures de freins et le ciment, mais qui s'accumulent dans les poumons, et que l'on accuse de provoquer une mort lente, par étouffement : l'asbestose.

Ailleurs dans le monde, on intente à l'amiante des procès en responsabilité pour des millions de dollars. Son usage est proscrit.

Mines et usines de Thetford sont plus saines à présent : des aspirateurs et des ventilateurs puissants évacuent les poussières. De temps en temps, un ami plus âgé tombe, pourtant, victime de la maladie. Mais l'amiante est tellement partie intégrante de la ville, elle est si familière, si profitable à tant de familles, qu'elle n'est pas tenue pour scélérate.

– Pourquoi les gens ont-ils si peur de l'amiante? demande R. Bouffard. Non, je n'avais pas peur dans le temps. C'est que je n'avais pas d'autre choix, voyez-vous. Il faut bien gagner de l'argent pour vivre, pas vrai? C'est comme d'aller à la guerre, sauf que la guerre, c'est dangereux. Tomberai malade? Tomberai pas? Pourquoi s'en faire? Si oui, tant pis. Si non, tant mieux. Quelle importance, hein? Aujourd'hui, on pourrait avoir peur de tout. On peut attraper le cancer en mangeant sa soupe.

Les mineurs ont vis-à-vis de ces maladies mortelles l'attitude des citadins américains à l'égard des agressions. Ce sont des choses qui arrivent, mais pas aussi souvent que la plupart des gens l'imaginent. Chacun connaît quelqu'un qui a subi une agression, mais nul ne pense qu'il puisse en être victime. Et, plus le sujet est familier, plus la menace paraît lointaine.

– Si j'avais fait plus d'études, peut-être serais-je parti ailleurs. Qui sait? dit D. Lessard.

Il est descendu dans la mine à la fin de son année de cinquième, mais a continué à apprendre l'anglais seul. Il voulait pouvoir écouter les stations de radio américaines et suivre de près les exploits de son équipe de base-ball préférée.

– Mais le plus gros problème ici, ce n'est pas le cancer. Ce sont les trois-huit. On travaille une semaine de nuit, puis une semaine de jour, puis une semaine le soir. C'est plus dangereux, parce qu'on ne sait plus où on en est. On ne mange pas bien, on ne dort pas bien, tout est sens dessus dessous.

Leur mine ouvrit en 1950 au niveau moins deux cents mètres. Aujourd'hui, ils exploitent le gisement à moins trois cents, cependant que des équipes s'occupent du niveau moins quatre cent cinquante.

– Nous savons qu'à lui seul ce gisement en a encore pour vingt-cinq ans.

– Je ne crois pas à la violence parce que je suis une femme et que je suis petite, dit Audrey Jewett.

C'est une femme mais elle est agent de police.

Je rencontrai pour la première fois l'agent Jewett au temps où elle était la toute dernière recrue du détachement historique de la Police montée royale de Dawson City. Elle participait également, à sa modeste échelle, à la révolution s'opérant insensiblement dans l'un des plus fameux organes des forces de l'ordre d'Amérique du Nord – étant entendu que le Canada a jusqu'ici adhéré au mouvement féministe avec un esprit nettement moins militant que les frondeurs États-Unis.

Selon les légendes colportées par les médias, les policiers montés étaient de rudes individualistes, parcourant la frontière à cheval, en traîneau ou à pied, trouvant toujours l'homme qu'ils recherchaient, éternellement accompagnés de leur chien fidèle, toque de fourrure sur la tête et vêtus de leur rouge tunique. Jusqu'en 1975, les membres de la Police montée étaient tous de sexe masculin. A présent, les états-majors affectent des femmes dans les détachements les plus reculés.

L'agent Jewett, fille et sœur de policier, arriva à Dawson à l'issue de trois années d'activité dans la police générale et secrète en Colombie britannique, et après cinq jours de piste, droit vers le nord. Nommée policier permanent de Dawson City – population : sept cents habitants, mais trois mille en été – elle dut rapidement prendre sa part d'accidents, d'effractions, de vols, de patrouilles lointaines et de rixes dans les bars.

– Je voulais être policier, dit-elle, parce que j'aime aider les gens, et que je suis habituée à beaucoup me déplacer.

Entre les transferts de son père puis ses propres déménagements comme caissière, secrétaire et infirmière stagiaire, elle pense avoir vécu dans trente endroits différents au cours de ses vingt-quatre premières années.

– Au bout de deux ans n'importe où, j'ai envie de partir, dit-elle. Le travail de policier n'est pas un simple boulot. Vous continuez à penser « police » même lorsque vous n'êtes plus en service. J'aime particulièrement m'occuper des jeunes. Ce sont leurs idées sur la loi qu'il nous faut changer. Leur faire comprendre que nous sommes tout aussi humains qu'eux.

Mais bien des interventions ne concernent pas les adolescents. Les bars règlent en général tout seuls un bon nombre de bagarres, mais si un appel pour tapage survient durant son service, l'agent Jewett saute dans son fourgon 4×4, et fonce vers le lieu de l'incident à travers les rues encombrées de Dawson, où les automobilistes ont la fâcheuse habitude d'abandonner leurs véhicules là où leur vient la fantaisie de s'arrêter.

– Jamais je ne fais irruption quelque part sans prévenir, dit-elle. Je signale par radio où je suis, et ce que je fais. L'idée, c'est de séparer les deux clans. J'ai constaté que beaucoup d'hommes sont tellement stupéfaits d'entendre un glapissement aigu sortir d'un uniforme de policier qu'ils font ce que je leur dis sans regimber. Et je compte beaucoup sur la vieille loi qui veut que l'on ne frappe pas une femme.

Tout ne va pas toujours sans heurts, évidemment, même avec ses collègues masculins. Elle me parle de la résistance que ses compagnes et elle-même ont rencontrée de leur part. Résister, ce peut être tarder à répondre à l'appel de détresse de l'une d'entre elles, ne pas l'inviter quand ils vont en équipe prendre un verre après le travail, ou l'accompagner ostensiblement « au cas où elle aurait besoin d'un coup de main ».

– Sans l'ombre d'un doute, les femmes doivent prouver plus de choses que les hommes, fait-elle avec un haussement d'épaules.

Mais elle a constaté qu'il suffisait d'affirmer catégoriquement son opinion pour désamorcer les problèmes.

Et son travail lui procure des moments de réelle satisfaction :

– De temps à autre, quelqu'un vous remercie pour votre aide.

Lorsque Ross Peyton abandonna son affaire de comptoir commercial pour construire son hôtel à Pangnirtung, en Terre de Baffin, le plus difficile fut de lui trouver un nom. Il finit par se décider pour *Peyton Lodge*, après que sa femme Yvonne eut refusé celui qui avait sa préférence, *Peyton Place*. De l'avis de M. Peyton, la publicité n'a qu'une utilité très relative lorsque votre établissement est le seul à trois cent vingt kilomètres à la ronde. Aussi n'a-t-il pas installé d'enseigne.

Le long bâtiment de deux étages et de trente-deux chambres domine un fjord. Le patron, un grand barbu, vétéran de l'Arctique où il a vécu trente-cinq ans, l'a construit de ses mains. Pour commencer, il dessina les plans sur un vieux calendrier et les fit reproduire sur papier bleu, selon les normes réglementaires, par un ami, dans le lointain Montréal. Puis il les expédia dans la ville, plus lointaine encore, de Yellowknife, capitale des Territoires du Nord-Ouest, pour obtenir l'agrément du gouvernement. Là, des bureaucrates apportèrent aux plans quelques modifications de détail avant de les retourner approuvés. Alors, M. Peyton, qui ne sait pas décrypter ces documents bizarrement colorés, les rangea dans un tiroir, et ressortit son vieux calendrier.

– Il y a toujours tant à faire dans la vie, dit-il. C'est simple, vingt-quatre heures par jour ne me suffisent pas!

Il est toujours plongé dans la lecture de quelque nouveau guide de maintenance ou de radiotélégraphie.

– Quand le bateau qui apporte le ravitaillement pour l'année repart en septembre, on ne le revoit plus pendant un an. Et c'est à vous de jouer.

Un minuscule avion commercial s'efforce de venir de Frobisher Bay deux ou trois fois par semaine si le blizzard, le brouillard et les vents de l'Arctique le permettent. Des pancartes spéciales avertissent les aviateurs : « Pilotes, ne volez pas à basse altitude au-dessus des caribous. » M. Peyton est à l'arrivée de tous les vols

Il a jadis travaillé pour la Compagnie de la Baie d'Hudson. Des années durant, il a troqué fournitures diverses contre peaux et fourrures, voyagé jusqu'à des campements isolés pour apporter des médicaments, et parfois ouvert le comptoir à trois heures du matin pour accueillir avec du thé bouillant et des mots chaleureux quelque voyageur en traîneau. Cependant, lorsque Pangnirtung (littéralement « lieu de rassemblement du caribou mâle ») perdit quelque peu son statut d'avant-poste et ressembla plus à une agglomération, avec école et infirmière, son travail perdit, lui, de son imprévu, de son caractère de défi, et prit des allures d'emploi routinier, avec un bureau, des stocks et, pis que tout, des horaires fixes.

Pendant un temps, donc, il dirigea son comptoir commercial, puis s'occupa de fret aérien. Enfin, il décida de construire l'hôtel, en grande partie parce que c'était une chose qu'il n'avait jamais faite.

Les réservations sont ici affaires très peu formelles; il arrive qu'elles ne soient pas notées, ou bien que quelque voyageur ait dû prolonger son séjour parce que l'avion a plusieurs jours de retard...

– Quelle chambre désirez-vous? me demanda un réceptionniste à mon arrivée.

Je choisis le numéro cinq, proche de la salle de bains. La chambre, de onze ou douze mètres carrés, est meublée de deux lits d'une personne, de deux appliques murales les surmontant, de deux patères et d'une photo de femme nue derrière la porte. De sa fenêtre, la vue s'étend sur cinq kilomètres, au-delà du fjord, jusqu'aux montagnes.

La salle à manger n'a pas à proprement parler d'heure d'ouverture ou de fermeture. M. Peyton aime que le dîner soit servi à six heures, le déjeuner à midi, et le petit déjeuner « avant neuf heures ». Si vous êtes là, vous mangez; sinon, tant pis. La conversation à table varie avec la clientèle. Lors de mon séjour, une équipe d'ouvriers du bâtiment discutait des difficultés dans la construction du premier incinérateur de la commune. Cette installation permet de limiter les dépôts d'ordures et l'écoulement des eaux de vidange en pleine nature. La température s'élevant rarement au-dessus de cinq degrés, les problèmes d'odeurs nauséabondes n'ont jamais été à redouter.

– Eh! Papa! lança mon fils Christopher la première nuit, c'est un seau.

Ledit seau, doublé d'un sac en plastique, est vidé quotidiennement, et le sac déposé dehors pour y geler. Les douches de l'hôtel sont propres, et d'une grande simplicité, et l'on y trouve en général un savon.

– On dirait que les gens, une fois arrivés dans l'Arctique, acceptent des choses qu'ils n'auraient jamais supportées là-bas dans le Sud, dit M. Peyton.

Sa vie si peu ordinaire, passée à arracher de quoi vivre à cette terre aride, un peu à la manière des loups des montagnes proches, ne lui laisse guère de loisir. Le rythme si différent de cette existence, les interminables nuits d'hiver laissent néanmoins suffisamment de temps libre pour raconter les souvenirs des jours anciens, ou sauter parfois dans un des quinze véhicules de la ville pour une petite course de glissades sur la glace du fjord. Bien sûr, il arrive que le courrier ne soit pas expédié pendant quelques jours si Leesee Komoartok, la receveuse des postes, est, une nouvelle fois, victime de la grippe; mais, l'été, ce sont des expéditions de pêche nocturnes sur de lointains lacs qui, depuis de longues années, n'ont pas reçu la visite d'un humain.

– J'ai gratté du papier dans un bureau pendant bien des années, nous dit un soir M. Peyton, et puis j'ai construit cet hôtel, et j'ai commencé à vivre.

J'ai rencontré Jacques Potvin au milieu d'une énorme flaque de boue, près d'une cabine téléphonique. C'était dans une rue non goudronnée et criblée de nids-de-poule du magnifique centre de Dawson City. Nous avons chacun à notre tour inséré des pièces dans la petite boîte noire tout en tentant d'esquiver les vagues soulevées par camions et voitures passant lentement par là.

– Oui, je sais... disait-il dans le récepteur. Oui. Bon. Et pour une nuit seulement? Je pourrais... Oui, je vois. Et connaîtriez-vous un autre endroit en ville?

Jacques Potvin était venu dans la légendaire Dawson pour y chercher de l'or, mais il ne parvenait pas même à trouver une chambre d'hôtel.

Il est l'un de ces nombreux Canadiens qui, au propre comme au figuré, cherchent quelque chose, quelque part, d'une manière ou d'une autre, dans leur nouveau pays.

Tous les Canadiens que j'ai connus étaient de braves gens, amicaux, travaillant dur et bavardant volontiers. Mais beaucoup des conversations, familières ou cérémonieuses, longues ou brèves, que j'ai eues avec nombre d'entre eux me procuraient l'impression qu'une soif d'autre chose, une volonté tendue les animaient, tout spécialement dans l'Ouest et dans le Nord. Je n'y sentais pas tant de l'insatisfaction que de l'ambition.

Cette énergie, bien sûr, n'est pas le fait de tous. Cette nation, comme toute autre, est constituée par un vaste noyau d'individus préoccupés de leur confort, sachant combien de pas il leur faut faire pour se rendre à leur arrêt de bus chaque matin, rangeant toujours leurs crayons dans le même coin du tiroir de leur bureau, et aimant que les choses soient ainsi, c'est-à-dire sans imprévu. Mais un nouvel esprit de lutte se développe aujourd'hui, cet esprit de la Frontière découvert dans mes livres d'enfant où les pionniers américains traversaient les vastes prairies du Midwest dans leurs chariots branlants.

Je retrouvais chez ces Canadiens ce même sens de l'effort, tempéré, familier mais très net. Une attitude que je n'avais pas pris l'habitude, au fil des ans, d'associer à leurs compatriotes.

Au nord du Québec, on pouvait rencontrer un chef de chantier répondant au nom merveilleux de Réal Champagne. Pionnier de trente-sept ans coiffé d'un casque, il était l'un de ces milliers de travailleurs qui sillonnent le pays pour participer aux projets grandioses qui doivent domestiquer l'immensité des ressources naturelles du pays. En ce temps-là, il travaillait sur le chantier hydroélectrique de la baie James, qui devait transformer le paresseux fleuve de la toundra dit « la Grande Rivière » en une source d'énergie pour des cités aussi lointaines que New York, à deux mille kilomètres de là. Certains de ses collègues creusaient, à travers les marécages, des puits profonds de trente-cinq mètres, qu'ils remplissaient ensuite de ciment pour y élever des pylônes à haute tension. D'autres, à coups de bulldozer, éventraient la terre gelée afin de bâtir une digue longue de cent trente kilomètres qui permettrait de détourner le cours de deux fleuves.

R. Champagne, lui, travaillait à cent quarante mètres sous terre, dans une salle des turbines vaste comme cinq terrains de football, et creusée à même le roc. A Montréal, vivaient ses deux petites filles, âgées de six et sept ans, et sa femme, qui n'aimait pas trop que son mari soit absent quarante-huit jours sur soixante.

– Ça ne me plaît pas non plus, parfois, dit-il en essayant de couvrir de sa voix le tumulte du chantier. On s'est un peu éloignés l'un de l'autre, ma femme et moi, c'est sûr. Mais je gagne beaucoup d'argent. Et elle sait que ça ne durera pas toujours.

Les barrages du Québec seraient son dernier boulot loin de chez lui, disait-il. Mais cette promesse, beaucoup de ses compagnons l'avaient faite, eux aussi, après l'aménagement de la centrale électrique de Churchill Falls, et après la construction de cette usine nucléaire d'eau lourde, dans l'Est. Et à présent, on parlait beaucoup de pipelines là-bas, dans l'Ouest, et de grosses centrales au fuel.

En échange de ses soixante heures de travail hebdomadaires, R. Champagne expédiait chez lui quatre cent vingt-cinq dollars net. Gîte et couvert, sur le chantier, étaient gratuits, de même que les trajets réguliers par avion entre Montréal et son travail.

– Lorsque je suis arrivé ici pour la première fois, voici deux ans, se souvient-il, il n'y avait rien, juste du rocher. Nous avons aidé à construire tout ça. J'ai une chouette maison dans le Sud et, avec ce salaire, je la rembourse très vite. Je peux acheter tout ce que nous désirons. Je paye comptant, sans problème. Mais c'est dur d'élever des gamins ainsi. Vraiment pas drôle.

Il avait coutume d'appeler ses enfants tous les dimanches, son seul jour de repos, mais il le faisait moins souvent à l'époque où je l'ai connu... Ils lui demandaient toujours quand il allait revenir.

Quand je l'ai rencontré près d'une cabine à Dawson City, Jacques Potvin, avait vingt-quatre ans. Jamais il n'avait entendu le fameux conseil donné aux jeunes d'aller tenter leur chance à l'ouest (*Go West, Young man, go West*), mais il y était allé quand même. Après avoir, durant cinq années, pesé le pour et le contre, il avait abandonné un emploi stable de charpentier dans une petite ville de l'Ontario, et vendu tous ses outils. Il s'était alors acheté un billet d'autocar pour un voyage de cinq jours. Parti d'Ottawa, il avait traversé les paysages fascinants et sauvages du nord de l'Ontario, des rochers, des forêts; puis les étendues planes de la Grande Prairie; les rues venteuses de Winnipeg; plus loin encore, les plateaux à blé du Manitoba et de la Saskatchewan; et enfin des bois rabougris, juste avant que la dernière grande ville, Edmonton, ne disparaisse dans le rétroviseur, suivie de quinze cents kilomètres de pistes jusqu'à Whitehorse, et de près de cinq cents encore de forêts, pour atteindre enfin Dawson et le Klondike.

« C'est comme une ancienne ville de l'Ouest », avait-il pensé en descendant du car poussiéreux, de l'espoir plein son petit sac brun.

Son idée était de demander une concession et d'y creuser pour y trouver de l'or, ou de s'associer à un autre prospecteur en attendant de posséder suffisamment pour lancer un jour sa propre exploitation.

– On m'a dit qu'il y avait quinze mille concessions dans toutes ces collines, me dit le jeune homme, et qu'il n'y en avait pas plus de neuf cents voici quelques années. Je crois que j'aurais mieux fait de naître plus tôt.

Nous descendîmes du vieux trottoir de planches pour croiser un vieil homme qui venait en sens inverse. Vêtu d'une chemise de flanelle et d'un pantalon de travail fripé, Fred Whitehead – c'était son nom – était coiffé d'un chapeau à bord souple sous lequel disparaissaient son visage et ses rides de quatre-vingt-huit ans. Près de trois quarts de siècle après son départ pour une quête du même ordre, F. Whitehead se souvenait de ce qu'il lui en avait coûté : toutes ses économies, tout ce qu'il possédait, sa vie entière.

– Je continue à fouiner, dit le vieux prospecteur, et un jour, je trouverai bien quelque chose.

Le Canada avait quarante-trois ans quand, encore adolescent, Fred Whitehead commença ses vagabondages. C'est en bateau à vapeur qu'il arriva à Dawson la première fois. La route ne fut pas construite avant le milieu des années cinquante. Ses forces avaient diminué, maintenant, disait-il, et les longues expéditions dans la nature à la recherche d'un avenir étaient pour les jeunes, les nouveaux venus, comme J. Potvin.

– On ne perd rien à essayer, dit le jeune homme. S'il n'y a pas d'or pour moi, eh bien, je pourrai du moins me dire que j'ai tenté le coup.

J'étais sur une colline de Dawson lorsqu'un acteur de Vancouver nommé Tom Byrne vint se placer sous le porche d'une vieille cabane. Il faisait carrière en faisant revivre le temps jadis. Coiffé d'un chapeau de cow-boy, vêtu d'une chemise blanche tachée, d'une mince cravate noire et d'un vieux pantalon de lainage à bretelles, l'acteur s'assit doucement dans un fauteuil grinçant et se mit à parler de « lui-même », prêtant sa voix au poète Robert Service.

Robert Service était un immigrant britannique qui, après avoir erré de par le Canada, avait fini par aboutir à Dawson, il y avait de cela près d'un siècle. Le jour, il travaillait comme caissier dans une banque, et, les longues nuits froides, il pouvait les passer dans cette même cabane, avec son chien, à écrire des vers sur son nouveau pays. A mesure que Tom Byrne parlait, entremêlant l'histoire de la nation aux écrits du poète, le charme commençait à agir sur l'auditoire. Pour ne pas troubler la magie du moment, les autorités municipales interdisaient la circulation dans cette rue pendant les représentations. Tandis que le soleil disparaissait peu à peu derrière la colline T. Byrne parla avec verve et humour des hivers, des batailles, des luttes et des morts...

Lorsqu'il en eut terminé, il inclina légèrement la tête, ramassa son vieux livre, et rentra dans la cabane en traînant des pieds. Les spectateurs applaudirent, chacun s'en alla de son côté. T. Byrne ressortit bientôt pour enfourcher un vélo d'un ancien modèle et aller dîner.

Que lui prenait-il de présenter un one-man-show deux ou trois fois par jour, près du Cercle arctique, si loin de chez lui, et bien souvent devant des spectateurs qu'on aurait pu compter sur les doigts d'une seule main? Il voulait découvrir son pays, disait-il; alors, il apprenait à connaître la culture d'une région, élaborait un numéro, puis se rendait sur les lieux. Qu'avait-il appris sur sa patrie? lui demandai-je. En réponse, il ouvrit son livre de Robert Service à la page de *L'appel du Yukon*, et se mit à lire :

> *Il s'empare de vous à la manière de certains vices,*
> *D'ennemi, il fait de vous un ami.*
> *Il semble que ç'ait été depuis le commencement,*
> *Il semble que cela doive durer jusqu'à la fin des temps.*

La plupart des Américains connaissent probablement quelques Canadiens, parfois sans s'en douter. De même, ils savent, ou pensent savoir, que le peuple canadien a quelque chose à voir avec le monarque britannique, et qu'il exporte beaucoup de ressources naturelles.

Mais bien des habitants de ce vaste pays ont pourtant connu la renommée... Le romancier anglais Anthony Burgess a un jour, peut-être sans y penser, mis le doigt sur un point clé concernant les personnages célèbres du pays. «John Kenneth Galbraith et Marshall McLuhan, a-t-il dit, sont les deux plus grands Canadiens de l'époque moderne que les États-Unis aient produits. »

Il est en effet fréquent de voir un Canadien n'atteindre une gloire véritable qu'une fois largement connu aux États-Unis... où ses admirateurs et ses disciples ignorent son origine. Alors seulement, par quelque perversion de l'esprit, ses concitoyens commencent à le tenir en considération... et, dans le même temps, à se livrer sur lui à un véritable jeu de massacre.

Des écrivains l'ont appris à leurs dépens. Ainsi, un auteur de la dimension de Margaret Atwood voit son message lui attirer des cohortes d'articles élogieux dans les revues américaines et britanniques, cependant que les critiques de son pays se déchaînent contre elle avec violence et cruauté.

Tout se passe comme si une certaine tendance autodestructrice de l'esprit canadien forçait celui qui réussit à aller faire ses preuves sur une scène étrangère afin que ses compatriotes puissent ensuite le remettre à sa place. Oh, bien sûr, il a fait ça, mais il a fallu qu'il aille dans un autre pays pour y parvenir! Il y a dans le vieil esprit canadien un fond d'aversion pour la réussite.

Mais les choses ont commencé à changer dans certains secteurs – le monde des affaires, par exemple, et celui du spectacle. Témoin, Dave Bradfoot, un comédien de classe internationale, qui a choisi de faire devant un public exclusivement canadien une carrière de comique et d'observateur perspicace, ne craignant pas de défendre publiquement ses vues en tant que membre de la troupe de radio et de télévision « Royal Canadian Air Farce ».

Jusqu'à présent, des deux peuples d'Amérique du Nord, seuls les Canadiens se sont plaints d'être culturellement envahis par leurs voisins. Mais les Américains auraient beaucoup à apprendre en prenant conscience de la place considérable qu'occupent, sans qu'il y paraisse, leurs voisins du nord dans bien des domaines de leur vie quotidienne.

John Kenneth Galbraith (Spike pour ses vieux copains des environs de la ferme familiale, dans l'Ontario), l'homme qui a profondément marqué la pensée américaine durant des décennies par ses écrits politiques et économiques, qui a élaboré le concept de « Nouvelle Frontière » et participé à la politique militaire de l'administration Kennedy, était Canadien avant de devenir le représentant de son pays d'adoption comme ambassadeur en Inde.

Sur l'autre côté de l'échiquier politique, on trouve le professeur Robert Mundell, fils d'un sergent-major de Kingston, Ontario, communément considéré comme le prophète de l'économie de régulation, l'une des pierres de touche de la politique de Ronald Reagan durant les premières années de sa présidence. Citons aussi le regretté Marshall McLuhan, le prodige de l'Université de Toronto, grand, dégingandé, dont on se souvient surtout pour son opinion fort controversée selon laquelle le médium prédominant de chaque époque en façonne dans une large mesure la pensée. Depuis son canapé dans une ancienne remise de calèches à proximité du campus de l'université, M. McLuhan dictait ses observations, ses pensées qu'il avait résumées dans le fameux aphorisme : « Le médium est le message ».

Lorsque l'Académie Royale des Sciences de Suède décerna en 1983 son Prix Nobel de chimie, certains ont cru à une nouvelle victoire des États-Unis. Le lauréat était Henry Taube, de l'Université de Stanford, « l'un des chercheurs contemporains les plus créatifs dans le domaine de la chimie organique ». Mais le professeur Taube est un Canadien, l'un de ceux qui essaimèrent vers le sud pour faire carrière aux États-Unis, ne pouvant trouver de travail dans leur patrie dans les années qui suivirent immédiatement la Dépression. On pourrait également citer le Dr Joseph B. McInnis, version canadienne du commandant Cousteau, qui a dirigé plusieurs missions d'exploration dans les mers septentrionales du pays, étudiant leur faune et leurs eaux, avant de revenir captiver le public des deux côtés de la frontière avec ses récits d'aventure et ses descriptions des merveilles naturelles.

Dans le domaine littéraire, les Canadiens se sont manifestés sur pratiquement tous les fronts : Mordecai Richler, Morley Callaghan, Paul Erdman, Arthur Hailey et Saul Bellow, sans parler de Will Durant et de Jack Kerouac, ce fils de Canadiens français qui retraça dans ses voyages littéraires la chronique de la « Beat Generation » des années cinquante.

William Stephenson n'était pas écrivain, quant à lui. Mais, grand espion, il devint plus tard le sujet d'*Un homme nommé Intrépide*, et fut l'un des organisateurs des défenses secrètes des Alliés durant la Seconde Guerre mondiale. Il était chargé, entre autres, d'aider à constituer le bureau des Services Stratégiques américains, première ébauche de la C.I.A., et de former les agents alliés dans le fameux camp X, près d'Oshawa, en Ontario, où il recala un jour un candidat agent secret qui reconnut qu'il ne pourrait jamais abattre un homme de sang-froid. Le postulant malheureux s'appelait Ian Fleming.

Les personnages de la littérature canadienne ont eux aussi des noms fort connus. Le Duddy Kravitz de Mordecai Richler est entré dans la langue populaire. Et David L. Johnston, le recteur de l'Université McGill de Montréal (laquelle, soit dit en passant, compte parmi ses anciens élèves Zbigniew Brzezinski, anciennement conseiller pour les affaires de Sécurité Nationale), est mieux connu des Américains sous le nom de Davey Johnston, capitaine de l'équipe de hockey dans *Love Story*, la larmoyante saga à succès d'Erich Segal. MM. Segal et Johnston étaient réellement compagnons de dortoir à Harvard.

En 1983, l'Union des Libraires Américains se tourna vers son homologue canadienne pour choisir en son sein un nouveau directeur général, Bernie Rath.

Au XIXe siècle, un Canadien nommé Joseph Medill s'en était allé vers le sud pour présider à la naissance et à l'essor du *Chicago Tribune*, qui deviendra l'un des quotidiens les plus influents des États-Unis.

C'est ce J. Medill, dont le nom est resté associé à celui de la Faculté de Journalisme de Chicago, qui remarqua un obscur avocat campagnard de l'Illinois, et qui, par l'entremise de son journal et grâce à son influence personnelle, poussa le jeune homme au premier rang du Parti Républicain, et pour finir, jusqu'au fauteuil de Président. Il s'appelait Abraham Lincoln.

Deux autres Canadiens de l'Ontario, William Maxwell Aitken et Roy Thomson, s'en furent aussi en terre étrangère pour y conquérir le pouvoir en tant que magnats de la presse, et la renommée sous leurs titres : Lord Beaverbrook et Lord Thomson of Fleet. C'est Lord Beaverbrook qui, devenu ministre britannique de la Production aéronavale, devina les possibilités d'un certain petit avion, et donna très tôt priorité à sa construction : le Spitfire devait rester dans les annales des appareils de combat de la Seconde Guerre mondiale comme le sauveur de l'aviation britannique. Et Kenneth, le fils de Lord Thomson, finira par posséder plus de soixante quotidiens aux États-Unis, ainsi que l'une des deux plus importantes chaînes de journaux au Canada.

Au fil des époques, musiciens et chanteurs canadiens ont touché à toute la gamme des styles et de la popularité, depuis les hurlements des fans de Paul Anka jusqu'aux disciples des danses agiles de Guy

Lombardo et aux admirateurs posés de Percy Faith, en passant par Oscar Peterson et ses amis claquant des doigts. Du côté de la musique classique, on peut citer Maureen Forrester, Teresa Stratas, Jon Vickers, et l'ermite de Toronto, Glenn Gould. Le mouvement américain pour la paix, parmi d'autres, a aimé les airs de folklore de Buffy Sainte-Marie, un Indien du Canada qui allait remporter un Oscar pour la chanson du film *Officier et Gentleman*. Et puis, il y eut les Diamonds, le groupe des bonnes vieilles années cinquante, et les Crew Cuts, ceux de *Why do fools fall in love?* et de *Sh-boom*.

Dans la période plus récente de la musique populaire, on trouve Martha and The Muffins, Steppenwolf, et le chanteur de romances Murray McLauchlan. Mais ce sont surtout des groupes que l'industrie du disque canadien n'a cessé d'engendrer, des groupes de renommée internationale comme The Guess Who, Rough Trade, Loverboy, Prism, et Rush.

Le C.B.C. (Canadian Broadcasting Corporation, chaîne nationale de radiodiffusion et télévision) en vint même à programmer une mini-série d'émissions (intitulée *Heart of Gold*, du titre de la chanson de Neil Young, de Winnipeg) se proposant d'examiner l'influence de la musique canadienne d'expression anglaise. « Seigneur, avoua John Bruton, le producteur, je ne me rendais pas compte que tous ces gens étaient canadiens! »

L'une des raisons de la vogue grandissante de cette musique a été sans nul doute l'éventail de réglementations publié par les autorités fédérales, et concernant les contenus des programmes. Selon ces directives, au moins trente pour cent de toute la musique diffusée à la radio doit être écrite et/ou exécutée par des Canadiens. Pour la télévision, le chiffre est de soixante pour cent. Aux yeux de certaines personnes, de telles dispositions sentiront peut-être trop l'intervention de l'État, ou « Big Brother » édictant les goûts culturels, mais elles ont aidé à créer à l'intérieur du pays un marché suffisamment vaste pour faire vivre ses propres musiciens, et contribué à mettre une sourdine au vieux débat autour du problème des artistes contraints d'abandonner leur patrie pour réussir.

– Si j'étais resté au Canada, déclare David Clayton-Thomas, un membre de Blood, Sweat and Tears, j'aurais pu faire des choses très bien. Mais personne ne l'aurait remarqué.

Aujourd'hui, néanmoins, M. McLauchlan peut rétorquer :

– Il n'y a aucun problème, sinon que le pays est très vaste, que les villes sont très éloignées les unes des autres, et que l'on ne peut gagner autant d'argent qu'aux États-Unis.

Un étrange cheval de couleur sombre, galopant entre les rails d'une voie ferrée à la rencontre d'une locomotive arrivant en sens inverse... Une femme dévisageant ceux qui la regardent à travers des jumelles... Telles sont deux des obsédantes images produites par Alex Coville, l'un des rares créateurs en arts plastiques dont le nom soit devenu familier dans son propre pays. Dans un autre domaine de l'art, on pense également à Yousuf Karsh, immigrant arménien d'Ottawa, qui s'est forgé une réputation mondiale en photographiant depuis cinquante ans les leaders politiques et les célébrités du monde entier.

Au théâtre et au cinéma, devant et derrière la caméra, les Canadiens ont joué des rôles de tout premier plan, de Hume Cronyn à Kate Nelligan, des farces bouffonnes de Mack Sennett (au temps du muet) jusqu'aux yeux innocents de Fairuza Balk, la fillette de neuf ans sélectionnée pour devenir Dorothy dans la nouvelle version Disney du *Magicien d'Oz*. Les Canadiens ont incarné les bons (Walter Pidgeon, Raymond Burr, Glenn Ford) et les méchants (Christopher Plummer, Arthur Hill, Douglas Dumbrille), les joyeux (Leslie Nielsen, John Candy, Jack Carson, Tom Chong) et les tristes (Ben Blue, Lou Jacobi). Ils ont été cow-boys (Rod Cameron, Lorne Greene) et Indiens (Jay Silverheels, Chief Dan George), chercheurs d'or (Walter Huston, père de John Huston) et présidents (Raymond Massey, Alexander Knox), et même héros de l'espace intergalactique (William Shatner).

La « petite fiancée de l'Amérique » (Mary Pickford) était en réalité une Canadienne, comme l'étaient les fiancées de Superman (Margot Kidder), d'Henry VIII (Geneviève Bujold), d'Andy Hardy (Ann Rutherford), ou l'admiratrice éternellement déçue de James Bond, Miss Moneypenny (Lois Maxwell). C'est encore une Canadienne qui brisa le cœur du premier King Kong (Fay Wray). Ajoutons-y Yvonne De Carlo, Katherine De Mille, Deanna Durbin, Marie Dressler, Susan Clark, Alexis Smith, Ruby Keller, Norman Shearer, et Colleen Dewhurst. Aujourd'hui, Hollywood produit même des films sur des Canadiens (Dorothy Stratten et Terry Fox) réalisés par des Canadiens (Norman Jewison, David Cronenberg, Phillip Borsos) suivant en cela les pas de leurs compatriotes Jack Warner et Louis B. Mayer, architectes de l'« Usine à rêves ».

Jusque dans les années récentes, les athlètes du pays ne connurent que de modestes succès. Pendant fort longtemps, la compétition vraiment acharnée n'a pas fait partie intégrante de la vie de chacun. Oh, bien sûr, elle existait parfois mais elle n'apparaissait pas à tout propos, elle n'avait pas cette allure de défi permanent si profondément ancré dans tant d'autres nations. Le style canadien, c'était plutôt « Amusez-vous bien, les gars, faites comme vous voulez », du moins hors des patinoires de hockey, que toute ville aménage dans ses parcs en hiver.

Avec l'aide financière du gouvernement, cependant, les skieurs de descente se trouvèrent soudain propulsés sur la scène internationale, se taillant une réputation d'intrépidité. Ils furent pris en main par des entraîneurs qui leur affirmèrent qu'ils pouvaient gagner, idée fort choquante pour de nombreux Canadiens. Enfin, ils commencèrent à gagner. Et, en mars 1982, Steve Podborski devint le premier

Nord-Américain à remporter la Coupe du monde de descente à skis, longtemps après la victoire de la Canadienne Barbara Ann Scott en patinage artistique, la première récompense jamais obtenue par un Américain du Nord dans ce sport. Les Canadiens se signalèrent également lors des Jeux Olympiques d'Hiver de 1984, cette fois en patinage de vitesse, en patinage artistique masculin et, surtout, en hockey, où ils ruinèrent cette année-là le rêve caressé par les Américains de répéter leur miraculeuse victoire de 1980 à Lake Placid.

« Les enfants canadiens sont trop gâtés, on leur donne trop contre presque rien, voire rien du tout, aussi sont-ils peu motivés pour aller se jeter dans la foire d'empoigne qu'est la scène internationale. Autant rester chez soi, et être le premier devant d'autres médiocrités. Ce n'est même pas là une peur de l'échec. Ils n'ont tout simplement pas envie de travailler aussi dur. Ils se contentent de mettre en pratique ce qu'ils savent, plutôt que de s'appliquer à améliorer leurs points faibles et à acquérir de nouvelles techniques. » Cette analyse des milieux du jeune tennis canadien est parue dans *Racquets Canada* à une époque où Josef Brabenec – entraîneur tchécoslovaque immigré qui, dans son pays d'origine, ouvrit la voie à l'avènement de joueuses comme Martina Navratilova –, poursuivait personnellement l'élaboration d'un programme national visant à faire gagner le Canada. Ceci impliquait, entre autres, de susciter dans le pays une pression, un esprit de compétition, et de débloquer les aides nécessaires pour que les parents cessent d'aiguiller leurs enfants sur la voie habituelle, à savoir, l'obtention d'une bourse dans une université américaine. Les résultats ne se sont pas fait attendre : Glenn Michibata, l'un de ses protégés, se range maintenant parmi les soixante-quinze meilleurs joueurs mondiaux, et Carling Bassett, encore adolescente pourtant, s'est glissée parmi les vingt meilleures joueuses.

A certains moments, les deux plus importantes équipes de base-ball professionnelles canadiennes, les Blue Jays de Toronto et les Expos de Montréal, ont paradé l'une et l'autre en tête de leurs divisions respectives. Susan Nattrass, d'Edmonton, remporte régulièrement le championnat du monde de ball-trap. Terry Fox, un jeune unijambiste victime du cancer à vingt-deux ans, donna un grand exemple de courage : il courut cinq mille trois cent soixante-treize kilomètres à travers tout le pays afin de réunir des fonds pour la recherche contre cette maladie, avant d'y succomber. Son exploit fit couler des flots de dollars dans une nation pauvre en héros, et lui valut une mention dans le Livre Guinness des Records, pour avoir été l'homme qui a rassemblé la plus grosse somme d'argent lors d'une marche ou d'une course de charité, soit plus de vingt-quatre millions sept cent mille dollars.

Wayne Gretzky, le buteur prodige des matchs de hockey, a gagné des millions en faisant tomber toute une série de records de la Ligue Nationale. On pourrait mentionner d'autres sportifs canadiens éminents, les hockeyeurs Gordie Howe et Bobby Hull, ou le coureur automobile Gilles Villeneuve... Et tandis qu'un nombre croissant de joueurs canadiens de football américain étaient engagés par des équipes aux États-Unis, des Américains préféraient, eux, venir s'intégrer aux équipes professionnelles de l'autre côté de la frontière.

Les Canadiens n'ont pas encore enregistré de spectaculaires réussites en basket-ball car ce sport d'hiver est sérieusement concurrencé par le hockey. Mais, ironie du sort, c'est un Canadien, le Dr James Naismith, qui l'inventa en 1891. Naismith était à la recherche d'un jeu énergique et sans danger pour remplacer l'assommante gymnastique suédoise. A l'origine, on comptait neuf joueurs de chaque côté, et la cible était un panier à pêches, d'une contenance d'un boisseau, cloué à la balustrade du balcon du gymnase. Mais c'était là trop de monde sur le terrain, et la situation du panier permettait aux supporters d'atteindre le ballon et de le détourner. C'est finalement le basket-ball pratiqué pour la première fois aux États-Unis à l'Y.M.C.A. de Springfield, Massachusetts, qui l'a emporté.

Mais d'autres inventions canadiennes ont réussi.

Sandford Fleming n'était vedette ni de basket ni de hockey, mais ingénieur des chemins de fer. Il inventa l'heure légale universelle. Jusqu'au 17 novembre 1883, jour où le monde entier accorda ses horloges pour la première fois, celles de chaque ville étaient réglées en fonction de la position du soleil chez elle. En conséquence, quand les aiguilles indiquaient midi à Toronto, il était midi vingt-cinq à Montréal, midi huit à Belleville, Ontario, et onze heures cinquante-huit à Hamilton. Il existait, dans les seuls États-Unis, une centaine d'heures légales. Tout allait bien tant que l'on voyageait à cheval, une différence de quelques minutes important peu en une journée de chevauchée. Mais c'était un désastre à l'époque des trains à vapeur qui s'efforçaient de respecter un horaire. Aussi, faisant fi de l'opposition considérable soulevée par cette idée de plaisanter avec l'heure divine, S. Fleming, l'immigrant écossais qui deviendrait plus tard Sir Sandford, divisa le monde en vingt-quatre fuseaux horaires, larges chacun de quinze degrés. Puis il s'attela à la tâche plus ardue encore de faire pression sur les gouvernements pour qu'ils acceptent de mettre toutes leurs pendules à l'heure au même instant. Avec une ténacité tout écossaise, notre ingénieur à barbe rousse réussit à peu près partout, sauf, par exemple, sur l'île de Terre-Neuve, qui bien que maintenant rattachée au Canada, tient encore, jusqu'à ce jour, à conserver une demi-heure de différence avec l'heure légale. Sir Sandford s'attaqua ensuite à des tâches plus faciles, comme construire le premier chemin de fer transcontinental de son pays, et, même, dessiner son premier timbre-poste.

Alexander Graham Bell ne vit pas non plus le jour au Canada, mais en fit son pays d'adoption. Immigrant écossais, il y mourut en

1922 après avoir inventé le téléphone, et enseigné le « langage visible » pour les sourds, une découverte de son père. Il opéra le premier appel interurbain du monde et aujourd'hui les Canadiens sont devenus, en son honneur, champions internationaux de bavardage, par le nombre de coups de fil donnés.

Le bras du robot dans la navette spatiale américaine est canadien, comme l'était le premier système commercial de satellites de télécommunication. C'est une société canadienne également qui mit au point l'hélice à pas variable.

Les Canadiens élevèrent le premier terre-neuve.

Ils inventèrent la nouvelle méthode Wei T'o pour le traitement des livres et leur conservation à travers les siècles.

Cependant qu'Américains et Japonais perfectionnaient la machine à photocopier, ils proposaient un traitement du papier rendant toute reproduction virtuellement impossible, un article très prisé des éditeurs de circulaires.

En 1908, un nommé Peter L. Robertson inventa la vis Robertson, qui présente une fente de section carrée, et le tournevis s'y adaptant. Hors des frontières canadiennes, on peut bien s'interroger sur la nécessité de ce drôle d'ustensile, ses défenseurs, eux, clament qu'il procure un moment de torsion plus grand, qu'il ne peut déraper, et qu'il se manie d'une seule main. Ils oublient de dire que l'utilisation de ces vis nécessite de nombreuses tailles différentes de tournevis, ce qui est excellent pour l'industrie canadienne du tournevis, mais fort préjudiciable à quiconque hors du Canada possède une machine à laver en panne et assemblée avec ces exceptionnels petits bouts de ferraille.

Dans le domaine de la nourriture, les Canadiens ont inventé les aliments pour bébés, le banana split (Alfred J. Russell), la pomme douce McIntosh (John McIntosh lui-même), la plaquette de chocolat (A. D. Ganong, selon la rumeur publique)... et le Canada Dry, la pâle imitation sans alcool du champagne dont J. J. McLaughlin eut l'idée lors d'un voyage en France au début de ce siècle – il lui fallut sept ans pour mettre au point la bonne formule.

Les Canadiens se sont aussi révélés des pionniers dans le domaine médical en découvrant l'insuline (Drs Frederick Banting et Charles Best). Ils poursuivent des recherches dans des domaines très divers, allant de la détection et du traitement du cancer à l'anorexie mentale, aux maladies de cœur et aux effets secondaires de la radiothérapie. Des chercheurs en sont aux tests ultimes d'un vaccin pour les nourrissons contre la méningite bactérienne. On constate aussi des progrès dans l'implantation des articulations artificielles et la guérison des malformations de la colonne vertébrale.

Résoudre l'énigme complexe du cancer peut sembler finalement plus facile que de trouver une solution aux problèmes institutionnels du pays. Mais après plus de cent années de faux départs, de discussions stériles et d'échecs démoralisants, le Canada obtint enfin en 1982 sa propre Constitution. Jusque-là, il n'avait existé qu'aux termes d'une loi adoptée en 1867 par le Parlement anglais, l'Acte de l'Amérique du Nord britannique, qui fut l'acte fondateur du Canada, et imposait a ce pays l'humiliante obligation d'obtenir pour toute une catégorie de mesures l'approbation d'un autre.

Comme bien souvent au Canada, on achoppait sur la règle de l'unanimité : provinces et gouvernement fédéral devaient tous tomber d'accord sur un texte définitif qui puisse donner naissance à la Constitution. Les hommes politiques parvinrent à contourner l'écueil de l'unanimité en faisant fi des traditions et en approuvant le tout en bloc, toutes les provinces à l'exception du Québec étant parvenues à se mettre d'accord. Mais, pour rester canadiens dans le compromis, ils introduisirent certaines clauses autorisant des groupes de trois provinces au plus à refuser d'appliquer certaines dispositions, à charge pour elles de voter expressément leurs lois propres spécifiant cette divergence, et de les renouveler tous les cinq ans.

La nouvelle Constitution et la Charte des Droits et des Libertés l'accompagnant consignaient pieusement sur parchemin, au-dessus de la signature de la reine Élisabeth, bien des droits démocratiques dont les Canadiens croyaient déjà jouir depuis longtemps. Un simple coup d'œil sur certains épisodes de leur histoire suffit à détruire ce mythe. Ainsi, en 1937, le corps législatif de l'Alberta votait un projet de loi imposant aux journaux de révéler leurs sources et de publier gratuitement toute « information » fournie par le gouvernement. En 1950, un arrêté municipal de la ville de Québec interdisait la distribution publique dans les rues de tout livre, pamphlet ou tract sans autorisation préalable du chef de la police. Et, jusqu'en 1984, la commission de censure de l'Ontario pouvait légalement censurer, sans critères explicitement définis, tous les films diffusés dans cette province. L'un des premiers signes visibles de changement, dans le sillage des nouveaux textes, fut en cette année 84 la décision de la cour d'appel de l'Ontario déclarant le travail des censeurs illégal. Les auteurs de la Constitution estimèrent en outre utile d'insérer une clause autorisant expressément les habitants à se déplacer d'une province à une autre pour y occuper un emploi, leur faisant seulement obligation de se soumettre aux réglementations sur le travail et sur l'ouverture des droits aux prestations sociales en vigueur dans chaque province.

On peut mesurer tout ce qui sépare les sociétés américaine et canadienne à leurs textes constitutifs respectifs. Démocratiques l'un et l'autre, ces textes sont en effet de tonalité manifestement différente. Celui des États-Unis garantit le droit à « la vie, la liberté et la poursuite du bonheur ». Celui des Canadiens, le droit à « la vie, la liberté et la sécurité de l'individu ». Les représentants officiels prêtent serment, aux États-Unis, devant Dieu et le peuple; les ministres canadiens jurent au nom d'un monarque étranger, qu'ils déclarent également leur, et s'engagent à une éternelle discrétion sur leurs débats internes sous peine de sévères sanctions légales. La liberté de la presse au Canada est tempérée par des lois anti-diffamation plus strictes que celles en vigueur aux États-Unis – avoir dit la vérité ne constitue pas une défense absolue. Sans nul doute, les critiques malveillantes à l'égard des dirigeants sont-elles nombreuses dans les diverses publications, mais les journalistes s'y livrent relativement moins souvent à des enquêtes rigoureuses. Leur position élevée ne rend pas les autorités automatiquement suspectes. On insiste surtout sur le respect de l'ordre. (Au Canada, la police peut interpeller un automobiliste sans raison plausible, et les piétons traversent généralement au feu rouge.)

Ce comportement n'est pas si surprenant dans un pays peuplé à l'origine de milliers de Loyalistes britanniques fuyant le chaos de la Révolution américaine. Aux élèves, aujourd'hui, les livres d'histoire apprennent comment les Américains mécontents fomentèrent une révolution contre leur souverain britannique, et ils leur parlent des héros qui, envers et contre tous, demeurèrent, eux, fermement loyaux à la cause de la paix et de la stabilité, tel Benedict Arnold [1].

Un peuple, néanmoins, se reflète dans d'autres miroirs : sa langue et sa culture, par exemple.

Les Canadiens parlent une grande diversité d'idiomes. J'ai surpris plus de parlers différents dans les rues de Toronto qu'il ne m'a été donné de le faire à Tokyo. On entend de l'inuktitut, du slavey (l'un des nombreux dialectes indiens), tous deux langues officielles au Parlement des Territoires du Nord-Ouest. On entend du français, naturellement – puissant surtout au Québec, dans le Nouveau-Brunswick, et dans certaines circonscriptions autour de Winnipeg. Le français est l'une des deux langues devant être accessibles dans tous bureaux, services et publications au niveau fédéral. Et n'oublions pas l'anglais de Terre-Neuve, mieux connu sous le nom affectueux de *newfie* [2], extraordinairement riche et évocateur, avec une mélodieuse cadence irlandaise. En *newfie* un « bungalow » est une robe de grossesse, un « violoneux » joue de l'accordéon, les « fleurs » sont de gros flocons de neige, un « traîne-rivage » est une personne faible et pitoyable, ou un oisif semeur de zizanie. J'étais un « vient-de-loin » lorsque je visitai cette province rurale, et plusieurs fois je suis tombé sur un « oui-m'dame », une bosse sur la route.

De nombreuses autres langues sont d'un usage quotidien : le chinois, le japonais, le coréen, l'allemand, le grec, l'italien, le portugais, le vietnamien, l'espagnol, et des dialectes des Caraïbes à profusion.

1. Général américain (1741-1801), considéré par ses compatriotes comme un traître.
2. Adjectif formé sur *Newfoundland*, nom anglais de Terre-Neuve.

La langue de la vaste majorité des Canadiens est toutefois l'anglais. Certains Américains pourraient cependant y déceler à l'occasion suffisamment de différences pour l'appeler le canadien. L'anglais du Canada est soumis aux influences contradictoires de l'anglais de Grande-Bretagne et de celui des États-Unis. Le plus souvent, on suit l'orthographe britannique mais on adopte l'argot américain.

La plupart du temps, le « canadien » sonne à une oreille yankee à peu près comme « l'américain » (prononcez MÈRE-Kine). Ce qui le trahit d'ordinaire est la prononciation du « ou », comme dans *out* (dehors), et son expression favorite, ce « eh? » (hein?) que l'on prononce toujours avec un point d'interrogation, et qui transforme les affirmations en questions, comme dans : « Je vais au magasin, hein? » Je trouve ce petit mot bien plus utile que, disons... un tournevis Robertson.

Les Américains parlent beaucoup plus volontiers qu'ils n'écoutent, et bien souvent ne remarquent pas les nombreux autres points de divergence entre les deux langues. Au Canada, ainsi, Montréal est « MOUHN-tri-ôl », au lieu de « MAHN-tri-ôl » pour les Américains (pour les Français, bien sûr, c'est Montréal. Mais toutes trois sont de très jolies villes).

La Banque Royale publia un jour une brochure de conseils amicaux aux Canadiens sur l'art et la manière de repérer leurs voisins. « Les Américains sont ces gens que vous rencontrez et qui parlent l'anglais avec un accent légèrement différent du vôtre, qui disent *faucet* au lieu de *tap* (les deux mots signifiant «robinet ») et *frosting* au lieu de *icing* (signifiant tous deux « glace », celle recouvrant les gâteaux), qui ne mettent pas de vinaigre sur leurs frites, et qui aiment leur bière légère, leurs cigarettes fortes et leur thé glacé. »

J'ai, une fois, passé un après-midi à comparer le nouveau dictionnaire *Canadian Dictionary for Children*, à l'usage des enfants, à son parent américain, le *Macmillan Dictionary for Children*. Afin de réduire les coûts de publication sans doute, l'édition canadienne a conservé telles quelles soixante pour cent des pages, mais dans les autres, les rédacteurs ont opéré pour leurs compatriotes des modifications révélatrices.

A titre d'exemple, les États-Unis sont redéfinis essentiellement comme « un pays se situant en Amérique du Nord ». Les noms de tous les États ont été supprimés. Sur une illustration accompagnant le mot « dirigeable », les Canadiens ont ôté un minuscule drapeau américain, ils ont par contre ajouté un petit fanion à feuille d'érable à une image d'enfants chargés de sacs à dos. Face au dessin illustrant le mot « salut », un policier monté a été substitué à un marin américain. L'horizon caractéristique de Toronto remplaçe celui de Manhattan, et un monument à Sir John A. Macdonald, le premier en date des Premiers ministres du pays, figure en lieu et place de celui élevé à Paul Revere. Ailleurs, la photo d'une mule a été abandonnée en faveur de celle d'un *mukluk* (une botte en peau de renne ou de phoque des peuples du Grand Nord).

Dans cette nouvelle édition, «confédération» ne prend pas de majuscule, et il n'est fait aucune référence au sud des États-Unis ni à la guerre civile. D'autres modifications sont d'ordre plus subtil. Par exemple, de nombreuses références aux « patriotes » ont été supprimées. Les Canadiens jugent communément le mot quelque peu irritant, en partie parce qu'ils éprouvent à l'égard de leur région un dévouement plus grand qu'envers leur nation dans son ensemble, mais aussi parce que les protestations de patriotisme, et toutes autres fanfaronnades, sont des traits qu'ils associent à leurs voisins du Sud bien plus qu'à leurs propres personnes, si peu enclines à l'emphase.

Eu égard à sa position géographique, et à sa diversité culturelle, linguistique et ethnique, le Canada, a-t-on dit, aurait pu jouir d'une culture française, de l'efficacité américaine, et d'un gouvernement de type britannique. Au lieu de cela, il a une culture américaine, une efficacité toute britannique et un gouvernement à la française. Compte tenu de leur héritage historique, il est en tout cas symptomatique que les Canadiens – anglais en particulier – se définissent ainsi par un ensemble de caractères empruntés à l'étranger. Ils auraient une culture canadienne, une efficacité canadienne, un gouvernement canadien, constitués d'éléments réunis de toutes parts, mais réassemblés pour donner au Canada son visage propre. (En fait, n'en est-il pas ainsi pour tout pays?) Peut-être les Canadiens ne sont-ils pas encore les meilleurs dans ces trois domaines, et ne le seront-ils jamais, mais quel pays peut y prétendre, tout particulièrement à l'âge tendre – pour une nation – d'à peine plus de cent ans?

Des générations de Canadiens de langue française ont souffert des discriminations, mais leur langue même, et leur héritage, leur ont au moins permis de jouir d'une culture vivante et originale. Le fait de constituer une population francophone isolée les plaçait en position d'infériorité mais ils n'eurent aucun mal à prendre conscience de leur valeur et de leur caractère unique dans l'océan de l'uniformité ambiante. Les Anglophones, à l'opposé, crispés, inquiets, cherchant ce qui les distinguerait dans cette même uniformité, n'ont pas eu cette chance.

Les Anglophones se disent souvent incompris ou négligés du monde. Je crois, pour ma part, que ce « monde » – visiteurs étrangers et immigrants – a souvent su se faire une image assez précise de ce pays, bien mieux que ses habitants eux-mêmes qui sont encombrés d'inhibitions profondément enracinées.

L'un de ces immigrants, John Hirsch, celui du Festival de

Stratford, me parla d'un brillant jeune Canadien de vingt-cinq ans qu'il avait interviewé, et qu'il se préparait à engager comme directeur adjoint dans le cadre du festival shakespearien mondialement connu. Ce choix entrait dans son projet de former une génération d'hommes de théâtre proprement canadiens, plutôt que de toujours faire appel à des étrangers d'éclatante réputation. Il lui proposa le poste. Le jeune homme répondit qu'avant de pouvoir accepter, il lui faudrait s'assurer que leurs conceptions artistiques, leur langage et leurs goûts s'accorderaient. L'offre d'emploi fut annulée.

– Bon Dieu, me dit John Hirsch, l'honneur de se voir proposer six mois d'assistanat à la direction à Stratford est suffisant! J'ai dans mes dossiers deux cents lettres d'Américains qui voudraient venir faire n'importe quoi ici. Ils n'ont pas peur d'échouer ni d'essayer. Ils sont impatients et désireux d'apprendre. Ce jeune Canadien se défilait, en réalité. Il fixait toutes sortes de règles et de conditions pour être certain de ne pas obtenir le poste.

Il n'y a pas si longtemps, personne n'aurait remarqué ce comportement systématique d'échec. Il paraissait normal. Et, même aujourd'hui, à ce que je crois, nul n'y aurait pris garde sans le sang frais, l'énergie et le regard neuf d'un nouveau type de Canadiens. Ceux-là seront capables de dire que les choses peuvent être différentes. Et, déjà, de plus en plus d'entre eux semblent avoir rattrapé le temps perdu.

Durant des décennies, les milieux journalistiques, littéraires et artistiques canadiens ont été connus pour vivre sous les influences américaines et britanniques.

Comme l'a éloquemment développé James Bacque dans une lettre au *Globe and Mail* de Toronto voici quelques années : « Le piège pour les journalistes, dans ce pays, est le même que dans bien d'autres. En l'absence de modèles et d'indépendance véritable, ils essayent par jalousie d'égaler les Américains, qui, pires ou meilleurs, sont en tout cas très certainement plus riches et plus connus aujourd'hui. Par conséquent, l'idée qu'ils se font d'un Canadien de premier plan, c'est un Canadien qui imite les Américains... »

Une fois, dans une conversation, Peter C. Newman, rédacteur en chef et écrivain, déclara : « Nous avons eu trop souvent tendance à nous juger selon des valeurs importées. Les choses sont en train de changer, mais cette façon de faire est encore très enracinée. »

Le résultat fut une culture qui, très longtemps, en singea très largement d'autres. Elle imitait l'idée que d'autres se faisaient de la culture parce que, qu'est-ce que le Canada ou les Canadiens avaient, après tout, de particulièrement intéressant? Le romancier canadien Hugh MacLennan a un jour exprimé cela très succinctement, se référant à une vieille scène classique de la littérature canadienne : « Un garçon rencontre une fille à Winnipeg, mais qui s'en soucie? » Les Canadiens eux-mêmes ne semblaient pas s'y intéresser beaucoup. Les librairies, par exemple, isolaient les livres canadiens dans une catégorie séparée. Il y avait d'une part les vrais livres, classés par ordre alphabétique, et d'autre part les livres canadiens, entassés avec condescendance tous ensemble dans le fond. Sur le devant, se tenaient les champions, et ensuite venaient les œuvres du cru, cette catégorie particulière que les clients associaient avec les livres scolaires.

L'un des principaux problèmes réside de toute évidence dans ce sentiment très vif d'être encerclés – les Francophones par les Anglophones, et les Anglophones par les Américains. C'est le handicap fondamental de la culture du pays. Comment peut-elle exprimer et protéger sa « canadianité » devant l'assaut que lui livre par-dessus la frontière la culture de masse américaine – revues, journaux, films, télévision, radio, modes vestimentaires, styles de coiffure, voitures, politique – et qui la menace d'asphyxie? Dans le passé, cette situation a souvent conduit à ce que Robert Fulford, l'un des auteurs les plus lucides du pays, directeur du magazine *Saturday Night*, appelle l' « Impérialisme Américain Accidentel », désignant par là l'adoption par les Canadiens de coutumes que jamais leurs voisins n'avaient eu l'intention d'exporter. Elles se répandent tout simplement, comme l'air et les eaux, qui ne reconnaissent pas les frontières.

Et les Yankees ne sont pas l'unique menace. Lorsque la C.F.C.T., la station de radio de Tuktoyaktuk, tout au nord des Territoires du Nord-Ouest, traversa une passe difficile sur le plan financier voici quelques années, elle lança sur les ondes un appel de fonds afin de pouvoir continuer à diffuser ses sept heures de programmes locaux quotidiens en anglais et inuktitut. La seule réponse lui vint de Radio-Moscou, à deux pas de là, laquelle s'offrait à lui fournir gratuitement des heures d'émissions en langue anglaise en nombre illimité. L'offre fut poliment déclinée, après avoir déclenché des propositions d'aide embarrassées dans le reste du Canada.

Mais à d'innombrables signes, on peut affirmer que tout ceci est en train de changer. De moins en moins de Canadiens pensent que les œuvres de leurs compatriotes sont forcément de mauvaise qualité.

Une transformation spectaculaire, relevée par le magazine *Saturday Night*, sentinelle vigilante aux portes de l'identité canadienne, est en train de s'opérer, par exemple, dans l'attitude des habitants face à la publicité. « Placer des encarts dans les journaux, ou utiliser tout autre mode de publicité, pour annoncer à tous combien vous êtes fantastique était considéré, rappelle le magazine, sinon comme déplaisant, du moins comme radicalement non canadien. S'il leur arrivait de faire quelque chose dont ils jugeaient avoir le droit d'être fiers, les Canadiens attendaient tranquillement dans leur coin d'être reconnus selon leurs mérites, et si cette reconnaissance n'arrivait pas, ils acceptaient ce manque d'attention comme leur lot héréditaire... » L'article continue en notant que les comportements ont changé, et les personnes qui pensent toujours ainsi « sont regardées à présent comme des reliques de ces temps de triste mémoire où être canadien signifiait devoir toujours faire des excuses ». Témoin de ce nouvel état d'esprit, l'acteur Jack Wetherall, qui dans une interview promit : « Peut-être serai-je un très bon comédien shakespearien. Je crois que je peux le faire à présent. Et si personne ne veut m'en donner la chance, eh bien, ne vous inquiétez pas, je le ferai très bien moi-même. »

Voilà deux ans environ, Roch Carrier, romancier et dramaturge québécois de premier plan, racontait des souvenirs dans la revue *Maclean's*. « Je me rappelle l'époque où mes livres ont été traduits (en anglais) pour la première fois. Tout le monde a ressenti comme une sorte de trahison cette façon de livrer mes ouvrages au reste du pays. Mais aujourd'hui, tous veulent passer la frontière. » De nos jours, lorsque l'acteur anglais Alan Williams déclare avoir émigré au Canada parce que l'atmosphère culturelle y est plus libre, la déclaration fait l'objet de l'article principal en page spectacles du journal, et de nombreux Canadiens hochent la tête d'un air approbateur. « Ici, dit le comédien, l'individu est en relation directe avec l'univers; là-bas, il se rattache d'abord à sa classe, ensuite à l'univers. »

Sans doute le Canada produit-il sa part d'œuvres alimentaires et de films du type *Porky's*, cette lourde épopée cinématographique sur l'adolescence qui rapporta si gros à ses producteurs. Mais les Canadiens et beaucoup d'autres à l'extérieur du pays n'ignorent pas qu'ils dépensent plus pour leur culture que pour les sports de grande audience, et cette culture, au moment d'atteindre maturité, témoigne moins de l'esprit de clocher que d'une expérience universelle.

Sans qu'on le lui demande, le monde prend, de bien des façons, le chemin du Canada. Toronto est non seulement devenue un arrêt classique sur le circuit des tournées théâtrales, mais une halte où les producteurs recherchent de nouvelles œuvres à présenter en d'autres lieux. Le Festival du Film de Toronto a pris une place de première importance, et la ville est un lieu habituel pour les grandes premières. Des magazines américains consacrent à leurs voisins des numéros entiers. Des critiques se rendent régulièrement des États-Unis dans le Nord pour humer l'air des nouvelles créations ou interprétations musicales et chorégraphiques.

Quoique l'Inuit n'ait pas de mots pour « art » ni « culture » (le temps manquant, dans la lutte quotidienne pour la vie, pour ce genre de luxe), ses simples sculptures, souvent rudimentaires, sont communément reçues comme une forme d'art véritablement canadienne et, comme telles, présentées dans les galeries de New York ou les musées de Chicago.

Ces objets me fascinaient. J'ai donc rencontré un de ces sculpteurs, Alivuktuk.

Longtemps, le vieil homme observa un morceau de roc, le tournant et le retournant en tous sens dans ses mains, en tâtant la surface de la peau brune et épaisse de ses doigts, en étudiant chaque détail avec une attention soutenue.

– J'essaye de deviner quel genre d'esprit se trouve à l'intérieur et s'efforce d'en sortir, me dit-il par la voix d'un interprète.

Puis il se mit au travail.

Trois jours plus tard, la pierre verdâtre s'était métamorphosée en un gracieux oiseau, bec et corps dressés vers le firmament. Après tous ces siècles d'emprisonnement dans la matière, l'esprit de l'oiseau avait enfin été libéré.

La sculpture inuit est plus qu'une petite industrie artisanale à présent. Dans tout le Nord, des dizaines de coopératives indigènes achètent ces œuvres de pierre, d'ivoire ou d'os, qui peuvent aller du simple phoque endormi ou du morse vautré sur le sol jusqu'à des scènes villageoises complexes, avec igloos, attelages de chiens et phoques abattus en attente d'être découpés. Ces figurines reflètent toujours la connaissance intime que leur créateur a de ses modèles; elles révèlent l'œil perçant, le geste précis de celui qui a observé et chassé, de celui qui sait à quoi ressemble un oiseau sauvage, la tête redressée au moment où il entend le chasseur. Ces œuvres, certaines trapues et mal finies, d'autres polies et arrondies, gardent au toucher, on ne sait comment, une froideur caractéristique, même dans une salle de séjour méridionale. J'ai souvent pensé qu'il était juste que cette forme indigène de culture soit l'une des premières à être reconnue au-delà des frontières. Les Inuit ne se sentaient pas « encerclés ». Bien intégrés à leur environnement, ils savent qui ils sont.

Les autres Canadiens commencent à avoir une conscience plus nette de leur identité. Un expert de l'industrie du disque du Québec, Stéphane Vanne, fait remarquer que cette industrie ne commença à fleurir et prospérer que lorsqu'elle cessa d'imiter les productions étrangères et se mit en quête de ses propres racines. Michael Snow, artiste canadien de renom, fit le commentaire suivant : « On regarde moins ailleurs (dans les cercles artistiques canadiens) qu'à la fin des années cinquante et dans le courant des années soixante. » Et Dave Broadfoot, comme délivré de la timidité canadienne, ne confine plus son humour aux petites histoires régionales. S'en prenant, par exemple, à la Chine, il dira : « J'admire le talent des Chinois, un peuple qui a produit un milliard d'individus, et qui persiste à affirmer que son passe-temps favori est le ping-pong. »

De nos jours, écrivains et artistes de disciplines très diverses trouvent leur inspiration dans les nouveaux courants qui traversent le pays tout entier. Des groupements d'acteurs ont écrit des pièces de théâtre d'un caractère très novateur afin d'aider à faire comprendre une région. Elles parlent des conflits dans un bassin houiller, de la vie dans une ferme, ou de la survie dans un ghetto urbain. Un auteur comme l'Albertain Rudy Wiebe fouille l'histoire de sa région pour en exhumer des drames humains qui se rattachent à une expérience universelle, tel celui des Indiens confrontés à la progression des Blancs. « Les œuvres de fiction doivent s'enraciner avec exactitude dans un endroit particulier, dans un peuple donné », dit-il. Et une foule de petites maisons d'édition surgissent pour fournir aux nouveaux auteurs les moyens de se faire entendre.

« C'est comme une de ces fleurs du Nord, dit Paul Thompson, qui dirigea le théâtre Passe Muraille de Toronto pendant des années très créatrices. Elle jaillit chaque fois qu'elle le peut et pousse vite, et avec vigueur, dans toutes sortes de couleurs. » Il parlait là de son travail de création avec ses comédiens. Une fois, ils firent de dix toiles de Gabriel Dumont, un rebelle indien métis de la fin des années 1880, le sujet d'une pièce. Ils vécurent aussi tout un été dans une famille de paysans pour monter sur scène ensuite un tableau de la vie rurale. « Les acteurs canadiens ne mettaient pas à profit leur aptitude à observer la vie autour d'eux, ajoute M. Thompson. Ils se modelaient sur les pièces et les acteurs américains. Alors, nous avons écrit nos propres textes, qui sont bien plus profonds. » Et cela semble marcher. L'univers théâtral canadien est très actif. Le Québec compte près de trois cents compagnies employant des acteurs professionnels. Dans la seule ville de Toronto, on dénombre quarante-deux troupes indépendantes. A Calgary, les employés du centre ville, cramponnés à leurs sacs de sandwichs, se disputent les places, en nombre limité, des représentations données au moment du déjeuner. Et à Londres, les amateurs de théâtre peuvent maintenant se féliciter du renouveau de l'Old Vic, dû à Ed Mirvish, un restaurateur de Toronto qui racheta et remit sur pied l'institution britannique vieillissante.

Comme il est d'usage au Canada, le gouvernement n'est pas resté inactif. Les autorités fédérales refusent d'accorder des permis de travail aux metteurs en scène étrangers, mesure sujette à controverse, pouvant paraître placer la citoyenneté au-dessus des capacités artistiques. Mais c'est le genre de politique qui, adroitement mise en œuvre, peut en fait encourager l'apparition de talents. Ainsi, John Hirsch, de Stratford, fut sollicité parce qu'un Anglais, précédemment proposé, s'était vu refuser un permis de travail. Et il est fort improbable qu'un étranger eût accordé autant d'attention que lui à la promotion des talents nationaux.

De même, on peut douter du soutien que les stations de radio apporteraient à l'industrie du disque du pays si l'État n'exigeait pas sur les ondes un minimum de musique produite sur place. A Vancouver, l'opéra a même reçu des fonds fédéraux afin que soit créé un poste de directeur artistique adjoint au profit d'un Canadien. Pierre par pierre, une culture s'édifie.

Pour en revenir à la littérature, les écrits de la partie septentrionale de l'Amérique du Nord sont l'objet d'une attention croissante de l'étranger. « Nous avons adoré les romans, les films (américains) et la culture populaire (américaine), écrit Mordecai Richler. De toute évidence, et en dépit de toutes nos récriminations, à présent que nous atteignons notre majorité, nous réalisons peu à peu que nous sommes nous aussi américains. Au Canada, une tradition se développe enfin, et elle vaut la peine d'être défendue. On trouve plus de bonne, honnête littérature aujourd'hui que voici vingt ans. Nous devrions nous estimer heureux ». D'autres voix s'élèvent néanmoins, plus pessimistes. Dans *True Stories* (Histoires vraies), son neuvième livre de poèmes, Margaret Atwood écrit : « Dans ce pays, vous pouvez dire ce que vous voulez, personne ne vous écoute, de toute façon. » Lorsque Antonine Maillet, une Acadienne du Nouveau-Brunswick, se vit décerner le prestigieux Prix Goncourt, en 1978, c'était là la plus haute récompense internationale jamais obtenue par un auteur canadien. L'événement fut néanmoins pratiquement passé sous silence par les médias de langue anglaise. « La désunion nationale opère là, en plein sous nos yeux », écrivit alors le chroniqueur du *Globe and Mail*, William Johnson.

Les écrivains canadiens ont toujours dû lutter. Et d'abord avec leur terre. Ils commencèrent par des récits d'exploration, puis, au fil du temps, s'attachèrent aux hommes affrontés à cette terre. (Ainsi, le classique *Maria Chapdelaine* de Louis Hémon, le fin portrait d'une femme et de sa dure vie sur la Frontière.)

L'une des principales préoccupations de Farley Mowat est ce qu'il a appelé « l'unité de la vie ». « Détruisez une de ses parties, quelle qu'elle soit, et, d'une certaine manière, vous détruisez une part de vous-même », dit-il. En essayant de sauver des animaux comme le loup, raisonne-t-il, l'homme tente en même temps de se sauver lui-même.

Dans le domaine de la non-fiction, le célèbre éditeur Mel Hurtig prépare actuellement une *Encyclopédie Canadienne* d'un million de mots. Peter C. Newman tourne, lui, son minutieux regard sur les structures de la société et du monde des affaires du pays, avec l'idée de révolutionner cette forme de reportage.

C'est dès les années vingt que les poètes commencèrent à s'intéresser à la vie des sociétés humaines. Ainsi, les ouvrages d'auteurs comme E.J. Pratt, A.J.M. Smith et Leo Kennedy prirent pour cadre les villes. Morley Callaghan, l'un des premiers à avoir brisé les liens coloniaux avec l'Angleterre, puisait, lui, son inspiration hors du Canada. Alice Munro dépeint le quotidien dans une langue fraîche, mélodique, qui va droit au cœur du lecteur, comme l'a écrit la critique de *Time magazine*. David Adams

Richards décrit dans une langue obsédante, à la manière d'un William Faulkner, les barrières de classe de son Nouveau-Brunswick natal. L'écrivain Georges Woodcock fit un jour observer que les poèmes d'Al Purdy « vont au Canada comme un gant, l'on peut sentir les doigts de la terre s'y glisser ». Néanmoins, dans beaucoup de ses œuvres récentes, Purdy a choisi pour sujets le Mexique, l'Espagne, l'Asie soviétique. Les pièces, romans et nouvelles de Rudy Wiebe traitent de la stupidité, des méprises et des défauts de l'être humain, sans en rester au schéma popularisé par le western du « bon » et du « méchant ».

La littérature pour enfants est elle aussi en pleine expansion. Certaines années, il sort un nouveau livre toutes les soixante heures, promis à un certain succès. La prochaine génération d'adultes disposera donc, pour la première fois, d'un fonds commun de mythes, de comptines et même de vers burlesques bannis jusqu'à aujourd'hui de cette terre ingrate.

Le développement des études supérieures à travers tout le pays, l'élévation du niveau de ces études au cours des vingt-cinq dernières années constituent sans doute la première explication du changement majeur des mentalités. Un plus grand nombre d'enfants canadiens apprennent plus, dans un plus grand nombre d'écoles et pendant plus longtemps.

Herbert Hoover fut le dernier président américain à avoir été éduqué dans une école à classe unique. Beaucoup plus tard, alors qu'il était à la Maison-Blanche, et que de telles institutions disparaissaient peu à peu aux États-Unis, ma grand-mère était engagée pour diriger une école de ce genre flambant neuve, dans une région rurale du Manitoba. Elle avait droit à un petit supplément de salaire si elle allumait le feu tous les matins. Une telle éducation suffisait bien sûr à préparer les élèves au travail et à la vie qui seraient les leurs dans une ère prétechnologique, gouvernée par les saisons. Aujourd'hui, à l'heure des satellites, l'enseignement a naturellement évolué pour se prêter aux desseins nouveaux, plus modernes, du Canada. Dans le même temps, l'état d'esprit à travers tout le pays a changé. Et ce sont ces bouleversements que la culture a commencé à refléter.

« Ce sont ses histoires qui créent un peuple », me dit un jour M. Wiebe. Et les Canadiens créent à présent leurs propres histoires.

« Les nations ont une manière bien à elles de murmurer leur plus intime vérité, a écrit Robertson Davies. Pas de fantômes au Canada? Un pays qui proclame avec trop de vigueur son caractère rationnel est comme un homme qui déclare qu'il n'a pas d'imagination; les fantômes qu'il a reniés peuvent soudain triompher de lui, et ses envols imaginaires étonnent alors les poètes. »

Alimentée par les énergies de ses immigrants, les valeurs de ses plus anciens habitants, la richesse naturelle – et le sentiment

144

croissant de la générosité – de son sol, l'imagination du Canada prend aujourd'hui son envol.

Une riche diversité implique des désaccords, mais les Canadiens pensent que l'addition de différences, à l'inverse de quelque vague amalgame, peut constituer un tout, solide et puissant.

TROISIÈME PARTIE

LES ÉTATS-UNIS ET LE CANADA

*Nous ne sommes pas dans le même bateau, mais nous
sommes quasiment dans le même bain.*

Arthur Meighen,
ancien Premier ministre, 1937.

Cecille Bechard est une Canadienne qui se rend aux États-Unis plusieurs dizaines de fois par jour : en allant à son réfrigérateur, à sa porte de service, ou pour préparer le thé, par exemple. Pour lire et dormir, elle reste au Canada. Elle y mange également, si elle s'assoit à l'extrémité nord de sa table de cuisine. La maison de Mme Bechard est située tout à la fois au Québec et dans le Maine, à califourchon sur la frontière américano-canadienne, une ligne longue de huit mille cent quatre-vingt-neuf kilomètres tracée en 1842 dans le but de séparer, artificiellement à bien des égards, les anciennes colonies britanniques, des territoires demeurant propriété de la Couronne en Amérique du Nord.

Cette ligne, qui allait devenir la plus longue frontière non défendue du monde, débute près du parc d'État de Quoddy Head, dans le Maine, en longeant le mince détroit qui le sépare du parc provincial de l'île de Campobello, au Nouveau-Brunswick, puis remonte la rivière Sainte-Croix, traverse le mur de la cuisine de Mme Bechard, coupe son évier, tranche entre la salière et le poivrier, évitant de justesse la cuisinière, puis pénètre dans l'autre mur pour aller sectionner la corde à linge des Nadeau, les voisins, isoler le présentoir à bonbons de l'épicerie d'Alfred Sirois et se diriger vers le milieu du Saint-Laurent, avant de continuer à travers les Grands Lacs.

En passant par les Grandes Prairies, elle rogne un morceau de la piste d'envol de l'aéroport de Piney Pinecreek, à cheval sur le Minnesota et le Manitoba, puis sépare Sweetgrass (Montana) du restaurant de Belmore Schultz, à Coutts dans l'Alberta, avant de s'enfoncer dans les montagnes, à travers les forêts, coupant la route postale américaine de Virgil Lane. Ensuite, elle redescend vers la mer, qu'elle rejoint à Peace Arch, où les parents photographient leurs enfants jouant au ballon par-dessus la frontière. Enfin, elle repart vers le nord, entre l'Alaska et la Colombie britannique et le

Territoire du Yukon, série de carrefours sans nom où vont et viennent les chiens des douaniers, folâtrant à leur guise d'un pays à l'autre. Ces postes ferment en octobre pour sept mois parce que nul ne peut parvenir jusque-là avant le printemps suivant.

Partout ailleurs ou presque dans le monde, Mme Bechard aurait besoin d'un passeport pour aller prendre son bain. Les parents se verraient confisquer leurs appareils photo. Et les chiens patrouilleraient au lieu de gambader. Mais la frontière américano-canadienne, qui court sur plus d'un cinquième de la circonférence terrestre, est un endroit unique. Officiellement, elle sépare, ou plutôt tente de séparer, deux entités politiques distinctes. Confrontés à soixante-dix millions de passages annuels, les douaniers de part et d'autre se lassent, se montrant souvent impolis, en raison peut-être de la vanité presque totale de leur travail.

De manière moins officielle, cette ligne a créé un troisième pays, unique en son genre, une longue zone culturelle linéaire où la nationalité importe moins que la personnalité, où les devises de chaque bord sont les bienvenues dans l'autre, et où les familles bilingues et binationales, aux fils américains et aux filles canadiennes, aux feuilles de paye rédigées dans les deux monnaies, et aux retraites versées par les deux gouvernements sont des plus banales.

– Par ici, dans le Maine, dit Ben Talbot, qui se rend fréquemment au Canada pour jouer au golf et manger chinois, la frontière est pratiquement invisible.

A bien des égards, en effet, compte tenu de la réalité géographique, du climat, des liens économiques et familiaux, chaque région du Canada a bien plus de choses en commun avec sa voisine américaine qu'avec une province lointaine de son pays. Les cultivateurs de blé du Manitoba se préoccupent des cours des céréales, du prix des engrais, des pluies et des risques de crue catastrophique de la Red River à l'arrivée du printemps, soucis que partagent également les fermiers du Dakota du Nord. Les pêcheurs de la Nouvelle-Angleterre ont les mêmes préoccupations que ceux des Provinces Maritimes, les bûcherons de Colombie britannique et ceux de la côte pacifique nord-américaine aussi, et l'on pourrait en dire autant des éleveurs de bétail de l'Alberta et de ceux du Montana, des travailleurs de l'automobile de Detroit et de ceux de Windsor.

Traditionnellement, les liens Est-Ouest à l'intérieur du Canada ont toujours été assez lâches, tandis que les affinités Nord/Sud ont par moments été assez puissantes pour menacer l'unité interne du pays. La Colombie britannique envisagea sérieusement un rattachement aux États-Unis avant d'accepter, en 1871, de devenir province canadienne quand Ottawa lui promit la construction d'une voie ferrée transcontinentale. Les séparatistes de l'Ouest évoquent toujours la possibilité de rejoindre les États-Unis, même si le réalisme politique finit par l'emporter une fois quittée la salle de réunion.

Du côté américain, la sécession d'un État paraît aussi peu vraisemblable, mais le Vermont, convoité simultanément par New York et le New Hampshire, fut un moment séduit aux premiers temps de la nation. Quoi qu'il en soit, au fil des décennies, des millions d'Américains ont, à titre personnel, choisi le Canada, et vice versa. Plus de six millions d'immigrants sont ainsi passés paisiblement d'un pays à l'autre, acteurs d'une migration sans précédent par son ampleur et sa réussite sociale.

Chacune des deux nations a constitué pour les mécontents de l'autre une soupape de sécurité pratique et familière. Les jeunes gens cherchant à échapper sur le sol canadien aux lois de conscription américaines durant la guerre du Vietnam ne faisaient que suivre, cent dix ans plus tard, les pas des esclaves fugitifs du Sud, dont la destination, au bout de l'*Underground Railroad*, était un Canada sous contrôle britannique, où l'esclavage avait été aboli dès 1841. Plus tardivement, près d'un million d'Américains arrivés trop tard pour profiter des terres gratuites d'une Frontière en voie de disparition, allaient, sur invitation officielle du Canada, se précipiter vers le nord pour aider à peupler et à cultiver les territoires moins hospitaliers de l'Alberta. Lorsqu'il promenait ses chevaux de somme dans les contrées reculées de la rivière de la Paix, en Alberta, en 1911, mon grand-père rencontra famille américaine sur famille américaine. A ce jour encore, cette province comprend une population relativement importante d'immigrés des États-Unis – plus de quarante mille personnes, selon certaines estimations – et il y règne un goût du risque, une confiance typiquement américains qui la distinguent des autres provinces canadiennes.

A l'inverse, on trouvait aux États-Unis des médecins canadiens mécontents de la politique fédérale en matière de santé, des infirmières recrutées par des hôpitaux américains manquant de personnel, et des contrebandiers qui, sous la Prohibition, allaient ravitailler en alcool clandestin le marché voisin assoiffé. A la fin des années trente, le manque de débouchés dans le pays, où la dépression persista plus longtemps qu'aux États-Unis, chassa vers le sud des milliers d'hommes qualifiés, dont mon père.

« La chair du bison a le même goût des deux côtés de la frontière », déclara le chef sioux Sitting Bull lors d'une brève visite qu'il fit au Canada après avoir anéanti les troupes du général George Armstrong Custer. James Earl Ray, l'assassin de Martin Luther King, se cacha au Canada. Et, six mois avant d'abattre Abraham Lincoln, John Wilkes Booth fut repéré à Montréal.

Les relations bilatérales n'ont pas toujours été amicales. La Grande-Bretagne, fidèle client du coton de la Confédération, autorisait des raids de forces sudistes sur la Nouvelle-Angleterre depuis le territoire canadien. Deux fois, les États-Unis envahirent leur voisin, d'abord durant leur Révolution, que les livres d'histoire canadiens présentent plutôt comme une révolte, puis, lors de la guerre de 1812. C'est alors qu'eut lieu le sac de Toronto, geste souvent passé sous silence dans les manuels américains, qui se concentrent essentiellement sur le raid de représailles britannique qui mit le feu à Washington, et sur les savoureuses citations de la bataille du lac Érié.

Plus récemment, ces relations ont eu des airs trompeusement pacifiques, les deux pays s'étant lancés de concert à la poursuite d'une prospérité, d'une richesse et d'une sécurité inégalées ailleurs dans le monde. On a comparé les rapports unissant les deux nations aux problèmes locaux que doit régler un conseil municipal. Attribuer un budget de plusieurs millions de dollars à un projet de construction peut être l'affaire de quelques minutes, mais il faudra deux semaines pour discuter d'une augmentation de la taxe sur les chiens, parce que dans ce cas, comme dans les relations entre les deux pays, on touche de trop près aux intérêts d'un nombre considérable de gens. « Le Canada est un si bon voisin, et si proche, déclarait Lyndon Jonhson, que nous avons toujours quantités de problèmes avec lui. Du genre de ceux qui se posent dans votre ville. »

La familiarité des relations entre les deux peuples est si profonde, si présente, si générale qu'elle défie tous les efforts gouvernementaux, aussi organisés soient-ils, pour la limiter ou même la canaliser. Cette intimité extrême et inaccoutumée est d'ailleurs considérée comme allant totalement de soi par les deux parties et par conséquent l'exceptionnel devient la norme. Mais il en découle toute une série de malentendus.

La plupart des Canadiens ont grandi dans l'idée qu'ils avaient, par la naissance, le droit inaliénable de passer au moins quelques semaines en Floride, en Arizona ou à Hawaii quand viennent les grands froids. Le choix du lieu précis dépend seulement de l'itinéraire routier nord-sud le plus commode ou du vol charter le plus avantageux. Toute une armée d'agences de voyages et de compagnies de charters canadiennes spécialisées dans la vente du ciel bleu à leurs compatriotes se chargent de leur trouver des solutions. Et cette vente est extrêmement facile lorsque la neige sale s'amoncelle et que, depuis des mois, le thermomètre n'a pas grimpé au-dessus de zéro. A tout moment de l'hiver, on compte environ un million de Canadiens dans la seule Floride, où ils ont reçu le nom de *Snowbirds*. Ils y dépensent chaque année plus d'un milliard de dollars, une bonne partie de cette somme étant consacrée à l'acquisition d'appartements en copropriété, pour investir ou pour y prendre leur retraite. Certains de ces visiteurs ont constitué des groupements exigeant des commerçants du coin qu'ils acceptent l'argent canadien, tout comme les magasins canadiens admettent généralement d'être payés en dollars, à un taux de change il est vrai avantageux pour eux.

Certains kiosques de Floride sont envahis de journaux canadiens qui publient des comptes rendus sur l'état des nationales américaines menant vers le sud, d'innombrables articles sur les lieux de villégiature du pays voisin, mais bien peu sur ceux de leur propre patrie.

Un journaliste de Toronto, Prior Smith, a mis en place, en Floride, un réseau de plus de vingt radios diffusant tous les matins une émission de six minutes consacrée au Canada : informations, sport et Bourse, en commençant par des bulletins météo frigorifiants. « C'est juste pour qu'ils se sentent bien là-bas en bas », me dit-il un jour de février où le vent soufflait en rafales. Descendre dans le Sud est important, même pour ceux qui n'en ont pas les moyens. Les marchands de soleil ont même inventé un voyage simulé, de quatre-vingt-dix minutes. Ils proposent deux vols pour rire par jour, au départ d'une galerie commerciale de Toronto. Pour sept dollars, les faux passagers se voient remettre une pseudo-carte d'embarquement pour avoir accès à un simulacre d'avion dans un véritable grand magasin. Ils entendent un fidèle enregistrement des annonces d'un pilote, mangent un authentique repas vraiment servi sur des lignes aériennes, et regardent un défilé de mannequins et un film de voyage sur la Californie ensoleillée.

Réciproquement, des millions d'Américains traversent la frontière Nord pour aller passer l'été au Canada. Ils y dépensent plus de deux milliards et demi de dollars par an. Aller à la pêche, faire du ski au Canada semble la chose au monde la plus ordinaire, aussi banale qu'une visite aux chutes du Niagara, essentiellement canadiennes d'ailleurs. Pour les supporters de base-ball de Buffalo, l'endroit le plus proche où applaudir les New York Yankees est à Toronto, dans le stade des Blue Jays. C'est là que se vident aussi les cars pleins de supporters canadiens qui font régulièrement le voyage pour voir les matchs à domicile des Buffalo Bills.

A l'image de leurs collègues canadiens qui « descendent » régulièrement vers le sud, des milliers d'Américains possèdent un terrain au Canada. La vente est, à présent, réglementée car les gouvernements provinciaux sont de plus en plus conscients du problème posé par des propriétaires étrangers, même s'il s'agit en général de loisir. En Ontario, par exemple, tout acheteur américain doit signer une déclaration sous serment certifiant qu'il est « résident canadien », ce qui peut devenir vrai si la vente se fait, mais l'est rarement avant. Cette disposition vise à entraver les menées d'étrangers porteurs de grosses liasses de devises, et les spéculations immobilières qui gonflent artificiellement la valeur marchande de nombreux terrains, comme ces minuscules rochers de la Baie Géorgienne dont on a fait des îles de vacances désormais inaccessibles à la bourse du Canadien moyen.

En bref, un passage au Canada est pour les Américains une chose pouvant, disons, passer inaperçue. N'étaient les drapeaux des deux nations au milieu du pont, les douaniers, et le drôle de papier-monnaie orné du portrait d'une femme (la reine Elizabeth II), beaucoup d'entre eux auraient du mal à se savoir à l'étranger. C'est pourquoi, tous les étés, les bureaux de poste canadiens collent auprès de leurs boîtes aux lettres des avis rappelant aux usagers distraits que les timbres U.S. ne sont pas acceptés, pas même sur les cartes postales à destination de l'Indiana.

Les piliers des relations entre les deux pays sont la politique, l'économie et la sécurité.

C'est ainsi qu'une décision touchant aux taux d'intérêt prise à Washington a un effet immédiat, tant public que privé, dans tout le Canada (et à Ottawa), où la monnaie, étroitement liée à la monnaie américaine, s'appelle également dollar. Et pourtant, les Canadiens ne sont avisés de ces décisions que par les bulletins d'information, comme s'ils vivaient à dix mille kilomètres de là. Cet état de choses a fait naître en eux un profond sentiment d'impuissance et une amertume, que ni les Américains ni leurs dirigeants politiques n'ont jamais réellement su percevoir, ou en tout cas prendre en compte.

De même, les résolutions canadiennes en matière de prix du papier journal, du bois de charpente, du nickel, du fer, du gaz naturel et autres ressources aspirent de plus en plus de dollars hors des coffres de l'État américain, aggravant encore le déficit de sa balance des paiements. Les « Yankees » ont parfois l'impression que leurs voisins ont entrepris de les escroquer. Je me contenterai de rappeler ici que les relations bilatérales représentent de loin, pour chacun des deux pays, la part la plus importante de leur commerce extérieur. Elles sont aussi les plus étroites qui existent au monde entre deux territoires véritablement indépendants. Et pourtant, il est rare que les deux parties en soulignent le caractère exceptionnel et leur accordent plus qu'une attention épisodique.

Les piliers sont donc politiques et économiques, mais les rivets, eux, sont faits de l'immense réseau des liens familiaux, personnels et commerciaux. Ces innombrables petits riens qui ont sous-tendu tous les rapports américano-canadiens, depuis l'époque où treize colonies nord-américaines se rebellèrent tandis que deux autres s'abstenaient, toutes deux faisant aujourd'hui partie du Canada. Même durant la guerre de 1812, alors que la Grande-Bretagne et les jeunes États-Unis se combattaient, la ville de Saint-Stephen, au Nouveau-Brunswick, prêta de la poudre à canon à son ennemi officiel de l'autre côté du fleuve pour que les habitants américains de Calais, dans le Maine, puissent célébrer le quatre juillet comme il convenait.

Au nord du Michigan, près du fameux poste frontière commun à Sault Sainte-Marie (Ontario) et Sault Sainte-Marie (Michigan), les autorités ont eu la délicate attention de traduire en kilomètres, pour leurs visiteurs, certains des poteaux indicateurs en miles. Les dimanches d'été, des milliers de supporters canadiens se réunissent sur la piste de vitesse de Cayuga, dans le sud de l'Ontario, pour assister aux compétitions de stock-cars. Ils portent des T-shirts du *Kennedy Space Center* ou de l'Université de Californie et boivent du Pepsi-Cola; avec déférence, ils se lèvent pour l'exécution des deux hymnes nationaux.

Chacun sait que les deux pays ont signé un pacte militaire mutuel d'autodéfense; des officiers canadiens servent au Quartier Général de la Défense Aérienne Nord-Américaine, enseveli dans le sous-sol du Colorado; ils analysent, entre autres, les données de radars à longue portée installés tout au nord du Canada, cependant que des équipages de bombardiers et de chasseurs américains manœuvrent au-dessus des Prairies canadiennes et des vastes étendues de l'Arctique.

Dans le nord du Minnesota, faire une petite visite au Canada ne pose aucun problème. Eugene Simmons, le vieux directeur de l'Aéroport Frontalier Binational de Piney Pinecreek en avait conçu l'idée dans le but de faciliter les formalités douanières de la foule d'avions de tourisme désireux de passer d'un pays à l'autre. La piste d'envol, longue d'un kilomètre, coupe la frontière. A son extrémité, les pilotes se contentent de tourner à gauche pour aller au Canada ou de continuer tout droit pour les États-Unis (directions symboliques que l'administration Reagan pourrait trouver pertinentes). Les plus graves problèmes internationaux de l'aéroport sont dus aux spermophiles bipatrides, ces petits rongeurs dont on ignore la nationalité précise, mais dont la propension à creuser le sol de nids-de-poule cause des ravages dans le gazon.

Les amateurs de danse qui vivent au nord des Prairies américaines peuvent sauter dans leurs voitures pour aller admirer l'une des meilleures troupes mondiales, le Royal Winnipeg Ballet. Dans le Montana, où l'on considère, d'une manière générale, que quiconque sort un chèque de voyage est canadien, il n'est pas rare que les enfants de la campagne prennent des leçons de défense de la nature et de l'environnement au contact d'une troupe canadienne de passage. Les Américains, eux, gagnent à la loterie nationale de leurs voisins mais les billets peuvent être confisqués par les douanes. Au Canada en revanche, il n'est pas illégal de ramener chez soi un billet « étranger ».

Venus du ciel et des satellites, les programmes de télévision américains se déversent, piratés parfois, sur les communautés les plus isolées du Grand Nord, les informant des résultats sportifs ou de la vie d'Atlanta (Géorgie), pourtant fort éloignés des préoccupations autochtones. Certaines stations-service canadiennes offrent un plein gratuit si leur employé néglige d'essuyer le pare-brise d'un client ou de lui mentionner spontanément le taux du jour du dollar américain. D'ailleurs celles qui sont situées près des postes-frontière, affichent souvent leurs prix dans cette monnaie.

Lorsque les gouverneurs du Midwest tiennent leur assemblée régulière pour étudier l'influence de la‚consommation et de l'environnement sur les Grands Lacs, première étendue d'eau douce au monde, ils invitent tout naturellement le Premier ministre de l'Ontario. Assis sous la spacieuse véranda du vieux bâtiment somptueux du *Grand Hôtel*, donnant sur le détroit de Mackinac et sur ces mêmes eaux qui bientôt iraient lécher les rivages canadiens, le Premier ministre William G. Davis me déclara : « Je me sens tout à fait chez moi ici... les gens, les problèmes. » William Davis, fumeur de pipe, fin conservateur progressiste, et figure de premier plan dans la création de la Constitution du Canada en 1982, est un bon exemple du genre de liens, tant officiels que personnels, qui unissent les deux peuples. Canadien fervent, chef politique pragmatique de la province la plus peuplée de son pays, il est aussi un adversaire acharné des États du Midwest dans la bataille de plus en plus aiguë qui les oppose pour les nouvelles usines et leurs emplois. Cependant, il ne prévoit aucun rendez-vous dans l'après-midi du quatrième jeudi de novembre de chaque année. Ses secrétaires, à Toronto, sont perplexes, ce jour n'étant pas férié dans le pays. Mais pour les fanatiques de football américain comme lui, rien de plus évident : ce jour est aux États-Unis celui de Thanksgiving et les matchs sont retransmis à la télévision. Alors, ce jour-là, les froids bureaux victoriens du Premier ministre de l'Ontario laissent filtrer des exclamations et des sifflets.

Après la mort de sa première femme, voilà quelques années, il se remaria avec une Américaine de Hinsdale, dans l'Illinois, diplômée de l'Université du Michigan. Tous deux passent régulièrement leurs vacances dans leur propriété de Floride ou dans leur pavillon d'été, sur une île minuscule de la Baie Géorgienne, près du lac Huron. Là, un hydravion vient régulièrement déposer une serviette de cuir pleine de documents officiels. Tout près, se trouve la maison de la mère de Mme Davis, une Américaine qui devra finalement vendre sa demeure à un Canadien, en vertu de règles édictées par le gouvernement de son gendre.

A l'autre bout du continent, le corps législatif de l'État de Washington (États-Unis) invita le gouverneur de Colombie britannique (Canada) à prononcer une allocution à l'occasion d'une session de l'assemblée. Et, tous les 12 février, les membres de l'association Abraham Lincoln Fellowship de Hamilton, dans l'Ontario, se rassemblent pour célébrer avec un dîner et des lectures de poèmes l'anniversaire du seizième Président de la nation voisine, ce qui ne se fait plus dans la propre patrie de l'intéressé.

Lorsque le gouvernement de l'Ontario voulut faire frapper vingt mille pièces commémoratives portant l'inscription : « Nous sommes fiers d'être canadiens », il s'adressa tout naturellement à un fabricant de la région, qui, tout aussi naturellement, se tourna vers une usine d'estampage de Rochester, dans l'État de New York, qui pouvait exécuter plus rapidement ce travail urgent. Quand les producteurs de la série des *Superman* eurent besoin d'un lieu pour figurer Smallville, la petite ville américaine natale du super-héros, ils cherchèrent, comme de juste, du côté de l'Alberta, où des petites villes canadiennes comme Blackie et High River ont l'air plus américaines que les vraies. Et Calgary, avec sa ligne d'horizon aux hauts gratte-ciel, spectaculaire mais pas encore immédiatement reconnaissable, devint la Métropolis du héros.

Ce sont les réseaux de télévision canadiens qui diffusent la plus grande partie des informations reçues par les habitants du Vermont. Tous les matins, au réveil, à Rochester (Michigan) Doug Neumann allume son poste F.M. et se rase aux accents de C.B.C. Stereo, la radio nationale canadienne qui diffuse surtout de la musique classique. Lorsqu'ils souhaitent toucher les consommateurs de Detroit, de nombreux annonceurs du Michigan achètent du temps publicitaire sur C.K.L.W., une station de radio de Windsor, Ontario. Cela ne va pas sans problème : quand on s'avisa que la première vision que pouvait avoir du Canada un visiteur entrant par le pont Ambassador Bridge, en venant de Detroit, était une enseigne d'un fast-food américain, cela provoqua quelque remue-ménage local.

Lorsqu'en 1982, les tarifs postaux canadiens augmentèrent de façon spectaculaire, un grand nombre des entreprises du pays imaginèrent, pour réduire leurs frais, un stratagème fort inhabituel, qui paraît pourtant normal dans le contexte américano-canadien. En l'espace d'une nuit, le service postal canadien avait brutalement fait passer le tarif intérieur ordinaire des lettres de dix-sept à trente cents. Pour le courrier à destination des États-Unis, l'ancien tarif de dix-sept cents passait à trente-cinq. Le résultat fut que beaucoup de gros usagers décidèrent d'expédier leurs lettres par camions aux États-Unis, y compris celles qui étaient adressées dans leur pays. Là, elles furent postées au tarif en vigueur de vingt cents. Des camions postaux refirent franchir la frontière à celles destinées au Canada, où elles furent distribuées de façon classique. Même en considérant le taux du change, cette simple mesure fit économiser aux expéditeurs plus de cinq dollars pour cent lettres à destination du Canada, et plus de dix pour celles adressées aux États-Unis.

Quans les Postes sont en grève, nombre de sociétés canadiennes louent des boîtes postales de l'autre côté de la frontière et chacune va chercher en voiture son courrier dans le pays voisin, et y expédier ses réponses. De la même façon, lorsque les compagnies aériennes canadiennes s'engageaient dans des grèves d'ampleur nationale, les habitants descendaient en voiture jusqu'aux aéroports américains, ou atterrissaient dans les villes américaines les plus proches de la frontière, puis louaient des véhicules pour achever leur voyage. Une étude a révélé que, même en dehors des périodes de grèves, onze pour cent des Canadiens utilisant l'avion se rendaient d'abord aux États-Unis, pour embarquer sur un vol à tarif réduit.

Au fil des années, des milliers d'Américains ont fait le voyage jusqu'au Canada pour se faire soigner par des spécialistes dans le pays qui découvrit l'insuline. Ceci est tout particulièrement vrai dans le domaine de la médecine infantile, au point même que des parents d'enfants mourants ont fait don de leurs organes à de petits malades de l'autre pays car ils y étaient exemptés de droits de douane. L'intimité de la relation entre les deux pays alla jusqu'au sexe. Un couple de Toronto, découvrant qu'il ne pouvait avoir d'enfant, passa avec une femme de Floride un contrat de dix mille dollars. Fécondée avec le sperme du mari, la mère de substitution porta le bébé jusqu'à sa naissance, qui eut lieu dans un hôpital de Toronto, faisant de lui un citoyen canadien.

Dans le domaine des affaires publiques, les politiciens canadiens peuvent presque toujours compter sur un accueil chaleureux et hospitalier de la part des auditoires américains, ce qui peut se révéler très utile, une fois de retour chez eux. Beaucoup de présidents américains ont usé aussi du prestige conféré par un voyage à l'étranger, mais rarement en y impliquant le pays voisin. Bien souvent, lorsque le Premier ministre Trudeau, sur le pied de guerre, avait besoin d'une réception enthousiaste, il prévoyait un discours devant un public américain, à qui son style non conformiste, brusque même, parfois, pouvait encore sembler neuf.

Il consacrait l'essentiel de son discours à des questions de politique étrangère, qui portaient peu à conséquence dans son pays. Les acclamations de la salle, debout pour l'applaudir, étaient alors retransmises lors des journaux télévisés, et l'enthousiasme des Américains faisait taire même les critiques les plus virulentes, pour un temps du moins.

Souvent involontaire, l'influence des États-Unis se fait sentir jusque dans la politique intérieure du pays, et elle est très largement acceptée. La négociation d'un traité de pêche avec les États-Unis peut devenir thème de campagne dans l'est du pays. La politique monétaire et l'inflation américaines ont un impact considérable et immédiat sur la vie quotidienne. Le temps qu'il fait en hiver sous les cieux cléments de la *Sun Belt* est surveillé de très près par les hommes du froid, qui doivent payer tous leurs légumes et leurs fruits au cours international en vigueur. L'influence de ces voisins est si répandue qu'il devient fréquent, et politiquement profitable, de taper sur les Américains. Mais dans leurs réactions, les politiciens américains ont parfois manqué de la finesse nécessaire pour déterminer dans quel cas il convient de réagir lorsqu'on vient moucher le nez de l'Oncle Sam, ou botter une autre partie de son anatomie, et dans quel cas il vaut mieux s'en tenir à un silence plein de dignité, qui peut se révéler aussi efficace – à moins que les États-Unis ne tiennent à faire la démonstration de leur ingérence, mais ils risquent de n'en tirer aucun profit.

Leur emprise est si subtile que des événements de politique intérieure américaine deviennent parfois partie intégrante du vocabulaire canadien. C'est ainsi qu'au cours d'un meeting de Joe Clark, alors Premier ministre, un opposant canadien put éloquemment toucher la corde contestataire de ses concitoyens en brandissant une pancarte : « Envoyez Clark en Iran, et que Kennedy l'y conduise. » Les Canadiens connaissaient aussi bien que les Américains la signification du fatal accident de voiture d'Edward Kennedy à Chappaquiddick. Ils suivaient d'aussi près, à la une de leurs quotidiens, la course à la Maison-Blanche que la foire d'empoigne des prétendants au poste de Premier ministre, chez eux.

Tout ceci tend à faire apparaître ce qui est, peut-être, la réalité la plus importante de ces relations bilatérales. « Même s'il est probablement vrai que qui voudrait décrire l'économie ou le régime canadien devrait tenir compte des États-Unis, la politique et l'économie américaines peuvent, elles, assez bien s'expliquer sans que référence soit faite à leur voisin du Nord. » La raison en est que huit Canadiens sur dix vivent à moins de cent soixante kilomètres des États-Unis, de leurs médias, de leur culture tentaculaire, de leur économie géante et de leur population, plus de dix fois supérieure à la leur. Considérés comme une terre d'argent et d'escroquerie, les États-Unis apparaissent souvent menaçants et plus grands que nature dans la pensée du peuple du Nord.

Comme l'exprima un jour M. Trudeau devant un auditoire américain : « Vivre à vos côtés est d'une certaine façon comme dormir auprès d'un éléphant. Aussi amical et placide que soit l'animal, si je puis me permettre ce terme, on est troublé par le moindre de ses gestes et de ses grognements. » Quelque soixante-dix pour cent des importations et des exportations du pays concernent d'une manière ou d'une autre les États-Unis. Les trois quarts des investissements étrangers sont le fait d'Américains.

En revanche, la plupart des Américains vivent loin du Canada. Seuls douze pour cent d'entre eux habitent à moins de cent soixante kilomètres de la frontière. Vingt pour cent « seulement » de leurs importations et exportations concernent leur voisin du Nord. Longtemps ignoré, celui-ci semble par conséquent aux États-Unis plus petit que nature, simple pays nord-américain très comparable à eux, mais avec sa petite touche pittoresque, comme le goût désuet des biscuits et du thé anglais.

Cette indifférence amicale permet d'expliquer les fréquentes confusions de ces touristes demandant où ils peuvent voir la reine, qui vit de l'autre côté de l'océan Atlantique, ou celle du Département d'État qui rattachait l'Office des Affaires Canadiennes à son Bureau Européen. On n'a modifié que récemment l'intitulé, afin d'y inclure le nom du premier partenaire commercial des États-Unis. « Les Américains, a dit l'historien J. Bartlet Brebner, ignorent le Canada avec bienveillance, alors que les Canadiens sont, avec malveillance, très bien informés sur les États-Unis. »

Quelques chiffres font apparaître cette différence fondamentale. Dernièrement, l'ambassade américaine à Ottawa entretenait quarante diplomates de carrière et quarante auxiliaires, ainsi que sept bureaux de consuls généraux dans tout le pays. Le Canada employait en revanche cinquante diplomates de carrière dans son ambassade de Washington, plus de cent employés auxiliaires et quatorze consuls généraux dans le pays tout entier. Au sein des services diplomatiques canadiens, le poste d'ambassadeur à Washington est le sommet de la profession. Au sein du Département d'État américain celui d'ambassadeur à Ottawa est généralement un poste politique ordinaire, qui peut rester vacant durant de longues périodes, en attendant que les diplomates parviennent à capter l'attention du Président pour lui arracher une nomination.

Les Canadiens posent un regard très attentif sur de tels agissements, qu'ils considèrent comme la mesure de l'estime où ils sont tenus par leur voisin du sud. Ils savent que les Premiers ministres canadiens font une demi-douzaine de fois le voyage à Washington pour chaque visite officielle du Président américain à Ottawa. Et les journalistes canadiens enregistrent avec soin et entretiennent avec amour pendant de longues années tous les exemples d'ignorance américaine, comme celle de ce Président prononçant de travers le nom d'un de leurs Premiers ministres. Ces mêmes journalistes peuvent aussi à l'occasion provoquer des embarras d'un autre ordre, comme ils l'ont fait en annonçant en exclusivité que les avions U.S. avaient bombardé un petit hôpital psychiatrique lors du conflit de 1983 à la Grenade. Mentionnons également l'existence d'une catégorie de l'humour canadien que l'on pourrait appeler « histoires yankees », appuyées sur des incidents qui pourraient bien s'être produits un jour ou un autre. Parmi elles, on trouve ces histoires d'Américains débarquant au Canada en juillet avec leurs skis; ou bien stupéfaits devant les grands bâtiments modernes des villes du pays, ou persuadés que celui-ci est essentiellement peuplé d'Esquimaux et de membres de la Police montée. L' « histoire yankee » classique est la réflexion que fit, prétend-on, le gangster Al Capone à propos du grand voisin du Nord : « Je ne sais même pas dans quelle rue ça se trouve, le Canada. » Naturellement, l'ignorance peut être aussi bilatérale; la romancière Sondra Gotlieb, épouse de l'ambassadeur canadien à Washington, avoue qu'avant d'arriver dans cette ville, elle ignorait que le Sénat faisait partie du Congrès.

Pour moi, ces histoires de Yankees stupides en disent plus long sur les anxiétés des narrateurs que sur les victimes de la raillerie. Il est exact que les élèves canadiens en apprennent plus sur l'histoire des États-Unis que les enfants américains sur la leur; mais il est vrai aussi que le désintérêt de certains Américains à l'égard de leur voisin n'a pas toujours été totalement injustifié. A l'échelle mondiale, les problèmes du Canada, la menace qu'il constitue et son importance face à une nation qui exerce de telles responsabilités dans le monde paraissent objectivement minimes, au regard d'autres événements, d'autres menaces venant d'autres points du globe. Peut-être est-il injuste que la roue qui grince ou la crise tapageuse accapare toute l'attention, mais c'est hélas une réalité, même si l'on peut regretter qu'elle occulte les problèmes à long terme.

Il faut noter que cette ignorance, longtemps bien réelle, est aujourd'hui en recul, ce qui d'ailleurs n'est pas totalement fait pour rassurer les Canadiens.

Vers la fin des années soixante-dix, les journalistes américains, allemands, japonais ou anglais commencèrent à témoigner une plus grande curiosité à l'égard de ce riche Goliath ronchonneur mais de plus en plus offensif qui étirait ses muscles tout neufs quelque part entre les États-Unis et l'Union soviétique. Alors que, naguère, les reportages se cantonnaient dans les histoires de cambriolages à Ottawa, ou dans ce Montréal aux allures de Vieux Monde, un petit détachement de correspondants étrangers se mit désormais à parcourir le reste du pays.

Au hasard de leurs équipées, ils découvrirent les signes d'une culture passionnante; une énergie, une imagination nouvelle dans le monde des affaires, une géographie démesurée qui touchait la fibre romantique de leurs concitoyens, et un ensemble politique disparate dont le succès ou l'échec avaient un retentissement au-delà des frontières du pays. Des revues canadiennes se mirent à traiter du phénomène, certains journaux commençaient à publier, sans gêne apparente, des reportages américains sur leur propre nation. Cette troupe toujours plus nombreuse de correspondants étrangers manifestait souvent plus d'intérêt et de curiosité pour le Canada que ne le faisaient leurs confrères locaux. « Pourquoi diantre voudriez-vous aller dans le Yukon? » me demanda-t-on souvent. Le fait qu'il soit l'une des très rares Frontières encore non développées dans une société industrialisée ne paraissait pas avoir d'importance aux yeux des Canadiens.

Lorsque le Dr Joseph McInnis, de Toronto, passionné de médecine sous-marine, tenta d'intéresser la presse à son projet de plongées dans l'Arctique à la recherche d'une antique épave de voilier, il n'obtint rien dans son pays... jusqu'à ce qu'il éveille la curiosité du *New York Times* et de deux chaînes de télévision américaines. Il fut financé par la *National Geographic Society* de Washington, D.C. et il fallut plusieurs mois de réflexion à la Canadian Broadcasting Corporation pour envoyer une équipe de techniciens. La C.B.C. Radio dépêcha de son côté un unique reporter, un immigré anglais fasciné par l'Arctique mais aucun autre organisme d'information canadien n'était représenté.

Plus important encore, ces reportages de journalistes américains commençaient à susciter aux États-Unis mêmes une attention régulière, quotidienne, réservée auparavant aux cieux plus exotiques où se déchaînent de passionnantes révolutions. Les frasques sentimentales de la jeune épouse d'un certain Premier ministre mettaient bien sûr en émoi les rédacteurs de feuilles à scandales, mais il arrivait aussi désormais que le portrait d'un nouveau leader politique canadien fasse la une d'un journal de San Diego (Californie). Les Canadiens le remarquaient. Quand j'étais en poste là-bas, on m'interrogea à plusieurs reprises sur l'attention grandissante accordée par les Américains à leur voisin du Nord. Dans le *Toronto Star*, le quotidien canadien le plus largement diffusé, et connu pour ses thèses nationalistes, un article débutait ainsi : « Maudits soient ces Américains. A parler sans cesse, ils nous privent de l'un de nos grands sujets de préoccupation : ils ne nous ignorent plus. » Le ton était presque triste.

Cette attention, que l'on retrouvait dans les médias européens, à plus petite échelle bien sûr, ne surgit pas brusquement. Il y eut en fait un glissement progressif, que l'on peut faire remonter à la crise énergétique de 1973, qui fit prendre conscience à tous du riche filon pétrolier enfoui dans le sous-sol canadien. Le mouvement prit ensuite de la vitesse, accentué par la compétition que se livraient les publications américaines, personne ne voulant être en reste.

Ce phénomène médiatique favorisa l'émergence du Canada sur la scène mondiale dans son ensemble, et sur celle de l'Amérique du Nord en particulier. Les banques, les firmes immobilières, les compagnies d'assurances du pays, ses sociétés de télévision par câble, ses éditeurs de journaux et ses compagnies pétrolières, tous contribuèrent à renforcer chez les Américains – et plus encore chez les Canadiens eux-mêmes – le sentiment que ce voisin jadis silencieux se métamorphosait en un pays plus mûr, avec sa dynamique propre, et qu'il allait jouer un rôle plus important et plus direct dans la vie des Etats-Unis. On pouvait s'interroger sur les tactiques qu'il emploierait, peut-être se montrer perplexe devant ses manières différentes de réagir, mais on ne pouvait plus douter de son existence, ni de la modification de son caractère.

Mais d'un côté comme de l'autre, on prit peu garde, aux prolongements multiples de ce changement capital.

Soixante ans ont été nécessaires pour que le Canada, devenu pays indépendant, installe sa première mission diplomatique à l'étranger (à Washington, bien entendu, en 1927). Depuis lors, les deux camps ont géré leurs relations avec les égards diplomatiques de règle entre deux nations souveraines, mais en les assortissant d'un ensemble exceptionnel d'ententes confidentielles, voire tacites. Celles-ci prescrivaient, entre autres, que les relations bilatérales devaient être l'affaire d'hommes dégagés d'obligations politiques, que toute affaire devait être traitée sans éclat, sans intervention de tiers, et sans déclarations publiques à la presse qui contribuent en d'autres lieux à faire naître, à alimenter et à dramatiser trop de conflits ouverts. Les problèmes devaient être abordés indépendamment les uns des autres, sans les compliquer d'autres questions sans rapport direct, qui entraînent des luttes d'influence, et ruinent ailleurs l'efficacité des discussions. On reconnaissait tacitement que coordonner les différents sujets était un exercice mal venu entre amis, car il sous-entendait la recherche d'une supériorité superflue.

Fondamentalement, cela signifiait qu'il n'existait pas de « politique canadienne » aux États-Unis, pas plus que de « politique américaine » au Canada. Les lignes officielles de chacun des deux pays n'étaient que la somme des décisions individuelles élaborées par des équipes d'experts connaissant ces règles particulières, et comprenant le caractère exceptionnel de cette relation. Ainsi, les rencontres officielles au sommet n'avaient pas pour rôle d'aider à résoudre des problèmes déterminés. Selon les paroles d'Allan E. Gotlieb, ambassadeur à Washington, et homme d'une grande sincérité, elles n'étaient que de simples réunions visant à « planter les jalons d'un accord commun ».

Un autre point faisait l'objet d'une entente tacite : l'un des partenaires (en l'occurrence les États-Unis) était... plus égal que l'autre, la mesure précise de cette différence dépendant de l'affaire en cause. Cet accord sur l'idée d'une supériorité fluctuante demeurait inexprimé, à la différence des rancœurs sourdes qu'il entretenait chez les Canadiens, au nombre desquels figuraient les membres de ma famille. Certains comparaient les dollars des deux pays à la manière des supporters qui surveillent les scores d'un match de base-ball. Et peu importait que la plupart des Américains n'aient même jamais eu vent de l'existence de ce « jeu ». D'autres Canadiens se délectaient des difficultés rencontrées par leur méridional voisin. J'allai un jour rendre visite à un vieux camarade d'enfance de mon père dans le Manitoba, et passer quelques jours dans leur ville natale de Dauphin. Mon père en était parti dans les années trente. Ce cousin, la soixantaine passée lorsque je le revis, n'avait jamais quitté la ville. Après le dîner, il lâcha à son invité : « Vous autres Yankees, vous allez geler dans le noir un de ces jours, mais nous, nous resterons bien confortablement assis, bien au chaud, tout là-haut dans notre coin. »

En échange de cette reconnaissance tacite, les États-Unis ont néanmoins traditionnellement concédé au Canada un statut particulier, le favorisant, à l'occasion, dans l'application des lois sur les tarifs douaniers, l'impôt ou l'immigration. Hommes d'affaires ou universitaires américains peuvent ainsi se réunir pour leurs conventions annuelles à Toronto, Montréal ou Vancouver, et pourtant déduire une grande partie des frais de leurs impôts, comme si la rencontre avait eu lieu à l'intérieur des frontières.

Les forces militaires de défense des deux pays devinrent forces de défense mutuelle dans un mémorandum signé à l'aube de la Seconde Guerre mondiale ; aucun traité officiel ne fut nécessaire. Il s'agissait, après tout, du Canada et des États-Unis. Leurs services de renseignements et leurs polices fédérales échangeaient leurs renseignements et ils le font encore. Bien souvent, l'un des camps vint secrètement en aide à l'autre ; certains pays étrangers sont, à tort, moins soupçonneux à l'égard des capitalistes canadiens que des autres comme l'apprirent à leur grand dam les révolutionnaires iraniens lorsque le Canada aida à faire s'enfuir clandestinement une poignée d'otages américains.

Durant des dizaines d'années, ces rapports intimes et cependant pleins de rancœurs furent adroitement gérés par tout un réseau d'anciens compagnons, diplomates expérimentés ayant partagé épreuves et triomphes durant la Dépression ou pendant la dernière guerre, se connaissant très bien, parfois depuis leurs années d'université communes en Nouvelle-Angleterre, et acceptant instinctivement la relation implicite de grand frère à petit frère qui s'était développée.

– Que de fois, me dit un fonctionnaire du Département d'État, vous devez prendre garde et vous rappeler que vous avez affaire au représentant d'un autre pays. Voyez-vous, il me suffit de décrocher ce récepteur, de composer un indicatif, comme n'importe où aux États-Unis, et, au bout du fil, j'ai Joe ou Bill, qui discute des mêmes problèmes, dans la même langue. Sauf que Joe est en réalité canadien, et Bill américain.

Les Canadiens ont, eux, moins de difficultés à se souvenir qu'ils appartiennent à un pays distinct. Leur identité, c'est, pour une bonne part, de n'être pas américains. Dans les négociations avec les « Yankees », ils arrivent habituellement munis d'une longue liste d'articles qu'il leur faut à toute force obtenir afin de montrer au retour à leurs électeurs qu'ils ont su conclure la meilleure transaction possible avec le grand gaillard d'à côté.

– Il leur faut une petite réduction de tarifs pour cette ville-ci, un petit bonus pour l'industrie du bois de Podunk, au Québec. Ils chipotent sur tout, à vous rendre malade, me dit le même fonctionnaire.

Aux yeux des Américains, cette attitude dénote une certaine étroitesse de vues, une avidité mesquine pour le profit personnel.

Lors du sommet des pays industrialisés à Ottawa, en 1981, le Canada, en tant qu'hôte, procura aux dirigeants de chacun des pays représentés une ou deux salles de réunion dans des hôtels, pour les communications de leurs attachés de presse. De manière tout à fait symptomatique, les États-Unis louèrent leur propre hôtel, et y expédièrent en hélicoptère leurs hauts fonctionnaires, afin qu'ils y rencontrent les journalistes, tant officiellement qu'officieusement. Tout se passa dans l'atmosphère survoltée et le tourbillon courants à Washington, mais qui prend d'ordinaire une tonalité bien plus discrète à Ottawa. La monstrueuse organisation des relations publiques de la Maison-Blanche installa même d'énormes haut-parleurs, donnant lieu à une scène étrange : des voix désincarnées d'officiels absents répondaient à une salle de bal remplie de correspondants posant leurs questions à une estrade vide. A l'autre bout de la ville, les attachés de presse canadiens, avec beaucoup plus de sobriété, devaient souvent admettre : « J'ignore la réponse à cette question. » Quoi qu'il en soit, ils disposaient de tonnes de brochures vantant les attraits touristiques de leur pays à distribuer à la presse internationale.

Lorsque le chef de l'État américain rend visite au Premier ministre canadien, le programme inclut l'habituelle panoplie d'obligations mondaines et de cérémonies. Mais, à la différence de ses visites dans d'autres pays étrangers, une large place est dévolue aux petites affaires locales. Les Canadiens auraient tendance à les qualifier d'importantes, mais les Américains, qui éprouvent par moments certaines difficultés à faire la mise au point lorsqu'ils passent des questions d'intérêt mondial aux problèmes de voisinage, les considèrent comme mineures. Au nombre de ces affaires, on a vu des disputes à propos de droits de pêche, des lois fiscales américaines dont certaines clauses gênaient, sans le vouloir, les entreprises canadiennes, des litiges sur la réglementation des transports routiers, la pollutions des Grands Lacs, et les pluies acides qui, traversant un air pollué, viennent contaminer cours d'eau, lacs et forêts. Ce dernier problème fait l'objet de débats passionnés dans un pays aussi tourné vers la vie au grand air que le Canada, disposant de tant d'espaces vierges et préservés qu'il n'a pas encore dénombré tous ses lacs. Mais la menace des pluies acides peut paraître moins irrésistible à un voisin qui connaît une pollution telle que certaines de ses rivières se sont enflammées.

Les Américains, de leur côté, estiment que la défense du monde libre nécessite la mise au point d'une nouvelle génération de missiles de croisière, et considèrent qu'il serait bon de les tester au-dessus de vastes régions inhabitées, pareilles à celles que l'on trouve en abondance au Canada. Celui-ci consentit aux essais, mais seulement au terme d'un ardent débat national sur la moralité de ces nouvelles armes meurtrières, et le danger de voir le pays devenir une cible dans l'éventualité d'un conflit. Ces inquiétudes, pour légitimes qu'elles soient, montraient surtout que les questions de défense ne se situaient pas au même niveau dans l'ordre des préoccupations canadiennes et américaines.

De même, les problèmes de sous-équipement de l'OTAN ou la menace communiste sur l'Angola peuvent sembler si éloignés des préoccupations d'Ottawa que les Américains – qui eux se sentent vraiment concernés – ont été amenés par le passé à critiquer vivement leur vision étroite du monde. Aux yeux des Canadiens, à qui leur « petitesse » de vues n'a jamais permis que de conquérir le deuxième pays du monde par la superficie, leur constant chipotage pour gagner quelques sous est une technique de négociation efficace lorsqu'on se sent dépassé dans les grosses affaires. Les Américains jugent qu'à l'inverse eux-mêmes savent voir grand, même et surtout quand il s'agit de dollars.

Mon exemple préféré sur la différence d'approche d'un même problème a trait à la question des droits de pêche et des réserves de poisson au large des côtes est et ouest, car les zones territoriales de deux cents milles revendiquées par les uns et les autres se chevauchent. La pêche n'est pas une mince affaire au Canada, le plus gros exportateur mondial de poisson.

Un jour, à Ottawa, je conversais avec Mark MacGuigan, ministre des Affaires extérieures, et celui-ci me déclara avec beaucoup de force et de sérieux : « Le plus grave conflit que nous ayons avec quelque pays que ce soit, est celui que nous avons avec les États-Unis à propos du poisson. » Je me dirigeai alors d'un pas vif à travers le centre ville jusqu'à l'ambassade américaine. Là, de son propre chef, un haut responsable me déclara d'un air dégoûté : « Le problème le plus sérieux entre le Canada et nous est le poisson. » A la façon dont il prononça le dernier mot, on eût pu croire qu'il en sentait l'odeur.

L'histoire de leurs rapports bilatéraux est remplie d'exemples de cette divergence dans le choix des priorités. Ils concernent souvent le libre-échange. D'abord, l'un des camps le souhaite, et l'autre pas. Puis vice versa. Dans les années trente, les États-Unis jugèrent d'abord excellente l'idée d'une voie maritime du Saint-Laurent; le Canada n'était pas de cet avis. Puis, au cours des années cinquante, ce fut au tour de ce dernier de se demander pourquoi les Américains se faisaient tirer l'oreille au sujet de la voie maritime. Sous le règne de M. Trudeau, qui ne voyait pas d'un bon œil les gros budgets militaires, et n'avait pas à affronter le *lobby* de l'industrie de l'armement, les Américains intensifièrent leurs pressions sur le pays afin qu'il augmente ses dépenses dans ce domaine. Il est arrivé que le Canada, avec ses trois façades océaniques, sa situation entre les deux superpuissances, et le plus long littoral du monde, ne possède pas un seul contre-torpilleur opérationnel. Dans un carré d'officiers, j'ai vu une photographie du Premier ministre. On l'y voyait mettre le feu à un trombone accroché à un élastique tendu entre son pouce et son index. Les marins avaient intitulé la photo : « La politique de défense canadienne. » (M. Trudeau, cependant, tout en augmentant lentement ses dépenses militaires, sermonnait ses compatriotes qui protestaient contre les essais des missiles de croisière américains au-dessus du territoire canadien : « Il n'est guère honnête de s'en remettre aux Américains pour la protection de l'Occident, mais de leur refuser un coup de main quand les choses se gâtent. A cet égard, l'anti-américanisme de certains Canadiens frôle l'hypocrisie. Ils s'empressent de se réfugier sous le parapluie du voisin, mais ne veulent pas aider à le tenir. »)

Vers la fin des années soixante ou au début des années soixante-dix, le vieux système de gestion des relations américano-canadiennes commença à se désagréger sous l'accumulation de problèmes harcelants et sous la pression de politiciens impatients des deux camps. Les « anciens compagnons » partaient en effet petit à petit en retraite et se voyaient remplacés par des diplomates plus jeunes, dont les souvenirs d'hommes adultes ne remontaient pas au-delà de la fin des années Eisenhower. Dernier facteur de changement : la poussée dans le Canada des années quatre-vingt, d'un sentiment nouveau de puissance et de fierté nationales soutenu par les électeurs. Le message envoyé, selon les termes de David L. Johnston, président de l'Université McGill de Montréal, était « que le Canada est un bon voisin, mais un pays différent ». Il n'y avait là ni effronterie ni fanfaronnade. Il était paisible et déterminé, même si cela demeurait largement méconnu dans tout le pays. Les Américains, eux, réagissaient à chaque événement, sans le replacer dans une évolution historique et ne surent pas saisir la signification d'ensemble d'un phénomène lié à la naissance et au développement d'une identité nationale.

Les relations entre les deux pays ont été une succession de cycles déclenchés par de fréquents mouvements de bascule. L'historien et spécialiste de la constitution canadienne Donald Smiley fit observer un jour que ses compatriotes ont toujours été enclins à se mesurer en permanence à l'aune des exploits, ou des échecs, des Américains, aussi absurde que cela puisse paraître au vu de leurs histoires, de leurs géographies, cultures, politiques, et économies bien distinctes. Lorsque les États-Unis affrontent des difficultés comme le Watergate, ou le Vietnam, ou traversent une pénible série d'assassinats politiques, le Canada est porté à se sentir quelque peu supérieur. « Jamais ceci ne se passerait chez nous », semble-t-on penser même si une telle autosatisfaction ne paraît guère justifiée, si l'on se réfère par exemple aux attentats à la bombe, aux enlèvements politiques, aux assassinats, et aux trafics policiers de l'histoire récente du Québec. Mais, lorsque les Américains semblent aller de succès en succès, leurs voisins se sentent menacés même si les États-Unis songent rarement à une telle éventualité. De même, dans les périodes de prospérité économique, les Canadiens ont moins peur de critiquer leur voisin, que dans les temps d'incertitudes économiques, où les critiques se font plus voilées, tandis que les querelles intestines entre provinces prennent le dessus.

Depuis la fin des années soixante, les points de friction ont été l'opposition canadienne à la guerre du Vietnam, puis à une certaine surtaxe américaine à l'importation, qui ébranla l'économie du pays. Le Président Richard M. Nixon prit une série de mesures économiques subites indiquant clairement que cette fameuse « relation particulière » avec le Canada ne se situait pas en tête de sa liste de priorités, si toutefois même elle y figurait. La brusque interruption des exportations de pétrole canadien vers leur marché dévoreur d'énergie alarma, à leur tour, les Américains. Ils furent agacés, en outre, par les transactions commerciales menées par leur voisin avec Cuba et la Chine, et par son choix de devenir terre d'asile pour les déserteurs des États-Unis. Les uns et les autres, enfin, furent incommodés par les lois et les campagnes qui, des deux côtés, conseillaient « Achetez américain » ou « Achetez canadien ».

Lors d'une franche discussion où furent abordés de nombreux sujets en l'une de ces belles journées de printemps à Toronto, lorsque, dehors, la vie commence à renaître, M. Gotlieb, ambassadeur à Washington, déclara avec son franc-parler, qu'il s'attendait que la liste des griefs caractérisant la relation bilatérale la plus complexe et la plus approfondie au monde demeure interminable. Il en compta quatre douzaines ce jour-là.

Mais le désaccord entre les deux pays touchait également la philosophie politique. Les électeurs canadiens ont toujours accepté que leurs gouvernements se montrent vigoureusement interventionnistes. Ils l'ont même souvent souhaité. Étant donné la dimension et la diversité du pays, le gouvernement était bien souvent le seul corps constitué capable d'une vision d'ensemble de la nation, le seul à avoir, si peu que ce soit, les moyens et le désir de se charger de projets tels que la création d'une compagnie aérienne ou d'une voie ferrée nationales. Des cas semblables se sont présentés aux États-Unis également, mais, au cours des dix dernières années, c'est plutôt une politique non interventionniste qui a prévalu.

Toutes ces différences demeuraient raisonnables, les deux camps pouvaient coexister sans encombre et le firent souvent. Mais l'intérêt croissant des médias américains pour le Canada a petit à petit accru l'impact de ces divergences et renforcé l'idée que les deux peuples étaient comme deux « parents » marchant de plus en plus au son de tambours différents, l'un poursuivant avec énergie dans la voie de son éthique conservatrice de semi-laisser-faire, tandis que l'autre s'accrochait à ses positions libérales semi-socialistes. De l'autre côté de la frontière, les Américains découvraient non seulement un pays différent, et en pleine mutation, mais aussi des cousins aux manières nouvelles. Parfois, curieusement, ils s'en sentirent outragés ou, pire, menacés.

Dans le même temps, les effets dévastateurs et persistants de la récession internationale confortaient les instincts protectionnistes dans les deux camps, et faisaient apparaître dans certains cercles des soupçons qui, en des temps plus prospères, seraient probablement mort-nés. Des doutes du même ordre pesèrent sur le Japon, deuxième partenaire commercial des États-Unis (ainsi que du Canada), qui, de l'avis de certains Américains, abusait de son libre accès à leurs marchés. Le fait que les Canadiens, si longtemps considérés comme des frères, puissent être désormais mis dans le même sac qu'un peuple aussi « étranger » que les Japonais était le signe d'un changement considérable dans l'image que les États-Unis avaient d'eux.

Ce fut là le premier pas, capital, parfois pénible et douloureux, dans la redéfinition des relations américano-canadiennes, sur des bases plus équitables. D'une certaine manière, cela ressemblait à la modification des rapports entre un parent et son enfant adolescent arrivant à l'âge adulte. Les deux parties savent que leur relation est en train de changer, même si elles ne savent pas avec précision à quoi elle doit aboutir. Elles savent aussi que cette transformation est naturelle, inévitable, qu'elle est le signe d'une maturation, même s'il peut arriver qu'elles se méfient des nouvelles façons de faire, et que les anciennes habitudes leur manquent. Des deux côtés, très probablement, l'on attend avec impatience la fin de cette transition parfois douloureuse. Mais, par moments aussi, l'un ou l'autre des camps se lasse, et, incapable de voir au-delà de la petite querelle en cours, retombe, plein de ressentiment, dans les vieux schémas de comportement, espérant de l'autre assentiment ou indulgence

Mais on ne peut revenir en arrière, un certain nombre d'événements l'ont prouvé. D'abord, le Canada se mit à explorer la voie dite de la « Troisième Option » (les deux premières étant de se replier sur lui-même, ou de s'associer plus étroitement encore aux États-Unis). La troisième, donc, consistait à resserrer ses liens avec l'Europe afin de contrebalancer l'influence américaine. Le succès de l'opération fut médiocre, pour une large part en raison des distances et du fait qu'en dehors de l'amiante et de quelques autres matières premières, le Canada avait peu de chose à offrir à l'autre continent, et certainement rien, en tout cas, ressemblant à une sécurité militaire accrue.

Puis, en 1974, le Canada, qui s'était toujours montré si accueillant, si impatient et tout ravi de recevoir un investisseur étranger lui apportant les capitaux indispensables qui lui faisaient tant défaut, fonda la F.I.R.A., sigle de la Foreign Investment Review Agency. Cet organisme devrait étudier les candidatures des investisseurs étrangers désirant créer de nouvelles entreprises dans le pays, ou en désintéresser d'autres déjà existantes, serait-ce même de simples prolongements mineurs de sociétés mères rachetées dans un autre pays. Opérant dans le secret, il examinerait quand bon lui semblerait (son temps de réflexion pouvait facilement s'étendre à une année) si ces propositions présentaient un avantage économique pour le Canada. Dans le cas contraire, elles étaient rejetées – dix pour cent des dossiers environ, généralement sans explication. Les postulants jugés à la hauteur pouvaient en outre être priés de s'engager par écrit à effectuer ultérieurement de nouvelles embauches, à remplir certains quotas d'achats ou d'investissements dans le pays.

Si l'on considère le regain mondial du nationalisme économique qui a amené ces vingt dernières années des dizaines de pays à se battre pour imposer leur identité, la F.I.R.A. était une création relativement modérée. Mais le fait était sans précédent au Canada ; aussi des sourcils se levèrent-ils dans les cercles d'affaires étrangers, américains en particulier. D'autres textes législatifs de coloration nationaliste montraient que le Nord avait choisi une démarche plus énergique. Le gouvernement déclarait que les sociétés ne pourraient plus désormais déduire comme dépenses de fonctionnement les publicités diffusées à l'intention des Canadiens depuis les stations de télévision américaines proches de la frontière. En 1975, le gouvernement proposa que les publications américaines distribuées dans le pays soient soumises à un contrôle et renferment un contenu canadien minimum. Cette mesure, baptisée C-58, d'après le numéro du projet de loi. fit naître quelques craintes pour la liberté de la presse. Elle contraignit le *Reader's Digest* à des modifications de structure, et fut fatale à l'édition canadienne de *Time*, mais son message au ton péremptoire était clair.

L'inquiétude suscitée par de telles dispositions, et surtout par la création de la F.I.R.A., allait couver un moment aux États-Unis avant de resurgir sous la forme d'un véritable ressentiment quelques années plus tard, au moment du grand tournant de 1980. Le gouvernement canadien promulgua alors son National Energy Program, le N.E.P., un ensemble de lois destiné à conduire le pays vers l'indépendance énergétique, et à le rendre propriétaire de la moitié de son industrie pétrolière d'ici à 1990. Ces textes touchaient des sujets très variés, mais ils avaient un même objectif : encourager, par la contrainte si nécessaire, la reprise en main de l'énergie et de son exploitation industrielle par les Canadiens eux-mêmes.

Grâce à un jeu complexe de subventions, de réductions d'impôts et autres mesures d'incitation économique, le N.E.P. poussait fermement les sociétés étrangères à s'unir à des partenaires locaux. Les avantages allaient en effet croissant avec les parts détenues par des Canadiens dans les sociétés pétrolières, afin que les premiers augmentent leurs parts sur le marché financier intérieur et que les secondes soient encouragées à revendre à des entrepreneurs canadiens aventureux, catégorie de plus en plus nombreuse. Ce programme visait surtout la prospection du pétrole et du gaz naturel dans les zones frontières du pays, ces territoires de l'Arctique, désolés mais riches sans doute, avec au large leurs fonds sous-marins semés d'icebergs où les difficultés du transport, de la vie et la fureur des éléments portaient le coût d'un seul puits à des millions de dollars sans assurance du résultat final.

L'une des dispositions du programme, la clause dite « de marche arrière », se révélait spécialement alarmante pour les compagnies pétrolières étrangères et leurs gouvernements. Celle-ci donnait aux dirigeants fédéraux la possibilité de reprendre jusqu'à vingt-cinq pour cent d'un puits si du pétrole était découvert sur un terrain dont le bail avait été octroyé par l'État (notons que, dans l'Arctique canadien, la presque totalité des terres lui appartiennent). Cette clause pouvait s'avérer une aubaine pour le gouvernement qui, sans fournir le moindre fonds durant la phase aléatoire du forage, était cependant à même de réussir des affaires lucratives en ne faisant main basse que sur les puits productifs.

Les compagnies pétrolières opérant à l'étranger sont accoutumées à se plier aux désirs parfois exigeants des pays hôtes. Au Canada, où elles contrôlaient en 1980 environ soixante-douze pour cent du secteur de l'énergie, des règles avaient toujours existé. Mais elles étaient peu sévères au regard d'autres réglementations. Nul ne parlait ici de nationaliser les avoirs pétroliers étrangers, même si certaines provinces, comme le Québec et la Saskatchewan, s'étaient rendues propriétaires directes d'autres secteurs comme ceux de la potasse et de l'amiante. Le gouvernement canadien, qui a tout autant d'électeurs à satisfaire que n'importe quel autre gouvernement démocratique, insistait bien, à l'étranger, sur le fait que ses décisions n'étaient dirigées contre aucun pays en particulier – sous-entendu, les États-Unis. Mais il fallait être naïf pour s'imaginer que le dire suffirait à apaiser la tempête, surtout au Canada.

La peur se répandit. Il y eut des transactions pour des milliards de dollars tandis que Français, Britanniques et Américains cherchaient à revendre tout ou partie de leurs avoirs dans le pays à des Canadiens leur donnant accès aux avantages financiers du N.E.P.

Le programme visait à éliminer la propriété étrangère dans un secteur de l'énergie considéré comme vital pour la sécurité nationale. Il visait également à s'assurer que les bénéfices futurs demeurent dans le pays pour y être réinvestis par des Canadiens, et non pour y augmenter le volume des avoirs étrangers dans quelque autre industrie. Une partie du plan fonctionna, certains disent même trop bien. En l'espace de deux ans, et bien que les travaux de prospection aient été presque au point mort, la part des possessions étrangères avait décliné, se rapprochant de la barre des soixante-cinq pour cent. Les États-Unis, avec leur marché de l'énergie déréglementé, plus libre, étaient un terrain de jeux plus lucratif, y compris pour nombre de sociétés canadiennes, dont les plates-formes de forage suivirent par dizaines les Américains vers le sud.

On peut discuter à l'infini de savoir si le N.E.P. a servi les intérêts à long terme de la nation, s'il était nécessaire de faire chuter le dollar canadien et d'imposer au système bancaire du pays le lourd fardeau du financement de ces acquisitions. Enfin, on peut se demander s'il était bien nécessaire de débourser des milliards de dollars avant que ne soit découvert un seul nouveau baril, dans le seul but de transférer quelques biens pétroliers à de nouveaux propriétaires. Certains Canadiens se demandent également si le N.E.P., et les autres plans d'inspiration similaire, reposent sur un concept sain et efficace. Comme l'a dit Rowland C. Frazee, président de la Royal Bank, première banque du Canada : « L'idée que toute possession étrangère est mauvaise en soi, et que nous pouvons la pénaliser de manière rétroactive, comme l'implique le National Energy Program, c'est vivre dangereusement, causer du tort à la réputation du Canada à l'étranger, et provoquer chez nous des disputes inutiles. Il faut changer cet état d'esprit. »

La réussite du N.E.P., néanmoins, fut de placer à nouveau les relations américano-canadiennes sous les projecteurs. Des ambassadeurs furent convoqués. On envoya des notes, on demanda des éclaircissements. Des discours sans ménagements furent prononcés de part et d'autre. La presse canadienne, toujours à l'affût de prétendus affronts américains, s'en donna à cœur joie pour interviewer les officiels du pays voisin, qui s'exprimèrent avec sévérité sur les nouvelles mesures. « La direction prise actuellement par la politique économique canadienne fait l'objet d'inquiétudes profondes et incessantes dans tous les ministères de notre gouvernement », déclara un représentant-adjoint du commerce à la Maison-Blanche.

« Je crois deviner que vous êtes assez en colère contre nous », me fit remarquer presque allègrement un officiel canadien et ces mots, si besoin était, sonnaient le glas du réseau des « vieux compagnons ».

La querelle avait, de fait, été portée sur la place publique. Des voix d'hommes d'affaires s'élevaient contre le Canada lors des séances du Congrès américain. L'administration Reagan s'inquiétait tout haut des « dommages irréparables » que leur voisin était en train de causer à leurs relations qui « glissaient dangereusement vers la crise ». Elle se demandait également si elle ne devrait pas refuser aux Canadiens et à leurs sociétés les baux d'exploitation de minerais sur les terres fédérales des États-Unis. Dans un article, souvent cité, du *New York Times*, Paul W. MacAvoy, professeur d'économie à l'Université de Yale, prédisait l'échec inéluctable de la politique canadienne en matière d'énergie, et déclarait que leur voisin du Nord se précipiterait pour leur demander de l'aide d'ici 1990. « Ne leur prêtons pas secours, écrivait-il, puisqu'ils ont eux-mêmes sabordé leurs marchés et expulsé d'efficaces sociétés américaines. Qu'ils gèlent donc dans l'obscurité. »

La réaction vint dans *Maclean's*, hebdomadaire canadien, sous la plume de Roderick McQueen : « Nous avons été depuis le début de paisibles souffre-douleur face à tous les caprices des Yankees. Nous ne mettrons fin à ce comportement qu'avec un état d'esprit dans le genre " le Canada d'abord ". »

L'une des conséquences fut que les actionnaires américains, pris de panique, vendirent en catastrophe leurs titres pétroliers canadiens. Cet affolement était accentué par des rumeurs qui, au vu du nouveau contexte d'un Canada plus hardi et plus sûr de lui auraient pu correspondre à une réalité, mais n'en recouvraient en fait aucune. Certes la vérité importait peu sur ces marchés financiers sensibles, où les cours des actions de certaines compagnies pétrolières fléchirent jusqu'à atteindre des prix très avantageux, ce qui n'était pas fait pour gêner les candidats-acquéreurs canadiens.

Ce pourrissement de la situation s'étendit à d'autres champs d'intérêt commun. Désormais comme l'on prenait mieux conscience, au Congrès et dans les milieux d'affaires, de la pénétration canadienne aux États-Unis on parlait de représailles à Washington.

De tout temps, les relations entretenues par les deux pays avaient influé sur la politique intérieure du Canada, mais, pour la première fois de façon prolongée, celui-ci entrait à son tour dans l'arène politique de l'Oncle Sam. Pour les Canadiens, qui se croient bien informés sur les États-Unis, ce fut une rude leçon d'instruction civique américaine, une initiation au système de freins et de contrepoids équilibrant les pouvoirs, et la constatation de la volonté exprimée par le corps législatif, à la suite de la guerre du Vietnam, d'intervenir plus activement dans les questions de politique étrangère. « Je suis frappé de constater à quel point les mesures importantes ayant des répercussions sur la politique extérieure émanent en fait du Congrès », a confié l'ambassadeur Gotlieb à un reporter à Washington. Dans le régime parlementaire canadien, le parti majoritaire à la Chambre règne en maître, pour le meilleur et pour le pire. Le seul contrôle d'importance a lieu au moment des élections à la Chambre des Communes, qui, selon la loi, se déroulent à intervalles de cinq ans. L'une des plus importantes revues canadiennes, *Maclean's* en l'occurrence, interpréta, elle, le système constitutionnel américain de freins et de contrepoids comme « des symptômes de schizophrénie, une main (le Congrès) défaisant bien souvent ce que l'autre (la Maison-Blanche) est en train de faire ».

Peut-être peut-on pardonner aux Canadiens, qui jusqu'en 1982 n'avaient pas de Constitution propre, de ne pas percevoir pleinement la nécessité où se trouve un Président de faire ratifier ses traités par le Sénat. Il n'en reste pas moins que le Canada, en la personne de ses représentants, s'engagea à faire ses propositions devant les membres du Congrès, comme n'importe quel *lobby*, en usant de faits, de chiffres, d'arguments légaux, et de persuasion amicale. « Je suis convaincu, observait M. Gotlieb, qu'il existe, dans toute diplomatie, un élément de diplomatie publique, et que cet élément gagne actuellement en importance. On constate, et pas seulement chez les bureaucrates ou les fonctionnaires de l'État, un besoin de comprendre le point de vue et les inquiétudes d'un autre pays comme le Canada. »

Ces tactiques, et les caractéristiques nouvelles des relations entre les deux États, requérant des prises de position publiques très franches, voire de rudes controverses, mirent certains Canadiens mal à l'aise. Bien sûr, la compétition existe au Canada, mais pas dans cette atmosphère de promotion agressive, fonceuse, de « c'est moi qui ai gagné, toi, tu as perdu », commune à tant d'éducations américaines. Mes enfants durent d'ailleurs faire un certain effort d'adaptation lorsqu'il leur fallut réintégrer le système scolaire des États-Unis, plus porté sur la compétition et, je le crois, plus astreignant. Ce climat social a requis des efforts similaires de la part des Canadiens adultes appelés à vivre chez leurs voisins.

« Dans toute ma carrière diplomatique, je n'ai jamais rien fait de tel auparavant », me dit un conseiller canadien à Washington. Ce changement de style dans la diplomatie, même s'il est déplaisant, de l'avis de certains, était nécessaire, mais il représentait une dégradation supplémentaire des vieilles méthodes de négociation.

Les Américains, eux, bien sûr, ont grandi avec ces manières rudes et directes, qui ne sont pas toujours la façon la plus raffinée ou la plus plaisante d'arriver à ses fins, mais jouent à plein la carte maîtresse de la nation, à savoir l'influence, et ignorent son point faible, les subtilités diplomatiques. Je me souviens, avec une fierté mitigée, d'une altercation sur un trottoir, au cours d'un des nombreux mois que, durant mon enfance, je passai chez mes grands-parents près de Toronto. Une dispute brève et enflammée éclata, en un après-midi très lourd, entre moi et un garçon du bas de la rue. Il fit quelques remarques désobligeantes sur les « Yankees », et annonça qu'il allait chercher un ami plus costaud pour s'occuper de moi. Je fis ce que tout gamin des rues de Cleveland sur le point d'avoir le dessous trouvait naturel de faire : je bluffai. Je lui suggérai d'y aller. Je l'attendrais ici. Et j'attendis, espérant contre tout espoir qu'il ne reviendrait pas. Mais il revint, et le copain était réellement plus costaud. Lorsqu'il fut à ma portée, je lui décochai sans préavis un coup de poing sur le nez. Et, à ma grande stupéfaction, ils détalèrent tous deux.

Paul Robinson, l'ambassadeur que le Président Reagan choisit de nommer à Ottawa au début de cette ère nouvelle, était un modèle de, euh, disons... franchise, qui déclara d'emblée : « Je ne suis pas venu au Canada pour servir le thé. » Homme d'affaires de Chicago, haut de taille, brusque dans ses sorties, il avait longtemps participé activement à la politique républicaine et travaillé comme collecteur de fonds pour le parti. A l'instar de nombreux Américains, il avait des attaches au Canada, d'où étaient venus ses grands-parents et ses arrière-grands-parents. Comme beaucoup d'ambassadeurs dans ce pays, il entretenait des liens personnels directs avec la Maison-Blanche, ce que préfèrent les Canadiens. Et, comme bien des Américains aussi, il jugeait, très sincèrement, que, si les Canadiens voulaient jouer chez les professionnels, ils devraient se plier aux règles du jeu professionnel. Ceci dénotait, peut-être, une tendresse particulière pour ce pays, mais on ne pouvait guère, et même pas du tout, y déceler de traitement de faveur.

Aussi, dès 1981, il se mit à parler haut et fort, et fréquemment, donnant son avis sur de nombreuses réalités canadiennes, depuis les dépenses sociales, en passant par le système métrique, que M. Trudeau promouvait avec enthousiasme, jusqu'aux dépenses militaires ou, plutôt, leur insuffisance. Ses déclarations très franches (il pense que le système métrique, « ce sont des bêtises ») suscitèrent des articles indignés dans la presse canadienne, y compris le *Toronto Star*, le journal le plus largement diffusé, qui, un jour, présenta en manchette à la une la suggestion faite par M. Robinson à l'un de ses interviewers de « foutre le camp ».

Balayant en général les critiques en les classant parmi les risques du métier, l'ambassadeur proclamait qu'on le citait de travers. Ainsi, s'étant vu demander comment les États-Unis étaient parvenus à réduire leur taux d'inflation de façon tellement plus convaincante que leur voisin, il avait répondu que l'une des méthodes était la diminution des dépenses sociales. Celles-ci étant au Canada choses sacrées, on prit très généralement ces mots pour une critique. Il voyait cependant un avantage, disait-il, à cette controverse : elle avivait l'intérêt porté à ses observations et son espoir était que les Canadiens n'en reconnaîtraient que plus vite le devoir qu'avait leur pays de songer un peu plus à ses responsabilités internationales. Il ajouta qu'il « avait fort bien fait » de soulever publiquement ces questions d'intérêt commun. « J'ai agi intentionnellement, et avec l'appui de Washington », déclara-t-il lors d'une interview comme nouvelle épitaphe aux paisibles jours anciens.

Le problème du franc-parler de l'ambassadeur américain resurgit même devant le Parlement, où M. MacGuigan, alors ministre des Affaires extérieures, et jouissant lui aussi de la réputation de ne pas mâcher ses mots, entreprit de le défendre. « Certaines de ses interventions, de temps à autre, pourraient être considérées comme limite », concéda-t-il. Mais il ajouta qu'en lui accordant une assez grande latitude pour s'exprimer librement, les diplomates canadiens pouvaient exercer le même droit dans d'autres pays – c'est-à-dire, les États-Unis –, un droit que ses concitoyens avaient rarement cherché à exercer antérieurement. Notons, par ailleurs, comme l'a fait observer le chroniqueur canadien Don McGillivray, que lorsqu'un Premier ministre d'Ottawa se rend à Philadelphie pour dénoncer la politique américaine au Vietnam, comme le fit M. Pearson en 1965, c'est un avis sincère. Mais lorsqu'un Américain dit chez son voisin ce qu'il pense, c'est une « ingérence intolérable ».

Les relations de bon voisinage en Amérique du Nord avaient néanmoins atteint une nouvelle phase. Pour la première fois dans leur histoire, les deux nations commençaient à soumettre régulièrement leurs différends à la médiation de tiers. Les Américains, alléguant que les pratiques commerciales du Canada faussaient les courants normaux d'échanges, saisirent le G.A.T.T. (General Agreements on Tariffs and Trade) à Genève. Les Canadiens avaient déjà, quant à eux, déposé une plainte contre les États-Unis pour leur proscription des importations de thon en provenance de leur pays, mesure intervenue après que le Canada eut fait saisir des bateaux américains dans ses eaux territoriales. Et tous deux s'étaient adressés pour la première fois à la Cour Internationale de La Haye à l'occasion de leur litige concernant leur frontière dans le golfe du Maine.

Aux yeux de certains, ces heurts étaient l'indice d'une recrudescence de la tyrannie yankee. Pour d'autres, ils démontraient que le Canada commençait à peser de tout son poids dans la balance économique. Selon le mot d'Abraham Rotstein, de l'Université de Toronto : « Il est grand temps que les Canadiens commencent à se mêler de leurs propres affaires internes. »

Ce ton nouveau éveilla de grandes inquiétudes, en dehors même des sphères de décision. Dès le printemps 1982, l'école de commerce de l'Université de Columbia et les associés de *Touche Ross & Company*, un cabinet international de comptables et de conseillers en gestion travaillant avec une clientèle venue des deux côtés de la frontière, se sentirent si vivement préoccupés par ces désaccords, qu'ils tinrent à Toronto une série de séminaires en compagnie de citoyens de marque des deux pays. Présidées par Kingman Brewster, ex-recteur de Yale et ambassadeur en Grande-Bretagne, et David Johnston, recteur de l'Université McGill de Montréal, les séances, quelquefois passionnées, apportèrent certains éclaircissements grâce aux efforts des participants pour définir de nouveaux rapports.

– Nous sommes voisins, mais nous sommes comme des étrangers, dit M. Brewster. Il faut absolument que nos peuples s'examinent l'un l'autre plus longuement.

– Le Canada paraît si semblable à nous que nous attendons de lui qu'il le soit vraiment, et agisse comme nous, ajouta Sol M. Linovitz, ancien ambassadeur auprès de l'Organisation des États Américains (O.A.S.). Et, quand il agit différemment, en reconnaissant la Chine ou Cuba, ou en se battant contre nous pour conserver son indépendance, nous sommes surpris, et pouvons avoir des réactions excessives.

– Chacun de nous se laisse terriblement absorber par ses problèmes personnels déjà bien embrouillés, dit Stanley F. Melloy, président-directeur général de la Continental Bank of Canada, et nous perdons de vue l'ensemble, et la perspective propre à l'autre. Des conflits sont inévitables. Mais, du fait de nos similitudes, nous pouvons croire que nous n'avons pas besoin de prendre soin de notre relation. Pourtant, vous savez, quand vous aimez quelqu'un, mieux vaut le lui dire de temps à autre.

Un consensus s'opéra autour de l'idée que chacun des deux camps, et spécialement les États-Unis, devrait accorder à l'autre une attention plus vive et plus soutenue. On suggéra, et ces suggestions furent reflétées dans d'autres forums ces dernières années, que de nouvelles structures étaient nécessaires si l'on voulait prendre en compte les pressions croissantes s'exerçant sur les rapports entre les deux pays. On proposa, entre autres, l'institution de réunions annuelles au sommet entre les deux chefs d'État, qui feraient converger l'attention du public et des bureaucraties gouvernementales.

Dans la prestigieuse revue trimestrielle *Foreign Affairs*, Marie-

Josée Drouin et Harald B. Malmgren notaient : « Les deux gouvernements semblent aller au-devant d'un affrontement, dans un contexte que les leaders politiques ne peuvent totalement maîtriser. » Ils proposaient une approche neuve, en l'espèce la création d'instances chargées de gérer les désaccords bilatéraux : une commission économique paritaire qui examinerait les problèmes se faisant jour et recommanderait des solutions, et un comité ministériel bilatéral pour désamorcer les petits conflits menaçant de prendre de l'ampleur. De telles instances ont un précédent : la Commission paritaire internationale qui a réglé des litiges restreints à propos d'eaux territoriales. Des ministres de certains secteurs, tels que l'énergie, se sont aussi réunis, à l'occasion, de manière informelle. Mais ces commissions ont eu la vie courte, et leur efficacité a été limitée. A un moment donné, le Sénat américain se vit présenter une mesure visant à réunir toute l'administration des relations avec le Canada et le Mexique en un seul Bureau Nord-Américain. Mais ces nouveaux corps constitués avaient pour les officiels canadiens des relents d' « institutionnalisation rampante » qui éveillaient un considérable scepticisme.

Pour un regard superficiel, les obstacles de cette période difficile semblèrent s'aplanir à mesure que passaient les mois. Irrésistiblement poussé par l'écrasante réalité des imbrications de leurs complexes économies, chaque gouvernement eut pour l'autre des gestes d'apaisement. L'ambassadeur Robinson adoucit ses critiques. Le Canada modifia quelques-uns de ses projets les plus nationalistes, tout en assurant aux investisseurs étrangers que le concept qui sous-tendait le N.E.P. ne serait pas appliqué à d'autres secteurs. A court terme, ces mots calmèrent la tempête, mais ils en amenèrent beaucoup à croire, à tort, qu'il suffisait, dès lors, de continuer à vaquer à ses affaires comme d'habitude.

Il me sembla, quant à moi, que ces nouvelles frictions entre des peuples qui étaient, à la base, des partenaires, signalaient l'existence d'un besoin de changements plus fondamentaux. Les politiciens des deux bords pouvaient pousser un soupir de soulagement, et se remettre en route vers une prochaine crise, encore plus houleuse, comme ils le font souvent en matière budgétaire. Ou bien ils pouvaient convertir ces nouvelles tensions en une force positive, comme une sorte de douleur de croissance qui contraindrait les gens des deux camps à comprendre la nécessité de rapports plus équitables et, en définitive, plus salutaires pour tous. Ceci supposerait d'abord de prêter moins d'attention aux mécanismes, peut-être, et plus aux principes nouveaux et aux nouvelles attitudes. Il y faudrait aussi un consentement mutuel de bonne foi (peut-être un peu plus difficile à obtenir des soupçonneux Canadiens), et la prise de conscience que les liens sont en train de changer radicalement :

à défaut de prendre le contrôle de la mutation, on aboutirait seulement à ce que le professeur Stephen Clarkson, de l'Université de Toronto, appelle tout simplement « des ennuis, de gros ennuis ».

Du côté américain, ces nouveaux rapports impliqueraient que soit mis fin à l'attitude que l'ancien Secrétaire d'État Dean Acheson, dont la mère était canadienne, décrivit une fois en ces termes : « Les Américains considèrent que le Canada leur a été conféré comme un droit, et acceptent cette libéralité comme ils le font de l'air qu'ils respirent, sans y penser, et sans reconnaissance. » Il leur faudrait se rendre pleinement compte de leur véritable intérêt près de chez eux. Avec un volume de transactions en dollars près de deux fois supérieur à celui du Japon, leur second partenaire, et supérieur aussi à la somme des échanges avec la Grande-Bretagne, la France, l'Allemagne de l'Ouest et le Japon réunis, le Canada est, de loin, leur plus important partenaire commercial. Plus encore, quel pays pourrait se révéler plus essentiel à long terme pour les États-Unis qu'un voisin si riche, si semblable, si fondamentalement réceptif à leur amitié, si bienveillant, et pour le temps présent, si stable, s'étirant sur huit mille huit cent quatre-vingt-neuf kilomètres le long de son flanc nord tout entier, et le protégeant physiquement de la masse de l'Union soviétique?

On pouvait voir à quelques signes qu'un début de reconnaissance au moins se profilait à l'horizon. Les critiques que l'on échangeait semblaient devenir relativement mieux informées, et moins instinctives. Peut-être faut-il voir plus qu'une coïncidence dans le fait que ce processus se soit mis en branle après l'installation au Canada d'hommes nouveaux, d'hommes qui, plus que les autres, étaient des gestionnaires professionnels. Allan MacEachen au Canada et George Schultz aux États-Unis s'étaient côtoyés sur les bancs du Massachusetts Institute of Technology (M.I.T.). Et, avant même que Brian Mulroney ne devienne Premier ministre, en septembre 1984, lui et son compagnon conservateur Ronald Reagan plaisantaient sur le fait que deux Irlandais pourraient diriger les deux pays d'Amérique du Nord.

L'agressivité économique toute neuve du voisin d'en haut ne cessait de se rappeler à l'attention américaine dans de si nombreux domaines que l'ambassadeur Robinson put se déclarer légèrement offensé par l'histoire de M. Trudeau sur le Canada et l'éléphant près duquel il vivait. « Ce que je dirais à présent, avait-il ajouté, est que les États-Unis et le Canada sont tous deux des éléphants. » Minime, mais importante reconnaissance du fait que les choses prenaient une autre face.

Le nombre croissant des reportages américains et la qualité de leurs informations, ainsi que l'extension des programmes d'études canadiennes dans les universités américaines, laissaient en outre espérer que ce bouleversement ferait tache d'huile. Un jour, peut-être, des Américains bien intentionnés noteraient qu'ils étaient à présent les seuls à parler sans cesse de la ressemblance frappante entre les deux peuples. Nul ne pourra jamais rien changer à la réalité géographique, à la similitude des héritages culturels, à l'ampleur des liens économiques et familiaux. Mais les Canadiens, sans y entendre toujours une insulte à l'égard des Américains, pensent de plus en plus à ce qui fait leur spécificité, et moins à ce qui les rapproche d'eux.

Du côté canadien, l'effort ne devrait pas être un effort d'attention car ils en accordent déjà trop à leur voisin, en un sens; il s'agit plutôt de comprendre que faire entendre leur point de vue sur une question quelconque à des Américains très absorbés par les problèmes mondiaux requiert des explications plus claires, plus nettes et plus patientes à un plus grand nombre d'électeurs. Se plaindre sans cesse du déséquilibre entre ce que les Canadiens apprennent de l'histoire américaine et le peu que leurs voisins apprennent en retour du passé canadien, c'est perdre la partie d'avance. C'est, pour parler franchement, une dérobade. « Le problème, dit le Premier ministre de l'Ontario, M. Davis, est que certaines multinationales, certaines sociétés américaines, ont été accoutumées pendant si longtemps à faire ici des affaires de la même manière exactement que si elles étaient aux États-Unis que, lorsque l'on commença à s'apercevoir que le gouvernement souhaitait augmenter la participation et les avoirs canadiens, ce fut un grand choc. On ne s'y est pas bien pris. On n'a pas su expliquer. »

Les Canadiens, encore fondamentalement réticents, semble-t-il, devant tout exercice d'influence, devront apprendre ceci : ce n'est pas diminuer la souveraineté de leur nation que d'anticiper sur l'impact d'une nouvelle politique, et de chercher à l'expliquer clairement à autant de secteurs publics qu'il sera bon, à l'intérieur comme à l'extérieur. Et les journalistes, tout comme la population, devront apprendre que guetter avec attention le moindre manque d'égard éventuel, peut créer une peur se nourrissant d'elle-même et alimentant des stéréotypes malsains. En cherchant beaucoup, l'on finit toujours par trouver, même si ce que l'on trouve, et que l'on perçoit comme un affront, n'en a jamais été un en intention.

Cette nouvelle relation requiert en outre que soit de nouveau énoncée une évidence. Selon la formule de l'ambassadeur Gotlieb, « Nous sommes, après tout, des pays différents ». Existe-t-il au monde deux nations indépendantes qui auraient besoin de se le voir rappeler? C'est admettre en tout cas qu'en dépit de leur bonne volonté, les intérêts des deux pays ne seront pas éternellement les mêmes. « La gageure, dans la gestion de la lourde relation bilatérale qui est la nôtre, est de respecter nos différences tout en bâtissant sur nos zones d'accord », a déclaré M. MacGuigan devant un auditoire de Los Angeles. Paradoxalement, chacun des deux pays s'est montré plus habile à mettre en pratique ces principes vis-à-vis d'autres nations, plus lointaines et plus différentes, qu'envers son voisin de palier, cousin ou pas.

« *Nous ne voudrions pas être seuls au monde sans l'Amérique, nous ne voudrions pas non plus être seuls au monde avec elle.* »

Dalton Camp, 1980.

QUATRIÈME PARTIE

ÉCONOMIE

La géographie a fait de nous des voisins. L'histoire a fait de nous des amis. Et l'économie fait de nous des associés.

John Kennedy,
dans un discours adressé aux Canadiens.

Il est aujourd'hui tout à fait possible qu'un Américain moyen travaille dans un gratte-ciel dont les propriétaires sont canadiens, dans un quartier d'affaires que des Canadiens sont en train de redessiner, qu'il manie des formulaires imprimés par des Canadiens, avale en vitesse un déjeuner dans un restaurant aux patrons canadiens, et achète un roman canadien dans une librairie canadienne. Après son travail, il saute dans un autorail construit, toujours, au Canada et mu par une électricité venue de là-bas, pour aller retrouver sa femme dans une voiture fabriquée au même endroit, avec du minerai de fer de même origine, et se diriger, sur du ciment canadien, jusqu'à sa maison, bâtie par des gens de même nationalité, avec du bois de construction de chez eux, et chauffée au gaz (canadien) naturel.

On peut mesurer l'état avancé d'intégration économique existant aujourd'hui en Amérique du Nord au fait que personne ne prête réellement attention à ce phénomène, unique au monde : deux pays indépendants, qui tous deux ont commencé leur vie de nation en tant que colonie anglaise, pour suivre ensuite leurs routes politiques personnelles, puis se sont de nouveau tellement rapprochés sur le plan économique que presque toute mesure prise par un secteur quelconque a un effet sur leurs activités et sur leur dollar respectif. Avec une frontière, une culture et une langue communes, et un penchant affirmé pour le profit capitaliste, le Canada et les États-Unis ont forgé entre eux les liens commerciaux les plus étroits procédant chaque année à des échanges pour plus de cent vingt milliards de dollars, en marchandises, services, ressources naturelles et autres. Ceux-ci constituent le plus important commerce bilatéral du monde, et représentent, pour les États-Unis, plus que l'addition de leurs échanges avec l'Europe et le Japon réunis.
Ce commerce semble répondre concrètement à un appel lancé il y

a trois quarts de siècle par le président William Howard Taft devant un auditoire du Midwest : « Le Canada est à la croisée des chemins. Sera-t-il un pays isolé, aussi lointain que si un océan le séparait de nous, ou son peuple et notre peuple sauront-ils tirer avantage de cette proximité que nous apporte la géographie pour stimuler le commerce par-dessus notre frontière? »

Mais cette intimité économique est à la mesure de l'ignorance grave où se trouvent, et où se complaisent presque, les Américains à propos du Canada. Le fait que ce pays ait été si tranquille, si discret, et disons-le, si humble, durant son premier siècle d'existence, est lié à son histoire, à sa géographie, à son économie, et au tempérament de ses habitants.

Il fut constitué à l'origine de celles des colonies du Royaume-Uni qui ne s'étaient jamais révoltées. Elles ne le désiraient pas. En fait, son indépendance lui a été imposée, le 1er juillet 1867, par un gouvernement britannique pressé de créer une entité politique capable de prévenir l'expansion d'États-Unis bien armés et nouvellement réunis. Ceux-ci avaient jeté, avec succès, un regard « territorial » par-delà les étendues sauvages du Nord-Ouest canadien, et acheté l'Alaska à la Russie juste quatre mois plus tôt. L'hésitation, ce temps d'arrêt poli dont les Canadiens aiment à penser qu'il les sépare de la tapageuse populace yankee, demeure, aujourd'hui encore, à bien des égards, partie intégrante de leur caractère. Dans un domaine primordial, cependant, ce caractère a changé, et de façon spectaculaire.

Le Canada, vieux matou accommodant des temps coloniaux, et paillasson devant les étrangers venus piller ses ressources et accaparer ses profits, est en train de se transformer à une allure accélérée en un tigre vorace, en particulier sur la scène économique nord-américaine. Il commence tard, et loin derrière.

La vitesse de cette invasion progressive varie au gré des conditions économiques, des perspectives, ou des taux d'intérêts. Mais un grand élan, tant historique qu'économique, soutient cette progression. Elle exigera un considérable ajustement des mentalités et de la gestion des affaires. Les Canadiens se cramponnent obstinément à l'idée qu'ils sont condamnés à se voir à tout jamais malmenés par plus forts qu'eux. Comme le fit remarquer un jour l'acteur britannique Robert Morley, « ils adorent être assis dans l'obscurité, tremblant de peur à l'écoute des bulletins de la météo ».

Ils jouent en général la surprise à chacun de leurs succès commerciaux internationaux, de plus en plus nombreux, alors même que la file de leurs concurrents étrangers s'allonge. Lorsque la société mixte Canada Development Corporation racheta la firme de photocopieurs américains Savin Corporation afin de mettre un pied dans la révolution bureautique, rares étaient les analystes financiers canadiens à penser que la manœuvre était bonne. Le scepticisme régnait; le marché ne devait pas être si fantastique, semblaient-ils dire, si nous avons pu le conclure. Les analystes américains, au contraire, jugèrent que c'était une parfaite transaction, risquée, bien sûr (qu'est-ce qui ne l'est pas, dans une économie en mouvement?), mais un mariage bon pour les deux parties. Cet état d'esprit, qui a longtemps inhibé les imaginations, a également poussé, durant des décennies, un bon nombre des hommes d'affaires, des ingénieurs et même des artistes les plus capables et les plus dynamiques du pays à aller pêcher en d'autres eaux.

Les Américains eux aussi devront modifier leur état d'esprit. Habitués à un voisin docile, pendant des dizaines d'années ils se sont, peu à peu, installés dans un certain confort, jouissant de leur facilité d'accès à un marché modeste, certes, mais tout proche, et exerçant des pouvoirs économiques énormes, souvent d'ailleurs sur invitation de ce dernier. Attirés à l'origine par les ressources aisément disponibles, ils ont pu ensuite ouvrir sans danger une brèche dans le mur protecteur des tarifs préférentiels du Commonwealth. La dernière chose qu'auraient pu imaginer ces firmes américaines était qu'une concurrence se ferait jour, dans le pays même, ou à l'étranger, de la part de sociétés canadiennes. Mais il est fort probable que nous sommes désormais entrés dans la période la plus créatrice et la plus passionnante de l'histoire du commerce du Canada depuis celle où Louis Hébert, un apothicaire français, sut distinguer le potentiel de cette terre, et en devint le premier habitant blanc, en 1617.

En très peu d'années, des participations canadiennes, placées par une petite confrérie bien organisée de financiers sympathiques et ambitieux, tous animés d'un désir d'extension au-delà des frontières, ont insufflé dans les entreprises américaines une somme largement supérieure à treize milliards de dollars, propulsant soudain le Canada du néant au troisième rang, au moins, des investisseurs étrangers aux États-Unis, ne le cédant en cela qu'à la Grande-Bretagne et aux Pays-Bas. Des certains secteurs, comme les métaux ou la fabrication de machines, il est même d'ores et déjà en tête. Dans d'autres, comme l'alimentation, les assurances et le pétrole, il se situe à un solide deuxième ou troisième rang, et sa position tend à s'améliorer.

La vérité est que les avoirs du Canada aux États-Unis sont probablement plus substantiels qu'ils ne l'apparaissent dans les estimations officielles. On ne dispose pas de chiffres précis, lesquels, de toute façon, changent quotidiennement avec les millions de décisions indépendantes, importantes ou mineures, prises des deux côtés de cette frontière grande ouverte. L'entrelacement des fils économiques est d'une telle complexité qu'il est devenu totalement impossible à l'un et l'autre gouvernement de le contrôler, sans parler de le diriger. On peut procéder à une évaluation des investissements directs, déclarés, mais non pas connaître l'étendue actuelle des achats canadiens financés par les banques américaines, par exemple, ni les acquisitions de biens immobiliers à des fins privées. Cette dernière catégorie d'achats est de première conséquence. C'est elle qui fit affluer des centaines de millions de dollars en Nouvelle-Angleterre et en Floride à la suite de l'élection, en 1976, d'un gouvernement provincial du Québec qui promettait de faire sortir celui-ci de la confédération.

Quoi qu'il en soit, on estime que les Canadiens contrôlent vraisemblablement pour plus de quarante milliards de dollars des actifs des sociétés opérant aux États-Unis. Mais il faut en outre considérer qu'afin d'obtenir des réductions d'impôt sur les sociétés, des quotas d'import-export plus élevés, ou certains avantages sur les marchés monétaires, d'autres avoirs canadiens sont dissimulés au sein de filiales constituées en sociétés dans d'autres pays, comme les Pays-Bas.

– Tout ceci n'existait pas voici dix ans, me dit un diplomate américain à Ottawa. Les sociétés canadiennes n'avaient pas le poids économique suffisant pour entrer dans la compétition aux États-Unis, ni même contre les États-Unis. Maintenant, une par une et de plus en plus nombreuses elles triomphent de leur médiocre image. Elles découvrent qu'elles peuvent rivaliser avec les grands, et même très bien. C'est le début d'un bouleversement fondamental dans nos relations.

Les États-Unis ne sont pas leur seule cible. D'autres milliards partent en investissements ou en commerce à l'étranger. « C'est un grand atout que d'être Canadien, déclare Bernard Lamarre, patron de Lavalin Inc, la plus grosse sans doute des sociétés d'ingénierie du pays. Quand nous travaillons en Afrique par exemple, nous parlons les deux langues principales, et maîtrisons la technologie nord-américaine, mais nous n'avons aucun passé colonial à faire oublier. Personne n'a peur de nous. Nous exportons un savoir-faire, pas un mode de vie. » Les Canadiens ont une bonne réputation de constructeurs à l'étranger, fait-il aussi observer, peut-être parce qu'à la différence des États-Unis et de l'Europe occidentale, leur nation est encore en train de se bâtir.

Si l'on s'en réfère aux chiffres publiés par la Bank of Montreal, le flot des investissements directs du Canada en direction d'autres pays est passé, au cours des dix dernières années, de deux cent trente millions à quatre milliards neuf cents millions de dollars par an, ce qui équivaut à une multiplication par vingt. L'une des cibles préférées du pays en dehors de l'Amérique du Nord est constituée par la ceinture pacifique, qui est composée de plus de trente nations en voie de développement. Avec environ quarante-huit pour cent de la population mondiale, soit un milliard huit cent mille âmes, elles manifestent une soif tangible d'industries lourdes, de matières premières, de produits agricoles, de biens de consommation, et de technologies de pointe. La croissance de ces pays asiatiques est bien plus rapide que celle de l'Europe, jusqu'à trois ou quatre fois pour certains d'entre eux. Les États-Unis commencent à percevoir ce changement : selon certaines estimations, pour la première fois en 1982, le commerce transpacifique américain dépassait en valeur son commerce transatlantique, par cent vingt et un milliards deux cents millions de dollars contre cent quinze milliards huit cents millions. Mais, à leur arrivée, ils trouvèrent une concurrence canadienne déjà installée dans des endroits comme la Chine, par exemple, à laquelle leurs voisins, libres de l'entrave du puissant lobby pro-taïwanais, vendaient leur blé et d'autres denrées depuis de nombreuses années.

Une grande partie des échanges canadiens avec le Pacifique transitent par Vancouver, qui, sans bruit, est devenu, par son activité, le second port d'Amérique du Nord. La ville s'est mise à jouer un rôle de tremplin vers les aventures économiques asiatiques. Elle est, de fait, plus proche de quelque cinq cent soixante kilomètres de Tokyo que de Halifax, sur la côte orientale du Canada, et a commencé à attirer des succursales de banques étrangères – au nombre de trente-six au dernier recensement – cherchant à avoir leur part de tous ces nouveaux financements commerciaux.

Avec plus de six milliards de dollars d'achats par an, les États-Unis demeurèrent les plus gros clients pour les produits de Vancouver et de Colombie britannique. Mais, pendant que le Canada cherchait à diversifier ses partenaires, et que des pays, comme le Japon, augmentaient en masse leurs achats – et leurs investissements locaux –, la part du commerce américain se mit à décliner jusqu'à ne représenter qu'un peu plus de cinquante pour cent seulement. La moitié environ du trafic du port ces dernières années s'effectuait en direction ou en provenance du Japon. Et, lorsque le projet de gazoduc transcanadien vers l'Alaska se trouva différé, la Nova Corporation, une société de l'Alberta, délégua une de ses filiales afin de proposer ses compétences à l'étranger, et obtint de participer à une entreprise conjointe avec deux sociétés japonaises en Malaisie. On pouvait y voir en filigrane les signes avant-coureurs du comportement qui serait celui de la nouvelle génération, moins passive, des hommes d'affaires canadiens, si les Américains continuaient à leur porter aussi peu d'attention.

Mais toutes ces démarches caractérisaient bien également un style de croissance qui, tout en bénéficiant à l'économie du Canada occidental, renforçait les velléités d'indépendance de la Colombie britannique. Les hommes d'affaires de cette province avaient toujours parlé de commercer avec « l'Est », mais de plus en plus, par ce mot, c'est « Extrême-Orient » qu'il fallait entendre.

Souvent, à la requête du gouvernement fédéral, voire d'autorités provinciales clairvoyantes (lesquelles ont ouvert leurs propres bureaux commerciaux dans de nombreux pays), des hommes d'affaires et des officiels canadiens se rendent en Corée, à Singapour en Chine. Parfois, ce sont plusieurs dizaines de dirigeants d'entreprise, unis par des études ou des activités communes, qui s'envolent conjointement pour un périple en Chine. Ensemble, ils rencontrent les hauts dignitaires du gouvernement, admirent écoles et lieux touristiques de rigueur, puis, parfois, se séparent pour veiller à leurs propres intérêts industriels et prendre des contacts. De leur voyage, ces hommes d'affaires rapportent un enthousiasme neuf pour les activités internationales. Et ils deviennent à leur tour des hôtes prodigues quand leurs nouveaux amis étrangers leur rendent leurs visites. Ces séjours, de même que les perspectives et le développement du commerce canadien, sont couverts par un nombre croissant de correspondants asiatiques ou européens en poste dans le pays. Un des quotidiens japonais, *Nihon Keizai Shimbun*, tient une rubrique régulière d'informations sur le Canada d'une page entière, et, chaque jour, son correspondant japonais à Toronto lui fait parvenir une demi-douzaine d'articles sur les affaires économiques du pays.

Il est même arrivé au Premier ministre en personne de lancer ses propres missions économiques au-delà des mers, ignorant ouvertement la diplomatie officielle pour stimuler les ventes de son pays. L'un des attraits les plus réels du Canada pour les autres nations, notamment le Japon, réside dans certaines des ressources dont le pays dispose en abondance : elles peuvent y accéder à des conditions de crédit avantageuses, sans les contraintes politiques et idéologiques imposées par les Américains lors de telles transactions. Tout en leur demeurant inextricablement liés économiquement, politiquement et militairement, les Canadiens ont acquis une grande habileté à paraître faire bande à part d'avec les Yankees.

Il y avait un problème. Les pressions exercées sur les filiales d'usines américaines implantées dans le pays afin qu'elles soutiennent l'économie nationale, et créent des emplois en vendant plus à l'extérieur, se firent plus vives. Mais cela les mettait en concurrence directe avec leurs maisons mères américaines qui faisaient des efforts analogues de vente à l'étranger. Fonctionnaires et bureaucrates du gouvernement canadien tentèrent donc, avec des succès variés, d'intervenir avec plus de douceur dans les activités de ces filiales. Il faut y voir un autre exemple des glissements souterrains décisifs en train de s'effectuer dans l'économie et la pensée canadiennes.

De surcroît, cette compétition plus intense entre les deux nations pour la vente de marchandises similaires sur le marché international (bois, blé, pâte à papier, charbon, équipement de télécommunication, par exemple, et même pétrole et gaz naturel) donna aux autres pays un avantage lorsque le moment venait de déterminer les prix. Leurs représentants, et en particulier les acheteurs japonais, s'efforçaient souvent, dans des négociations séparées, de gagner sur les deux tableaux en jouant sur les craintes de chacun de voir son voisin l'emporter.

Mais lorsque le Canada essaya d'utiliser de semblables pratiques pour contraindre les constructeurs automobiles japonais à bâtir leurs usines sur son territoire aussi bien qu'aux États-Unis, il eut moins de succès. La menace de perdre, par le biais des quotas ou d'autres mesures de représailles, le minuscule marché canadien ne pesa pas lourd face à l'énorme potentiel du marché américain.

Dans certains cercles canadiens, traiter en dehors de l'Amérique du Nord et avec des partenaires différents de leurs associés naturels du Commonwealth devint assez rapidement une routine. Ils entraînaient à leur suite des services auxiliaires tels que compagnies aériennes et fabricants de pièces détachées, ainsi que de nouveaux investisseurs. Et tout ce que les transactions internationales avaient d'intimidant, et avait longtemps retenu les Canadiens prisonniers de leur continent, commença à se dissiper.

Beaucoup de leurs compatriotes se demandèrent même, à de certains moments, où étaient passés tous leurs hommes d'affaires. « Nous ne manquons pas d'individus entreprenants, déclara un jour Rowland C. Frazee, de la Royal Bank. Un bon nombre d'entre eux sont aux États-Unis. »

Une percée canadienne chez le voisin commence en général avec un petit entrepôt près de la frontière, à l'intérieur de l'État de New York, par exemple, et, de là, s'étend plus tard vers la Nouvelle-Angleterre. Sur la côte ouest, ces investisseurs hardis commencèrent par s'installer dans l'État contigu de Washington, raflant les terrains de vacances à bâtir avec une allégresse et une détermination qui plurent aux promoteurs, mais transformèrent des lotissements tout entiers en de simples petites parcelles de Canada au sud de la frontière. D'autres régions attrayantes allaient s'ajouter à leur liste par la suite, à mesure qu'augmentaient la confiance, les capitaux, et la demande des consommateurs.

Au Connecticut, par exemple, Canadair consacra six millions de dollars à la construction de nouvelles installations sur l'aéroport international de Bradley, près de Hartford, qui devaient servir à l'entretien et aux réparations de son nouvel avion d'affaires à réaction, opportunément baptisé le « Challenger ». De nombreux États en quête de nouveaux investissements insérèrent des pages de publicité dans la presse canadienne. Le Kentucky, s'intitulant lui-même « la onzième province », fit observer, avec justesse, qu'il était beaucoup plus proche des principaux marchés canadiens que bien des villes dans le pays même. Des fonctionnaires du New Jersey firent des allées et venues chez leurs voisins pour rencontrer d'autres fonctionnaires ainsi que des hommes d'affaires, et ils distribuèrent, par milliers d'exemplaires, des brochures sur papier glacé portant des titres comme *New Jersey & Canada : Associés dans la croissance.*

Olympia & York, la plus grande (et très privée) société immobilière et de construction du Canada, est devenue le second propriétaire d'immeubles commerciaux de New York, avec à son actif plus d'une douzaine de gratte-ciel de première importance représentant plus d'un million deux cent cinquante-cinq mille mètres carrés. Elle a imaginé un projet pour la rénovation du sinistre quartier de Times Square [1], enlevé les enchères pour le vaste aménagement d'appartements et bureaux de Battery Park [1], et trouvé ensuite des locataires pour les remplir.

L'aménagement de Battery Park, un contrat de plus de deux milliards de dollars, avec des expropriations et des ventes de terrains d'une telle ampleur que cela en faisait, disait-on, le marché immobilier le plus important depuis l'achat de la Louisiane, fut également l'occasion pour Olympia & York d'introduire certaines de ses innovations dans les méthodes de construction, déjà utilisées au Canada; parmi elles, un système de monte-charges géants qui améliorait la productivité, réduisait les coûts, et aidait les entreprises à respecter leurs délais, impératifs comme d'habitude.

A Houston, Dallas, Denver, les Canadiens se sont également imposés dans le lotissement et la construction des nouveaux quartiers. Mais les sociétés n'avaient pas l'exclusivité de la spéculation et des investissements immobiliers chez leurs voisins du Sud. Chassés par un ciel peu clément et, pour certains Québécois, par le climat politique agité de leur province, des milliers de particuliers, y compris des hommes politiques se donnant beaucoup de mal chez eux pour faire régresser la propriété foncière étrangère, économisaient sur leurs salaires pour s'offrir l'objet de leur rêve : une résidence en propriété en Floride, en Arizona, en Californie ou à Hawaii, dans laquelle ils pourraient séjourner pendant leur *March Break*, les sacro-saintes vacances scolaires du mois de mars, avant d'y prendre leur retraite. De fait, si l'on choisit au hasard une journée d'hiver, on trouvera toujours en Floride cinq pour cent de la population canadienne.

Lorsque la ville de Portland, Oregon, eut besoin d'un architecte pour concevoir son nouveau Centre des Arts du Spectacle, entre les soixante et quelques projets soumis, c'est sur celui de Barton Myers, de Toronto, qu'elle fit porter son choix. Et quand les conseillers municipaux de la ville de Paris organisèrent un concours international pour la création d'un nouvel opéra, c'est un Canadien encore, Carlos Ott, qui l'emporta, devant sept cent quarante-sept autres concurrents. Sur une liste de vingt-cinq projets de constructions d'importance à Chicago, neuf intéressaient des promoteurs canadiens, dont certains détenaient déjà des avoirs substantiels, tant dans la ville même que dans les immeubles de bureaux de sa banlieue en pleine expansion. D'autres concernaient des Européens ou des hommes d'affaires du Moyen-Orient qui géraient leurs investissements en Amérique par le biais de filiales au Canada.

Après avoir réalisé un coup d'éclat surprenant en remportant un gros contrat de fourniture de nouvelles rames pour le métro new-yorkais, Bombardier Inc, de Montréal, commença à mettre au

---

1. Times Square et Battery Park, deux quartiers de New York, le premier au cœur, et le second à la pointe de la presqu'île de Manhattan.

point une nouvelle génération de locomotives Diesel dans le but d'attaquer de front la General Motors, le géant incontesté du marché nord-américain. La Flyer Industries, de Winnipeg, prit également l'avantage sur General Motors pour la fabrication de cinq cent quatre-vingts bus pour la ville de Chicago.

Telidon, le système d'information video mis au point par des Canadiens, a été choisi par l'ancien géant du téléphone A.T.T. pour les États-Unis. Lors de son historique dénationalisation, A.T.T. créa par ailleurs une nouvelle filiale destinée à vendre son matériel téléphonique au Canada.

En l'espace de six mois tout juste, la chaîne de huit hôtels *Four Seasons*, dont le siège est à Toronto, construisit ou fit l'acquisition de six autres établissements de luxe un peu partout aux États-Unis, et, parmi eux, de l'*Hôtel Pierre*, à New York.

Détaillants et restaurateurs n'ont pas été en reste dans cette invasion canadienne qui finit très vite par paraître, tout naturellement, la meilleure chose à faire. Consumers Distributing Company Ltd, une grosse société de vente par correspondance, fit récemment l'acquisition de soixante-dix locaux d'exposition auprès de la chaîne de grands magasins May, de Saint Louis, dans le Missouri. Elle projette d'en ouvrir des dizaines d'autres. Aussitôt, avec des ventes de plus de deux millions de dollars chacune, ces boutiques dépassèrent leurs homologues établies depuis longtemps au Canada. Reitman's, un important marchand de confection, racheta Worth's, une chaîne de quarante-deux magasins de vêtements féminins dont le siège est à Saint Louis. Il envisageait d'en ouvrir dix à vingt nouveaux chaque année. Les librairies Coles Book Stores ont fait leur entrée dans la compétition américaine entre chaînes de librairies. On pourrait multiplier les exemples de ces percées. Grafton Group a racheté Seifter's Inc, une chaîne américaine de cinquante magasins de vêtements pour dames du Midwest.

Des noms venus du Nord commencèrent à surgir un peu partout sur les enseignes des restaurants, même si rares étaient leurs clients qui en aient eu clairement conscience. De fait, les Canadiens sont maintenant les plus gros investisseurs étrangers dans le secteur américain de la restauration, avec Swiss Chalet, Bar-B-Q (prononcer « barbecue ») chicken, Mother Tucker's, Country Style Donuts, et Pizza Pizza, pour ne citer que quelques-uns des participants.

Pizza Pizza, une vaste chaîne vendant, comme cela ne surprendra personne, des pizzas à emporter, révolutionna sa branche avec son système hautement perfectionné d'ordinateur téléphonique. Cette technique lui permet, avec un seul numéro de téléphone pour une ville entière, de diriger automatiquement les appels pour commandes sur la boutique la plus proche du demandeur. Tout en vendant sa technologie aux chaînes américaines analogues, Pizza Pizza lorgne du côté du Texas et de Vancouver avec des idées d'expansion. Pizza Delight, qui travaille dans l'est du Canada, est aussi, pour sa part, en train d'envahir les États-Unis, sous le nom de Pizza Patio.

191

Dans le secteur de l'électricité, les deux pays se sont également rapprochés même si beaucoup l'ignorent encore. Les experts estiment que les ventes d'énergie électrique devraient s'élever à un milliard de dollars par an à l'horizon 1990. La raison en est simple : les périodes de consommation de pointe sont différentes de part et d'autre de la frontière; les États-Unis ont besoin d'électricité supplémentaire en été, lorsque la climatisation est nécessaire, et les Canadiens en hiver, pour se chauffer. Acheter de l'électricité en sus pendant les courtes périodes de pointe revient beaucoup moins cher que de construire de coûteuses centrales qui tourneront au ralenti la majeure partie du temps.

Le bénéfice mutuel tiré de l'opération est tout aussi clair. Avec environ un tiers des ressources mondiales en eau douce, et une population très clairsemée, le Canada dispose, loin des protestations écologistes, de nombreux sites encore inexploités et propices à la production d'une hydroélectricité moins chère et moins sale que les centrales à fuel ou à charbon. Avec en main un contrat de vente signé des Américains, les services publics canadiens ont la possibilité de financer plus facilement leurs énormes projets, qui pourront également servir à une production peu coûteuse à destination du marché intérieur. Et le contrôle des capitaux demeure entre les mains des Canadiens grâce à l'attention vigilante qu'ils apportent aux accords de vente.

Les excédents de production des deux camps trouvent ainsi un débouché, et les Américains peuvent jouir, à moindre coût, d'une source d'électricité fiable, sans avoir à effectuer de gros investissements en équipement, et sans la perte de temps et d'argent que représentent les discussions écologiques aux séances du Congrès.

Ces liens énergétiques donnent lieu à quelques chamailleries politiques internes. Ainsi, on accuse les Américains d'obtenir de l'électricité à moindre frais que les Canadiens eux-mêmes; certains affirment même qu'en les payant pour produire leur énergie, les Américains sont en fait en train d'exporter leur pollution au Canada. Ce commerce a même déclenché entre les provinces des poursuites judiciaires complexes, caractéristiques de leurs amères rivalités traditionnelles. Le territoire relativement pauvre de Terre-Neuve, par exemple, désirait réaliser le coûteux projet hydroélectrique de Churchill Falls, mais avait besoin, pour obtenir un financement, que des ventes lui soient garanties. Son voisin immédiat, le Québec, accepta de lui acheter son électricité, à un très bon prix, avant de la revendre avec un joli bénéfice, à la Nouvelle-Angleterre.

Le commerce de l'électricité entre les deux voisins est fort ancien. La première ligne à traverser la frontière fut édifiée en 1901. Elle reliait la Canadian Niagara Power Company Ltd à sa société mère américaine. Il est inutile de chercher bien loin pour découvrir des signes des sérieuses conséquences que ces liens ont pour les deux pays. C'est en fait une faille de certains relais de communication de l'Ontario qui déclencha la grande panne d'électricité de 1965, qui paralysa la plus grande partie du nord-est de l'Amérique du Nord. De nouvelles lignes à haute-tension sont en construction. Elles assureront ces échanges d'électricité bilatéraux de plus en plus considérables qui ont fini par créer des liens énergétiques parfois plus étroits entre certaines provinces canadiennes et une région donnée des États-Unis qu'entre provinces voisines. C'est ainsi que le Manitoba vend dix fois plus d'électricité hydraulique aux États américains qu'à la Saskatchewan. On envisage la construction d'une usine marémotrice de dix mille mégawatts dans la baie de Fundy, située entre le Nouveau-Brunswick et la Nouvelle-Écosse. Ce projet de plusieurs milliards de dollars, lancé depuis fort longtemps, n'a pourtant pas encore dépassé le stade des études. La technologie utilisée permettrait de produire une quantité d'électricité équivalente à celle de seize réacteurs nucléaires, pour un prix bien inférieur. Comme de juste, le Nouveau-Brunswick ne soutient pas le projet de sa voisine immédiate, la Nouvelle-Écosse. Comme on pouvait s'y attendre également, l'électricité produite ne le serait pas au profit des consommateurs néo-écossais, mais à celui des compagnies d'électricité américaines du sud de la Nouvelle-Angleterre. Ces dernières ont déjà conclu un contrat d'achat de deux milliards et demi de dollars avec le Québec pour les années quatre-vingt-dix, et sont en train d'en négocier un autre avec la Commission à l'Énergie électrique du Nouveau-Brunswick, laquelle, s'il se réalisait, construirait une ou deux centrales nucléaires dont le seul but serait d'approvisionner leurs voisins du sud (et de garder intacte la production des centrales nucléaires propres au Canada).

Les Américains on le sait, se sont également tournés depuis longtemps vers le nord pour leur ravitaillement en boissons fortes, légales ou non, à tel point que leur premier réflexe est d'associer le Canada à ses liquides rafraîchissants. Au temps de la Prohibition, la frontière américano-canadienne était, comme on pouvait s'y attendre, très perméable. Camions et bateaux livraient une bonne partie de l'alcool qui alimentait bars illicites et gangsters, contribuant même à l'édification d'une ou deux fortunes familiales au Canada. Il y eut le Canada Dry, et le Canadian Club, et, en 1983, Joseph E. Seagram & Sons, déjà propriétaire de Paul Masson and Gold Seal Vineyards, racheta les avoirs en vignobles de Coca-Cola, y compris les vins étiquetés Taylor, devenant ainsi le deuxième négociant en vins des États-Unis, derrière seulement E. & J. Gallo. Et maintenant arrivent les bières du Nord, que l'on brassait déjà au Canada cent huit ans avant que les États-Unis ne deviennent une nation.

Durant des décennies, les brasseries canadiennes se contentèrent d'exporter chez leur voisin leurs petits excédents. Leur plus haut degré en alcool (cinq pour cent au lieu de trois) et leur goût plus corsé (on utilise plus de malt naturel pour leur fermentation) n'attiraient qu'une clientèle réduite. A l'intérieur des frontières, les trois principales sociétés (Labatt's, Molson's et Carling O'Keefe) réalisaient à elles seules quatre-vingt-dix-sept pour cent des ventes comme c'est souvent le cas dans ce pays. Cet état de choses était dû au fait que rares étaient les entreprises disposant des capitaux nécessaires pour couvrir un marché aussi immense, géographiquement parlant, ainsi qu'à des législations provinciales écrasantes qui ne permettaient pas qu'une bière soit vendue à un prix plus bas à l'intérieur d'une province donnée si elle n'avait pas été brassée dans ladite province.

Les provinces exercent également un contrôle très strict sur la publicité. Trois d'entre elles, la Saskatchewan, l'île du Prince-Edouard et le Nouveau-Brunswick, bannissent de la radio et de la télévision tout spot concernant les boissons alcoolisées. En Ontario, le Liquor Licensing Board, commission spécialisée, autorise la publicité, mais interdit avec fermeté que « le produit soit cautionné par des personnalités reconnaissables ».

Les brasseurs cherchent par conséquent à se faire légalement de la publicité en sponsorisant d'innombrables équipes et tournois sportifs. Les « Blue Jays » (base-ball) et les « Argonauts » (football américain) de Toronto, les « Nordiques », de Québec, et les « Canadiens » de Montréal (hockey) appartiennent tous, comme nombre de plus petites équipes, à des brasseries. Très longtemps, certaines lois provinciales interdirent même que l'on boive une bière dans son propre jardin, et, dans l'Ontorio, il était illégal de boire debout dans un bar.

Plus généralement, les politiques de tarification provinciales, qui veulent que tous les brasseurs alignent leurs prix dans une province donnée, ont réussi à éliminer toute menace sérieuse de guerre des prix. En Ontario, par exemple, les habitants ne peuvent acheter de bière dans une épicerie ou dans un magasin de spiritueux. Il leur faut s'adresser à des magasins détenant le monopole de la vente de bière, et qu'ils appellent des boutiques *in and out* (entrer et ressortir), parce qu'on y entre par une porte et qu'on en ressort par une autre. L'établissement est d'ordinaire une morne boîte de briques, peuplée d'employés las, s'ennuyant ferme et tuant le temps, à l'image de beaucoup de bureaux de poste américains. Dans une vitrine, sont exposées des bouteilles et des boîtes poussiéreuses, exemplaires des différentes marques disponibles. Le client fait la queue pour rendre ses emballages vides et se voit remettre en échange l'argent de sa consigne; puis il s'en va avec ses pièces rejoindre une autre file d'attente, à trois mètres de là, pour faire un nouvel achat. Une minute après, la commande arrive d'une pièce à l'arrière en glissant sur un bruyant convoyeur mû par des roues métalliques. La méthode n'a guère changé depuis les années d'après-guerre.

Mais, confrontés à l'évolution du marché intérieur et à la soif nouvelle des Américains pour la bière importée, Molson's, Labatt's et Moosehead Lager ont franchi les frontières de leurs provinces. Ils se sont rapidement emparés de trois des dix meilleurs créneaux d'importation de bière aux États-Unis, et d'environ trente pour cent de toutes les ventes à l'importation. Les bières Moosehead, du Nouveau-Brunswick, sont d'ailleurs plus connues aux États-Unis, où on les trouve dans chacun des cinquante États, que dans leur pays d'origine, où elles sont introuvables dans huit des douze provinces et territoires.

En l'espace de dix ans, les ventes aux États-Unis ont été multipliées par dix, encourageant les Canadiens à augmenter leurs capitaux en se fondant exclusivement sur leurs ventes chez leurs voisins. Il est de fait qu'au rythme de croissance actuel, Molson's, en tête des bières canadiennes aux États-Unis, vendra dans cinq ans plus de ses produits au sud qu'au nord de la frontière.

« Cela paye relativement bien d'être aux États-Unis », déclare Al Farrell, directeur de la recherche chez Molson's. On connaît bien, en outre, les séductions du pays. Son marché est proche, grandit rapidement, et a dix fois la taille de celui du Canada, dont la croissance est plus lente, et où la compétition est rude. Ajoutez à cela de gros bénéfices au change, avec un dollar américain qui s'est échangé contre 1,17 dollar canadien, voire plus, ces dernières années, et de jolis profits découlant de la bonne volonté mise par les Américains à considérer la bière canadienne comme digne d'un petit supplément de prix du simple fait qu'elle vient d'un autre pays en passant un pont.

Les brasseurs du Nord s'appliquent avec énergie à renforcer cette image. Ils ont appris leur leçon, et savent que leurs voisins aiment les bouteilles de bière hautes et minces (lesquelles, jusqu'à une date récente, étaient proscrites au Canada), qu'ils associent le verre de couleur verte à l'idée d'importation coûteuse, et qu'ils accepteront de payer plus pour une bière dotée de cette image. Par conséquent, ont, pour le marché américain, mis au rebut les petites bouteilles brunes trapues et consignées, de mise dans leur pays, pour les remplacer par des récipients verts à jeter. Dans leur publicité, souvent programmée sur des chaînes de télévision et des stations de radio proches de la frontière (dont les émissions se répandent efficacement dans les deux pays pour le prix d'une) ils font valoir leur origine d'élite, leur naissance dans les immenses espaces ouverts du Grand Nord étranger et sauvage, plein d'air pur, de forêts, et d'eaux limpides et vivifiantes. « Les Américains ont une bonne image de notre pays, et sont entichés des lacs du Nord et des vastes prairies, fait remarquer M. Farrell, alors qu'aux yeux des Canadiens, tout cela est un peu démodé. » Dans leur pays d'origine, ces mêmes bières ont été commercialisées à grande échelle dans des bouteilles brunes toutes identiques; on a renoncé à l'aura de la marchandise d'élite importée, au goût boisé et au prix majoré, pour insister sur l'image des vieux amis, toujours jeunes, passant un bon moment avec une simple bonne bière.

Mais le succès de ces breuvages canadiens aux États-Unis menait, semble-t-il, parfois, à quelques bizarreries rendant nécessaire l'usage d'une grille de repérage pour s'y retrouver entre les participants. Molson's, au premier rang des bières canadiennes sur le marché américain, se classa bientôt en deuxième position de toutes les bières importées, avec environ dix-sept pour cent des ventes. Devant elle ne venait qu'Heineken, des Pays-Bas, qui voyait sa position dominante déraper d'un rien pour descendre au taux encore imposant de trente-huit pour cent. Cette dernière fit alors entrer en jeu une de ses filiales, Amstel Breweries, dans le but de concurrencer Molson's sur le marché canadien. Amstel décida d'essayer en outre de tirer profit de la bonne image du voisin du nord sur le marché américain, et commença à tester une nouvelle bière « canadienne », baptisée « Grizzly », tout spécialement conçue pour l'exportation vers les États-Unis. Cette tactique non seulement lui permettrait de se tailler une part de chacun des deux lucratifs marchés nord-américains, utilisant tantôt son image hollandaise au Canada, tantôt son image canadienne aux États-Unis, mais l'aiderait, de plus, à faire obstacle à la concurrence canadienne rencontrée au sud. Amstel satisferait ainsi plus facilement à l'exigence du gouvernement d'Ottawa de produire de nouvelles marchandises à l'exportation, une condition souvent posée par la F.I.R.A comme préalable à l'entrée des nouvelles sociétés étrangères.

La multiplication des propriétés canadiennes dans de nombreux autres secteurs prit peu à peu la forme d'un flot constant, n'attirant plus qu'une attention de routine. La chaîne d'hôtels Canadian Pacific bâtit le nouveau *Franklin Plaza Hotel* à Philadelphie. Cineplex, créateur d'une chaîne de complexes de cinémas de six à douze salles, étendit ses possessions depuis sa ville d'origine de Toronto jusqu'à Los Angeles et autres lieux. Harlequin Enterprises, une filiale du *Toronto Star*, révolutionna le marché américain du livre de poche en appliquant à la promotion des livres les techniques de vente des marchandises ordinaires, et récolta de gros bénéfices en distribuant ses romans à l'eau de rose dans les rayons des épiceries, à la manière de savonnettes (« Harlequin connaît votre sentiment sur l'amour »). Par la suite, il édifia son propre système de distribution aux États-Unis, et étendit la sphère de ses activités en rachetant la section de vente par correspondance de Miles Kimball, du Wisconsin.

Citons également la Nelson Skalbania, qui acheta la licence de la National Hockey League (Ligue Nationale de Hockey) d'Atlanta, qu'elle transféra à Calgary; les magasins de chaussures Pic'N Pay, de Caroline du Nord, repris par Bata Industries.

Les compagnies d'assurances canadiennes se mirent elles aussi à diffuser leurs emblèmes et leurs contrats vers le sud. Un agent d'assurances canadien expliquait très simplement ces déplacements vers l'étranger : « On ne peut pas vendre de polices aux arbres. »

Les agriculteurs canadiens eux-mêmes prirent part à l'invasion, utilisant plus pleinement, plus longtemps, et donc plus efficacement leur coûteux matériel en lui faisant franchir la frontière. Le spectacle annuel de centaines de machines à battre et vanner le grain, et de leurs vaillants équipages, est devenu banal. Ils vont, de moisson en moisson, remontant du Texas jusqu'au Dakota du Nord, avant de s'en retourner au Canada pour y arriver quand leurs propres blés sont mûrs, avec, dans les poches de leurs bleus, une somme rondelette en bons dollars américains. Les agriculteurs qui louent leurs services n'ont que des louanges à la bouche. « Ces Canadiens... Leur matériel est toujours propre, performant », me confia Sammy Crissman, dans sa cuisine, au Kansas, un jour de fin d'automne. Il les engage tous les mois de juin pour sa récolte de blé. « Leurs machines sont toujours neuves, en parfait état, ajoute-t-il, et leur boulot est impeccable. Ces gars-là sont débrouillards, c'est moi qui vous le dis. » Les équipes américaines les voyaient d'un plus mauvais œil.

Observateurs attentifs des marchés financiers américains depuis Vancouver, où se trouve la bourse des valeurs la plus débridée du Canada, les discrets frères Belzberg et leur First City Financial Corporation réalisèrent des bénéfices considérables en réunissant plus de onze pour cent des actions du groupe Bache, de New York, prélevées sur des avoirs précédemment détenus par les frères Hunt, du Texas. Bache fut d'ailleurs plus tard repris par la Prudential Insurance, au profit des mêmes frères. Les Belzberg ramassèrent alors leurs gains, et prirent le contrôle d'autres banques en Californie. Pour une somme d'environ quatre-vingts millions de dollars, ils parvinrent en outre à acquérir l'entreprise de déménagement Bekins Company de Los Angeles.

K-tel lui-même, le spécialiste de la récupération des succès musicaux « en or massif », avec ses spots publicitaires tonitruants qui, tard dans la soirée, réveillent des millions de téléspectateurs somnolents dans le monde entier, étendit ses activités aux États-Unis en ouvrant un siège à Minneapolis (au sud très exactement de son siège de Winnipeg), et en se mêlant de quelques investissements dans l'immobilier et le pétrole texans. La société, fondée par Philip Kives (le K de « K-tel »), un Canadien devenu bonimenteur sur la promenade du bord de mer à Atlantic City (New Jersey), vendait en outre ses albums de *greatest hits* et ses gadgets de cuisine dans plus de vingt-cinq pays, un peu partout dans le monde.

Dans le même temps, des millions de dollars en fonds de placement canadiens quittaient le pays, à la recherche des meilleurs investissements. En 1980, un dollar géré par les membres de l'Investment Funds Institute of Canada sur quatre était placé à l'étranger. Au cours des deux années suivantes, ce chiffre passa à un sur trois, alors même que le dollar canadien ne valait que dans les huit-dixièmes de celui des États-Unis, pays où partaient la majeure partie des fonds, le Japon ne venant que loin derrière, en deuxième position.

Utilisant comme représentants des citoyens en vue dans leur région, et mettant à profit les années d'expérience passées à attirer les messages publicitaires américains destinés à leurs abonnés canadiens, les sociétés canadiennes de télévision par câble remportèrent de nombreux succès dans la course pour l'obtention de concessions dans les villes américaines. A l'issue d'une longue bataille juridique, la Canadian Cablesystems, de Toronto, déjà suivie par des milliers d'abonnés du sud de la Californie et de la ville de Portland dans l'Oregon, décrocha le droit, fort lucratif, de diffuser dans la ville de Minneapolis tout entière. Mais à l'image des entreprises américaines implantées au Canada, elle avait compris la leçon et sut minimiser l'importance de ses liens avec l'étranger. Aussi Canadian Cablesystems devint-elle Roger Cablesystems. Dans le même esprit, tout se passa dans la plus grande discrétion lorsque Mortimer B. Zuckerman, de Montréal, s'interposa pour acheter et tenter de sauver le magazine *Atlantic Monthly* qui était en difficulté et, plus tard, l'*U.S. News & World Report*.

Pour certains des premiers investisseurs canadiens, le mouvement vers le sud prolongeait des décisions d'affaires prises en fait depuis de nombreuses années. « Je crois que nous devrions nous estimer heureux que, parmi les journaux que nous possédons, figurent soixante-deux quotidiens américains », déclarait Kenneth R. Thomson, président-directeur général de Thomson Newspapers Ltd, le monument de l'édition qui lui fut légué par son père, Roy, fils d'un coiffeur pour hommes de Toronto, devenu propriétaire du *Times* de Londres, et que la reine anoblit sous le nom de Lord Thomson of Fleet.

Depuis lors, les avoirs de Thomson dans le monde de la presse américaine se sont encore développés. Aux États-Unis, la chaîne montre une préférence pour les petites publications, du type de celles distribuées à Middletown, Piqua et Xenia dans l'Ohio. Elle laisse aux rédactions une grande indépendance, mais elle exige un très strict contrôle des prix de revient. Par ailleurs, en 1983, l'International Thomson Organisation, société apparentée à Thomson, et détenant d'importants avoirs dans les pétroles de la mer du Nord, mais aussi dans le secteur européen des voyages et dans l'édition nord-américaine de livres éducatifs et d'érudition accepta de racheter l'*American Banker* et le *Bond Buyer*, deux quotidiens s'adressant respectivement au monde de la banque, et au secteur des obligations à revenus imposables.

Les raisons de l'intérêt de Thomson pour les États-Unis étaient tout à la fois caractéristiques et éclairantes. « Il est intéressant de noter, déclara K. R. Thomson lors d'une récente réunion annuelle de la société, que nous, Canadiens, investissons plus maintenant à l'étranger, au total, que les étrangers ne le font chez nous. Les incertitudes politiques et l'augmentation peu réaliste du niveau des salaires ont, bien sûr, concouru à créer cette situation, mais les attitudes hostiles aux affaires et les préjugés à l'encontre des investissements étrangers y ont certainement également apporté leur contribution, aussi regrettable que considérable. Le Canada peut et doit ressortir le tapis rouge de bienvenue. » Il ajouta, avec quelque intention, que la plus grosse part des bénéfices et de l'accroissement de la productivité de sa société provenaient de ses possessions américaines, et non des canadiennes.

En raison, peut-être, de leurs fortes tendances ataviques écossaises pour le pragmatisme, l'épargne et la circonspection, les Canadiens n'ont pas, en tant que peuple, de propension à penser en termes de grandeur ni d'idéologie. Les contraintes exercées sur eux par leur situation géographique et économique, et leur constitution psychologique, ne leur ont pas permis ce luxe. Ancien diplômé d'histoire des universités américaines, je me suis souvent pris à penser à la vie d'une nation comme à celle d'un fleuve, allant toujours droit devant lui, déviant de son cours ici ou là, débordant dans ses crues puis à d'autres moments lent et peu profond, capable à la fois d'engloutir toute vie nouvelle, ou de la faire naître, sale par endroits, et limpide à d'autres, mais avançant toujours vers un ailleurs mal défini, une arrivée non programmée en un moment non précisé de l'avenir... peut-être. Mon image du Canada en tant que nation prit, elle, la forme d'une série décousue d'étangs immobiles, façonnés par les lieux et leurs destins occultes. Certains des étangs sont plus grands; beaucoup d'autres sont petits; les uns sont profonds, et durables, d'autres menacés d'assèchement; certains se rafraîchissent lentement à des flux souterrains d'eau claire, et d'autres restent là, simplement, en sommeil souvent, conscients à regret seulement de la vie au-delà de leurs rives. Mais, plus récemment, avec cette émergence du nouveau chef d'entreprise canadien, beaucoup de ces étendues d'eau semblaient déborder, et former leur propre rivière courant vers quelque lieu. Ces flots ne s'étaient pas encore fondus en un fleuve national unique, mais du moins cherchaient-ils à sortir d'eux-mêmes. En regardant à fleur d'eau et de l'intérieur de ces étangs, ce phénomène était malaisé à discerner. La vie demeurait familière et, ô combien, confortable. De l'extérieur, cependant, on le repérait facilement; dans certaines régions des États-Unis, ceux des Américains qui songeaient à baisser les yeux pouvaient remarquer que, tranquillement, le sol se gorgeait de l'eau de ces nouvelles sources.

L'expansion économique du Canada hors de ses frontières n'est pas le résultat d'une vision « nord-hémisphérique » du monde appelant une nation unifiée à la conquête de nouveaux royaumes exotiques, un peu comme ces Japonais, parcourant le globe d'un même pas, selon des préceptes, valeurs et buts communs. Ce n'est pas une Destinée manifeste [1] qui pousse ses habitants, mais, plus

1. La théorie de la Destinée manifeste veut que le peuple américain ait été élu par Dieu pour créer une société nouvelle – et même se répandre dans tout le continent.

simplement, la destinée de ses hommes d'affaires. « Le Canada est un vaste marché, me disait un jour l'économiste David Bauer, mais celui des États-Unis est énorme. Maintenant que les sociétés canadiennes arrivent à maturité, il n'est que naturel qu'elles regardent vers le sud. Proche, vaste... et logique. » C'est aussi un marché familier, facile d'accès, politiquement stable, et offrant aux Canadiens des possibilités d'investissement incomparables, tout particulièrement quand le dollar américain est faible et/ou que leurs profits sur leur marché intérieur ont été importants. Les massives accumulations de liquidités des entreprises réclament alors de nouveaux investissements, sinon, elles peuvent donner à une autre société la tentation de les racheter à bon compte. Firmes américaines comme canadiennes se trouvèrent affectées par la hausse des taux d'inflation qui, entre autres choses, rendait souvent beaucoup moins coûteuses les tentatives d'expansion par le biais de prises de contrôle d'entreprises et de matériel déjà existants, que par celui de nouveaux investissements dispendieux. (L'apport financier et l'intervention du gouvernement dans l'économie canadienne étant plus importants, l'inflation se maintint d'ailleurs à un niveau élevé plus longtemps.)

D'après les statistiques, le marché américain bénéficie de surcroît d'un plus fort potentiel de croissance, d'un meilleur rapport des investissements, de salaires réels plus bas, d'une plus grande productivité, d'un syndicalisme moins militant, et, dans bien des cas, de beaucoup, beaucoup moins de réglementations gouvernementales que le marché canadien. Mais il y a une autre raison moins évidente, qui incite les Canadiens à placer leur argent aux États-Unis et à y réinvestir les bénéfices réalisés. C'est qu'il leur est possible de défalquer les intérêts de leurs emprunts dans le pays de leurs revenus américains, exactement comme les propriétaires de logements américains peuvent en déduire les intérêts des hypothèques de leurs maisons. Déductions qui, ni l'une ni l'autre, ne sont autorisées au Canada.

Les facilités offertes aux États-Unis aux investissements de presque toutes les nationalités, ajournements d'impôts, prêts intéressants et autres aides au développement, n'ont certes pas créé d'obstacle. La Chambre de Commerce du Michigan qui, à l'instar de nombreux groupements, prend de plus en plus conscience du poids économique du grand voisin, a même organisé un programme à l'échelle de l'État destiné à encourager villes et entreprises à accepter les dollars des touristes canadiens comme équivalents de la monnaie américaine, ce qui revient, au minimum, à une ristourne de vingt pour cent. « Les Canadiens aiment dépenser, expliquait Patrick Gagliardi, un représentant de l'État. Ils ne sont pas ladres. C'est un excellent marché à pénétrer. »

Pour les hommes d'affaires, la séduction des États-Unis était grande, comparée aux nombreuses règles et réglementations rencontrées chez eux, dans une économie étroitement liée à l'État, où, à titre d'exemple, la ville de Toronto fit à un certain moment appliquer à la va-vite une mesure interdisant que la hauteur des nouveaux immeubles dépasse quinze mètres. Peut-être cette initiative a-t-elle permis de maîtriser le développement de la ville, et contribué à faire de son profil en front de lac l'un des plus beaux de l'Amérique du Nord, même s'il demeure méconnu. Mais de telles mesures se paient cher : les promoteurs détournèrent leur attention et leurs dollars vers les États-Unis, où ces préoccupations au sujet du profil urbain ou de l'ensoleillement d'un centre ville qui étaient de mise voici vingt-cinq ans ont depuis longtemps déjà été oubliées dans la course avide aux nouveaux emplois et à la croissance.

Un promoteur canadien travaillant à Los Angeles parlait des différences séparant les points de vue des deux nations sur la présence étrangère. « Les Américains se glorifient d'être attirants, déclara-t-il au mensuel canadien *Saturday Night*. Ils sont beaucoup moins xénophobes que nos compatriotes. Et il existe ici une attitude générale favorable aux affaires, de la part du maire aussi bien que du conseil et de l'administration. Si vous faites des bénéfices, vous devenez presque un héros, tandis que, dans bien des coins du Canada, et en particulier la région de Toronto, gagner de l'argent est mal vu. »

Le déclin des réglementations américaines constituait un des attraits, et un attrait de premier ordre, aux yeux des compagnies canadiennes de pétrole et de gaz naturel. Leurs plates-formes de forage de plusieurs dizaines de tonnes furent démontées et transportées vers le sud dans de lourds convois de camions, à la recherche de gisements souterrains plus lucratifs. Des terrains à prospecter étaient disponibles, à des prix, pour des Canadiens, très avantageux. Les royalties américaines sur la production étaient plus modestes.

Les États-Unis, dont le balancier économique penchait alors vers le côté conservateur, étaient en pleine suppression des contrôles gouvernementaux dans de nombreux secteurs, y compris ceux du pétrole et du gaz naturel. « Les hommes d'affaires ne sont pas si portés sur l'idéologie, notait Brian Gilmer, directeur financier d'une très importante société canadienne de placements. Un baril de pétrole à trente dollars extrait aux États-Unis a tout simplement bien meilleure figure qu'un baril à onze dollars au Canada. »

Les perpétuelles chamailleries entre provinces et État fédéral à propos des tarifs de l'énergie créent au Canada des incertitudes économiques considérables, que les autochtones considèrent comme inévitables, mais que les étrangers trouvent ennuyeuses, tout spécialement en raison de la comparaison qu'ils ne peuvent manquer de faire avec les États-Unis tout proches, et stables, même s'il leur arrive d'être un peu turbulents. En outre, les limitations imposées par l'État canadien aux exportations, et les prix élevés de celles-ci, ont contribué à produire des excédents de certaines variétés de pétrole, que les Canadiens se mirent alors à vendre, non à leur voisin, mais au Japon. Ces restrictions entraînèrent aussi la constitution d'énormes surplus de gaz naturel, à tel point qu'il fallut refermer, pour des années, certains gisements de gaz nouvellement découverts, cependant que continuaient à s'accumuler les intérêts des dépenses de prospection.

« Au Texas, une fermeture de deux semaines est déjà longue, ajoutait M. Gilmer. Je connais des services publics qui ont installé des canalisations arrivant sur le site même du forage. Je n'avais aucune idée de la quantité d'argent canadien qui afflue vers le Texas, les Rocheuses et le Michigan. » Beaucoup de ces investissements étaient discrets, patients, tranquilles, typiquement canadiens : des sociétés portant des noms comme Ranger Oil, Texas Pacific, Asamera, Hudson's Bay Oil & Gas, Canadian Superior et Pancanadian Petroleum (un autre bras de l'empire de la Canadian Pacific), élargirent ainsi leur influence économique aux États-Unis.

D'autres initiatives, comme l'offre de près de deux milliards de dollars faite par la Dome Petroleum pour Conoco, ou la ruée du groupe Nu-West sur la Cities Service Company, de Tulsa, firent beaucoup plus de bruit. Quelques tentatives astucieuses de la part de Canadiens pour entrer en participation dans des compagnies pétrolières américaines échouèrent; ils ne réussirent qu'à gagner beaucoup d'argent. Un exemple en est la tentative faite par Denison Mines, la société d'extraction d'uranium de Toronto, pour reprendre, pour cinq cent vingt-cinq millions de dollars, la Reserve Oil and Gas de Denver; il s'en fallut de cent millions de dollars qu'elle ne batte l'offre de la Getty Oil de Los Angeles. Est-ce que cela avait été intentionnel? Peut-être. Ce fut en tout cas lucratif, car la Denison réalisa un joli bénéfice en vendant à Getty les actions de la Reserve Oil and Gas qu'elle détenait déjà, et en recevant de l'acquéreur une prime spéciale de dix millions de dollars, « en considération » de son renoncement à ses projets de fusion.

Mais les prolongements de certains placements canadiens s'étendent souvent bien au-delà de leur objectif immédiat. L'assaut livré à Conoco par la Dome, qui avait au départ pour seul but de forcer la compagnie américaine à liquider ses avoirs canadiens dans l'Hudson Bay Oil and Gas, eut pour effet d'en révéler la fragilité. Ceci conduisit, à quelques semaines de là, dans l'année 1981, à son rachat total, pour sept milliards six cent soixante-dix millions de dollars, par E. J. Du Pont de Nemours & Company. Cette reprise, réalisée à l'issue d'une bataille féroce à coups de millions de dollars entre Du Pont, Mobil Oil et Joseph E. Seagram & Sons, constitua en son temps la plus grosse fusion de l'histoire américaine.

De même, l'achat, pour six cents millions de dollars, par la Hiram Walker Consumer's Home de Toronto, d'une partie des actifs en pétrole et gaz naturel de la Davis Oil de Denver procura à Marvin Davis la majeure partie des fonds qui lui permirent, six mois plus tard, de prendre à son tour le contrôle de la 20th Century Fox.

Le contraire peut également se produire. L'offre infructueuse d'un milliard de dollars faite par Brascan (Canada) pour le rachat de Woolworth accentua dans son pays même l'image de vulnérabilité de la vieille société. La conséquence directe fut sa reprise par une branche de la famille Bronfman, dont la fortune, notons-le, commença à l'origine à s'accumuler grâce aux ventes faites aux Américains.

En tout cas, cette charge agressive de la Brigade à la Feuille d'Érable sur les États-Unis fit resurgir et exacerba des deux côtés les frictions toujours latentes sur certains problèmes particuliers. Des ressentiments couvaient parmi un certain nombre d'Américains à la pensée qu'ils étaient supplantés chez eux par des « étrangers » Et leurs voisins, qui, lors de leurs expéditions de pêche annuelles dans le nord de l'Ontario, leur paraissaient si semblables à eux, étaient fort opportunément rangés dans le même sac que les autres étrangers sournois (comprenez « couronnés de succès ») comme les Japonais ou les Arabes.

Chez les Canadiens, les succès économiques à l'extérieur ne provoquaient guère de manifestations de satisfaction, aucun, en tout cas, de ces hochements de tête et de ces sourires entendus échangés par les cadres de Honda, à Tokyo, quand ils apprennent qu'ils viennent encore d'éliminer un fabricant de motos britannique. Mais si, au Canada, ne transpirait aucun signe d'allégresse, on craignait en revanche dans de nombreuses sphères du pays, un possible ressentiment américain, tout particulièrement dans les médias, qui se nourrissent comme toute presse des sociétés démocratiques, de conflits, réels ou supposés. Quand un obscur législateur de l'État de l'Oklahoma suggéra à un reporter que la loi devrait instituer certains contrôles à l'égard des Canadiens et autres étrangers achetant des terrains aux États-Unis, cette nouvelle suscita la plus vive attention au Canada. Mais lorsque l'idée du législateur fut rejetée par la cour, l'affaire ne fut jugée digne que de quatre paragraphes en page intérieure. La première proposition cadrait avec ce que les Canadiens attendaient; la réponse, non.

Cette attitude devint particulièrement répandue à l'époque où la vague de résistance américaine s'intensifia pour faire face à celle des tentatives de prises de contrôle canadiennes. Beaucoup des fusions s'accomplirent dans la paix et l'efficacité, sans faire naître de rancœurs. D'autres, en revanche, déclenchèrent la mise en œuvre par les sociétés de toute la panoplie de résistance juridique, avec armées d'hommes de lois engageant des poursuites et allégations de transgression des lois anti-trust dans un grand nombre d'États, le tout visant à faire monter le coût de l'opération au-delà du prix que leurs opposants étaient disposés à payer. Les Canadiens, habitués à traiter chez eux avec peu de véritables concurrents et sans entraves notables, se dirent choqués des brutales ripostes des Américains, et de leurs tactiques, où tous les coups étaient permis. C'était une bien étrange réaction de la part d'un peuple qui réveille ses enfants le samedi pour jouer des matchs de hockey à cinq heures du matin, et les regarde se jeter les uns et les autres contre des murs de bois.

Les changements économiques se tramant dans les deux pays et les conflits qu'ils ont déjà entraînés au sein de leurs relations communes m'ont toujours fait penser aux rapports entre deux frères grandissant côte à côte, et voyant les mêmes choses avec des yeux différents. Pendant très longtemps, le monde leur apparaît à tous deux sous le même aspect. Par manque d'expérience personnelle, le plus jeune accepte comme parole d'évangile tout ce que dit son aîné, et reçoit en retour le droit de se reposer sur lui pour conseils et protection. Le plus âgé aime, s'en délecte même peut-être, l'estime de son frère; il en vient à attendre de lui une certaine déférence. Cet état de choses est rassurant et satisfaisant pour les deux parties, et, qui plus est, naturel.

Mais, sans crier gare, arrive un moment où les règles de leurs jeux changent subtilement. Naguère, le cadet se satisfaisait de la seule attention de son frère, et acceptait de bon cœur de perdre à tout coup dans tous leurs jeux – sauf quand son aîné le laissait gagner, jugeant que cela n'avait pas grande importance. Mais maintenant, il ne s'en contente plus. Las d'avoir perdu pendant tant d'années, il commence à modifier unilatéralement leur accord, jouant pour gagner, cette fois, serrant les dents et attaquant, peut-être un peu trop fort, eu égard aux usages en vigueur entre eux jusque-là. A ce stade, le grand frère scandalisé peut réagir avec amertume, colère et animosité à l'altération apparemment soudaine et grossière du jeu, qui semble menacer sa position de supériorité. Il se peut qu'il exige avec indignation de savoir ce qu'il a fait pour mériter cela. Ou bien, il peut sourire d'un air entendu, et se débarrasser du problème en le mettant sur le compte d'une évolution naturelle, sûr que rien jamais ne pourra briser les liens du sang qui les unissent, et que leurs maturités respectives peuvent même, en fait, les resserrer et les renforcer.

Il n'est pas besoin d'être grand philosophe pour comprendre que la différence d'âge séparant deux frères de trente-cinq et de quarante ans est beaucoup moins cruciale que cette même différence d'âge lorsqu'ils en avaient dix et quinze; et de même, qu'un écart de cent ans, en âge et en maturité, entre deux nations, est bien moins déterminant lorsqu'elles ont respectivement cent et deux cents ans que lorsqu'elles en avaient un et cent un.

Ces mutations soulèvent de graves questions sur la manière dont les deux pays projettent ou non de modeler ensemble le second siècle de leur coexistence économique. Une kyrielle de frottements surgit en permanence, d'un côté comme de l'autre, à mesure qu'apparaissent les discordances entre leurs intérêts respectifs et qu'ils entrent en concurrence, souvent pour la première fois. Que les sujets en cause semblent bien mesquins au regard de l'économie nord-américaine dans son ensemble ne diminue en rien la violence des controverses ni celle des passions, qui débordent quelquefois.

Les critiques américaines n'ont jamais véritablement porté sur l'expansion canadienne elle-même. Contrairement à ce qui se passe dans l'économie canadienne, aux États-Unis, on s'attend à une concurrence acharnée, et on l'attend de vous. Ou, selon la formule de Ron Graham, l'un des rédacteurs du *Saturday Night* : « Il y a pas de voie pour les véhicules lents sur les autoroutes de Los Angeles. » « Toutes les sociétés opérant sur le marché des États-Unis doivent se montrer agressives pour survivre, fait remarquer un dirigeant du marketing d'une éminente compagnie d'assurances américaine. Les sociétés canadiennes sont les bienvenues parce que, plus il y aura de concurrence, meilleur ce sera pour les consommateurs, et pour les assurances-vie en général. »

Au lieu de cela, les objections américaines – et elles retentirent jusque dans les couloirs du Congrès – se concentrèrent sur la prétendue déloyauté des entreprises de leurs voisins, qui, après avoir grandi dans des marchés à l'écart, chez elles, s'aventuraient à la conquête des sociétés américaines depuis leur citadelle économique protégée par l'État, tout là-bas au nord. « Le Congrès devrait-il permettre que les firmes américaines restent sans défense devant des raids du style de celui que lance actuellement la Canadian Pacific Enterprises, depuis sa Forteresse Canada ? » demanda David Meeker, président-directeur général de la Hobart Corporation, au moment où C.P. s'efforçait, sans succès, d'en prendre le contrôle. M. Meeker n'avait pas besoin de préciser son opinion.

Lorsqu'ils regardaient vers le nord, les investisseurs américains assistant à l'expansion canadienne des années quatre-vingt ne voyaient pas un pays plus jeune qui, devenant économiquement adulte, tentait, par des moyens légaux, de s'assurer un meilleur contrôle sur son avenir. Ils y voyaient ce qu'ils cherchaient, c'est-à-dire des prédateurs de mèche avec un gouvernement étranger pour bouleverser les bonnes vieilles méthodes, gêner leur propre expansion, ou, pis encore, se battre par tous les moyens, selon des règles combinées à l'avance pour favoriser les visiteurs.

Les Canadiens pouvaient apporter leurs fonds aux États-Unis sans rencontrer de bien grands obstacles, sinon ceux, normaux, avec frais attenants, susceptibles de surgir lorsqu'un rachat était considéré comme hostile.

Les Américains décidant d'investir au Canada, en revanche, se trouvaient confrontés à un marché essentiellement dominé, dans la plupart des secteurs, par quelques grosses sociétés fermement établies. On exigeait d'eux (et de tout autre étranger) qu'ils démontrent à l'agence fédérale de la F.I.R.A. que leur création d'une nouvelle entreprise, ou leur achat d'une société canadienne existante, constituait un « avantage substantiel » (notion mal définie) pour l'économie du pays hôte. Ils pouvaient fort bien se voir réclamer la signature d'un accord spécial comportant diverses promesses, tels l'investissement dans le futur de sommes d'un montant fixé, un nombre minimum d'employés, des programmes spécifiques de formation de Canadiens à des postes clés de la direction, ou des contingents pour les futures exportations. Toutes ces procédures les obligeaient à faire appel à des juristes et à des conseillers canadiens. Les délibérations secrètes duraient parfois une année; à l'issue de celles-ci, les demandeurs pouvaient se voir purement et simplement rejetés.

Les sociétés américaines désirant reprendre une firme américaine aux États-Unis devaient aussi se plier à ces règles, si l'entreprise convoitée se trouvait être peu ou prou représentée sur le marché canadien. Ainsi, lorsque Coca-Cola, d'Atlanta, racheta Columbia Pictures, d'Hollywood, elle dut préalablement demander l'autorisation d'acquérir ses deux petits prolongements canadiens. Et parce que le ministre canadien des Télécommunications élaborait alors une stratégie pour renforcer les industries culturelles nationales, l'affaire s'enlisa dans la politique.

Lancé par le gouvernement libéral de l'époque pour promouvoir la croissance intérieure, le National Energy Program, déjà cité, accumulait des mesures qui rendaient souvent la compétition impossible aux étrangers, suscitant de bruyantes accusations de déloyauté, et provoquant, au profit de sociétés énergétiques canadiennes, des liquidations en chaîne de la part des firmes lésées, qui préféraient placer leur argent ailleurs, là où le climat semblait plus hospitalier aux investissements. « Bien des investisseurs ont l'impression, en partie en raison des méthodes utilisées par la F.I.R.A., qu'ils ne sont rien moins que chaudement ou cordialement attendus au Canada », déclarait Richard J. Smith, de l'ambassade américaine d'Ottawa. Et il faisait remarquer que ce taux d'approbation de la F.I.R.A., si souvent cité, de quatre-vingt-dix pour cent, ne reflétait pas avec exactitude l'impact de cet organisme sur l'économie du Canada, puisqu'il passait sous silence toutes les propositions étrangères retirées volontairement, ou même jamais soumises pour commencer. Un exemple en était la tentative qu'avait faite la Great Basins Petroleum Company de Los Angeles pour revendre, pour deux cent cinquante millions de dollars, toutes ses parts à la Phillips Petroleum Company, d'Oklahoma. L'affaire était en cours de négociation, lorsque la F.I.R.A. décida qu'elle exigerait de Phillips, le nouvel acquéreur proposé, qu'il vende à des Canadiens la moitié des avoirs de la Great Basins dans le pays. Phillips se retira. Le marché tomba à l'eau. Et rien n'en apparut dans les statistiques de la F.I.R.A.

Cette stratégie fondée sur la contrainte est peut-être politiquement très logique de la part de tout pays cherchant à prendre en main son destin, et tout particulièrement d'une nation à ce point irritée de sa dépendance économique à l'égard de décisions prises hors de ses frontières. Comme l'ont fort justement relevé les Canadiens, les États-Unis auraient-ils attendu près d'un siècle pour agir si la majeure partie de leur pétrole et de leur gaz naturel avait été aux mains d'étrangers? Mais ce changement apparemment soudain, enveloppé dans son emballage « à prendre ou à laisser », sans qu'aucun effort pour ainsi dire n'ait été fait en dehors du Canada pour en expliquer les raisons, offrait aux hommes d'affaires américains hostiles et à leurs lobbies parlant haut et fort à Washington et dans diverses capitales d'États, une arme puissamment convaincante. (Il contribua, en outre, à combler l'espérance nourrie par les Canadiens d'être attaqués par les étrangers sous prétexte qu'ils se mettaient en devoir de faire ce qu'ils jugeaient le meilleur pour le pays.) Et il posait aux politiciens américains un problème très difficile. On pouvait en prédire l'issue sans grand risque d'erreur, étant donné le nombre relativement restreint de votes américains dans les villes comme Ottawa ou Regina.

David Treen, gouverneur de Louisiane, l'État où, après avoir été expulsés de l'est du Canada au milieu des années 1750, l'Évangéline de Henry W. Longfellow [1] et six mille autres Acadiens bien réels avaient fini par s'installer (et y devenir des Cajuns), David Treen, donc, un jour, tempêtait : « Je crois, disait-il, que nous devrions étudier de très près ce qui apparaît comme l'octroi aux sociétés canadiennes par leur gouvernement d'un avantage énorme et injuste, avantage qui améliore très sensiblement leur capacité à faire des affaires aux États-Unis. Nous avons, en Louisiane, de très fortes attaches historiques et culturelles avec le Canada, mais je crois que, puisqu'il s'agit de politique nationale, les manifestes injustices de cette situation devraient être examinées à fond. »

Le Texan Jim Kiright, chef de la majorité démocrate à la Chambre des Représentants, ajoutait : « Les sociétés canadiennes, sans inquiétudes, car se sachant protégées par la politique de leur gouvernement, se font plus offensives dans leur stratégie de rachat des firmes et des richesses américaines. »

Les Américains ne s'étonnent pas d'apprendre que ces hommes politiques, parmi de nombreux autres participant régulièrement à ces joutes verbales, réagissent avec de grands éclats de voix aux plaintes issues des groupements d'électeurs, et de leurs représentants en poste à Washington. Peut-être les Canadiens n'en sont-ils pas surpris non plus; ils s'attendent à tout, ou presque, de la part des États-Unis. Mais ils trouvent ces pressions pour défendre des intérêts particuliers impolies, de mauvais goût en quelque sorte, un peu comme si l'on soumettait à des personnes âgées de sa famille une longue liste de cadeaux qui seraient les bienvenus pour Noël.

---

1. Évangéline est l'héroïne d'un long poème du même titre, écrit en 1847 par l'écrivain américain H. Longfellow, et racontant l'histoire de deux jeunes gens pendant le « Grand Dérangement ».

Cela reflète avec force les régimes et héritages politiques très différents des deux nations. La première exigea son indépendance, se battit sept longues années pour la conquérir, puis élabora tout un dispositif de freins et de contrepoids, fondé sur la défiance à l'égard de l'autorité, et sur un idéal qui veut que, pour que le pouvoir soit légitime, chacun ait le droit – et en vérité, le devoir – de se faire entendre. Le Canada lui, n'a jamais même demandé cette indépendance, sans parler de l'exiger; il n'est parvenu à un consensus national sur la nécessité d'une constitution que cent quinze ans après sa fondation, et estime que trois pouvoirs égaux et indépendants au sein d'un État ne peuvent aboutir qu'au chaos. Le gouvernement est là pour bâtir le pays et aider sa population. Pourquoi devrait-il faire autre chose? Si un véritable contrôle démocratique est nécessaire, il peut s'exercer tous les cinq ans environ, lorsque le parti majoritaire au pouvoir décide de tenir des élections. Les gens peuvent alors voter pour le membre du Parlement qui représentera leur circonscription, et son affiliation à tel ou tel parti, ajoutée à celles des autres députés élus, déterminera le choix du Premier ministre durant le mandat suivant.

Les Canadiens ont, c'est certain, des opinions très arrêtées sur les choix politiques, les problèmes courants, et les personnalités en place. Ils les ont formulées en privé, ou dans les réunions électorales. Les hommes d'affaires peuvent officiellement faire connaître leur point de vue au gouvernement par la voix de leurs avocats. Mais le ton des débats a toujours été traditionnellement plus modéré, et leur nombre plus modeste, que ne le sont ceux de leurs homologues plus au sud. Ceux qui descendent dans la rue pour scander des slogans et manifester pour ou contre des causes diverses, des essais de missiles américains au-dessus de régions isolées jusqu'aux droits des homosexuels à Toronto, commencent à être socialement acceptés. Mais, dans les années quatre-vingt encore, on a pu observer des réactions scandalisées et indignées lorsque des foules de manifestants descendirent sur Ottawa pour assiéger la maison d'un ministre fédéral, en protestation contre le programme anti-inflationniste du gouvernement.

Aussi, ni le gouvernement ni les dirigeants d'entreprise ne se tournent instinctivement vers les groupes de pression pour faire valoir leurs opinions à Ottawa, encore moins à Washington, où tant de décisions affectant le Canada sont pourtant prises, et où les *lobbyists* sont bien plus nombreux et plus influents que les députés.

« Je trouve parfois dans les sociétés canadiennes un mélange particulier de courtoisie et de fatalisme », déclare Jerry Brady, dont le cabinet d'avocats de Washington compte parmi ses clients un nombre croissant de firmes du pays voisin. « Trop rares sont celles qui réalisent qu'elles ont le droit de se représenter elles-mêmes, tout comme n'importe quel autre intérêt. » Les membres des lobbies américains ont remarqué chez leurs voisins une certaine résistance psychologique, comme s'ils ne voulaient pas se salir les mains dans de telles pratiques. Comme l'a noté Matt Abrams, fondateur de la nouvelle firme Canamco, ayant pour vocation d'exercer des pressions pour le compte de clients canadiens :

« Très souvent, une entreprise ne se fait représenter que lorsqu'elle voit qu'une crise menace. L'objectif devrait être de prévenir l'apparition de cette crise. »

Mais, tandis que, récemment, à Washington et aux États-Unis en général, les entreprises de persuasion des *lobbyists* et des groupes d'action politique s'intensifiaient, la plupart des sociétés canadiennes demeurèrent inactives. Cette attitude leur coûta cher parfois, comme ce fut le cas, par exemple, lorsque le traité de pêche américano-canadien avorta parce que peu de voix américaines autres que celles de l'administration Carter s'étaient fait entendre en sa faveur.

Lorsque pourtant il leur arrive de réagir, les Canadiens ont toujours préféré s'appuyer sur l'argument du « véritable ami ». « Ce n'est pas en disant : " Eh, nous sommes canadiens, nous sommes de braves types ", qu'on a le plus de chances d'influencer les membres du Congrès », conseillait M. Abrams à ses concitoyens en 1983, en un précis élémentaire du *lobbyist* publié dans la rubrique affaires du *Globe and Mail*. « Il est rare, continuait-il, qu'un représentant soit influencé par le fait que le Canada soit un ami. Il existe bien un reste de bon vouloir, mais, lorsqu'on aborde des problèmes très spécifiques de l'industrie, il disparaît. Les Canadiens ont été polis trop longtemps. »

Ce comportement est en nette opposition avec les efforts mis en œuvre par le Japon, le second partenaire commercial des États-Unis, qui engage des bataillons d'Américains, très éminents ex-membres de gouvernements parfois, pour tenter de s'opposer par tous les moyens à d'éventuels contrôles sur les importations par exemple. Les Canadiens ont rarement songé à procéder ainsi. Il n'avait pas été besoin de rappeler aux lointains Japonais les différentes procédures en usage aux États-Unis. Aux Canadiens, si.

Une chose est sûre, ces derniers nourrissaient contre leurs voisins tout un ensemble de griefs économiques, nés de leurs actions ou de leur inaction, ou de leur insensibilité aux retombées de certaines de leurs orientations internes. En tête de liste, figurait récemment la législation dite « Achetez Américain », laquelle exigeait des organismes publics qu'ils achètent exclusivement des produits et des matériaux de fabrication américaine. Cette mesure était essentiellement dirigée contre les concurrents d'au-delà des océans, fabricants d'acier ou de véhicules, les industriels agressifs de Corée, du Japon, et de certains pays du Marché Commun, que les hommes politiques accusaient d'exporter leurs problèmes de chômage en vendant leurs produits à des prix trop bas – à seule fin de continuer à faire tourner leurs usines, même s'ils n'en tiraient pas de gros bénéfices pour le moment. Comme il apparaissait dans la disposition concernant les ciments, le Canada n'était au fond qu'un innocent spectateur, mais un spectateur de plus en plus irrité d'être constamment négligé ou oublié. Le fait que cette négligence soit surtout de la distraction avait de moins en moins d'importance, mais qu'elle se produise encore, en avait de plus en plus.

Une question demeurée longtemps épineuse fut celle de l'application des lois américaines hors des limites du territoire des États-Unis. Ceux-ci cherchaient en effet à contraindre leurs sociétés à respecter, quel que soit l'endroit où elles pouvaient opérer, les lois et règlements interdisant, par exemple, le commerce avec Cuba et la Chine. Le Canada ne voyait aucune raison pour que le Congrès puisse dire à un outilleur américain employant dans sa succursale de Toronto une main-d'œuvre canadienne où il doit, ou ne doit pas, vendre ses produits fabriqués au Canada, tout spécialement si ces ventes pouvaient créer de nouveaux emplois, et d'autres investissements.

Venait ensuite la question du transport routier, un problème d'importance, puisque les énormes quantités de marchandises transportées entre les deux pays voyagent par camion; un problème complexe aussi, et risquant d'entraîner des débordements de passions, car touchant aux prérogatives souveraines, et appelant un protectionnisme de représailles. Pour exposer les choses simplement, l'industrie américaine des transports routiers longue distance, comme plusieurs autres aux États-Unis depuis l'entrée en fonction du président Reagan, s'adaptait à la suppression des contrôles gouvernementaux et à la reprise des règles du libre marché dans ce secteur.

Ces mesures facilitaient notamment les procédures de demande d'attribution d'itinéraires pour les sociétés de camionnage. Les transporteurs américains réalisèrent que cette ouverture rendait beaucoup plus facile à leurs concurrents canadiens d'opérer aux États-Unis, qu'à eux-mêmes de se faire attribuer des itinéraires auprès des gouvernements provinciaux, en raison des procédures pesantes et, selon eux, partiales, existant au Canada. Ils parvinrent à obtenir que soit rattachée au projet de loi du Sénat une clause additionnelle instituant un moratoire de deux ans pour les demandes canadiennes.

Les Canadiens, qui élevèrent, de fait, une protestation diplomatique en bonne et due forme auprès de Washington, soutinrent qu'on leur faisait subir une discrimination. Ils affirmaient qu'à l'exception du Québec et de l'Ontario, les transporteurs routiers américains dominaient le métier au Canada, que, même dans l'Ontario et au Québec, les sociétés des deux pays se partageaient le secteur de manière à peu près égale, et que les gouvernements provinciaux acceptaient quatre-vingt-cinq pour cent des requêtes américaines en matière d'itinéraire. Bruce Maclaren, de la Canadian Trucking

Association (Association des Camionneurs Canadiens), voyait dans l'initiative de ses voisins une mesure de représailles. « Nous ne sommes rien de plus, dit-il, qu'une cible commode pour les rancœurs et les suspicions soulevées par la politique énergétique canadienne et par la F.I.R.A. »

La pluie elle-même, lorsqu'elle transporte la pollution des cieux de l'un chez l'autre, peut tout à la fois lier et diviser les deux pays dans des préoccupations économiques communes. Les États-Unis, préoccupés par d'autres sujets, virent dans les précipitations inondant de polluants acides les lacs et les rivières, et perturbant les cycles de vie des sols, un nouveau problème d'environnement d'ordre mineur. La contribution américaine à ce franchissement de la frontière dans les deux sens par les pluies acides est due dans une très large mesure aux centrales thermiques qui, cherchant à réduire la dépendance nationale vis-à-vis du pétrole étranger, passèrent au charbon.

Les Canadiens qui dépendent moins du pétrole importé, et produisent une grande partie de leur électricité à partir d'une énergie hydraulique non polluante, ont tendance à voir les choses sous un autre angle. Aucun d'entre eux ne vivant jamais très loin d'un lac ou d'un cours d'eau, ils tendent aussi à s'inquiéter d'avantage de l'instillation de tels poisons dans la nature. Qui est aussi une menace pour la substantielle contribution que le tourisme apporte à leur économie. Comme le soulignent constamment dans leurs publicités les gouvernements provinciaux et l'association de l'industrie touristique, un million de Canadiens, c'est-à-dire largement une personne en activité sur dix, gagne sa vie grâce au tourisme, et leurs clients ne viennent pas d'autres pays ou provinces pour regarder des poissons morts flotter dans des remous languissants.

Cette divergence de vues découle aussi du fait que l'identité canadienne reste, pour une large part, liée à sa terre. Peut-être la surface de son sol dépasse-t-elle de dix pour cent celle des États-Unis, mais en raison du climat excessif qui y règne et des distances démesurées à franchir, les espaces hospitaliers ou habitables sont infiniment moindres. Aussi les habitants ont-ils en général toujours pris plus grand soin de leur territoire, et se sont-ils plus souciés de préserver sa beauté, comme en témoigne la comparaison, même superficielle, entre une rue d'une ville américaine et les artères bordées de tulipes et de fontaines non saccagées qui caractérisent les cités plus au nord.

Les Canadiens ne colonisèrent pas leur pays en se déplaçant à travers lui par vagues de pionniers successives. Ils arrivèrent en un lieu, depuis l'autre bout des mers, et ils y restèrent. D'autres groupes, venus d'autres régions, s'installèrent plus loin vers l'ouest, et ainsi de suite, en une succession de petites enclaves isolées. Ainsi s'est développé au Canada un sens plus aigu de la stabilité et de la résistance, qui, je le crois, poussa les hommes à prendre un plus grand soin de l'endroit où ils se trouvaient, car c'était celui où ils allaient rester. Il vous fallait protéger ce que vous possédiez et l'accent était mis sur les risques de perte. Dans leur société où tout se jette, en revanche, les Américains, plus joueurs, avaient toujours un autre État, une autre chaîne de montagnes, une autre région en direction desquels reprendre leur route, et ce n'est que lorsque tout fut rempli – et sali – qu'ils songèrent à nettoyer. Les Canadiens, eux, consignèrent leurs bouteilles de bière dès l'origine.

Mais, tous problèmes particuliers mis à part, l'expansion économique à grande vitesse vers le sud ne fut pas unanimement acceptée comme bénéfique, même dans le pays. Du temps où il était dans l'opposition, le parti conservateur progressiste accusa la politique économique des libéraux de chasser hors des frontières les investissements aussi bien canadiens qu'étrangers, accusation sans nul doute inspirée par des motifs politiques, mais qui n'en comportait pas moins une part de vérité, relevée dans certains cercles d'affaires. Une fois au pouvoir, le Premier ministre Mulroney promit des mesures rapides visant à rassurer les investisseurs étrangers et à attirer de nouveaux capitaux, afin de combattre un chômage obstinément élevé.

L'analyste financier George Hartman déclarait avoir rencontré parmi les investisseurs institutionnels du pays un grand scepticisme à l'égard des initiatives aventureuses à l'étranger. Ils faisaient montre, disait-il, « d'un complexe naturel d'infériorité devant l'idée qu'ils pourraient réussir hors du Canada ». Devant le rapide accroissement de la population active au cours des dix ou quinze dernières années, les syndicats tentèrent de convaincre les sociétés canadiennes d'effectuer les mêmes investissements sur place, et de conserver les emplois pour leurs compatriotes (hommes ou femmes, puisque le Canada a subi, comme les États-Unis, le retour massif des femmes sur le marché du travail). Selon certaines études, le pays aurait besoin de trois millions d'emplois nouveaux dans le courant des années quatre-vingt, s'il veut absorber le flot de ses jeunes adultes.

Mais Northern Telecom, filiale à cinquante-trois pour cent de Bell Canada, soulignait par exemple qu'une bonne partie de ses ventes aux États-Unis ne se seraient pas faites sans une présence sur place, et que ses investissements à l'étranger à eux seuls permettaient de financer mille emplois au Canada.

« Les forces naturelles du marché sont orientées nord-sud », déclarait Carl Beigie, ex-président-directeur général du très respecté Institut de Recherche C.D. Howe, un groupe d'experts canadiens portant le nom d'un Américain. « Jusqu'à une époque récente, continuait-il, seuls les Américains en ont profité. A présent, les Canadiens forgent des liens à leur tour, et la circulation n'est plus à sens unique. Au fur et à mesure que leurs entreprises seront de plus en plus nombreuses à découvrir ce qu'elles peuvent récolter au niveau international, elles élargiront leurs horizons. Ce n'est que logique. »

Mais la résistance était opiniâtre. « Si un supermarché de Montréal s'étend vers les États-Unis, c'est très bien, déclara Michel Belanger, président-directeur général de la National Bank of Canada. Mais si c'est une activité qui pouvait s'établir chez nous, c'est une perte sèche. »

Certaines sociétés, Cooper Canada par exemple, tentent au contraire de fuir l'aggravation des exigences en matière de salaires. Elle a déjà transféré un grand nombre de ses activités fortes utilisatrices de main-d'œuvre, telle la fabrication d'articles de sport, vers des pays où les salaires sont bas, comme la Barbade, Taïwan ou la Corée du Sud. « Si je posais côte à côte un gant (de hockey) fabriqué au Canada et un autre fabriqué en Corée, vous n'y verriez aucune différence », déclare Henry Nolting, président-directeur général de la firme. Ce qui les distingue, c'est leur prix : cent dix dollars pour le premier, soixante et onze pour l'autre. D'autres experts suggèrent aux Canadiens qu'ils pourraient même regarder vers l'Union soviétique, et, en utilisant les compétences, l'équipement, les services, et le taux de change canadien, construire, par exemple, en Sibérie, une énorme manufacture de papier et de pâte à papier, ou encore une usine de liquéfaction du gaz naturel, les remboursements se faisant en nature, sous la forme de produits de la nouvelle installation.

Une étude réalisée à l'Université d'Ontario Occidental a cependant mis en garde contre l'immobilisation des avoirs canadiens en les proposant comme garanties d'emprunts faits aux États-Unis, manœuvre qui peut limiter par la suite les possibilités de développement d'une société canadienne dans son pays d'origine. Les chiffres publiés par le gouvernement semblaient confirmer cette analyse en faisant apparaître qu'à la fin des années soixante-dix, les multinationales canadiennes avaient vu le nombre de leurs employés à l'étranger augmenter trois ou quatre fois plus vite que dans la métropole. En outre, les ventes réalisées par une filiale américaine, tout particulièrement si elle était située, disons, dans la *Sun Belt*, où l'énergie et la main-d'œuvre sont moins chères, pouvaient très facilement prendre la place d'exportations pourtant vitales pour le Canada, et devenaient bien souvent le support de la réussite de l'usine mère. Certains pourraient y voir une occasion pour l'entreprise de rediriger ses efforts d'exportation vers un autre pays et d'augmenter encore ses ventes. D'autres Canadiens, néanmoins, y voient certainement une menace pour ce qu'ils possèdent déjà.

La Bank of Montreal faisait remarquer qu'à la longue de tels déplacements devraient rapporter des dividendes. Mais elle effectuait aussi une mise en garde : quand bien même certaines opérations canadiennes aux États-Unis étaient financées par des prêts américains, l'énorme exode des capitaux, augmenté des milliards de dollars dépensés en rachats d'exploitations pétrolières au Canada, tendait, à brève échéance, à réduire la masse des crédits disponibles au pays, faisant par là même grimper les taux d'intérêt à des hauteurs jamais atteintes.

Quoi qu'il en soit, une fois encore, les forces d'intégration économique s'avérèrent trop lourdes et massives pour résister au flux insaisissable des capitaux dans tout le continent.

Mais ces déplacements massifs en direction des États-Unis n'allèrent pas sans frais, parfois paralysants. Certaines de ces initiatives furent en effet prises dans une période d'inflation où les taux d'intérêts atteignaient des sommets, et juste avant que les marges d'autofinancement n'atteignent les niveaux les plus bas de la récession. En souffrirent notamment, les sociétés immobilières et les producteurs d'énergie qui, tablant sur une hausse continue des prix des terrains et de l'énergie, s'endettèrent lourdement.

Au départ, note un cadre canadien en poste aux États-Unis, les sociétés immobilières canadiennes étaient chez leur voisin du sud « comme des bébés dans un magasin de bonbons »; elles achetaient pratiquement tout ce sur quoi elles pouvaient mettre leurs mains pleines d'argent. « Il était relativement difficile de se tromper, durant ces années-là, dit Gordon Gray, président de A.E. LePage Ltd, une importante agence immobilière dont le siège est à Toronto. L'inflation nous préservait tous, et compensa beaucoup d'erreurs de jugement. »

Les quelques grosses entreprises canadiennes, nationalisées pour la plupart, s'étaient développées sur le territoire national, puis elles étaient descendues vers le sud pleines d'ambition, d'un pas tranquille, avec en poche leurs irrésistibles liasses de milliards de dollars d'actifs qui leur servaient de garanties attrayantes face à n'importe quel prêteur. Leurs compétences et leur expérience en matière de projets géants, et la facilité avec laquelle elles pouvaient se procurer des capitaux grâce à une confrérie de financiers très unie au Canada, en firent aussitôt de « grosses légumes » sur un marché américain très fragmenté.

Leur présence très active suscita souvent de vives critiques des promoteurs américains, la plupart privés et opérant sur une plus petite échelle. En raison des liens étroits les unissant à leurs banques, les visiteurs pouvaient, disaient-ils, jouer selon d'autres règles, et leur ardent désir de pénétrer sur leur marché faisait grimper les offres à des altitudes telles que tout le monde en souffrait en ces temps où l'argent était rare. « Nous avons réalisé notre percée très rapidement, dit Michael Prentiss, président-directeur général d'une filiale américaine de Cadillac Fairview. Si une société arrivait sur un marché, les autres sentaient qu'il fallait suivre. » Ceci aboutit à des constructions en surnombre. Étrangers à la communauté pour laquelle ils étudiaient le projet, ils commirent aussi des erreurs d'implantation, erreurs que répétèrent les Américains lorsqu'ils commencèrent à investir dans cet endroit apparemment semblable appelé Canada.

Mais la récession, les taux d'intérêt élevés, les financements de plus en plus difficiles à obtenir, et, aussi la trop grande abondance des constructions, se combinèrent pour mettre en difficulté la plupart des promoteurs nord-américains, d'un pays comme de l'autre. Il s'ensuivit une période d'intense réduction des dépenses qui contraignit des sociétés comme Cadillac Fairview, Daon Development Corporation et le groupe Nu-West à se défaire de beaucoup de biens immobiliers dans un marché à la baisse afin de faire face à leurs dettes désormais écrasantes, ou du moins les réduire.

Un an environ après avoir effectué un premier versement de vingt et un millions de dollars à la Citicorp pour un terrain de cinquante mille mètres carrés sur Lexington Avenue à New York, Cadillac Fairview décida que le projet n'était plus économiquement viable, et se retira purement et simplement, réalisant de ce fait une économie sur ses dépenses à venir, mais perdant le montant de sa mise de fonds initiale. Placée devant une dette écrasante d'un milliard neuf cents millions de dollars, la Daon, de Vancouver, cessa de payer ses dividendes et de racheter des actions prioritaires, et dut négocier, en secret, pendant près de deux années avec ses créanciers, au nombre desquels figuraient cinq des plus grandes banques canadiennes.

Les inquiétudes du Canada sur le prix à payer pour son expansion à l'étranger apparurent de manière frappante dans le cas de la Dome Petroleum et de son fondateur, Jack Gallagher, multimillionnaire bûcheur, intelligent et aimable, qui sut utiliser l'argent des autres pour créer la plus grosse compagnie pétrolière non nationalisée du pays. Bien qu'une dette aussi lourde que celles des titans de l'immobilier l'ait éloigné de son important poste de décision, l'impact qu'il eut sur son pays et sur les sociétés qu'il dirigea fut considérable, et il demeure représentatif de ces nouveaux chefs d'entreprise canadiens qui ne s'en tiennent pas à un pessimisme paresseux dès qu'une nouvelle aventure se présente. Le plus souvent, ces hommes étaient, comme lui, des self-made-men. Bien souvent, ils avaient grandi dans les prairies, et leurs caractères s'étaient trempés en affrontant les excès du climat et des températures, qui n'autorisaient aucune faiblesse. A l'exemple de la « Mafia du Manitoba », ce groupe de dirigeants modernes nés dans cette province et qui se battirent jusqu'à prendre le contrôle du gigantesque empire de la Canadian Pacific, ces hommes apportèrent dans les conseils d'administration, à l'est comme à l'ouest, un réalisme circonspect et un bon sens inné qui leur permirent de naviguer avec succès dans les corridors du pouvoir.

Ils avaient travaillé sur les trains et sur les plates-formes pétrolières, ou leurs pères l'avaient fait. Ils savaient fabriquer du papier, gagner de l'argent, ou allumer un feu de camp quand le bois était mouillé. Ils pouvaient parler aux gardes-freins aussi bien qu'aux foreurs, et le faisaient souvent, lors des fréquents voyages qu'ils effectuaient, descendant dans les mines poussiéreuses, les usines bruyantes, et s'enfonçant jusqu'aux confins glaciaux des royaumes de leurs compagnies. Ils pensaient que ce serait une bonne idée si chaque employé possédait une part de la société. Ils n'en travaillent que plus dur, tout le monde sait ça.

Et puis, au bout de tant d'années, ils savaient tant de choses, et de façon si naturelle, qu'ils savaient aussi prendre à bras-le-corps la nouvelle race de comptables ambitieux et d'avocats délicats qui, vêtus de gilets, et traînant, sans nul doute, quelque part dans un dossier soigneusement étiqueté, leurs diplômes de la Harvard Business School ou de la Queen's University, s'affairaient dans les couloirs du siège, tout là-bas, en route vers leurs innombrables réunions.

Ces vieux combattants endurcis étaient diplômés d'une autre école, et ce qu'ils avaient à dire à la nouvelle génération, ils le formulaient sans prendre de gants.

Des histoires par légions, ressemblant parfois plutôt à des légendes, couraient par exemple sur Ian Sinclair, qui fit de la Canadian Pacific un conglomérat à l'échelle mondiale. On raconte comment, traversant le pays en compagnie de sa femme avec des billets de faveur de la C.P. sur l'un de ses avions de ligne commerciaux, il avait fait descendre celle-ci brusquement, à Winnipeg, lorsqu'un passager payant de dernière minute s'était présenté. Ou comment il avait pris en main cette délégation de maires des banlieues de Montréal, qui avaient fait le pèlerinage jusqu'au siège de la C.P., en centre ville, pour demander que l'on revienne sur certaines réductions des services des trains de voyageurs à destination de leurs municipalités. Il les avait accueillis cordialement, et, les ayant introduits dans son vaste bureau, les avait fait asseoir autour de la grande table.

— J'espère que vous n'avez pas eu trop de difficultés pour venir, s'enquit leur hôte, massif, avec la voix profonde qu'on lui connaissait lorsqu'il parlait sans ambages.

— Non, absolument pas, répondit l'un des maires. Ça circulait assez bien.

— J'en conclus donc, dit M. Sinclair en levant ses épais sourcils, que vous n'avez pas pris le train.

— Euh, non, dit un autre maire, nous étions pressés et...

— La séance est donc levée, coupa le président Ian.

Et ainsi fut fait.

— Sinclair, dit un financier ami de sa famille, appartient à la vieille école. Ils travaillent dur, jouent serré, boivent sec, et les affaires se concluent sur le coup de trois heures du matin, avec la deuxième bouteille de scotch. Aujourd'hui, ils sont toute une bande de diplômés des écoles de commerce et d'informatique à essayer de vous escroquer pour un centième de point. Aucune des méthodes n'est meilleure que l'autre. Mais la première est beaucoup plus drôle.

Mince, moustachu, coiffé avec soin, et amateur de chemises à fines rayures impeccablement repassées, John Patrick Gallagher entoure son parler très direct d'une enveloppe d'affabilité. Dans son bureau avec vue sur les Rocheuses aux sommets enneigés, à l'angle du trente-troisième étage de la tour noire des bureaux de la Dome Petroleum au centre de Calgary, il recevait amis et étrangers de la même manière : un sourire sincère, un long regard droit dans les yeux, et une solide poignée de main, qu'il soulignait en vous prenant par le coude de l'autre main. Il parlait avec douceur. Il respirait la confiance.

Et, si on le pressait un peu, il vous racontait avec modestie sa longue carrière. Elle avait commencé dans les années trente, alors qu'étudiant en géologie à Winnipeg, il gagnait deux dollars et demi par jour en courant les fondrières des espaces vierges du Nord, établissant des cartes, observant, et chassant les millions de minuscules mouches noires qui s'agglutinent en essaims autour de tout ce qui bouge, s'enfonçant sous fourrures et cols pour vous piquer.

Les treize années suivantes, il les avait passées au Moyen-Orient, en Afrique et en Amérique du Sud, pour le compte de la Shell et de la Standard Oil of New Jersey. Durant la course au pétrole de la Seconde Guerre mondiale, il avait également trouvé de l'eau pour les troupes alliées du désert, aidé à désamorcer des mines allemandes jetées d'avion dans le canal de Suez, et était tombé par hasard, en Équateur, sur un endroit où les Japonais cachaient leur approvisionnement pour les combats de jungle, en vue d'une attaque sur le canal de Panama. « C'était formidable, dit-il. Nous avons fait cinq expéditions à pied à travers les Andes; il nous fallait nous frayer seuls le chemin. J'ai passé vingt-trois ou vingt-quatre mois dans la jungle de l'Équateur. Cette région avait un bon potentiel, mais, politiquement, elle n'était pas prête. C'est ça le problème, avec le travail à l'étranger. C'est bien pour les gros, d'être dans vingt ou trente pays; un ou deux peuvent même être rentables. Mais, pour des indépendants, c'est un trop grand risque. C'est pour cette raison que Dome s'est pour l'essentiel abstenue de travailler à l'étranger. »

Le hasard voulut que ce soit lorsqu'elle fit mine d'effectuer une poussée expansionniste hors du Canada que la société rencontra de sérieux problèmes. Elle avait démarré en 1950 avec de l'argent américain, comme on pouvait s'y attendre. M. Gallagher avait persuadé Harvard, Princeton et le M.I.T. d'apporter chacun une contribution d'un million de dollars pris sur les fonds de leurs dotations. Les universités désiraient une bonne croissance à la clé, mais puisqu'il s'agissait de l'argent de leurs dotations, les risques n'étaient pas bien terribles.

Cette opération amena John Gallagher à forger son style de gestion initial : une série imperturbable de paris sur des objectifs sûrs ou presque, pimentés, régulièrement, de tentatives plus ambitieuses, mais sans jamais oublier de se couvrir soigneusement. A titre d'exemple, beaucoup des efforts financiers de la Dome concernèrent des puits situés à quelques pas d'endroits où des découvertes, d'abord hasardeuses, avaient déjà été confirmées, et dont le forage, par conséquent, avait plus de chances de réussite. En 1951, elle émit ses premières actions publiques au prix de 11,22 dollars. Elles tombèrent ensuite à 3,80 dollars, et M. Gallagher dit avoir tout racheté au cours le plus bas, un investissement qui peut expliquer son surnom de « Jack le Souriant ».

Peu à peu, la Dome s'intéressa aux usines de gaz, produisant du propane, du butane et de l'éthylène. Elle construisit des gazoducs afin de pouvoir transporter les richesses du sous-sol de l'endroit où on les trouvait à celui où on en avait besoin, qui semblaient n'être jamais les mêmes.

Alors que, voilà un demi-siècle, il parcourait le nord du Canada pour son propre compte, M. Gallagher acquit la conviction qu'on pouvait y découvrir de riches gisements de pétrole. Dès 1958, en un temps où tout le monde cherchait du pétrole et du gaz à meilleur marché sous des climats plus hospitaliers, la Dome inspectait les îles arctiques du Canada. Les années passant, John Gallagher se mit en devoir d'acquérir des droits de forage sur environ un tiers de la surface à louer de la mer de Beaufort, le glacial océan situé juste au nord de l'Alaska et du Canada occidental. Puis, tranquillement, il entreprit de mettre au point la technologie nécessaire pour se défendre des traîtrises de l'Arctique.

Il achetait sur-le-champ une certaine superficie, comme d'autres le faisaient. Mais, pour que les droits de prospection soient maintenus, le gouvernement exige qu'un minimum de travaux de mise en exploitation soient réalisés chaque année. Aussi, à l'approche des dates limites d'exécution de ces coûteuses opérations, d'autres compagnies, avec leurs propres terrains, se tournaient vers la Dome et sa filiale de forage pour leur demander de faire le travail. Le paiement consistait souvent en des droits partiels sur tout ce qui pourrait se trouver là, élargissant du même coup les possessions de la société. Dans le même temps, afin de rassembler des fonds et de se garantir contre les risques de paris faits sur leurs propres terrains, la Dome et John Gallagher, son vendeur, donnèrent à gérer une partie de leurs avoirs à des investisseurs ou des compagnies de gaz. Cette forme de financement se fondait sur une abondance de terres, qui pouvaient très bien se révéler sans valeur, plutôt que sur des actions, pour lesquelles des dividendes pouvaient être exigés. Pour la Dome, cette stratégie offrait un accroissement maximum de ses chances de découvertes substantielles, avec un minimum de risques financiers. Même si aucune goutte de pétrole n'avait été trouvée, ses pertes auraient été bien partagées, et elle aurait toujours pu aller proposer ses compétences et ses techniques de forage à d'autres compagnies disposant d'argent, mais moins prévoyantes.

Son idée de base était de trouver tellement de pétrole dans ses puits que leurs noms indigènes d'Ukalerk, Koponoar ou Tingmiark deviennent synonymes de réussite tout autant que Bonanza et

Klondike, les deux hauts lieux du Yukon, à quelque mille kilomètres plus au sud. Les résultats, bien que jusqu'ici peu spectaculaires, ont été prometteurs, et les forages continuent, le but étant de trouver suffisamment de pétrole et de gaz pour en rendre l'extraction économiquement viable dans un environnement pris par les glaces trois cents jours par an. La compagnie constituait simultanément une flotte de pétroliers brise-glace destinée à épargner à l'environnement les dégâts et, à elle-même, le coût financier qu'entraînerait la construction d'un oléoduc traversant le territoire fragile du Grand Nord.

Les projets de la Dome avaient toujours, semblait-il, l'avantage supplémentaire, et certainement pas fortuit, de s'insérer parfaitement dans les lignes de la politique fédérale, de moindre dépendance vis-à-vis des importations de pétrole, et d'augmentation de la mainmise canadienne sur ses industries énergétiques, l'objectif étant de parvenir à un taux minimum de cinquante pour cent. C'est ce qu'on a appelé la « canadianisation ». Les liens de la Dome avec les grands partis politiques, en particulier les Libéraux, qui furent si longtemps aux commandes, mais tout aussi bien avec les Conservateurs, ont toujours été soigneusement entretenus.

Et lorsqu'en 1980 le gouvernement libéral lança son National Energy Program (N.E.P.) c'est encore la Dome qui, la première, se réorganisa pour en profiter certes, mais aussi pour faire entendre sa voix en pleine tempête politique, et apporter son soutien à un gouvernement qui en avait bien besoin.

Afin, encore une fois, de se prémunir contre ses paris risqués, la compagnie s'était engagée, à très petite échelle il est vrai, dans la ruée vers l'énergie américaine, et elle avait ouvert un bureau à Denver, puis acheté quelques terrains, principalement dans les Rocheuses. Il faut dire que les États-Unis ne paraissaient pas un lieu si étranger à M. Gallagher et aux mille cinq cents employés de la Dome, dont la plupart vivaient à moins de trois cents kilomètres du Montana, et pouvaient regarder tous les soirs les informations télévisées de Spokane (État de Washington).

Au printemps de 1981, la Dome allait être entraînée plus loin encore sur le marché américain, initiative qui paraît rétrospectivement malencontreuse – elle devait d'ailleurs ébranler et la compagnie, et les fondements financiers du Canada, au cours des années à venir. On était alors dans un nouveau cycle, qui sera certainement appelé à se répéter dans les prochaines années, où la hardiesse du pays sur le plan économique s'affirmait avec une force toute particulière dans le secteur de l'énergie. A la suite de l'annonce du N.E.P., de nombreuses compagnies se réorganisaient afin de pousser leurs éléments canadiens sur le devant de la scène, cependant que beaucoup d'autres songeaient à placer ailleurs leurs capitaux, en des lieux où ils leur rapporteraient plus, et ne seraient plus soumis à l'apparente schizophrénie cyclique dont souffrait le Canada.

Les activités de rachat de la compagnie nationale, surnommée

« Petrocan », soulevèrent, elles, une controverse au sujet de ses dettes. Née d'une suggestion des Nouveaux Démocrates (groupement socialiste), et fondée, par une loi de 1975, par les Libéraux, leurs alliés pour l'occasion, Petrocan était destinée à aider le Canada à établir son influence dans le secteur de l'énergie, depuis la prospection jusqu'à la pompe. Le symbole de la compagnie est, bien sûr, une feuille d'érable.

Grâce à une série d'acquisitions financées par les contribuables, les avoirs de Petrocan sont passés de sept cents millions de dollars à l'origine à plus de sept milliards et demi de dollars aujourd'hui, faisant d'elle le quatrième marchand d'essence du pays. Ceci fut rendu financièrement possible grâce à la *Canadian Ownership Special Charge*, une surtaxe de huit dixièmes de cent (centième du dollar) sur chaque litre d'essence vendu n'importe où au Canada.

Cette contribution était dissimulée dans le prix à la pompe, mais la dette qu'elle aida à rembourser suscita de grandes inquiétudes. « Quand vous constatez, dit Harvie André, un critique parlementaire du parti conservateur, que la station-service à la feuille d'érable ne vous fait pas payer moins cher que celle à la coquille Saint-Jacques (Shell), vous commencez à déchanter. » On porta aussi, dans l'Ouest tout du moins, des accusations de mauvaise gestion et d'inefficacité ruinant les investissements sacro-saints des Canadiens dans leur propre compagnie pétrolière. Mais, drapée dans le patriotisme et la politique, Petrocan imposait sa logique, et son existence est assurée pour l'avenir prévisible. Elle installa son siège – surnommé la « Place Rouge » en raison de la couleur du bâtiment et de la philosophie présumée de la société – dans un gratte-ciel de cinquante-te-deux étages de Calgary, le plus haut alors à l'ouest du pays. Petrocan allait aider à provoquer la fuite de certains bénéfices pétroliers étrangers vers d'autres pays, ou vers d'autres secteurs de l'économie canadienne, y augmentant donc la mainmise étrangère.

Mais elle fut aussi à l'origine d'une très lourde dette publique, et fit sérieusement hésiter les investisseurs étrangers, les chefs d'entreprises traditionnellement les plus aventureux du pays, à se lancer sur le marché canadien moderne. D'un point de vue économique, l'idée qu'une société nationalisée (*Crown corporations*, société de la Couronne) puisse dépenser de pareilles sommes sans découvrir ni produire la moindre nouvelle goutte de pétrole dérangeait beaucoup de personnes. « Il nous faut satisfaire nos actionnaires, sinon c'est la faillite, déclarait Bud McDonald, président-directeur général de la petite Gold Lake Resources. Petrocan n'a pas encore à se plier à une telle discipline. C'est un terrible gâchis de l'argent des contribuables. »

Ces rachats eurent en outre pour effet de submerger de nombreux coffres étrangers de dollars canadiens, d'en diminuer encore la valeur et de dévaloriser les actions des filiales pétrolières canadiennes de sociétés étrangères, considérées comme des cibles potentielles. Certaines de celles-ci proclamèrent qu'elles refusaient purement et simplement de vendre. C'est alors que la Dome avança son pion.

Envoyant, depuis son nouveau gratte-ciel de Calgary, des signaux aux marchés financiers américains, où les Canadiens livrent parfois par procuration leurs batailles pour la prépondérance dans leur propre pays, elle lança un appel d'offres public pour des actions de Conoco. Non pas d'une simple filiale, notez bien, mais de la société mère du Connecticut elle-même. Conoco résista. La Dome insista. Et les chefs de clan de Conoco demeurèrent abasourdis à la vue des millions d'actions spontanément proposées aux « intrus » canadiens.

Bien sûr, étant donné les opinions de son président Gallagher sur l'implantation à l'étranger des petites compagnies indépendantes, la Dome ne visait pas à prendre le contrôle total de Conoco. Elle ne voulait que le forcer à vendre ses 52,9 % d'intérêts dans l'Hudson Bay Oil and Gas au Canada. Victorieuse dans cette bataille, elle en sortit pourtant financièrement blessée.

Elle versa un milliard quatre cent trente millions de dollars pour vingt-deux millions d'actions de Conoco, qu'elle rétrocéda ensuite, en y ajoutant deux cent quarante-cinq millions en espèces, pour obtenir le contrôle de l'Hudson Bay Oil and Gas, une société détenant cinq millions cinq cent mille hectares de terrain au Canada, et trois millions six cent vingt mille hectares en d'autres lieux. La faiblesse de Conoco attira l'attention de Du Pont de Nemours, qui après avoir remporté la lutte contre Seagram's, transporta Conoco dans le Delaware.

Mais la Dome se retrouva soudain avec sur les bras une dette à long terme ayant presque doublé de volume, à un moment où les prix du pétrole baissaient et où les taux d'intérêt fluctuaient, à un niveau globalement élevé. La compagnie aborda donc l'année 1981 avec une dette à long terme de deux milliards six cents millions de dollars canadiens, soit cinquante-huit pour cent de son capital. A la fin de cette même année, les chiffres étaient passés à six milliards deux cents millions de dollars, soit soixante-dix pour cent du capital. Cette année-là, la Dome versa sept cent vingt-quatre millions quatre cent mille dollars en intérêts uniquement, contre deux cent quatre-vingt-onze millions huit cent mille l'année précédente. Et le total de ses emprunts allait encore augmenter de deux milliards de dollars lorsque l'Ontario Securities Commission (la Commission des Titres de l'Ontario, chargée du contrôle des marchés boursiers) exigea d'elle qu'elle rachète également les intérêts minoritaires restants de l'Hudson Bay.

Comme d'autres entreprises avaient pris des risques similaires, l'inspecteur général des banques du Canada publia une « ligne directrice » recommandant l'application d'un plafond, non contraignant, au total de prêts qui pouvaient être accordés par une banque donnée à un emprunteur donné : plafond qui, même s'il était respecté, n'en faisait pas moins de la politique du pays en matière de prêts l'une des plus libérales du monde industrialisé. Les États-Unis interdisent à leurs banques de prêter à un quelconque emprunteur plus de dix pour cent de leur capital. Le Canada, lui, n'impose aux siennes aucune limite individuelle explicite, et beaucoup d'entre elles sont bien plus importantes par leurs dimensions que les banques régionales américaines. Cette règle fut donc d'une aide précieuse pour les sociétés canadiennes lorsqu'elles se mirent en quête de cibles à racheter. Mais le gouvernement canadien recommande à présent l'application d'un plafond de cinquante pour cent, ce qui ne le met toujours pas à l'abri des accusations de déloyauté formulées par des entreprises américaines qui s'efforcent de participer à la compétition en suivant d'autres règles.

Mais pour en revenir à la Dome, il s'ensuivit plus d'une année de négociations tendues entre les banquiers, qui, dans l'euphorie avaient peut-être été entraînés dans une expansion peu raisonnable, et la Dome elle-même, qui vit pâlir sa resplendissante image et parut passer de son rôle moteur d'entreprise canadienne agressive à celui de société blessée et suppliante, ayant besoin d'une sérieuse restructuration de ses dettes pour pouvoir simplement demeurer en vie. Pour se procurer des liquidités, elle dut même vendre un certain nombre de ses biens, dont, ironie du sort, beaucoup de ses propriétés américaines à prospecter, ou productives déjà, que Texaco accepta de reprendre.

La compagnie s'était identifiée aux objectifs nationalistes du gouvernement et, parce que les ondes de choc provoquées par son effondrement auraient englouti des centaines de ses fournisseurs et de ses alliés, l'État fédéral, et certaines des *Crown corporations* dans son orbite, entrèrent en jeu pour aider à sa réorganisation et se porter garants pour de nombreux millions de dollars de prêts temporaires. M. Gallagher se vit offrir un beau traitement pour céder la place. La compagnie canadienne qui avait racheté de nombreuses sociétés pétrolières étrangères dans sa patrie se tourna vers une autre de celles-ci (le groupe Royal Dutch Shell) pour y chercher son nouveau président-directeur général, John H. Macdonald, expert-comptable non canadien (britannique, de fait, tout comme Victor Rice, le directeur général parachuté pour tenter de sauver Massey-Ferguson). On vendit pour des millions de dollars de parts de filiales de la Dome. La valeur des actions de la compagnie tomba aux alentours de cinq dollars. Pendant une période du moins, le gouvernement détourna la surtaxe de huit dixièmes de cent par litre d'essence, versée par les usagers, au profit d'un fonds de garantie spécial destiné à la société en difficulté. Et, comme il arrive bien souvent au Canada, la poignée de grosses banques impliquées dans l'affaire, qui avaient certes pâli devant cette chaude alerte, en sortirent avec une stature encore plus imposante dans le monde économique du pays, en tant que propriétaires de compagnies pétrolières et gardiennes des Gros Dollars.

Les banques canadiennes sont grandes et puissantes, et leur pouvoir n'est pas, comme c'est le cas aux États-Unis, confiné à l'intérieur des frontières d'États particuliers. Concrètement, cela signifie qu'un de leurs clients peut entrer dans une agence, disons, de la Royal Bank à Halifax, y faire un versement, et entrer dans une autre agence à Vancouver le lendemain pour y effectuer un retrait.

Avec plus de quatre cents milliards de dollars d'actifs, les douze banques nationales à chartes canadiennes étendent leur influence sur tout le pays d'un océan à l'autre, sur terre et sous terre, au grand jour ou de façon plus occulte. Les Canadiens de l'Ouest peuvent bien récriminer contre la « Pieuvre Ontario » et ses tentacules financiers, partant de Bay Street à Toronto pour se glisser dans le moindre recoin du pays, le réseau de chaque banque, fait de centaines d'agences, apporte à ses clients, tant individuels que commerciaux, un ensemble impressionnant de services financiers et de capitaux, sur une échelle qui plonge les Américains dans l'ahurissement. En sens inverse, les armées d'agences implantées un peu partout procurent quotidiennement à leurs lointains chefs des données économiques et sociales détaillées sur tous les aspects de la vie de la nation, auxquelles ne peuvent même pas prétendre les principaux partis politiques. Les banques et leurs institutions collatérales procurent en outre à des milliers de Canadiens un moyen respecté d'ascension sociale, théoriquement jusqu'au sommet de la hiérarchie, jusque dans ces salles de réunion des conseils d'administration moquettées et soigneusement masquées de rideaux, où les cadres accompagnant leurs visiteurs chuchotent avec respect quand bien même les pièces sont vides.

Sur les plus hautes cimes financières du Canada se tiennent cinq banques, contrôlant au moins quatre-vingt-six pour cent des actifs de l'ensemble des douze banques nationales. Les *Big Five* (les Cinq Grandes) sont, dans un ordre décroissant, la Royal Bank of Canada, la Bank of Montreal, la Canadian Imperial Bank of Commerce, la Bank of Nova Scotia (de Nouvelle-Écosse), et la Toronto Dominion Bank. Elles entrent dans le schéma familier des institutions du pays en général. Le Canada en possède beaucoup moins que la plupart des autres nations comparables. Aux États-Unis, par exemple, plus petits géographiquement, on compte quinze mille banques environ. Au Canada, on trouve moins de tout, ou presque. Tout y est toujours plus grand, et vous trouverez d'ordinaire, quelque part, sous une forme ou une autre, la main protectrice du gouvernement, toujours renflouant, poussant, modelant, subventionnant et/ou encourageant l'institution, qu'il s'agisse d'une compagnie ferroviaire, d'une société cinématographique, d'une maison d'édition de disques, ou d'une poignée de banques influentes. Ces efforts consentis par l'État ne sont pas toujours couronnés de succès, à preuve les quatre cent trente millions de dollars investis dans le nouvel aéroport international de Mirabel, près de Montréal, qui demeure très peu utilisé, ou les cinq cents millions de dollars dépensés pour la construction d'un avion de combat supersonique canadien, dont le projet fut abandonné.

Les banques canadiennes, traditionnellement conservatrices, autrefois gérées par de flegmatiques Écossais, ont toujours opéré à la manière d'une confrérie financière disposant d'un grand nombre de maisons disséminées dans un vaste pays faiblement peuplé, où il n'était pas difficile, naguère, de connaître virtuellement tous les décideurs d'importance. Peter C. Newman, auteur de *The Canadian Establishment*, les a appelées les « gardiennes du temple », et calcula un jour que son pays d'adoption comptait plus d'agences bancaires que de cafés.

La banque est, pour ses gardiens conservateurs et circonspects, une vocation. Pour beaucoup, elle constitue le billet qui leur permettra de quitter une petite ville, l'espoir d'un avenir meilleur, celui de vivre et de traiter un jour sur un pied d'égalité avec l'aristocratie possédante de la nation. Comme le déclara à M. Newman l'ancien président de la Royal Bank, W. Earle McLaughlin : « Il courait au Nouveau-Brunswick une vieille plaisanterie qui voulait qu'un jeune homme puisse, soit couper du bois, soit faire pousser des pommes de terre, soit entrer à la " Royal ". »

Même si l'arrivée des ordinateurs et des méthodes modernes de travail a estompé bien des privilèges, les grosses banques agissent beaucoup, sur le plan social, à la manière de fiefs indépendants. Leurs conseils d'administration peuvent comprendre cinq ou six douzaines d'hommes, pour la plupart membres éminents de sociétés clientes et, contrairement à beaucoup d'autres institutions canadiennes, recrutent à dessein leurs membres dans la nation tout entière.

Ces conseils, qui représentent la plus forte concentration de pouvoir du pays en dehors du gouvernement, se rencontrent régulièrement par petits groupes régionaux, puis au niveau national, dans des lieux toujours différents, où les personnels des banques, depuis longtemps préparés aux visites officielles des dignitaires, les véhiculent à toute allure dans des voitures avec chauffeur, les invitent à des dîners bien arrosés, et les mettent au fait de la situation. Ces conseils, qui procurent en outre à leurs banques toute une armée d'importants directeurs de ventes, servent de réseau de renseignements d'affaires officieux, peu connu, mais absolument vital, embrassant l'ensemble d'un pays qui ne dispose par ailleurs que de très peu de liens naturels communs.

Leurs membres ont plus que probablement suivi les cours de la même école privée préparatoire à la faculté (l'Upper Canada College de Toronto, par exemple) et de la même université (McGill, Queen's, ou l'Université de Toronto). Et, lorsqu'ils désirent être vus, aujourd'hui, ils fréquentent les mêmes clubs privés des centres d'affaires, dont les serveurs les saluent par leurs noms et les conduisent lentement vers leur table favorite, laissant aux autres convives le loisir de prendre acte, avec de petits signes de tête, de petits gestes, des poignées de main ou des chuchotements discrets, de l'arrivée des célébrités. Parce qu'il règne dans le monde des affaires canadien un esprit de clan, et que les commérages y vont bon train, banquiers et directeurs souhaitent parfois ne pas être vus en compagnie de tel ou tel client, ou client potentiel. Ils peuvent alors proposer à leur invité une rencontre au-dessus du centre des affaires de Toronto, dans l'une des salles à manger privées de leurs banques décorées de lourds rideaux, de lampes luisant doucement, et de vitrines garnies de livres pas encore lus, comme le cabinet de travail d'un aristocrate. Là, le serveur permanent de la maison est discret, le service impeccable, la vue spectaculaire, et la nourriture exquise et délicate. Les utilisateurs habituels de ces salles (ainsi que les rapports annuels des banques) font semblant de ne pas remarquer cette opulence. Elle est considérée comme un instrument de travail nécessaire, comme les interphones cachés ou ces portes secrètes aménagées dans certains bureaux de dirigeants, et destinées à faire échec aux candidats kidnappeurs.

Les banques du Canada constituent en réalité un ensemble de clans d'affaires, comme autant de cercles tournoyants. Elles sont le ciment puissant, le lien essentiel qui soude les entreprises canadiennes à leurs alliées, à leurs fournisseurs et à de plus grosses sociétés, et leur facilite un grand nombre de ventes, ainsi que l'accès au financement dont elles ont besoin. Elles canalisent les renseignements permettant aux sociétés du pays de s'introduire dans le monde inconnu et, pour les Canadiens, autrefois intimidant, des pays étrangers.

Même si, là encore, les privilèges se sont récemment effacés, chaque banque est enveloppée d'un noyau de sociétés clientes dont l'allégeance, d'ailleurs réciproque, est scellée par des liens solides, forgés voici quelques décennies dans les lieux d'études communs de leurs principaux dirigeants. Des glissements peuvent s'opérer dans ces alliances soigneusement entretenues si, par exemple, le courant vient à ne pas passer entre deux hauts responsables, ou si les nouveaux objectifs d'un emprunteur viennent à recevoir un accueil un peu froid de la part de son banquier habituel. Mais, généralement parlant, les loyautés financières sont des liens robustes, noués sur les patinoires de hockey au lycée, sur les terrains de golf à l'âge adulte, et consolidés par toutes les poignées de main de l'amitié, qui semblent unir bien plus solidement dans les communautés restreintes comme celles du Canada, où presque toute personne d'importance est connue de presque tout le monde.

Pendant de nombreuses années, à leurs débuts, la population clairsemée du Canada et ses banques n'eurent pas de monnaie propre. Les chiffres du gouvernement étaient énoncés en livres anglaises, suivies, entre parenthèses, de leur équivalent en dollars américains. Dans les années 1830, le Canada eut un débat sur la création éventuelle de sa monnaie personnelle, que l'on aurait appelée *royal*. Cette proposition, malheureusement, n'aboutit pas. Le pays, finalement, créa son propre dollar, entretenant ainsi sa propension incoercible à se comparer aux États-Unis. Si, comme ce fut le cas à certains moments, le dollar canadien est plus fort que son homologue américain, ce résultat est considéré comme un exploit, et devient une source de fierté considérable pour les habitants. Si, comme le cas s'est plus souvent présenté récemment, le dollar américain l'emporte, c'est une source de grogne, l'un des nombreux instruments de mesure artificiels choisis par les Canadiens pour satisfaire leur instinctif et irrépressible désir de comparaison. Cette comparaison a bien quelque fondement dans les faits économiques. Plus des deux tiers, rappelons-le, des importations et exportations canadiennes (sans compter les millions de Canadiens faisant chaque hiver le voyage vers le soleil américain, quel qu'en soit le prix) ont lieu dans le cadre de transactions avec les Américains, dont la situation financière a par conséquent très facilement des répercussions sur le pays.

Dans ce contexte, les banques canadiennes se sont avérées des reflets relativement fidèles de leur pays, mettant l'accent, à leur manière traditionnellement conservatrice, sur le développement à très grande échelle des ressources naturelles et de l'immobilier. Aux États-Unis, ces deux catégories d'activités ont souvent été légèrement discréditées par les investisseurs, ceux-ci les jugeant trop risquées. Les banques nationales canadiennes opèrent toujours sur l'ensemble du pays (la seule manière pour elles de parvenir à rassembler suffisamment de clients autochtones pour que les choses en vaillent la peine).

Les banques américaines, aux termes de la loi et par coutume, sont beaucoup plus des entreprises régionales « Les banquiers américains ont tendance à regarder l'immobilier comme un secteur plutôt à haut risque, alors que les canadiens le voient comme un risque de première classe », déclarait Maxwell Field, un dirigeant britannique du bureau de Chicago de la Marathon Realty, une branche de la Canadian Pacific, à un reporter de la ville. « Les banques canadiennes, continuait-il, prêteront aux promoteurs à un demi-point au-dessus du taux d'escompte officiel tandis qu'ici ce sera deux ou trois points de plus. »

En outre, les lois fiscales américaines sur l'amortissement des biens immobiliers encouragent les propriétaires à les revendre au bout de quinze ans. Le système fiscal différent du Canada permet aux promoteurs de demeurer sur des projets pendant des périodes plus longues, et d'accumuler d'énormes actifs, en particulier durant les périodes inflationnistes. Il offre donc plus de garanties pour l'obtention de prêts pour des projets à venir. Avec l'aide de la législation, d'autre part, les puissantes banques peuvent bénéficier du goût des Canadiens pour l'épargne. Les premiers mille dollars d'intérêts accumulés sur les comptes-épargne individuels ne sont pas imposables, mesure contribuant aussi à compenser l'une des pénuries traditionnelles du pays, celle de capitaux. L'un des résultats de ces encouragements de l'État est que les Canadiens épargnent environ quatorze pour cent de leurs revenus, ce qui met à la disposition de leur économie de grosses sommes pouvant servir à de nouveaux investissements, tandis que les Américains, que les mesures gouvernementales poussent à dépenser, n'en épargnent que cinq pour cent. L'autre pénurie, celle de population par rapport aux vastes dimensions du pays, le gouvernement la combat par une « allocation bébés », un traitement mensuel versé aux parents, et augmentant avec le nombre d'enfants; cette mesure est encore en vigueur de nombreuses années après que beaucoup d'autres pays moins développés se sont mis à payer les parents pour qu'ils n'aient pas d'enfants, les y contraignant à l'occasion.

Grâce à un marché intérieur bien développé et bien organisé, les banques du Canada se sont peu à peu rapprochées, puis réunies par fusions financières, modèle de concentration de pouvoir économique se retrouvant à tous les niveaux de la société canadienne, aux institutions toujours moins nombreuses et toujours plus vastes. En quête de croissance et de profits, les banques commencèrent par suivre volontairement leurs clients dans d'autres pays, provoquant même souvent de telles initiatives, et les décourageant rarement. Tranquillement, sans qu'on y ait prêté véritablement attention, les investissements augmentèrent, au point qu'un tiers environ du montant total des avoirs des banques se trouve maintenant à l'étranger, et reflète en cela l'attention portée à ce qui s'étend au-delà des frontières. Cette évolution, qui permet au Canada de poursuivre son chemin tout en bénéficiant d'une part de la prospérité des autres, est très profitable, même si elle a été l'origine de quelques grognements au sujet des risques qu'elle faisait encourir, et de quelques doutes sur la bonne utilisation de cet argent placé à l'étranger, principalement aux États-Unis.

Il s'agissait aussi dans une certaine mesure pour les banques de diversifier leurs portefeuilles de prêts en les allégeant de leur participation massive dans le secteur énergétique et des ressources naturelles. Ce fut l'une des raisons majeures qui présida à l'achat par la Bank of Montreal de la Harris Bankcorp de Chicago, opération qui, en l'espace d'une nuit, fit de l'établissement canadien la sixième banque étrangère aux États-Unis.

Les États-Unis, précisément, étaient les cibles préférées des banques canadiennes, même si la métropole anglaise et le Commonwealth présentaient eux aussi des possibilités. Au Japon, la progression s'avéra plus lente, comme pour la plupart des sociétés étrangères. En revanche, pour des raisons similaires à celles qui y ont attiré d'autres industries, les États-Unis parurent aux institutions financières canadiennes un endroit essentiellement familier, dont la langue sonnait un peu bizarrement, mais qui était globalement compréhensible. Le gouvernement vous y harcelait moins dans votre travail. Et, le marché étant extrêmement fragmenté par l'existence de cet étrange fouillis d'États, les établissements canadiens y faisaient indiscutablement, pour une fois, figure de gros bonnets. « Nous voulons être la plus grosse banque étrangère aux États-Unis », me déclarait Rowland C. Frazee, qui dirige la Royal Bank.

La « Royal », qui fit ses débuts à Halifax, en Nouvelle-Écosse, en 1864, sous le nom de Merchants Bank, avec sept cent vingt-neuf mille dollars et une agence, a grandi. Elle possède aujourd'hui plus de quatre-vingt-six milliards de dollars d'actifs et emploie quelque trente-cinq mille personnes dans plus de mille cinq cents agences à travers tout le Canada et quatre-vingt-deux à l'étranger, réparties dans quarante-cinq pays. Pour la première fois de nos jours, les activités de la « Royal » hors du Canada produisent plus de revenus après impôts que ses activités dans le pays même.

La capacité qu'a ce tiers des avoirs de la Royal Bank de produire cinquante et un pour cent de ses revenus met en relief l'importance nouvelle qu'a prise, pour beaucoup de sociétés canadiennes, la recherche d'un marché au-delà des limites de leur pays. « Dans tout ce que nous faisons à présent, déclare M. Frazee, nous pensons à l'échelle mondiale, quel que soit le type de secteur auquel nous ayons affaire. » Il rentrait précisément d'une semaine au Texas, de plusieurs jours à La Nouvelle-Orléans et de trois semaines en Extrême-Orient, et était en train de s'occuper de l'organisation de groupes à l'échelle mondiale, dans les domaines énergétique, agricole, et commercial, au sein même de sa banque, laquelle contrôle près d'un quart de tous les capitaux des banques canadiennes.

Nous étions assis dans son spacieux bureau empli de meubles de bois massif, dans la tour aux vitres dorées de la Royal Bank, si bien isolé du monde extérieur, et si loin au-dessus de l'agitation du centre de Toronto que l'on n'entendait aucun son dans la pièce, sinon le souffle discret du climatiseur. « Le commerce mondial croît plus vite que les économies intérieures, ajouta-t-il. Et les pays comme le Canada, dont vingt-cinq pour cent du produit national brut reposent sur le commerce, le taux le plus élevé du monde industriel, dépendent totalement de ce commerce. »

Au cours des dernières années, la « Royal » a transféré son siège américain de Montréal à New York, ajouté à l'affaire plus de cent millions de dollars de capitaux nouveaux, étendu ses activités en Asie (particulièrement en Chine, où elle s'est placée de manière idéale pour y opérer dans le futur), a créé de toutes pièces sa propre banque d'affaires à Londres, où elle a établi un nouveau siège pour l'Europe, et acheté une très importante banque d'Allemagne de l'Ouest (la Burghardt & Nottebohm, rebaptisée par la suite Royal Bank of Canada A.G.) futur fer de lance pour d'autres achats dans la région. Parallèlement, M. Frazee continuait à parcourir son propre pays ainsi que les États-Unis, parlant haut et fort, avec assurance et franchise, de divers problèmes actuels, comme la politique économique du gouvernement, sa manière de traiter les investisseurs étrangers, ou les relations entre Canada et États-Unis.

Les autres banques ne sont pas en reste. La Bank of Montreal, qui a des bureaux à New York depuis cent vingt-cinq ans, y a ouvert une direction régionale, en plus de sa nouvelle acquisition de Chicago (la Harris Bankcorp). La Bank of Nova Scotia possède, quant à elle, dix agences dans diverses villes des États-Unis, et a élevé l'expansion sur le marché américain au rang de ce que l'un de ses cadres appelle « probablement notre toute première et unique priorité ».

« L'économie des États-Unis est la première du monde », dit Alvin Flood, vice-président des activités américaines de la Bank of Commerce, qui pourrait très bientôt tirer de celles-ci la moitié de ses bénéfices à l'étranger, « et il se trouve qu'elle est juste derrière notre porte. C'est un marché plus proprement nord-américain que nous voyons à présent se développer ».

Les banques sont comme les massives charnières de la société canadienne. Sans leur aide, la plupart des marchés ne pourraient être emportés. Avec leur appui, la plupart peuvent se conclure quels qu'ils soient. Et souvent la banque est seule à connaître certains aspects de l'affaire, ou le petit détail qui peut faire pencher la balance des forces de son côté et celui de son client.

C'est un signe éloquent de la plus grande assurance du Canada, que le pays autorise maintenant les banques étrangères à venir jouer sur son propre terrain. Au début, le gouvernement limita les fonds de roulement de ces établissements, minuscules au regard des normes canadiennes, et dont le nombre approche de soixante-quinze, à huit pour cent du total des capitaux de toutes les banques autochtones. Mais en moins de quelques mois, les étrangers commencèrent à déposer des pétitions en faveur d'une augmentation du plafond. Cette initiative fut soutenue par un certain nombre de banques canadiennes soucieuses de la réciprocité dans une communauté économique mondiale de plus en plus resserrée. Si le Canada n'accordait pas chez lui une juste liberté financière aux banques étrangères, ses propres établissements rencontreraient probablement très bientôt quelques sérieuses difficultés hors de leurs frontières.

Aussi les réglementations se firent-elles encore plus libérales. Et la concurrence augmenta, améliorant les services rendus aux clients et faisant baisser les prix, ce qui n'avait pas toujours été l'objectif primordial de la vieille communauté financière, si étroitement unie. Les institutions étrangères étaient, semblait-il, plus gourmandes que les participants du pays. La véritable concurrence était un peu difficile à digérer pour certains; dans la rubrique affaires d'un journal, on se plaignait de ce qu'afin d'offrir des taux d'intérêt attrayants pour leurs prêts, « les banques étrangères se servent de toutes les ruses de financement disponibles ».

Les clients canadiens, quant à eux, paraissaient satisfaits. Un bon nombre d'entre eux transférèrent certaines de leurs affaires chez les nouveaux venus.

Voici quelques années seulement, jamais on n'aurait entendu parler de telles pratiques. Mais aujourd'hui, dans la banque tout du moins, les Canadiens se sentaient assez sûrs d'eux-mêmes pour passer à l'offensive, et entrer franchement dans la compétition, à l'étranger comme chez eux.

L'une des principales explications de cette assurance grandissante était purement et simplement la taille de nombreuses institutions, et pas uniquement les banques. Massives, musclées et rusées, elles avaient moins de scrupules à présent à marcher sur les pieds des autres. Samuel Belzberg, chef de la First City Financial Corporation des frères Belzberg, à Vancouver, dont les tentacules financiers ont doucement glissé le long de la côte, en direction du sud, pour prendre le contrôle de banques de Los Angeles, n'avait peut-être pas initialement eu l'intention d'acheter la totalité du groupe Bache, la société de valeurs de New York; de même la Dome Petroleum ne désirait pas réellement la totalité de Conoco. Mais l'achat fait par M. Belzberg d'un huitième des titres de Bache lui apporta finalement des profits substantiels, et la société américaine fut plus tard rachetée en totalité par la Prudential, opération tout à fait dans la ligne du brassage financier en cours aux États-Unis entre les institutions bancaires, agents de change et compagnies d'assurances.

Bien sûr, les Canadiens ont toujours eu quelques vastes institutions. Le pays fut pratiquement fondé, et en tout cas exploré, par les représentants barbus de la Compagnie de la Baie d'Hudson, l'entreprise britannique qui, jadis, posséda près de quarante pour cent de tout le territoire canadien. Les hommes de la Compagnie couraient les bois pour réunir des fourrures.

L'exemple classique de ces entreprises géantes est évidemment la Canadian Pacific, société privée (ou plutôt ensemble de cent treize sociétés) qui, comme la Compagnie de la Baie d'Hudson, est tellement liée à l'histoire et au développement du pays que ses caractéristiques de société sont souvent oubliées des Canadiens, pour le meilleur ou pour le pire. Comme beaucoup d'institutions du pays, C.P. doit sa taille, sa réussite pour une bonne part, et certainement sa grosse avance économique sur toutes les autres entreprises d'importance du pays, au gouvernement fédéral.

Elle doit aussi beaucoup à une pensée canadienne d'un modèle radicalement étranger aux Américains. « Les Canadiens ne présupposent pas automatiquement que les grosses entreprises signifient le mal », faisait remarquer dans une interview le célèbre historien J.M. Careless, qui s'est occupé de suivre le développement des grandes sociétés à travers l'histoire du pays. Contrairement à son marché cousin du Sud, plus riche, plus peuplé, et traditionnellement plus porté à la compétition, le Canada, par ses lignes politiques nationales, a, de fait, encouragé les monopoles. Les avantages et l'efficacité attachés aux opérations à grande échelle semblaient nécessaires à sa survie. Cette méthode aidait également à maintenir des prix élevés et à éviter une concurrence déplaisante. Ainsi donc, alors que, vers la fin des années 1800, le mouvement antitrust plongeait très profondément ses racines dans la terre américaine, le gouvernement du Canada s'accrochait frénétiquement à l'idée d'une voie ferrée transcontinentale, avec l'espoir de souder l'une à l'autre ses régions disparates, et de s'opposer ainsi à l'expansionnisme américain. Lorsque mon arrière-grand-père Andrew, fabricant de fromages de l'Ontario, décida, à la fin du XIXe siècle, d'émigrer vers l'ouest du pays, il ne put s'y rendre en passant par le Canada. Le sauvage Bouclier, qui scinde le pays en deux, n'avait pas encore été dompté par le rail. Il dut traverser en train le Michigan, jusqu'à Chicago, et, là, changer, et de train, et de gare, pour la longue randonnée vers le nord, où l'on prenait une péniche pour descendre la pittoresque Red River jusqu'à Winnipeg (« descendre le fleuve » signifie en général au Canada aller vers le nord). Les souffrances de ces voyages, et les séparations subies par les familles, renforçaient la culture non sectaire de la frontière.

Pour que soit enfin construite, même tardivement, cette voie ferrée, le gouvernement canadien offrit à la Canadian Pacific Railway vingt-cinq millions de dollars, dix millions d'hectares de terrain, et une exemption d'impôt à perpétuité sur toutes les propriétés du chemin de fer, accompagnée d'une garantie de vingt ans contre toute concurrence. Pour que des gares soient installées sur leur territoire, de petites villes situées non loin de l'itinéraire prévu firent, à titre personnel, d'autres aimables propositions à la compagnie. Les États-Unis offrirent eux aussi des encouragements financiers à la construction des voies ferrées transcontinentales, mais jamais aussi généreux, ni libres de toute future inquisition.

Ces mesures d'incitation faisaient partie d'un programme de développement du pays en trois volets qui, au Canada tout du moins, était l'objet d'une grande vénération, proposé par le Premier ministre Sir John A. Macdonald, sous le nom de National Policy (Politique Nationale). Cette ligne politique audacieuse, adoptée par le gouvernement fédéral en 1879, incluait la construction d'un chemin de fer transcontinental, pour rendre possible une vaste colonisation de l'Ouest canadien, et l'imposition de tarifs protecteurs très stricts destinés à façonner un marché national et à donner à l'industrie canadienne (lisez, de l'est du Canada) des clients prisonniers de leurs frontières à partir desquels les entreprises pouvaient se développer. Ce plan, alliant le protectionnisme et une profonde implication de l'État dans l'économie, a depuis lors modelé toute la pensée économique canadienne. Comme l'a noté le professeur Careless : « Le système créé en 1879 s'est peu à peu intimement mêlé à l'histoire et à la vie du pays. »

Il ne fait aucun doute que les États-Unis ont eu, eux aussi, de temps à autre, leurs accès de protectionnisme en matière de tarifs (le premier s'étant produit en 1816, de même qu'au Canada, et quelques années seulement après la fondation du pays), et il est arrivé au gouvernement fédéral de s'immiscer dans l'économie pour atteindre certains objectifs spécifiques (les sauvetages financiers de Lockheed et de Chrysler, par le biais de garanties apportées à leurs emprunts, sont deux exemples récents parmi d'autres). Mais, aux États-Unis, les initiatives de ce genre ont été plus hésitantes, peu fréquentes, souvent controversées, et durent même être justifiées longuement, avec force excuses, comme des aides qui ne se réitéreraient pas. A l'inverse, au Canada, la réaction instinctive face à un problème – n'importe quel problème, semble-t-il parfois – est de se demander : « Que va faire le gouvernement ?. » Peut-être se disputera-t-on pour savoir si l'État a fait le maximum pour une industrie, une entreprise, une ville ou une région. Mais vous entendrez rarement quelqu'un déclarer que le gouvernement n'aurait pas dû s'en mêler pour commencer. Le droit, voire la nécessité d'une telle intervention, sont considérés comme une chose établie. Les intentions y présidant sont toujours supposées bonnes.

Le système industriel canadien ne se réalisa vraiment qu'au fil de nombreuses décennies. Comme toujours, les habitants du pays comparent leurs efforts à ceux des Américains, même si l'on ne peut comparer des pommes et des oranges. Cependant, l'ex-Premier ministre conservateur progressiste Joe Clark, un descendant en politique de Sir John A. Macdonald, fit une remarque très importante lorsqu'il nota un jour : « Les Américains déclarent, avec orgueil, être le Nouveau Monde, le berceau de la réussite. Mais nous, Canadiens, avons colonisé la moitié la plus rude du continent. Il était plus facile de bâtir la Virginie que l'Ontario. » Lorsque le tout jeune pays construisit sa première voie ferrée vers le Pacifique (achevée en 1885), sa population n'était que de quatre millions de citoyens. Quand les États-Unis, dont la géographie est plus hospitalière, construisirent leur premier chemin de fer transcontinental, dans les années 1860, leur marché comptait déjà quarante millions de personnes, une masse de population encore supérieure de quinze millions à celle du Canada d'aujourd'hui.

« Les Canadiens ont la fibre beaucoup plus hiérarchique et sont plus confiants dans l'autorité que les Américains, déclare William T. Stanbury, du Conseil Économique du Canada. Si les hommes d'affaires disent qu'une chose est bonne, les gens le croient. » Ils approuvent lorsque les promoteurs des opérations à grande échelle, un millier peut-être de capitaines d'industries appartenant à l'élite du monde des affaires, parlent des besoins en emplois et en entreprises d'envergure mondiale, capables de se battre à l'ombre immense des États-Unis sur un marché international où la compétition est de plus en plus acharnée. Ce point revêt une importance particulière pour un pays exportant vingt-cinq pour cent de son produit national brut, contre dix ou onze pour cent dans le cas des États-Unis, par exemple.

Avec les années qui passent, la marche vers la concentration se poursuit, amenant sous la plume de Peter C. Newman l'une des phrases les plus pertinentes jamais écrites sur le Canada. Nationaliste fervent, M. Newman apporta de Tchécoslovaquie dans sa nouvelle patrie le regard lucide de l'étranger bienveillant, un personnage tendant à mettre les Canadiens mal à l'aise. Observant la classe dirigeante du pays, il écrivit dans *The Canadian Establishment* : « Le pouvoir tend à réunir; le pouvoir absolu réunit absolument ».

Mais, en l'absence de sentiments hostiles du public à l'égard des très grosses entreprises, absence que reflète fidèlement la totale faiblesse des lois canadiennes à l'encontre des monopoles, la section antitrust du ministère des Consommateurs et des Sociétés est pratiquement réduite à l'impuissance. La plupart des Canadiens ne sont guère inquisiteurs; les journalistes, par exemple, sont loin de bénéficier du statut social, de l'influence ou des protections légales dont jouissent leurs collègues au sein du Quatrième Pouvoir américain. Aussi la presse canadienne ne joue-t-elle pas, dans la détermination de l'ordre du jour des débats publics, le rôle prééminent que tient souvent sa consœur américaine.

Dès lors, rares sont les Canadiens qui, de nos jours, posent les questions essentielles. Quelles forces – historiques, politiques et économiques – sont en train de s'emparer de la nation et de livrer toute la puissance de ses ressources, de ses usines, et de ses industries à un nombre de plus en plus réduit de sociétés? Jusqu'où ira ce mouvement de fusion? Les entreprises elles-mêmes mises à part, cette évolution est-elle bonne pour leurs employés, pour les Canadiens, pour le Canada? Quels seront ses effets à long terme sur le pays même et sur ses relations économiques et politiques avec d'autres nations, maintenant que l'on assiste à un débordement de ses forces hors de ses frontières?

– Ce que nous allons obtenir, si cette progression vers une plus grande concentration se poursuit, me dit un jour le directeur de la section antitrust Robert Bertrand, c'est une oligarchie nationale dans laquelle quelques dizaines de personnes influeront les unes sur les autres pour négocier l'avenir économique de millions d'autres. L'essence d'une société libre est le choix. Des unités économiques moins nombreuses, plus grandes, signifient inévitablement un éventail de choix plus réduit.

Beaucoup feront sans doute remarquer que dans certains secteurs, comme l'acier, la bière, le ciment, les cigarettes, le pétrole, les journaux et l'aluminium, des oligopoles privés ont déjà pris forme, à l'issue bien souvent d'enchères coûteuses, économiquement préjudiciables, qui paraissent tenir plus d'un jeu de vieux écoliers rivalisant de ruses que d'une décision économique réfléchie. Les vainqueurs sont souvent sortis de ces batailles grièvement blessés, chargés de dettes écrasantes, à taux d'intérêt flottants, et s'envolant vers les hauteurs, semble-t-il, bien plus volontiers qu'ils ne descendaient.

La concurrence a été étranglée. Trop de pouvoir s'est trouvé concentré entre les mains de quelques-uns. Les droits des actionnaires minoritaires se sont vus réduits. Et le décor est en place pour des manipulations du marché que le gouvernement est pratiquement incapable de combattre, en eût-il même la volonté politique.

Quelques chiffres font apparaître la tendance. Au moment de la création de la Confédération canadienne, en 1867, on dénombrait trente-trois banques en fonction au total. Entre 1820 et 1970, cent cinquante-sept chartes de banques ont été délivrées par le gouvernement. M. Newman a calculé que, si le Canada possédait aujourd'hui, proportionnellement, autant de banques que les États-Unis, c'est mille quatre cents au lieu de douze qu'on en dénombrerait. En outre, les cent plus grosses sociétés canadiennes dégagent plus de quarante-cinq pour cent de la valeur ajoutée des marchandises du pays, contre environ trente-trois pour cent dans le cas des cent premières entreprises américaines.

Il existe de puissantes raisons économiques à la persistance de cette concentration. D'abord, une poussée très normale vers la croissance et la diversification; ensuite, une série de solides bénéfices, faisant des trésoreries de nombreuses entreprises des cibles attirantes, même sans leurs usines; enfin, l'impact de l'inflation, qui s'attarda plus longtemps au Canada qu'ailleurs. Ce dernier élément fit qu'il devint moins coûteux d'acheter les actions sous-évaluées des sociétés existantes que d'en fonder de nouvelles, et c'est la raison primordiale, par exemple, ayant présidé à l'achat de Price par Abitibi, qui donna naissance à la plus grosse entreprise de fabrication de papier journal au monde.

En même temps, parce que la scène économique du Canada est plus réduite, et que la plupart des joueurs y sont connus de la plupart de leurs partenaires (pas toujours favorablement d'ailleurs), on peut déceler dans ce milieu un certain sens de la chasse, de la valeur de la ruse, et un réel élément de compétition sportive. Ces traits ne transparaissent pas toujours dans les colonnes de la morne presse spécialisée du pays, *Financial Post*, *Financial Times*, et *Report on Business*.

Les manœuvres destinées à provoquer ou éviter des prises de contrôle prennent souvent, au Canada, les allures d'un sport d'intérieur à l'usage de ceux qui peuvent s'offrir des chauffeurs de société. Tout se passe comme si ces hommes assis sur les banquettes arrière étaient de retour sur les pistes de hockey du lycée, jouant des coudes, se poussant mutuellement contre les parois de planches, et parfois même, peut-être, accrochant la jambe d'un adversaire à l'aide de leur crosse pendant que l'arbitre ne regarde pas.

Quant à une éventuelle crainte au sujet des dimensions de certaines entreprises, elle ne s'est pratiquement jamais manifestée. Cette sérénité, j'allais l'entendre exprimer un jour par Kenneth R. Thomson, le magnat de la presse propriétaire de quarante pour cent des quotidiens canadiens. Après avoir franchi les barrières de sécurité et emprunté l'ascenseur privé, nous avons pris place dans son bureau, en haut du gratte-ciel dominant l'hôtel de ville et la patinoire de Toronto, à quelques mètres à peine de son musée privé, garni de sculptures et de tableaux du peintre canadien Krieghoff.

— Il y a une limite au nombre de journaux qu'un homme ou une société peuvent posséder, dit-il, un certain point au-delà duquel cela devient ridicule. Mais nous ne l'avons pas atteint. Et je suis convaincu que, si cela nous arrive, nous le saurons nous-mêmes.

A aucun instant de leurs machiavéliques manœuvres (destinées, paraît-il, à rapporter un maximum de bénéfices à la masse sans visage des actionnaires) les généraux du monde des affaires ne prêtent la moindre attention au gouvernement fédéral.

— Nous nous inquiétons beaucoup des proportions de ces concentrations, déclare Paul Mitchell, de la section antitrust, mais la loi n'a aucune prise sur elles. Il est impossible d'arrêter les fusions. Il nous faut prouver la réalité d'une diminution « excessive » de la concurrence, portant préjudice au public, avant même que la chose n'arrive.

Il s'ensuit que le Canada n'a connu qu'une condamnation pour monopole depuis la Seconde Guerre mondiale. Et encore le défendeur avait-il plaidé coupable.

Plusieurs timides efforts de changement ont abouti à des échecs. Et aucun des principaux partis ne semble susceptible d'être pris d'un enthousiasme subit pour une guerre contre les trusts. Lors de leur bref passage au pouvoir en 1979-80, les Conservateurs progressistes proposèrent de se séparer de certaines des *Crown corporations* pour en faire de grosses sociétés privées, appartenant à leurs actionnaires. Et lorsque M. Trudeau chargea l'une de ses commissions, plus décoratives qu'efficaces, de mener une enquête sur « la concentration des sociétés », il nomma à sa tête Robert Bryce, l'homme qui avait rédigé la législation accordant aux entreprises la déduction fiscale des intérêts de leurs emprunts destinés à financer des rachats d'autres sociétés.

Cette investigation fédérale dura trois ans, et coûta quelques millions de dollars, pour aboutir à la conclusion qu'il n'y avait pas de concentration excessive, concentration qu'elle qualifiait, de toute façon, de « phénomène naturel ».

— Nous n'avons pas constaté l'existence de maux inhérents à une telle concentration, me déclara M. Bryce, sinon que les entreprises dans l'ensemble n'étaient pas aussi rentables. Elles avaient tendance à surpayer, dans le feu de la compétition. Mais cela ne ralentira pas la tendance.

En l'absence d'une efficace réglementation de l'État, la concentration continue des sociétés au Canada obéit à des règles subtiles et fluctuantes, et on a entendu parler de régimes de faveur. Il existe des règles de courtoisie, non écrites, mais comprises de tous, assez proches de celles d'un duel qui se livrerait à coups de dollars au lieu de pistolets. Ces règles sont imposées de l'intérieur. C'est ainsi que certaines relations d'affaires fort précieuses, par exemple, peuvent être refusées à certains hommes particulièrement agressifs issus d'un autre milieu, aux *outsiders* comme Peter Bronfman, ou comme Stephen Roman, de la Denison Mines, qui n'est pas allé à l'école qui convient, ou qui paraît un peu fruste, ou mal dégrossi, selon les normes des autres anciens élèves. De telles personnes ne pourront peut-être pas pénétrer dans les clubs prestigieux comme le *Toronto* ou le *National*, ni être invitées à siéger au sein du conseil d'administration d'une banque, avec toutes les relations utiles que cela implique en matière de financement et de renseignements. Un responsable d'investissements m'expliqua le système.

– C'est juste une façon de dire : « Dis donc, mon gars, ici, nous n'avons pas de ces façons de faire. » Et, en général, ça marche.

Mais, naturellement, jamais les antécédents ethniques ou religieux du proscrit ne seront mentionnés lors de la prise de telles décisions. Cela n'est pas nécessaire.

A quelques exceptions près, ce processus de stratification sociale a assez bien fonctionné dans la communauté des affaires du pays. Et il le fait encore dans de nombreuses sphères. Mais il y a aujourd'hui au Canada beaucoup plus de joueurs, disposant de beaucoup plus d'argent. Et même si certains itinéraires sont bloqués pour les Roman, les Skalbania, les Belzberg et les Bronfman, un champ d'entreprise bien plus vaste s'étend pour eux par-delà les frontières, là où l'appartenance à tel club ou à tel conseil d'administration de banque importe beaucoup moins que certaines qualités nommées bon sens et influence.

Des vents de changement ont commencé à souffler au cours des dernières années dans les corridors de l'*Establishment* canadien, cette aristocratie sans titres dont les membres, peu nombreux, ont, pendant si longtemps, pris les grandes décisions qui affectèrent des millions de personnes. A leur arrivée, les nouveaux venus, décrits de manière pittoresque par M. Newman dans le second volume qu'il a consacré à cet *Establishment*, ont scindé l'ancienne organisation du pouvoir en deux camps. D'un côté les Héritiers, fils et petits-fils de l'élite nantie, les Eaton, Weston, Thomson et consorts, qui, à la différence peut-être de leurs pairs patriciens d'autres pays, ne sombrent pas dans leur espèce d'extrême prodigalité congénitale. De l'autre, les nouveaux venus, qu'il surnomme les Acquéreurs, hommes d'entreprise aux manières ostentatoires, venus de l'Ouest pour la plupart, et qui, par la naissance ou par le comportement, sont étrangers à l'*Establishment* : self-made-men, machos, se réjouissant des risques et dépensant leur argent en menant des trains de vie extravagants – douzaine de voitures, plafonds de chambre à coucher dorés à la feuille, et femmes ravissantes aux longs cheveux flottants.

Selon M. Newman, ces nouveaux venus, toujours différents, achetant, vendant, escaladant l'échelle sociale, se considèrent comme citoyens de leur époque tout autant que de leur pays ou de leur province. Les Acquéreurs forment un contraste complet avec les vieux Héritiers. Le heurt de ces deux riches générations, l'une pleine de bon sens et tranquille, l'autre pleine de bon sens et lutteuse, était un autre signe des nouveaux courants glissant silencieusement dans tout le pays.

Cependant, fidèles à l'esprit de compromis canadien et à leur recherche commune du profit, le pragmatisme l'emporta et toutes deux parvinrent à s'entendre.

Cela n'alla pas toujours sans heurts et elles se livrèrent de rudes batailles telle la *Store War* (la Guerre des Magasins), une concentration dans le secteur des grands magasins où l'on vit Simpson's, une chaîne de Toronto vieille de cent ans, qui avait deux fois, par le passé, repoussé des offres de reprise par des Américains, annoncer une fusion avec Simpson's Sears, une entreprise en participation avec Sears Roebuck, de Chicago, le plus important magasin de vente par correspondance des États-Unis. Ceci fut cependant de courte durée, parce qu'à une douzaine de pâtés de maisons de là, le conseil d'administration de la Compagnie de la Baie d'Hudson se réunissait dans une salle du quatrième étage pour boire du café et du Coca-Cola, et adopter par vote une proposition décidant d'une action qu'elle avait envisagée pour la première fois quarante ans plus tôt : la prise de contrôle de Simpson's.

La Compagnie de la Baie d'Hudson fait partie de l'histoire du Canada depuis l'octroi de sa charte par le roi Charles II en 1670. Jadis société strictement britannique, elle avait transféré son siège à Winnipeg, et une grosse partie de ses biens étaient passés aux mains de Canadiens. C'est précisément ce qui attira le second Lord Thomson of Fleet. Pour son père, Roy Thomson, un homme animé de l'esprit de compétition, la Grande-Bretagne avait présenté l'attrait des grands défis. Il y était parti pour bâtir un empire international de l'édition (« C'est un jeu, disait-il, et il me plaît »). Et il gagna, non pas seulement la propriété du *Times* de Londres, entre autres nombreuses publications, mais aussi un siège à la Chambre des Lords, rêve que la plupart des gamins pauvres de l'Ontario ne pouvaient que caresser. Mais cela ne semble plus avoir la même importance aujourd'hui.

Le fils du magnat de la presse, qui avait depuis lors considérablement accru le nombre des publications détenues par sa société, était à présent en train de réorganiser de fond en comble les dix milliards de dollars d'investissements de sa famille. La Grande-Bretagne n'exerçait plus la même fascination que pour les générations passées et ce sentiment s'insinuait lentement, mais inexorablement, dans les rangs d'une grande partie de l'aristocratie d'argent du pays. De fait, au Canada, où il passait une partie de plus en plus importante de son temps, Kenneth Thomson dédaignait de faire usage de son titre britannique. Il collectionnait la peinture canadienne, pas des Renoir. Et il commença à faire perdre à ses investissements leur forte coloration anglaise (allant jusqu'à vendre le *Times* à un autre étranger, l'Australien Rupert Murdoch), et à reporter son argent, son attention, ainsi que les avantages de ses placements sur l'Amérique du Nord, tout particulièrement sur le Canada, où il jugeait l'avenir plus prometteur.

Aussi demanda-t-il à deux des sociétés privées de sa famille de faire une offre pour la Compagnie de la Baie d'Hudson, action qui provoqua une offre concurrente par la famille Weston, autre dynastie canadienne à connexions britanniques. Cette opération lança le riche fils de Roy Thomson, qui avait un jour créé une station de radio rurale à seule fin de stimuler les ventes de ses postes, contre W. Galen Weston, le riche fils de Garfield Weston, qui avait transformé une minuscule boulangerie de Toronto en la plus grosse chaîne de détail du Canada, et en un conglomérat multinational de sept milliards de dollars (comprenant Loblaw's au Canada, la National Tea Company aux États-Unis, et Fortnum & Mason en Grande-Bretagne).

Cette fois, dans la bagarre de la Baie d'Hudson, c'est la famille du boulanger, avec sa fortune ancienne, qui échoua face au fils de l'éditeur, à la fortune plus récente. Mais ils demeurèrent amis, naturellement. Galen lit les journaux de Ken, et les vêtements de sa famille sortent, selon toute probabilité, de l'un de ses magasins, cependant que les domestiques de Ken vont très certainement faire leurs achats dans les magasins Weston. Marilyn Thomson, gracieuse beauté qui fut jadis mannequin chez Eaton, l'autre principale chaîne de grands magasins, peut fort bien servir des biscuits Weston à l'heure du thé.

Au cours des années que nous passâmes à Toronto, alors que j'essayais jour après jour de démêler les liens unissant les diverses sociétés canadiennes, un nouveau jeu se développa dans ma famille. Tout en conduisant, un samedi après-midi, je demandais si quelqu'un savait qui était réellement propriétaire de cette société, ou de ce magasin là-bas. Sans lever la tête de la page des sports, Christopher, notre aîné, jetait : « Lord Thomson ». C'était la conjecture la plus sûre. Et il avait plus souvent raison que tort.

S'il a toujours été difficile à quiconque au Canada de manger, lire ou conduire quelque chose qui n'appartienne pas à un petit nombre de familles célèbres (ou au gouvernement), il était également fort malaisé d'éviter d'être touché, d'une façon ou d'une autre, par l'un des nombreux bras de la Power Corporation. C'est un ensemble fort bien nommé (*Power* signifiant « pouvoir ») de plus de cent cinquante sociétés réunies par Paul Desmarais, autre chef d'entreprise agressif, endurci cependant par les dures conditions de vie du nord de l'Ontario. Après un début dans les transports par bus, les intérêts du francophone M. Desmarais s'étendirent aux secteurs du camionnage, des paquebots, de la construction navale, des produits forestiers, de l'édition, des sociétés financières et des assurances.

Au début des années quatre-vingt, il liquida ses plus anciennes propriétés pour financer le démarrage de nouvelles initiatives. On voit dans son histoire comment les choses se font encore au Canada. Au temps de ses années d'université, voici trente-cinq ans, il avait rédigé un travail de recherche exposant la manière dont on pourrait s'y prendre pour obtenir le contrôle de la Canadian Pacific, le conglomérat international géant si intimement lié à l'histoire du pays (« La Canadian Pacific est le Canada, m'expliquait un jour David Schulman, un analyste financier de Montréal, et le Canada est la Canadian Pacific »).

Tantôt adorée, tantôt haïe, jamais oubliée, C.P. (tout le monde au Canada sait ce que représentent ces initiales, même si les plus âgés disent plutôt C.P.R. – Canadian Pacific Railway), C.P., donc, est devenue la plus grosse entreprise non publique du pays, critiquée pour beaucoup de choses et aimée pour presque rien. On la trouve partout, dans la porcelaine fine comme dans les mines de plomb de l'Arctique, dans la fabrication du papier et dans les aciéries, dans les trains et dans les avions, les hôtels et les assurances. Pour les Canadiens, C.P. signifie grandeur, force et ampleur. Ses actions ont été historiquement très largement dispersées, suffisamment pour que personne ne possédât plus de cinq pour cent de ses parts.

La C.P. et la Power Corporation ont toutes deux leur siège à Montréal. Les dirigeants des deux sociétés se connaissent. Et les deux firmes avaient sans nul doute entendu les rumeurs qui couraient sur certains projets de rachat ourdis par l'une de ces géantes de la finance qui écumaient le Canada. La Nova Corporation peut-être, anciennement Alberta Gas Trunk Line, ou l'entité Hiram Walker-Consumer's Gas, ou l'Alberta Heritage Savings Trust Fund, ou Seagram's encore, peut-être, ou même la B.C. Resources Investment Corporation.

Une prise de contrôle de la Canadian Pacific, tout particulièrement par des intérêts qui pourraient déménager son siège symbolique loin de Montréal et du Québec, semble désastreux à beaucoup de personnes, à l'intérieur comme à l'extérieur de la province – et bien sûr également à cette génération de dirigeants impétueux de C.P. que la fragmentation de l'actionnariat avait laissés libres de façonner à leur guise l'avenir de la compagnie, et, du même coup, leurs propres carrières.

Aussi pouvait-il sembler préférable d'avoir à la tête de l'entreprise quelqu'un d'amical – mais pas n'importe qui, remarquez bien... quelqu'un de bien placé, qui pourrait faire dévier toute offre de fusion indésirable. Par sa personnalité remarquable, quoique énigmatique, il pourrait pour commencer empêcher l'offre de se faire.

Cette personne devrait inspirer confiance, connaître les règles du jeu, et disposer de gros moyens personnels, ainsi que d'un accès à de plus gros capitaux encore, si nécessaire. Un Québécois conviendrait : il pourrait apaiser les susceptibilités régionales d'une province dont les habitants voient des « étrangers » derrière chaque mot anglais prononcé. Mais ce devrait être alors l'un de ces Québécois s'opposant à la séparation politique de la province (« Pouvez-vous imaginer la plus grosse société du Canada, qui porte même le nom du pays, aux mains de gens qui ne croient pas au Canada? »).

Si ce sauveur potentiel possédait ses propres sociétés, il serait bon qu'elles puissent s'harmoniser avec les divers intérêts de C.P. Si des éléments se trouvaient faire double emploi, la solution serait bien sûr tout simplement de les revendre. Et il faudrait que toutes choses soient négociées en douceur, sans virages brusques générateurs d'incertitudes.

Or, un jour de 1981, voici que furent vendus de gros paquets d'actions de la Canadian Pacific, faisant naître malaise et soupçons. Qui était en train de les acquérir?

– Quelqu'un les achetait pour environ cinquante dollars, se retirait lorsqu'elles grimpaient jusqu'à cinquante-deux ou cinquante-trois, puis revenait en force, plein d'ardeur, lorsque C.P. retombait à quarante-neuf dollars, m'expliqua un agent de change.

Cet acheteur de quelque trois millions sept cent mille dollars d'actions de C.P. était, pour finir, la Cadillac Fairview Corporation, la société immobilière contrôlée par la famille Bronfman, laquelle détient également Seagram's.

Mais les Bronfman ne souhaitaient pas prendre le contrôle de C.P.; leur seul désir était de gagner un peu d'argent là où c'était possible. Ils avaient eu vent des rumeurs qui couraient, et étaient intervenus les premiers.

– Sans même se parler, ces familles d'affaires pensent toutes de la même façon, dit M. Schulman, l'analyste financier de Montréal. Elles connaissent les règles, les rumeurs, les objectifs des autres. Les Bronfman avaient quelque argent disponible avec lequel s'amuser. Alors, ils rassemblèrent leur paquet d'actions, allèrent voir Paul Desmarais, et conclurent un accord. C'est ainsi que ces choses se mettent en route.

M. Desmarais affirma d'abord bien sûr que ce n'était pour lui qu'un intéressant investissement de cent soixante-quatorze millions de dollars pour 4,4 % de C.P. Mais il se trouva, comme par hasard, qu'il vendit ensuite, pour cent quatre-vingt-quinze millions de dollars, ses filiales de transports (bateau, bus et camion), lesquelles auraient bien pu sembler mal s'accorder avec les activités analogues de C.P. Puis, de manière progressive, il commença à accumuler d'autres actions de la Canadian Pacific. Aujourd'hui, la Power Corporation, ou son chef, qui entretient avec les plus hauts rangs du parti libéral des liens familiaux étroits (l'un de ses fils a épousé la fille de Jean Chrétien, l'un des doyens du parti, bras droit de

Trudeau et fervent opposant au séparatisme québécois) possède plus de dix pour cent de C.P., le géant. Et M. Desmarais, natif du nord de l'Ontario, qui bâtit sa fortune nationale en se liant avec l'autre province géante et l'autre groupe linguistique du Canada, a été nommé au nombre des vingt-trois membres du conseil d'administration de la société, suivi, plus tard, par un deuxième représentant de la Power Corporation. Presque une parabole de l'unité nationale.

M. Desmarais conclut également avec les deux parties un pacte de protection spécial. Il ne chercherait pas à posséder plus de quinze pour cent des parts de la société aussi longtemps que personne d'autre n'en détiendrait plus de dix. Le plus gros actionnaire après lui, avec, curieusement 9,976 % des parts, est la Caisse de Dépôt et Placement du Québec, autre exemple des nouvelles forces financières montantes du pays. La Caisse n'était naguère que le gestionnaire somnolent du régime de retraites du gouvernement provincial. Mais, sous la pression persistante du parti québécois nationaliste arrivé au pouvoir en 1976, la Caisse élargit sa vision et ses ambitions. Elle est aujourd'hui devenue l'un des principaux joueurs sur le marché boursier canadien.

– La Caisse représente l'État, accusa M. Desmarais en une occasion. Ils sont en train de nationaliser les sociétés, voilà ce qu'ils font, mais par des moyens détournés.

C.P. et lui-même cherchèrent instinctivement une aide auprès du gouvernement fédéral, qui fit adopter une législation interdisant à une province, ou à l'une quelconque de ses administrations, de détenir plus de dix pour cent des actions donnant droit de vote dans toute société de transport. La justification de cette mesure était le contrôle de l'État fédéral sur les transports, lesquels ont toujours été considérés dans l'histoire canadienne, et dans celle des États-Unis, comme un instrument privilégié de construction de la nation.

Mais l'autre justification, sous-jacente et plus profonde, était la volonté de conserver le contrôle des ressources naturelles.

Dans ce Canada qui en est si riche, les richesses naturelles font partie de la légende.

Un soir venteux de mars, dans le nord de l'Alberta, mon fils Spencer et moi étions assis sous une tente autour d'un feu brûlant dans un fourneau à bois, en compagnie du vieil Indien nommé Snowbird.

– Une fois, un petit garçon se perdit dans des régions sauvages, raconta ce dernier. Il fut trouvé par une louve. Elle l'éleva, prit soin de lui, et lui enseigna les usages de sa terre. Un jour, elle sut qu'il était temps pour le jeune homme de retourner chez les siens. Elle le fit marcher loin à travers le territoire, jusqu'au moment où ils arrivèrent auprès d'une colline. Là, elle lui dit qu'il y avait un gros buisson près d'un trou dans le sol, et elle lui dit de plonger sa main dans le trou. Ce qu'il fit. Et sa main, lorsqu'il la ressortit, luisait dans l'obscurité. En cet endroit, lui dit la louve, naîtrait une ville.

Même ce vieux conte, transmis comme tant d'autres par d'innombrables anciens au cours des nuits glacées, des longs et froids hivers canadiens, reconnaissait la lumineuse importance d'une ressource au moins. Car, en cet endroit de la Saskatchewan, fut bâtie une ville du nom d'Uranium City, cité bien nommée de la Frontière, et qui incarne à merveille une grande part du Canada, cette part enchaînée au rude et coûteux labeur d'extraire les richesses du sol pour satisfaire un monde qui en est avide.

Durant des siècles, les Canadiens ont peiné sur leurs mers ou leurs vastes territoires pour approvisionner les voraces marchés du monde entier. L'immensité de ses distances et ses marchés minuscules ont toujours contraint le pays à se reposer massivement sur son commerce extérieur. Aujourd'hui encore, il doit vendre beaucoup de sa production à l'étranger pour survivre économiquement; plus d'un quart de son activité est fondée sur ses échanges internationaux – soixante et un pour cent du zinc du pays est acheminé vers l'étranger, de même que quatre-vingt-cinq pour cent de son blé et quatre-vingt-huit pour cent de son papier journal.

Et qu'avait à vendre le Canada, sinon ses ressources naturelles? De fait, les premiers véritables colons ne fuyaient pas telle ou telle persécution politique ou religieuse. Ce fut d'abord pour le poisson qu'ils vinrent au Canada, s'attardant un peu à Terre-Neuve, non à cause de la richesse du pays, mais simplement pour allonger leur saison de pêche en s'épargnant le temps du voyage à la voile depuis l'Europe l'année suivante.

Puis les Britanniques arrivèrent dans ce qui allait devenir les Provinces Maritimes de Nouvelle-Écosse et du Nouveau-Brunswick et, plus tard, dans la vallée d'Ottawa, non pour apporter un gouvernement et des manières civilisés au monde sauvage des indigènes d'Amérique du Nord, mais pour abattre les hauts arbres verticaux qui, durant tant de générations, serviraient de mâts aux voiles de la Royal Navy.

Plus tard encore, marchands anglais et français rivalisèrent pour s'approprier les riches fourrures dont regorgeaient les grandes étendues sauvages du pays, les castors, visons, loups, loutres et phoques dont les peaux connurent une telle vogue dans tant de pays et pendant si longtemps. Ils parcoururent en canoës des milliers de kilomètres vers l'intérieur des terres, établissant des comptoirs en des emplacements géographiques choisis qui, plus tard, deviendraient des villes. Et c'est presque incidemment que ces intrépides hommes de la Frontière mirent en branle l'exploration du vaste territoire foncier encore vierge du Canada, qui demeure, aujourd'hui même, vaste et vierge en bien des endroits.

Les richesses du Canada donnent la clé de la découverte de cette terre immense et inachevée. Les Canadiens n'ont pas un si grand nombre de héros à mettre sur leurs timbres-poste, mais ils ont leurs ressources. C'est pourquoi l'on peut voir des timbres magnifiques célébrer des choses comme le nickel. Sans ces dons de la nature, peu de raisons auraient pu pousser les hommes à s'avancer dans les immensités hostiles de ce pays. Sans eux, ou en l'absence d'un solide marché rentable pour les écouler, de nombreuses communautés isolées ont dépéri, puis sont mortes. Et si, à maintes et maintes reprises, à travers toute l'histoire du pays, la promesse que l'on trouverait de l'or dans les rues manqua de se concrétiser, cela ne fit qu'alimenter une espèce de cynisme national inné, et ce profond sentiment de suspicion qui porte les habitants à croire que, derrière toute chance apparente, se profile immanquablement le spectre de l'échec. Comme le dit fort pertinemment la troupe de la Royal Canadian Air Farce dans un de ses sketches : « Certaines personnes regardent les choses telles qu'elles sont, et disent : Pourquoi? Un Canadien regarde les choses telles qu'elles pourraient être et dit : Rien à faire! » Ne rien faire a toujours paru la manière la plus sûre d'agir.

Jamais le Canada, par exemple, n'a accordé d'attention à son Yukon (les habitants du Yukon d'aujourd'hui diraient même que c'est toujours le cas), jusqu'au jour où le brillant espoir de découvrir un peu de métal jaune dans son sol et dans ses ruisseaux déclencha la course historique effrénée de cent mille individus, la grande ruée sur le Klondike, en réalité une ruée vers l'or américaine en territoire canadien. Aujourd'hui encore, quatre-vingts pour cent des visiteurs du Yukon sont des Américains.

A des époques plus récentes, on a compté parmi les attraits économiques du pays les terrains à bon marché, le bois et la pâte à papier, le zinc, l'argent, le plomb, l'amiante, une électricité à bas prix pour les industries grosses utilisatrices comme l'aluminium, les baleines, le pétrole, le gaz naturel et les bébés phoques sans défense, dont la moisson annuelle par les hommes aux massues sur la banquise a valu au Canada tant de publicité hostile dans le monde entier à chaque nouveau printemps. N'oublions pas enfin la solitude des immenses étendues désertes et intactes offertes à tous les loisirs, que des millions de touristes américains modernes trouvent indispensables à leur cure de rajeunissement annuelle, plus connue sous le nom de vacances. Ils sont amenés à cette conclusion, génératrice de revenus pour le Canada, par toutes les coûteuses publicités colorées sur papier glacé paraissant dans les magazines américains, qui montrent un panorama à vous couper le souffle intitulé « Shangrila » [1], avec son numéro d'appel gratuit. Comme les Américains ont tôt fait de le découvrir une fois sur place, c'est à peu près tout ce qu'il existe de gratuit dans les services canadiens.

1. Mot tiré du livre de James Hilton, *Horizon Perdu*, évoquant une retraite idyllique loin de la civilisation, une sorte de paradis terrestre.

Le Canadien a également su tirer des dimensions mêmes de son pays un certain bien-être mental. Habitant, comme il le fait, près de la frontière américaine, regardant vers le sud, toujours vers le sud, vers la bruyante agitation des États-Unis, il peut apparaître comme quelque riche propriétaire entre deux âges appuyé sur la clôture de devant de sa maison, observant sa rue animée, dans un quartier résidentiel propret. Il sait sa confortable demeure en sécurité, juste derrière lui. Peut-être ne va-t-il jamais se promener plus loin. Mais savoir qu'il existe lui donne le sentiment d'appartenir à un ensemble plus vaste, ce que les Canadiens adorent. C'est, tout au fond de soi, une espèce de chaude sensation, pareille à celle d'enfiler des bottes sèches près d'un radiateur, en l'un de ces blêmes matins d'hiver qui font apparaître février comme le mois le plus long.

Il y a, au Canada, tellement plus d'espace inhabité que d'espace où l'on rencontre quelques humains, que les libéralités de la nature ont toujours semblé infinies pour quiconque veut les saisir. L'une des conséquences en est que les Canadiens demeurent, dans les années quatre-vingt, les plus gros consommateurs d'énergie du monde industrialisé. Un carburant abondant et moins cher permet en outre aux Canadiens de s'abandonner à l'un de leurs rares luxes nationaux : les grosses voitures. Les grosses voitures toutes simples, glissant le long de ces voies express impeccables des cités, qui se transforment souvent directement en grandes artères à deux voies à quelques dizaines de kilomètres hors les murs. L'une des options les plus populaires, et qui l'est aussi dans le nord des États-Unis, est le préchauffage du bloc-moteur, grâce à une bobine de résistance. Branchée sur une prise de courant électrique, elle chauffe l'huile et le bloc-moteur, facilitant le dur travail du démarrage aux batteries gelées de la voiture.

La prospection de richesses naturelles se poursuit jour et nuit, d'un bout à l'autre du pays, et bien au-delà, même, sur les trois mers qui l'entourent. C'est une existence sale, dangereuse, peuplée d'hommes vêtus de combinaisons et de casques, pleine de désagréments et de décisions difficiles à prendre influant directement sur les vies et les carrières de centaines de milliers de Canadiens et, indirectement, sur celles de millions d'autres encore. J'ai lu, dans une estimation, que plus d'un million de personnes résident encore dans des communautés dont l'existence repose sur une unique industrie, de ces communautés qui vivent et meurent au gré des fortunes et des infortunes d'une ressource donnée. L'unique raison d'être de ces villes est d'extraire une certaine matière et de l'expédier ailleurs, avec l'espoir d'un bénéfice.

Ce sont de petites collectivités vivant en autarcie, comme Wawa, Uranium City, Hemlo, Polaris, L G 2, ou des communautés transportables, comme Sedco 709, la plate-forme de forage offshore. Bien souvent, on ne peut les atteindre que par hélicoptère, ou sur des navires de ravitaillement voguant sur des mers houleuses, ou alors, quelques semaines par an, dans des semi-remorques qui traversent au milieu de craquements des lacs gelés transformés en routes de glace. Certaines de ces agglomérations ne vivent qu'un temps, puis disparaissent à jamais, lorsque la construction est terminée, que s'épuisent les veines de minerai, ou que les prix fléchissent trop fortement. Dans des endroits pourtant inhospitaliers, certaines communautés, comme Sudbury, au nord de l'Ontario, peuvent se transformer en d'importantes cités accueillantes, trop vastes pour mourir lorsque les temps deviennent durs (pour le nickel dans son cas), mais trop petites pour faire grand-chose d'autre.

L'une des constantes, dans tous ces décors, est la précarité de la vie, l'alternance de prospérité et de faillites, de cimes et de vallées, qui façonnent les existences et toute la pensée de générations entières. Si le poisson ou les rats musqués sont abondants cette année, peut-être ne le seront-ils pas l'an prochain. Et s'ils le sont, les prix pourraient chuter. Si les deux derniers puits ont révélé de noirs trésors dans le sous-sol, les quarante suivants ne seront peut-être que des trous secs. Optimisme et projets à long terme mûrement réfléchis ne fleurissent guère dans une vie menée au jour le jour. Pas plus que les sentiments bienveillants à l'égard des maisons mères absentes, en particulier les étrangères, elles qui se transforment si souvent en porteuses de mauvaises nouvelles dans ces industries si fortement capitalistes à une époque où l'argent est cher.

La ruée originelle vers l'or du Yukon fut déclenchée un jour d'été de 1898 par un simple entrefilet paru dans le *Seattle Post-Intelligencer*, relatant l'arrivée du bateau à vapeur *Portland*, avec à son bord des mineurs du Yukon et une tonne d'or. Les hommes du Klondike de notre époque, qui peuvent encore extraire une ou deux tonnes de ces légendaires paillettes jaunes en quelques années, regardent aujourd'hui plus volontiers en direction du marché de l'or londonien que vers Seattle. La chance du Yukon, sauvage territoire d'une imposante beauté situé à l'est de l'Alaska et qui vit encore en deçà du vingtième siècle, est que ses rochers vieux de quatre cents millions d'années n'ont jamais été dérangés par les glaciers. L'érosion naturelle entraîna une partie des roches aurifères jusque dans les ruisseaux où, plus tard, des prospecteurs grisonnants, munis de leurs batées, trièrent les petits gains tirés de l'eau glacée courant sur les rochers. Mais, au-dessus du soubassement rocheux, de nombreux filons furent laissés intacts. Les mineurs modernes, parfois tout aussi grisonnants, mais beaucoup plus efficaces, dirigent dessus des jets d'eau afin d'en éroder artificiellement les endroits les plus profitables.

Beaucoup des concessions d'aujourd'hui, que l'on peut enclore pour dix dollars, et conserver contre deux cents dollars de travail chaque année, sont louées à bail par leurs propriétaires individuels à des sociétés de prospection disposant du coûteux équipement nécessaire, qui leur retournent en échange dix pour cent de tout l'or découvert. Les entreprises apportent leurs hauts extracteurs, leurs pompes et leurs lances à eau géantes, et leurs tracteurs D-9 Caterpillar d'un jaune éclatant. D'une seule poussée, leurs larges lames marquées de cicatrices peuvent déplacer plus de terre que deux hommes munis de pelles en une journée entière voici un siècle.

Grâce à la montée en flèche du prix de l'or à l'époque moderne, certains nouveaux mineurs parviennent à gagner de l'argent en se contentant de tamiser les vieux déchets, les rebuts qui bordent le fond de nombreuses vallées, en longues chaînes sinueuses de mini-montagnes dressées par l'homme, aussi loin que l'œil puisse voir, même depuis un hélicoptère. D'autres, comme Gus Heitmann, recherchent l'or dans de nouveaux gisements. Chauffeur de camion, M. Heitmann avait eu comme une intuition au sujet d'un bout de terrain appelé concession Jackson. Lorsqu'en 1969 le précédent détenteur laissa par étourderie le temps de sa concession arriver à expiration, il en profita pour déposer rapidement sa propre demande. Il exploita un peu le terrain par lui-même, puis, dix ans plus tard environ, signa un bail avec l'Universal Explorations, une compagnie pétrolière de Calgary à la recherche d'une parade pour garantir contre l'inflation certains de ses avoirs, qui entama sur le site une exploitation minière en bonne et due forme.

Si l'échelle sur laquelle l'or est exploité a changé, les techniques de base sont restées les mêmes. L'idée est de dissoudre la terre et les roches dans un énorme courant d'eau, qui s'écoule alors par de longues boîtes de bois, appelées *sluices*. Le fond de ces rigoles est tapissé de divers obstacles destinés à créer des turbulences, afin que l'eau, en passant, laisse tomber l'or, plus lourd, et emporte la terre, plus légère.

Toutes les douze ou vingt-quatre heures, le flot est détourné et, si tout s'est bien passé, les équipes de travail étroitement surveillées découvriront, amassées contre le bois humide, plusieurs milliers de minuscules paillettes de matière jaune préhistorique, dont chaque once (vingt-huit grammes environ) vaudra plusieurs centaines de dollars sur un lointain marché. L'exact montant des bénéfices rapportés par la terre gelée du Yukon est un secret aussi bien gardé aujourd'hui qu'il l'était voici près de quatre-vingt-dix ans. Les mineurs calculent que la moitié seulement de l'or découvert est effectivement signalée. La raison en est que la loi canadienne exige que le métal soit déclaré seulement lorsqu'il quitte le Yukon. C'est alors que sont perçues ses ridicules royalties de vingt-deux cents et demi de l'once, une estimation s'appuyant encore sur son ancienne valeur de trente-cinq dollars de l'once.

Mais, tandis qu'une région est au sommet de la vague, d'autres sombrent dans la dépression, peut-être même définitivement. Corner Brook, une agglomération de Terre-Neuve, par exemple, a longtemps bénéficié des emplois créés par la Bowater Newfoundland, une branche d'une multinationale britannique qui, durant quarante-cinq ans, y fabriqua du papier, favorisant une relance de l'économie locale de deux cents millions de dollars par an. Cette situation, les années passant, avait peut-être conduit à une certaine confiance complaisante dans l'avenir; Corner Brook, avec ses vingt-cinq mille habitants, était l'un des quelques foyers de prospérité de la province – et les gens ont toujours besoin de papier, n'est-ce pas? Mais l'usine vieillit, et la situation économique tourna à l'aigre, aussi aigre que l'odeur sulfureuse et nauséabonde de la fabrication du papier; la société pouvait faire pousser ses arbres plus rapidement et les abattre à moindre frais sous le soleil du sud des États-Unis que sur cette île lugubre de l'Atlantique Nord. C'est pourquoi la Bowater décida de vendre ou de fermer, condamnant près de deux mille ouvriers et bûcherons au chômage dans une région où près d'une personne sur quatre déjà est sans emploi.

Mais certaines ressources recherchées par les Canadiens sont toujours sauvages et florissantes. Les fourrures, l'un des attraits originels du Grand Nord, sont encore au centre même de la rude vie de milliers de trappeurs, de négociants et d'ouvriers. Et nul n'a joué, à travers les siècles, de rôle aussi important dans le domaine des fourrures que la Compagnie de la Baie d'Hudson de Lord Thomson, fondée voici trois cent vingt ans – un temps si long que de nombreux Canadiens des endroits reculés racontent plaisamment que les initiales anglaises de la société, H.B.C. (de « Hudson's Bay Company ») signifient en réalité *Here Before Christ* (Ici Avant Jésus-Christ), ce qui, en un sens, est vrai, puisque trappeurs et négociants précédèrent les missionnaires eux-mêmes.

Pour la plupart des Canadiens, la « Baie », comme ils la nomment, est une dynamique chaîne de grands magasins à la pointe de la mode situés dans les galeries commerçantes ou les centres ville animés. Pourtant, la moitié de ses deux cent cinquante points de vente sont ce qu'on appelle des *inland stores*, des « magasins à l'intérieur des terres », sortes de modernes comptoirs commerciaux dans les zones rurales et écartées, vendant pêle-mêle épicerie, fusils, revues, œufs, téléviseurs, clous et éléphants de bois sculpté soutenant des lampes de bureau. Leurs activités éclairent de manière très révélatrice l'organisation de certaines communautés canadiennes.

Dans les vastes régions du nord du pays, ces magasins jouent encore un rôle social et économique unique, et souvent dominant. Ils ne se contentent pas de vendre des marchandises; ils en achètent également. Leur directeur local est principalement intéressé par les fourrures, mais il paie également pour les splendides objets de stéatite sculptés par certains indigènes de la région. Les magasins de la Baie sont bien souvent la raison même du développement d'une communauté en un site précis, ainsi qu'un important lieu de vie sociale. Le pas de leur porte devient la station de taxis du « centre ville ». Leurs murs et leurs haut-parleurs font office de tableaux d'affichage communautaires. La qualité et les prix de leurs produits servent de référence dans la région. Et, parce qu'ils sont bien souvent les uniques détaillants de la ville, ils peuvent devenir le point où convergent tous les griefs accumulés des autochtones à propos des prix et des autres problèmes dont on rejette la responsabilité sur les gens de l'extérieur.

La Baie forme ainsi un noyau d'employés et de jeunes directeurs indigènes, qui souvent n'en restent pas là, et vont fonder leurs propres affaires ou travailler pour d'autres. Elle est également, dans bien des régions, l'un des rares organismes non gouvernementaux pourvoyeurs d'emplois. Mais, plus important encore, le magasin de la Baie, avec ses achats de fourrures, injecte de l'argent dans l'économie locale. Dans les Territoires du Nord-Ouest, à mille quatre cent cinquante kilomètres au nord d'Edmonton par une route de terre et de gravier, à Rae, la Baie verse plus de cent mille dollars par an aux trappeurs de la région pour des peaux attrapées dans un rayon de deux cents kilomètres à la ronde. De fait, les périodes de l'année où la Baie achète traditionnellement ses fourrures ont déterminé les dates de la plupart des fêtes et des mariages indigènes. C'est à ces moments-là, en effet, que tout le monde est en ville.

Et le directeur du point de vente local, tel Dan Marion à Rae, est un personnage très en vue, jouant un rôle de tout premier plan.

– Dans ces situations de monopole, note-t-il, l'opinion de la région sur la Baie est très précisément la même que l'opinion de la région sur le directeur de son magasin. Il vous faut être sociable, juste et honnête.

Dan Marion, qui avait trente-huit ans lors de notre rencontre, doit être également mécanicien, expert en expédition, assistante sociale, banquier, ingénieur, professeur, chef et comptable de la communauté, technicien de chauffage, agent de relations publiques trilingue, ainsi qu'acheteur de fourrures perspicace.

– C'est une rude besogne, me dit-il un après-midi par trente-sept degrés au-dessous de zéro, mais je ne crois pas que je pourrais survivre ailleurs.

Pour ses compétences de directeur et ses cinquante-cinq heures de travail hebdomadaires, M. Marion, un vétéran des employés de la Baie, était payé près de vingt mille dollars par an, plus des remises sur la nourriture, un logement à bon marché, et une prime pouvant s'élever jusqu'à vingt-cinq pour cent de son salaire, et calculée sur les résultats globaux de son magasin. Il me raconta que ce dernier, ouvert en 1829 pour acheter du caribou séché pour les trappeurs de la compagnie, réalisait environ quatre-vingt-cinq mille dollars de bénéfices annuels sur un montant total de ventes d'un million cent mille dollars – de la nourriture, à soixante pour cent. Avec un peu de chance, il effectuait trois rotations de stock dans l'année.

Mais les distances et le caractère de la société locale entraînent quelques contraintes économiques inhabituelles. Étant donné le coût extrêmement élevé du transport aérien des marchandises (facilement supérieur à un dollar par livre), M. Marion organise pratiquement tout par chargements de camions de dix-huit tonnes au moment où les routes menant à l'entrepôt d'Edmonton sont praticables. Il peut falloir des mois pour corriger une erreur de commande. Les marchandises destinées à un Noël donné doivent être commandées bien avant le Noël précédent. La moitié des œufs arrivés par camion sont cassés. Et les fréquentes pannes de courant et de chauffage peuvent tout geler en quelques heures. A Rae, M. Marion doit avoir en stock aussi bien de la porcelaine fine que des bottes, des harnais pour chiens que des pièges en acier.

Les petits larcins, s'élevant à environ huit mille cinq cents dollars par an, sont un problème mineur. Le crédit, par contre, en est un sérieux.

– Si l'on s'attend à ce que toutes les notes soient réglées à la date prévue, dit-il, alors, ici, on a un problème. Ici, il faut prendre plus en considération les problèmes familiaux individuels et les revenus saisonniers. En fait, les notes impayées, qui ne rapportent aucun intérêt, augmentent mes frais. Mais les choses sont ainsi dans le coin.

Nous étions en pleine conversation lorsque Big John Robuska pénétra dans le magasin. Il rentrait d'un voyage de quatre jours en autoneige pour vérifier ses pièges. Tandis qu'ils bavardaient en anglais, français et dogrib, une langue indienne tendant à disparaître, M. Marion examinait les fourrures de son visiteur, peaux de lynx, de renards, de martres et de visons. Il calcula son offre de prix sur une enveloppe déchirée : onze cent quarante dollars. M. Robuska hésita.

– J'ajoute soixante dollars... Vous êtes un bon fournisseur, intervint M. Marion. Et vous pouvez choisir une nouvelle chemise, en plus.

M. Robuska acquiesça d'un signe de tête. L'affaire était conclue.

L'Indien versa trois cents dollars en règlement partiel de sa dette présente de cinq cents dollars, et ajouta le reste à sa part des vingt mille dollars que les trappeurs de la région laissent en dépôt au magasin de Rae.

– Vous ne pouvez faire perdre la face à qui que ce soit, alors vous achetez tout ce qu'on vous apporte. Simplement, vous payez moins cher si ce n'est pas de bonne qualité, me dit M. Marion tout en rangeant ses fourrures dans une réserve glaciale.

Ensuite elles seraient emballées, puis expédiées pour être négociées dans des ventes aux enchères dans des villes situées à de nombreux kilomètres de là.

Il doit aussi régulièrement rencontrer les chefs des tribus dogrib. Avec eux, il boit du thé, bavarde de la pluie et du beau temps, de leurs besoins aussi – une nouvelle variété de pièges, par exemple. Au moment des vacances, il doit leur donner gratuitement des chemises, en signe de respect. Et, chaque année, il prélève cent cinquante dollars sur l'argent du magasin, comme contribution à la fête et aux danses organisées par la tribu pour le Nouvel An.

Un soir, lorsque je quittai M. Marion, après minuit, pour marcher sous les mystérieux voiles verts de l'aurore boréale, il débouchait frénétiquement les canalisations d'eau et les toilettes des bâtiments de la Baie, et transportait de pièce en pièce un appareil de chauffage à propane. En cette nuit de décembre, l'électricité était encore tombée en panne Cette fois, elle allait le demeurer pendant deux jours, ce qui suffisait largement pour congeler la marchandise de ses rayons, plus sûrement que la viande entreposée dans sa chambre frigorifique. De fait, en l'absence d'électricité, M. Marion fit la seule chose logique : il ouvrit toutes grandes les portes du congélateur pour laisser l'air glacial y pénétrer et garder le tout gelé.

– Oui, c'est astreignant, ajoutait-il. Il vous faut être aimable et dur tout à la fois, passer toute la nuit à réparer la chaudière, et faire votre comptabilité le lendemain matin, satisfaire les gens sur place, et les grands patrons à des lieues d'ici. Mais, vous savez, je ne pourrais plus vivre dans le Sud.

Dans le Sud, justement, et au même moment, un certain nombre de sociétés privées moins connues étaient occupées à récolter une autre ressource naturelle, très en demande sur de lointains marchés. Elles abattaient les arbres de Noël qui allaient décorer les salles de séjour, les cabinets de travail et les sous-sols de millions de maisons américaines. Dans toute la Nouvelle-Écosse, au Nouveau-Brunswick et au Québec, le cliquetis des scies électriques résonne à travers bois depuis les derniers jours d'octobre jusqu'aux dix premiers jours de décembre. Leur récolte, des sapins baumiers de dix à douze ans essentiellement, est rassemblée en lots de six à huit arbres et expédiée par camions, à raison de mille six cents pièces par véhicule, en des voyages ininterrompus, vingt-quatre heures sur vingt-quatre, souvent à plus de trois mille kilomètres de là. C'est une période éreintante : le lundi, un camion est chargé en Nouvelle-Écosse, à un fuseau horaire à l'est de New York, sur l'océan Atlantique, et part pour Milwaukee (Wisconsin) pour être de retour en Nouvelle-Écosse le vendredi. Parfois, des convois de six camions descendent toute la côte est des États-Unis pour aller livrer dix mille sapins à un cargo en attente à Miami, qui les emportera vers l'Amérique du Sud.

Ce genre de travail saisonnier ou cyclique extrêmement intense, lié à la demande de consommateurs lointains, est caractéristique de beaucoup d'économies locales canadiennes comme l'est sa sophistication croissante. Il fut un temps où les bûcherons passaient tout simplement dans la forêt et abattaient n'importe quel arbre. Maintenant, les plants, ainsi que le terrain sur lequel ils poussent, sont gérés avec le plus grand soin. La Kirk Ltd, le plus gros exportateur d'arbres dans la province qui en est la plus grosse exportatrice, possède douze mille hectares près d'Halifax, en Nouvelle-Écosse. A mesure que ses zones boisées perdent leurs grands arbres destinés à servir de bois de construction ou à la fabrication de pâte à papier, la société y replante des sapins de Noël. Ils sont prêts à être coupés en tant que tels en quatre fois moins de temps à peine qu'un bon arbre à bois d'œuvre n'en met pour se développer dans ces climats.

Les arbres de Noël modernes sont en outre l'objet de beaucoup plus de soins et d'attention, tout au long de l'année. La Kirk, par exemple, emploie maintenant de manière permanente cinquante ouvriers affectés aux sapins de Noël, et en embauche cent cinquante supplémentaires à l'arrivée de l'automne. Dès l'âge de trois ou quatre ans, les arbres sont entretenus individuellement, et reçoivent les engrais adaptés aux besoins de leur sol, pour que leur croissance soit pleine et rapide. Tous les ans, on les taille légèrement pour stimuler leurs bourgeons et leur faire prendre cet aspect touffu que les Canadiens savent apprécié des Américains.

Mais, avec des prix qui grimpent parallèlement à l'augmentation du coût des transports longue distance, les exportateurs canadiens rencontrent maintenant une concurrence plus vive de la part des producteurs américains, qui étendent leurs zones de culture dans le Midwest et vers l'intérieur de l'État de New York, autant de régions plus proches des principaux centres de population. Autre impératif : un parfait minutage car vous n'avez aucune chance dans ce métier de réaliser des ventes après Noël. Les détaillants américains désirent avoir la plus grosse partie des arbres sur leurs aires de vente encore libres dès le moment de *Thanksgiving* (le quatrième jeudi du mois de novembre). Aussi les exportateurs canadiens doivent-ils en couper dès le début autant qu'ils pensent pouvoir en vendre. Mais pas plus.

L'industrie canadienne, peu connue, des sapins de Noël constitue un assez bon exemple de deux problèmes historiques de l'économie du pays. Les marchés d'importance suffisante pour soutenir à eux seuls une telle industrie sont peu nombreux, et peu de Canadiens, à l'origine du moins, eurent l'idée ou les capitaux pour développer cette activité. Aujourd'hui encore, beaucoup des sociétés canadiennes exportant les arbres du pays vers les États-Unis sont en fait contrôlées par les Américains.

Dans toute l'histoire du Canada, deux ressources ont toujours été peu abondantes : les hommes, et les capitaux. C'est pourquoi ceux qui organisèrent l'exploitation des ressources du pays furent le plus souvent des étrangers disposant de l'audace et de l'argent suffisants pour le risquer.

Ce furent les marchands anglais qui financèrent les premières expéditions dans le Grand Nord canadien, qui se trouva, de fait, exploré avant le Sud. A la recherche d'un itinéraire vers un autre lieu, de ce légendaire passage du Nord-Ouest vers les richesses de l'Orient, ils tombèrent sur les riches zones de pêche qui bientôt attirèrent Français, Irlandais et Écossais. Et, comme le temps passait, l'argent et les manières anglais en vinrent à s'imposer sur tout le territoire, et imprègnent encore maintes habitudes. Plus d'un siècle après leur indépendance, les convives des réunions du *Canadian Club* de Toronto commencent encore chacun de leurs déjeuners par un toast à Sa Majesté la Reine. Comme le fit observer un Canadien de mes amis en lisant ces lignes « Pourquoi pas? Elle est la reine du Canada. » Et rares sont les yeux qui restent secs lorsque le yacht royal entre dans un port canadien.

L'argent britannique, dit-on ici, vient, fait un bénéfice, et puis s'en va. Mais l'argent américain vient et y reste même si la masse globale des investissements étrangers a diminué, passant de 1961 à 1971 du tiers du capital en actions canadien à vingt-sept pour cent, puis à vingt pour cent en 1981. Les Américains, selon le romancier Mordecai Richler, se sont montrés des bâtisseurs, des investisseurs, des preneurs de risques. Les Canadiens, non, ajoutait-il. Outre leur argent, les Américains se sont, durant des générations, personnellement investis dans ce pays. Devant le trop-plein de population sur la Frontière de l'Ouest américain, vers la fin du XIXe siècle, un million d'hommes prirent le chemin du nord pour aider à peupler et à cultiver la terre de leurs voisins. Il leur arrivait de prendre possession du sol, de le labourer à la charrue, puis de repartir avec leurs gains dans l'Illinois, ou ailleurs, quelques années plus tard. L'une des attitudes américaines classiques a, dit-on, été exprimée par J. P. Morgan, le financier new-yorkais, peu connu pour être attentif aux susceptibilités d'autrui. « Le Canada, aurait-il dit, est un endroit très agréable. Et nous avons l'intention de faire en sorte qu'il le reste. »

Après la Seconde Guerre mondiale, l'argent américain se mit à affluer au Canada dans l'élan de fraternité et de coopération du temps de guerre, lorsque les Canadiens commencèrent à mettre en œuvre leur décision de réduire les influences financières de l'étranger. Précédemment, le Canada avait essentiellement cherché ses capitaux dans des emprunts hors de ses frontières. Les remboursements de ces sommes devaient s'effectuer en tout temps, que la conjoncture soit bonne ou mauvaise. Après force débats, le pays avait décidé qu'il valait mieux inciter les investisseurs étrangers à partager les risques par le biais de placements en valeurs mobilières à revenus variables. Dans les périodes fastes, ils partageraient eux aussi les profits. Dans les temps difficiles, ils partageraient les épreuves.

Aucun des investisseurs n'était plus pressé d'apporter ses dollars que les responsables financiers des sociétés américaines, sorties du grand affrontement indemnes, fortes, et prêtes à se constituer des placements sûrs pour se garantir un approvisionnement en ressources et alimenter leurs usines. Et, dans les dix années qui suivirent la guerre, aucun représentant officiel des gouvernements canadiens de

Mackenzie King ou de Louis Saint-Laurent n'était davantage disposé à encourager cette croissance que le plus puissant des ministres de l'Économie, C. D. Howe, ancien ingénieur et homme d'affaires, né citoyen américain. Les décisions prises par les gouvernements canadiens de cette époque apportèrent à leur pays une rapide croissance économique, grâce à l'introduction des usines filiales, américaines pour la plupart. Et elles allaient aussi pour toujours changer la face du Canada – conférant brusquement à Toronto, par exemple, une place d'importance nationale, pour être la préférée des capitaux américains. Mais en dépit de l'abondance qui s'ensuivit, ces décisions portaient en elles les germes indiscutables des amers ressentiments et des conflits nationalistes futurs. On n'en a pas encore mesuré toute l'ampleur.

L'arrangement s'avéra profitable pour les deux camps. Aux Américains, il offrait un prompt accès à des ressources fort commodes, à deux pas de chez eux. Aux Canadiens, chez qui la Grande Crise avait duré jusqu'à la déclaration de guerre, il apportait de nouveaux emplois et une nouvelle croissance, ainsi qu'une relation exceptionnelle avec la plus puissante nation de la terre. C'était, de fait, remplacer une mère coloniale par un grand frère colonial. « Nous sommes passés de l'influence britannique à l'influence américaine sans avoir réellement éprouvé, entre les deux, le sentiment d'une identité purement nationale, nota un jour le Premier ministre Lester Bowles Pearson. »

Mais cette relation n'était pas peu flatteuse pour un pays « neuf » qui n'avait eu ni politique étrangère ni missions diplomatiques à l'étranger jusqu'en 1927. Ce lien économique avec les États-Unis était la promesse d'une porte de sortie hors du marais croupissant que les Canadiens avaient toujours eu le sentiment d'habiter, et qu'ils déclarent parfois préférer. Il transforma ce pays, aujourd'hui encore moins peuplé que la Californie, en la sixième nation industrielle et commerçante du monde, et lui apporta dans son sillage un niveau de vie bien supérieur à celui qu'il aurait pu atteindre par lui-même en un temps si court. « En poursuivant leurs intérêts particuliers dans le contexte plus large de l'Amérique du Nord, les Canadiens sont parvenus à jouir d'un niveau de vie très légèrement inférieur seulement à celui de leur voisin du Sud, en ne supportant qu'une petite partie de certains des frais, tels ceux de défense; mais le prix qu'ils eurent à payer fut une intégration dans un système économique continental plus vaste [1]. »

C'est ainsi que l'on a vu les Américains investir dans ce pays plus de cinquante milliards de dollars, soit la plus grosse somme et de loin, qu'ils aient confiée à un pays étranger, et les trois quarts de tous les investissements étrangers au Canada. Ceci permit de fonder et de développer à partir de rien de nombreuses industries canadiennes, mais rendit également possible pour les sociétés américai-

1. Crowford Goodwin, *Canadian-American Relations in Perspective*.

nes le contrôle de la plupart des grands secteurs économiques, à tel point que l'économie du Canada est, parmi les grands pays industrialisés, la plus dominée par les étrangers. Récemment encore, les Américains contrôlaient soixante-douze pour cent de l'industrie pétrolière et gazière du pays, la moitié de ses industries de fabrication, beaucoup de ses syndicats; ils achetaient soixante-dix pour cent de ses exportations dans leur ensemble, et la plus grosse partie de celles du gaz naturel. A Sandwich, en Ontario, sur le site d'une ancienne ferme française maintenant englobé dans une ville appelée Windsor, existaient bel et bien autrefois des constructeurs automobiles canadiens portant des noms comme Regal Motor ou Two-in-One Company (qui s'occupait à la fois de voitures et de camions). Mais les sociétés américaines contrôlent aujourd'hui la totalité de l'industrie automobile, le plus gros employeur de l'Ontario, cœur industriel du Canada.

Ces chiffres ont un peu baissé récemment. En 1982, les Américains n'achetèrent que quarante-sept pour cent du gaz naturel que leurs fournisseurs canadiens étaient autorisés à exporter chez eux. Les raisons du déclin de la mainmise américaine sont complexes et variées. Parmi elles figurent la hausse des prix canadiens et la diminution des coûts en d'autres lieux, ainsi que la volonté du gouvernement canadien de réduire l'influence étrangère dans certains secteurs, et la mauvaise image qui se forme par contrecoup dans l'esprit de nombreux étrangers quand on leur parle d'un éventuel engagement économique dans le pays. Il faudrait y ajouter les incertitudes politiques dans des régions comme le Québec, et toutes les décisions visant à diversifier les clients du pays. Mais ce recul des États-Unis demeure largement ignoré car il ne correspond pas à l'image populaire.

Ce contrôle américain pose toujours de nombreux problèmes, à commencer par une abdication partielle de l'indépendance économique. Lorsque l'industrie automobile américaine, par exemple, eut à affronter la crise de l'énergie et la concurrence japonaise, de quel pouvoir et de quelle influence pouvaient disposer les dirigeants canadiens contre le choc des licenciements? Lorsque venait le temps de fermer une usine, laquelle subissait ce sort en premier : l'usine proche du siège social de l'entreprise dans le pays d'origine ou sa filiale au Canada? Et où étaient effectuées les recherches, si vitales pour l'avenir et pour les emplois futurs? Les Américains finançaient les périodes fastes, mais cette situation entraînait du même coup le Canada dans les luttes des jours difficiles.

Les critiques accusaient aussi les capitaux venus d'ailleurs d'être responsables des médiocres résultats économiques du pays – déclarant que les étrangers fragmentaient l'industrie de la nation dans leur intérêt personnel –, et des investissements peu importants du Canada dans la recherche et le développement (1,2 % du produit national brut, contre 2,5 % aux États-Unis). Très peu de ces investissements, en outre, étaient le fait d'entreprises étrangères, ajoutaient-ils. « Si la présence étrangère est si bénéfique, pourquoi certains de nos voisins d'Amérique latine comptent-ils parmi les pays du monde les plus misérablement pauvres, en dépit de l'ampleur ahurissante des investissements qui y sont réalisés par des foules de multinationales? » demandait Lorne Nystrom, député nouveau démocrate au Parlement.

On n'applaudissait guère, au Canada, lorsqu'une entreprise américaine décidait de s'installer ou de s'agrandir dans le pays; de fait, la firme devait bien souvent faire face à d'incessants soupçons. Mais il s'élevait également beaucoup de huées et de « Je vous l'avais bien dit » lorsqu'une autre s'en allait. Que la plupart des gens puissent comprendre de telles décisions sur un plan rationnel n'empêchait pas qu'elles leur restent sur le cœur.

Une relation déséquilibrée de ce type entretenait, de plus, les braises du nationalisme. Au Canada, le nationalisme économique s'apaise lorsque les choses vont bien, mais s'enflamme de nouveau lorsque les temps sont difficiles ou incertains, et lorsqu'on recherche des boucs émissaires – dans d'autres provinces, dans d'autres pays. Et ces ressentiments couvant en secret sont de ceux qui font pâlir l'image de bienfaiteurs des États-Unis.

Les hommes d'affaires et responsables politiques canadiens font encore le voyage vers les centres du pouvoir financier de leurs voisins, à New York principalement. Ils y sont obligés, compte tenu des énormes besoins en capitaux du pays, et de son image auprès des Américains qui en font toujours, d'une certaine manière, une partie de la Grande-Bretagne. C'est pourquoi il est arrivé à plusieurs reprises au Premier ministre du Québec René Lévesque de faire campagne à travers tous les États-Unis, afin de faire savoir combien les Québécois francophones étaient profondément enracinés dans le mode de vie nord-américain. Face à d'éventuels prêteurs américains un tel langage peut être utile à M. Lévesque et à son parti québécois. L'accueil qui lui est réservé par ces auditoires bienveillants est télévisé, et diffusé au Canada, où il peut servir à rehausser son image personnelle tout en aidant à légitimer sa cause, fort controversée, parmi les Québécois hésitants. Et, comme c'est le cas pour les périples des Présidents américains, un voyage à l'étranger peut aider à faire oublier à ses concitoyens, pour un moment du moins, des réalités telles que le chômage. Mais les liens Nord-Sud sont si forts, et si faibles ceux qui unissent l'Est et l'Ouest à l'intérieur même du pays que c'est là une action politique que M. Lévesque ne réédita jamais dans sa patrie.

Mais on ne peut plus déceler dans ces voyages la moindre nuance d'humilité. Lorsque William Bennett, le puissant Premier ministre de Colombie britannique, se rend en visite dans une ville américaine comme New York, il s'installe au Waldorf-Astoria avec les cinq hommes de sa délégation pour trois journées trépidantes, avec briefings financiers, discussions et déjeuners bien orchestrés, le tout agrémenté d'un ou deux discours. Le message destiné aux Américains concerne la croissance et le potentiel économique de sa province. Mais, si un dirigeant de province en visite veut, par ailleurs, faire les gros titres dans son pays, il critiquera vivement le Premier ministre fédéral devant son auditoire étranger. Ces critiques sont quotidiennes sur place, mais les mêmes mots prononcés à l'extérieur du pays et, qui plus est, aux États-Unis ont, curieusement, un impact beaucoup plus grand. « New York est un endroit stimulant, déclare Kenneth Taylor, consul général du Canada dans cette ville, et le fait d'être pris au sérieux à l'étranger vous confère une certaine légitimité sur le plan régional au Canada. » M. Taylor est l'organisateur de la plupart des haltes lors de ces visites new-yorkaises. Il est aussi cet ex-ambassadeur canadien en Iran qui parvint à en faire sortir clandestinement quelques Américains durant la crise des otages de 1980. Son action lui donna des entrées fort précieuses – et, à travers lui, au Canada – dans les corridors du pouvoir américain quand bien même son succès ennuyait horriblement certains de ses pairs étrangers.

Des signes de plus en plus nombreux, venant de « là-bas en haut », traduisent un changement dont les effets s'étendent aux États-Unis et ailleurs. Lynn Williams, Canadien à la voix douce, monta graduellement les échelons, jusqu'à devenir président de la United Steelworkers of America, dont les sept cent vingt mille ouvriers travaillent des deux côtés de la frontière. Alors, juste au moment où il commençait à se rétablir financièrement, en 1982, le constructeur automobile américain Chrysler fut gravement touché par une grève paralysante de cinq semaines menée par dix mille ouvriers syndiqués militants, non pas à Detroit, ni en Ohio, mais en Ontario. Les Canadiens n'étaient pas disposés à patienter pour obtenir une amélioration de leurs contrats. Ils voulaient être mieux payés tout de suite. Cette grève surprise, qui aurait pu réduire au silence toutes les usines de Chrysler, par manque de pièces détachées, réussit quand même, en fait, à interrompre la production de certains des modèles les plus rentables de la société, à laquelle elle coûta, au dire de son président Lee A. Iacocca, environ cent millions de dollars. On parvint à un accord, et les Canadiens obtinrent leurs augmentations et des salaires équivalents à ceux des Américains, sujet toujours épineux dans le pays. Et, pour la première fois dans l'histoire des United Automobile Workers (syndicat des ouvriers de l'automobile), un accommodement intervenu au Canada devint la base d'un contrat signé ensuite aux Etats-Unis. Ailleurs, dans le Midwest, c'est aux organisations agricoles militantes canadiennes que les fermiers américains, menacés de saisies, firent appel quand ils voulurent se défendre.

Le poids croissant du Canada sur la scène internationale le poussa petit à petit à ne plus se contenter d'extraire des ressources. Dans l'industrie de la potasse et de l'amiante les gouvernements provinciaux se chargèrent d'organiser les activités de transformation créatrices d'emploi, en reprenant certaines sociétés étrangères. Au

Québec, le parti québécois, de tendance nationaliste, décida d'acheter, sous menace d'expropriation, une filiale de la General Dynamics Corporation de Saint Louis (Missouri), l'Asbestos Corporation, s'occupant de mines d'amiante. Qu'un gouvernement désire s'impliquer ainsi pour des millions et des millions de dollars dans une industrie dont le principal composant est associé à une maladie mortelle, aurait pu ailleurs paraître surprenant. Mais au Québec, le plus gros producteur mondial d'amiante, la volonté de mieux exploiter la richesse que représente une ressource naturelle ne paraissait pas le moins du monde étrange. Le gouvernement créa même une nouvelle société dont le rôle serait d'imaginer des utilisations inédites pour les fibres souterraines inertes, nées de l'activité volcanique et qui constituent une bonne partie du sous-sol de la province.

Le problème économique fondamental du Canada a en fait été le passage sans transition d'une société de pionniers défricheurs, qu'il demeure encore dans certaines régions, à l'État-providence moderne. Les Canadiens ressentaient le besoin d'une profonde intervention économique de l'État en raison de l'immense tâche que représentait la construction d'un pays si vaste, et parce qu'ils voulaient avec lui se défendre de l'individualisme agressif, vigoureux, écrasant et trop entreprenant du style de vie américain.

Au Canada, c'est un petit nombre d'aventuriers de l'économie qui aidèrent à bâtir le pays, et ils le firent de concert avec le gouvernement, et non malgré lui. Cette disparité cachée était chose très naturelle du temps où la nation était en train de se construire. De nombreux projets avaient besoin de cette aide de l'État s'ils voulaient avoir la moindre chance de réussir et même, bien souvent, le moindre espoir de pouvoir démarrer. En raison, historiquement, des petites dimensions de son marché, le Canada a dû se tourner vers le commerce extérieur pour survivre. Mais ce qui était auparavant politiquement et moralement acceptable d'un pays essayant de se constituer en nation, devint très rapidement une conduite inacceptable pour ses partenaires de la part d'un pays maintenant développé, complexe et agressif au point d'envisager de poursuivre à l'avenir la plus grosse partie de ses activités économiques à l'étranger.

Il est difficile, par exemple, de démontrer que le puissant système bancaire canadien a encore besoin d'une protection législative rigide contre les ruses des rapaces banques étrangères, lorsque les institutions canadiennes ont été capables d'investir avec facilité quelque cent vingt milliards de dollars dans des pays où les règles économiques à l'encontre des étrangers sont beaucoup moins strictes que celles en vigueur chez eux.

Le Canada n'a jamais été le marché fondamentalement fermé que le Japon, par exemple, demeure à bien des égards, sur le plan tant économique que racial. Mais lorsque à présent les produits canadiens s'aventurent au-delà de leurs frontières pour rivaliser avec ceux de nombreux autres pays, ils le font grandement soutenus par les encouragements et les subventions de l'État, subventions cachées, pour une bonne part, mais essentielles sur un marché international où la concurrence se fait de plus en plus dure. Et comme, avec le déclin des industries traditionnelles et la montée des technologies de pointe, les temps se font plus incertains sur le plan économique, les Canadiens se tournent instinctivement de plus en plus vers leurs gouvernements pour leur réclamer des solutions. Pourquoi pas? Cela a bien marché dans le passé.

Cette revendication des services de l'État est naturelle, mais dispendieuse. Les dettes du pays peuvent sembler relativement réduites comparées, disons, à celles des Américains. Mais les myriades de taxes et d'impôts qui résultent de ces exigences peuvent finir par avoir un effet très décourageant pour la croissance future, particulièrement dans les rangs des investisseurs étrangers dont le rôle de moteur économique a été si important. Ceci est tout spécialement vrai au Québec, bien sûr, où une fonction publique et des programmes de sécurité sociale boursouflés ont fait monter le niveau des impôts provinciaux quinze pour cent au-dessus de ceux, déjà élevés, de l'Ontario.

Or cette intervention de l'État dans l'économie provoque de graves frottements dans ses relations avec les États-Unis.

Avec les changements en cours dans l'économie et l'attitude mentale des Canadiens, tous ardemment encouragés par les gouvernements de presque tous bords, le décor est planté pour qu'apparaissent à l'avenir de graves problèmes de concurrence.

Aux termes de divers programmes gouvernementaux, les employeurs canadiens peuvent récupérer une grande partie des salaires de leurs nouvelles recrues, tout particulièrement s'ils opèrent dans une région où un effort de développement économique est prévu. La recherche est subventionnée. Le gouvernement cherche à stimuler les exportations de toutes les manières possibles, y compris par des prêts, et par l'action d'une entreprise publique peu connue, nommée Canadian Commercial Corporation, fondée en 1946 pour jouer le rôle d'intermédiaire rassurant entre acheteurs étrangers et fournisseurs canadiens. A travers elle, il se charge même de la facturation des exportations. Au fil du temps, cette société a permis plus de onze milliards de dollars de ventes, parmi lesquelles la fabrication du bras de chargement des navettes spatiales américaines.

Lorsque Massey-Ferguson traversa une passe difficile, à la fin des années soixante-dix, le gouvernement fédéral et celui de l'Ontario (ainsi que, pour finir, ceux de la France et de la Grande-Bretagne) intervinrent en injectant capitaux et crédits afin de redresser la firme. Ce plan donna soixante-cinq pour cent environ des actions ordinaires de Massey aux différents gouvernements, faisant de la société de Toronto l'une des premières multinationales étatisées, et un défi continuel pour les fabricants de machines américains, qui avaient tous à surmonter leurs propres traumatismes financiers sans bénéficier d'aides de ce genre.

Lorsque le gouvernement canadien décida de maintenir en vie son industrie aérospatiale naissante, il dépensa des centaines de millions de dollars (et, plus tard, un milliard quatre cents millions de dollars en garanties d'emprunts) pour acquérir De Havilland Aircraft of Canada et Canadair, et leur permettre ainsi de se maintenir dans la compétition internationale. Les autorités fédérales et celles du Québec s'associèrent pour participer à raison de deux cent soixante-quinze millions de dollars à un projet de Bell Helicopter en valant cinq cent quatorze, et consistant en la mise au point et la commercialisation de trois modèles d'hélicoptères légers bimoteurs près de Montréal. Le gouvernement fédéral promit également de donner quatre cent soixante-huit millions de dollars sur dix ans à une firme américaine dans le pays, Pratt & Whitney Aircraft of Canada, pour la fabrication des moteurs des hélicoptères. L'attrait principal de ce projet pour les Canadiens : deux mille huit cents nouveaux emplois.

On pourrait ainsi multiplier les exemples d'une intervention directe de l'État dans l'économie. Les gouvernements canadiens possèdent des centaines de sociétés ordinaires, opérant sur le marché comme n'importe quelles autres entreprises, sinon qu'elles ont derrière elles tout le poids de l'État, et n'ont pas, comme les autres, à rendre de comptes à d'exigeants actionnaires. Jusqu'à une date récente, le gouvernement fédéral ne savait pas avec certitude combien de sociétés exactement il possédait. Mais un calcul effectué dernièrement par le Conseil des Finances, le guide financier du gouvernement, donne le chiffre de cent quatre-vingt-six sociétés comme propriétés pleines et entières du gouvernement fédéral, dont soixante-douze possédant elles-mêmes cent quatorze autres filiales. On y trouve le service des postes, mais aussi un centre artistique, un office de commercialisation du blé, un comité de recherche médicale, Air Canada, et une société de péniches. Au total, selon le gouvernement, deux cent soixante-trois mille employés, et pour soixante-sept milliards de dollars d'actifs.

Toutes les provinces, en outre, contrôlent leur propre série de sociétés, parmi lesquelles des compagnies d'aviation, des installations pour la recherche, des exploitations pétrolières et minières, des services publics d'électricité, et même une compagnie d'assurances automobiles. Lorsque la ville de Chicago acheta cinq cent quatre-vingts autobus Diesel, et que San Francisco en commanda cent dix à la Flyer Industries de Winnipeg, elles les achetaient en fait au gouvernement provincial du Manitoba, unique propriétaire de cette entreprise fondée en 1930.

Les partisans des *Crown corporations* affirment qu'elles contribuent à protéger le pays contre les problèmes de compétition effrénée : une expression très commune au Canada, amenant invariablement des hochements de tête entendus et approbateurs.

Mais on remarque, là aussi, les signes d'un changement. Les gouvernements commencent à reconnaître que leurs gigantesques projets ne sont pas devenus pour l'économie du pays les moteurs dont ils avaient rêvé à la lumière du passé. Les vastes plans de construction de la nation pouvaient demeurer purement canadiens, et indépendants, lorsqu'il ne s'agissait que de chemins de fer. Mais les projets grandioses d'aujourd'hui concernaient plutôt des choses comme le pétrole, lequel avait un prix sur le marché mondial, et était soumis à une demande, mondiale également; et les sociétés canadiennes, liées comme elles l'étaient à présent à ce monde au-delà des sites de forage, avaient le choix entre d'autres activités lucratives. Le Canada, que cela plaise ou non, était tranquillement devenu désormais partie intégrante du monde, et participait à ces relations d'interdépendance économique qui tendent à effacer tant de vieilles frontières politiques démodées. Et les Canadiens commençaient à prendre conscience que les glorieuses espérances d'un autre temps étaient en train de se frotter aux dures réalités des coûts du présent.

Le Québec, par exemple, envisagea de vendre ses trois cent soixante magasins de spiritueux à des intérêts privés. « Il n'est pas nécessaire pour les gouvernements de s'occuper de commerce de détail », déclara le ministre des Finances Jacques Parizeau.

Mais qu'un gouvernement se dépossède véritablement, ou même parle de se déposséder de l'une de ses entreprises, et cela pourrait être ressenti comme une hérésie.

En 1983, M. Bennett, Premier ministre de Colombie britannique, souleva une tempête en proposant que sa province réduise le nombre de ses fonctionnaires afin que soient ajustées de façon plus réaliste ses dépenses et ses recettes. Dans cette province, quinze citoyens sur mille étaient employés par le gouvernement. Les propositions de M. Bennett, soutenues par sa majorité à l'assemblée législative, provoquèrent de grandes manifestations et des menaces de grève générale.

Une autre décision, introduite dans le calme, en arriva aussi petit à petit à paraître extrémiste. Ce fut celle prise par le gouvernement libéral de M. Trudeau d'imposer le système métrique à un peuple qui pense encore à la Grande-Bretagne avec affection comme à sa mère patrie. La grande controverse sur le système métrique est elle-même un instrument de mesure – non métrique – très instructif, montrant bien quelle est la puissance de l'État au Canada, en même temps que la manière dont des grondements plus démocratiques s'élèvent peu à peu de la base pour modifier les politiques officielles.

En 1970, le Canada s'engagea dans le mouvement qui allait l'éloigner du système de mesures britanniques, dit « impérial », en onces, livres, pouces, pieds, miles et degrés Fahrenheit, et le mener vers le système métrique des grammes, kilogrammes, centimètres,

mètres, kilomètres et degrés Celsius. L'idée originelle était de se rallier au mouvement mondial tendant vers ce système.

Selon le gouvernement de M. Trudeau, le yard (distance entre le nez d'Henry I et le bout de ses doigts) et le pouce (la largeur de trois grains d'orge posés côte à côte) devaient céder la place aux millimètres, si parfaitement modernes. Il n'y eut ni référendum, ni débat parlementaire, pas même de débat public. Cela devint simplement la politique du gouvernement, que cela plaise ou non.

Plus d'une centaine de « Comités du Secteur Industriel » furent nommés, avec pour tâche de mettre au point les méthodes et le calendrier d'une conversion par étapes. Aucune estimation du coût de l'entreprise pour la nation ne fut rendue publique. « Nous n'étions pas assez stupides pour donner à l'opposition politique ce genre de munitions », me confia un membre de la Commission Métrique, chargée officiellement de l'opération. La somme, quoi qu'il en soit, devait certainement aller chercher dans les centaines de millions de dollars, absorbés pour la plupart au début par l'industrie, mais plus tard par les consommateurs.

En 1975, le Canada passa au système métrique, mais les habitants pouvaient encore se rendre à leur travail en miles. En 1977 cependant, il leur fallut parcourir des kilomètres pour gagner leur bureau. Aucune date limite officielle n'avait été fixée pour l'achèvement de la conversion, mais l'objectif était que le Canada soit « principalement métrique » en 1980. Il s'en fallut d'un mile (la distance parcourue par une légion romaine en mille doubles pas) pour que le but soit atteint.

Il s'était élevé en chemin quelques grognements anti-métriques, et quelques clubs de même nature s'étaient formés. Les grognements s'intensifièrent en 1979, lorsque approcha le moment d'imposer le système aux ventes de détail. Les enfants avaient grandi à l'école avec lui, et leurs parents avaient mis au point leurs tables de conversion personnelles (en intervertissant les chiffres de seize degrés Celsius et de vingt-huit degrés Celsius, par exemple, vous obtenez leurs équivalents en Fahrenheit), mais peu de gens savaient ce qu'était un kilopascal (qui mesure la pression de l'air, à la manière des livres par pouce carré), et d'autres se prenaient à demander par erreur « cinq kilomètres de hamburger ». Et, juste au moment où l'essence approchait de la barrière psychologique d'un dollar le gallon (3,785 litres), son prix passa soudain à vingt-cinq cents le litre.

En 1980, le gouvernement conservateur de Joe Clark, déclarant que le Canada avait pris trop d'avance sur son principal partenaire commercial dans l'adoption des nouveaux poids et mesures, retarda d'une année la suite du passage au métrique, signe que son pouvoir politique était plus solide. Mesurées en livres par pouce carré ou en kilopascals, les pressions continuèrent à augmenter, en particulier après qu'en 1983 un avion de ligne à réaction, un Boeing 767 d'Air Canada, eut été contraint à un atterrissage forcé : une conversion erronée des chargements de carburant de litres en livres, au lieu de litres en kilogrammes ne laissa à l'appareil que la moitié du kérosène nécessaire pour terminer son voyage.

On commença à narguer ouvertement les réglementations et de nombreuses personnes proclamèrent que leurs libertés fondamentales étaient violées aux termes de la nouvelle Charte des Droits et des Libertés que M. Trudeau avait fait voter avec tant de peine. Un magasin de tapis de Montréal, qui étiquetait ses marchandises en yards, fut accusé par le gouvernement fédéral d'enfreindre l'Acte des Poids et Mesures, et fut condamné à une amende de mille sept cents dollars. Les autorités prévinrent les épiciers qu'ils risquaient des peines de prison s'ils refusaient d'obéir. C'est alors que Jack Halpert et Raymond Christiansen, les deux propriétaires du bar-station-service *Toronto Car Café*, se mirent à vendre leur essence au gallon, au vu et au su de tous. Le gouvernement fédéral les inculpa eux aussi de grave violation de l'Acte. Mais, cette fois, quelque chose d'inhabituel se produisit. Le juge William Ross, de la Cour provinciale de l'Ontario, se prononça en faveur des accusés, déclarant que l'Acte des Poids et Mesures était « draconien » et « tellement éhonté, tellement dénué de tout semblant d'équité et de justice naturelle qu'il était totalement exécrable aux yeux de cette cour ». Il fit également remarquer que les réglementations fédérales, mal rédigées, n'interdisaient pas expressément les ventes en unités impériales.

Ce jugement ne s'appliquait qu'en Ontario, mais il jeta une grande ombre juridique sur tout le pays, entretenant les sentiments d'hostilité envers le système métrique et M. Trudeau. Et le gouvernement libéral, qui voyait approcher une pénible lutte électorale contre un parti conservateur progressiste revivifié, décida que 28,349 grammes (une once) de prévention valaient bien 0,453 kilo de remèdes. Le ministre de la Consommation, Judy Erola, qui admet elle-même avoir eu des difficultés à assimiler le nouveau système, annonça la suspension indéfinie de l'application du métrique jusqu'à ce qu'aient été clarifiés les problèmes juridiques. (Le 4 septembre 1984, les électeurs canadiens éclaircirent eux-mêmes l'atmosphère en provoquant l'un des plus grands raz de marée électoraux de l'histoire du Canada, qui mit au rebut Mme Erola et plus d'une douzaine d'autres ministres libéraux, et installa au pouvoir un nouveau gouvernement conservateur progressiste disposant d'une énorme majorité.) La question du métrique n'est peut-être pas, de quelque manière qu'on la mesure..., d'une importance fondamentale. Mais ce défi victorieux à l'autorité, accompagné, en d'autres temps, de grandes manifestations houleuses contre la politique du gouvernement en matière d'économie et de défense, était, pour les plus vieux observateurs du Canada, le signe qu'il se passait quelque chose de nouveau dans ce pays décidé à ne plus toujours se taire.

Le Canada n'est pas le seul à se préoccuper de l'avenir. Mais il est exceptionnellement mal outillé pour prendre les décisions politiques d'intérêt national requises pour affronter les changements déchirants indispensables aux sociétés industrialisées modernes, qui doivent s'efforcer de prendre en main les réalités, tout en atténuant les désagréments et les coûts sociaux entraînés par de tels ajustements. Il n'a pas existé, comme nous l'avons vu, de parti politique national stable qui ait pu combler de manière cohérente tous les fossés anciens et nouveaux qui divisent le pays. Et ceci n'est guère susceptible de changer, de quelque façon que ce soit, si ce n'est superficiellement. Et ce changement prendra très longtemps, en partie parce que les partis fédéraux et provinciaux du pays sont en réalité des entités différentes, même s'ils portent les mêmes noms de libéral ou de conservateur progressiste. Aucun Premier ministre de province, dans l'histoire du Canada, n'est jamais devenu Premier ministre du pays. Aussi existe-t-il une classe politique provinciale, représentant des priorités et des besoins étroitement provinciaux, et une classe politique fédérale avec des centres d'intérêt différents. Leurs dirigeants tiennent des réunions au sommet de temps à autre, ordinairement pour se quereller à propos d'argent. Mais on ne trouve pas cette interaction constante entre idées et perspectives régionales et nationales que l'on rencontre à tous les degrés des carrières politiques entremêlées du système américain, même avec ses défauts propres.

Et on ne pourra jamais rien changer aux réalités géographiques de la terre elle-même, génératrices de divisions, ni aux puissants tiraillements qui s'exercent en direction du sud. Il est intéressant de noter que chacun, à l'exception des Canadiens, se voit forcé d'admettre que ces derniers font preuve d'une impressionnante capacité à réussir lorsqu'ils mettent de côté leurs sectarismes régionaux étouffants, et sortent de leur colosse de pays. Chez eux, ils ne semblent pas penser de la même manière. H. C. Raynard, président d'un cabinet d'experts-conseils canadien ayant commencé à travailler aux États-Unis, remarquait, lui aussi, que les Américains ne se laissent pas autant emprisonner dans les préjugés régionalistes : « Généralement, notait-il avec stupéfaction lors d'une interview, les clients américains s'intéressent plus à vos compétences et à vos prix qu'à l'endroit d'où vous venez. »

Nulle part ce régionalisme n'est plus apparent, ni plus strictement appliqué par les deux camps, qu'au Québec, la Belle Province francophone abritant un quart de la population du pays, un tiers de ses chômeurs, et qui est le théâtre de quatre dixièmes de ses faillites. Pour commencer, l'économie du Québec est libéralement pourvue d'industries de biens de consommation non durables, tels que textiles, meubles, chaussures, lesquelles emploient beaucoup d'ouvriers, mais ne peuvent soutenir la concurrence de pays tels que la Corée, où le coût de la main-d'œuvre est bien inférieur. Son industrie de l'amiante est associée, dans l'esprit du public, à une image de danger pour la santé, et celle du papier doit, elle, faire face à la concurrence du sud des États-Unis. De nombreuses sociétés du Nord-Est américain, clientes traditionnelles du Québec, ont filé vers la *Sun Belt*. Et, pour couronner le tout, le gouvernement provincial, aux mains du parti québécois, a fait usage de sa majorité à l'Assemblée pour faire passer une loi instituant le salaire minimum le plus élevé d'Amérique du Nord.

Le même gouvernement promulgua, en outre, des lois fort controversées, destinées à abolir la discrimination linguistique humiliante exercée contre les Francophones par les Anglophones minoritaires, qui eurent la haute main sur toutes les prises de décision durant deux siècles. Une adaptation de ce genre est une chose pour un cordonnier ou, disons, un informaticien, de langue française. Mais c'en est une autre, du tout au tout, pour le Q.G. d'une grosse entreprise industrielle accoutumé à effectuer ses recherches, à tenir ses réunions, à rédiger ses notes, et à gérer tout son empire international en anglais. Les décisions prises dans le cadre de cette politique linguistique, et qui allèrent jusqu'à faire inscrire « Arrêt » au lieu de « Stop » sur les panneaux de signalisation, étaient logiques, si l'on considère les objectifs prioritaires du parti québécois. C'est que les Francophones pouvaient, jusqu'à une époque très récente, s'entendre grossièrement ordonner par les Anglophones de « parler Blanc » s'ils essayaient de converser en français dans un tramway de Toronto. Mais le parti du Québec n'eut pas à tâche de convaincre un couple anglophone de Calgary que la nomination du mari à Montréal était, en réalité, une promotion – or cette affectation signifiait que leurs enfants devraient commencer, de but en blanc, et pour plusieurs années, à suivre des cours en français dans une école de leur nouvelle province (disposition invalidée ultérieurement par la Cour Suprême du Canada), que son salaire brut augmentait, certes, mais que la somme qu'il rapportait chez lui diminuait, et que, pour la première fois de leur vie, mari et femme éprouvaient tous deux le sentiment inquiétant d'être encerclés, en tant que membres d'une minorité très visible, mais silencieuse.

Ces craintes et ces problèmes de recrutement s'associèrent à la dérive générale de la population vers l'ouest dans toute l'Amérique du Nord pour attirer loin de Montréal des dizaines de sociétés, ainsi que des milliers de travailleurs et de citoyens. Les statistiques abondent : Toronto abrite aujourd'hui plus de vingt-deux pour cent de la population active du pays; Montréal, onze. Pour les permis de construire, Toronto délivre vingt-deux pour cent de tous ceux délivrés au Canada; Montréal, dix. Pour les sièges principaux des sociétés, Toronto en héberge plus de trente-trois pour cent; Montréal, moins de dix-huit.

Boston, Saint Louis et d'autres belles cités à travers l'histoire eurent à subir ce changement, ce passage d'un rang national à un rang provincial. Pour certains Francophones, cette période fut passionnante, grisante. Ils se trouvèrent nommés à des postes de plus haute responsabilité et de plus en plus prometteurs dans le monde des affaires de Montréal, des postes autrefois synonymes d'« élite anglaise ». Mais ce fut aussi une époque douloureuse pour la région, compliquée encore par les profondes réactions émotives, souvent irrationnelles, toujours intenses, liées à toutes les querelles linguistiques. Lors d'une série de violentes manifestations contre le gouvernement de la province survenues au cours des dernières années, les habitants de plusieurs agglomérations rurales du Québec (Amqui, Matane, Grande Vallée) explosèrent, brûlant des drapeaux et dressant sur les routes des barricades, symboles de la frustration de ces hommes qui voulaient que reviennent les jours anciens, ceux où les enfants, parvenus à l'âge adulte n'avaient pas à quitter leur ville natale pour trouver du travail.

L'imminence de ces changements est ressentie comme une triste réalité, aussi bien à l'intérieur qu'à l'extérieur du Québec. Mais, bien que douloureux, ils sont peut-être porteurs de grandes espérances pour le pays. Le Canada semble en effet subir une transformation fondamentale. Il s'y opère, sur une vaste échelle, un brassage de population fort peu remarqué. On voit des gens aller et venir, s'exiler, se marier au loin, avoir des enfants ici ou là, tandis que leurs parents demeurent ailleurs, et qu'ils se font des amis un peu partout. Passant, un jour, dans le Manitoba, je rendis visite à des cousins que j'avais là. Des personnes délicieuses, travailleuses, d'agréable compagnie, hospitalières, et pleines de récits passionnants sur leurs longs périples familiaux en camping-car... *à travers les États-Unis*. Ils me parlèrent de la Californie, du nord comme du sud, de l'État de Washington, de l'Arizona, de Las Vegas. Et pour finir, ils me dirent qu'ils espéraient se rendre un jour dans le sud de l'Ontario, le bas de la province voisine. Ma foi, ils y furent plus tôt qu'ils ne l'avaient prévu. Cet automne-là, la famille fut transférée à Ottawa pour deux ans, et ils ont quitté la ville depuis.

Cette mobilité est en train de devenir un phénomène naturel. Un autre de mes parents à Toronto se plaignait autrefois de mes nombreux déménagements. Il est maintenant divorcé, et parti dans une autre région pour trouver du travail. Le *Globe and Mail* de Toronto organisa une grande fête en 1980 pour célébrer l'ouverture de sa première agence en Alberta, où une publication américaine, le magazine *Time* – avait installé des journalistes des années auparavant. Aujourd'hui, ce journal, le meilleur du Canada, est accessible grâce à la transmission par satellite dans le pays tout entier le jour même de sa parution, nouvel exemple d'une victoire sur la vieille mentalité régionaliste.

De nombreux peuples considèrent comme allant de soi leur familiarité assez poussée avec les différentes régions de leur pays, familiarité née de vacances passées en famille, de visites à des parents, ou de voyages effectués avec leur école. C'est, au Canada, un fait relativement nouveau.

Comment pouvez-vous sérieusement vous moquer des ploucs de

la Saskatchewan quand votre frère y habite? Pis encore, comment pouvez-vous ignorer cet endroit lorsque vous en recevez des lettres et des coups de téléphone tous les quinze jours, et que vous y allez en visite quand vient Noël? Ce frère n'y aurait pas vécu trois ans auparavant. Sa plus grande ville, Regina, n'a que cent soixante mille habitants; et j'ai des photos de famille prises dans la seconde ville de la province, Saskatoon (cent cinquante-cinq mille habitants), lorsque mes grands-parents s'y marièrent, et l'on y voit encore des cabanes de rondins et des rues non goudronnées.

Mais maintenant que l'économie canadienne devient plus mûre, l'employeur torontonien du frère a ouvert un ou deux bureaux dans la Saskatchewan. Un des ministres fédéraux de l'Emploi et de l'Immigration a fait remarquer que le Canada traverse une période de migrations internes, les gens se déplaçant à la recherche de travail. « Une grosse partie de notre problème économique, déclarait le ministre d'alors, Lloyd Axworthy, vient de ce que nous avons les mauvaises personnes aux mauvais endroits, exerçant les mauvais métiers, et il nous faut resynchroniser les choses. »

Au bon vieux temps où l'on vivait des ressources de la terre, un pêcheur de Terre-Neuve ne pouvait survivre en Ontario. Un bûcheron de Colombie britannique n'aurait pas eu grand-chose à faire dans l'île du Prince-Édouard. Leurs métiers définissaient le lieu de résidence des habitants, et la géographie décidait de leurs métiers. Mais nous vivons aujourd'hui à l'ère de la technologie, et les perspectives de carrière pour l'enfant d'un ouvrier du bois de Colombie britannique ne sont pas obligatoirement déterminées ou limitées par le métier de son père. On a besoin d'informaticiens partout.

Les nouvelles qualifications professionnelles sont beaucoup plus transférables que les anciennes. Et le gouvernement oriente différemment ses efforts de création d'emplois. « Les Canadiens ont cherché à s'en sortir avec de gigantesques projets de construction, notait M. Axworthy dans une interview, mais nous constatons aujourd'hui que ces approches ont échoué, et ce que nous voulons est encourager la formation de centaines d'activités plus modestes, sur une base régionale. »

Les autorités fédérales ont également suggéré que les emplois ne pouvaient plus être limités à la traditionnelle semaine de quarante heures, et qu'une nouvelle approche était nécessaire, consistant en des formations plus souples et plus rapidement adaptables, ainsi qu'en une meilleure répartition du travail. Cette dernière a pour objectif d'aider à mieux partager les bénéfices de l'emploi entre le million de chômeurs et plus d'aujourd'hui, les un million trois cent mille nouveaux travailleurs attendus dans les cinq années à venir, grâce au million sept cent mille nouveaux emplois qu'on estime devoir être créés dans le même laps de temps.

Le Canada n'a pas, bien sûr, l'exclusivité des craintes pour l'emploi futur. Le Midwest américain tout proche souffre des mêmes convulsions dans ses villes jadis édifiées autour des cheminées d'usines. « Le Canada dans lequel nous avons grandi – la terre aux infinies promesses, le lieu où l'amélioration de la condition humaine était certaine – n'existe plus », déclarait Tom d'Aquino, président-directeur général du conseil commercial sur les Questions Nationales. « Nous ne pouvons plus compter sur nos vastes ressources matérielles pour nous conférer une position privilégiée parmi les puissances économiques, continuait-il. Nous avons bâti l'un des systèmes sociaux les plus avancés et les plus complets du monde, mais il est maintenant au-dessus de nos moyens. »

Ces nouvelles réalités ont amené certains Canadiens (parmi eux, peu d'hommes politiques) à de sérieuses réflexions. On sent confusément que le changement ne constitue pas toujours une menace sur laquelle il faille se lamenter, quoiqu'il puisse le devenir si l'on n'en saisit pas les chances et ne leur donne pas forme au moment voulu. Et revient toujours la même vieille discussion rebattue sur le développement d'une « stratégie industrielle » qui montrerait à tous le chemin à suivre pour assurer un avenir prospère, comme si une commission gouvernementale pouvait imposer une orientation à vingt-cinq millions de personnes. Parler stratégie est parfait à la tribune politique, dans les discours adressés aux associations commerciales et à leurs semblables. Mais cette approche ne s'est pas avérée vraiment efficace dans les démocraties multilingues, où chacun est libre de considérer qu'il a ses propres plans pour réussir, et peut, en toute liberté, ignorer les autres.

Ce débat, ou plutôt, cette discussion sur l'avenir vient à peine de commencer au Canada. Elle consiste encore en grande partie à tenter de rejeter sur d'autres peuples, ou d'autres gouvernements, la responsabilité des malheurs du Canada. Mais, comme le conseillait Donald Daly, professeur d'économie à la York University de Toronto : « Nous ne pouvons plus prétendre que nos difficultés sont dues aux problèmes existant dans le reste du monde. » Trop de Canadiens assument des responsabilités en trop d'endroits pour que cet argument puisse désormais convaincre.

Le champ de la discussion est vaste, et son objet est encore mal cerné pour l'instant. Le débat est parfois étriqué, ne visant qu'à servir une région ou une industrie particulière. Il ressemble souvent à de simples ronchonnements lorsque certains se mettent à la recherche de boucs émissaires dans le passé pour expliquer les incertitudes du présent. « Beaucoup de Canadiens ont oublié les dimensions du potentiel économique de leur pays, et choisissent volontiers des solutions de second ou de troisième ordre », écrivait David Slater, président du Conseil Économique du Canada dans un récent rapport annuel de cet organisme. Les appels à l'idéalisme et à l'excellence, comme au patriotisme militant, mettent les Canadiens au supplice.

Quoi qu'il en soit, une grande partie de la discussion et de l'action s'est, jusqu'à ce jour, concentrée sur deux grands domaines : l'utilisation de l'imagination et de la recherche et du développement (R & D), et la modification des liens du pays avec les États-Unis.

Afin de stimuler la recherche, étincelle vitale pour la création de nouveaux emplois et pour l'orientation des investissements vers de nouveaux produits, le gouvernement fédéral a accordé de généreuses réductions d'impôts aux compagnies, s'échelonnant de cent à cent cinquante pour cent de leurs dépenses réelles pour la recherche. Cette politique a contribué à la naissance près d'Ottawa d'une sorte de « Silicon Valley Nord » de la technologie de pointe, avec un certain nombre de sociétés en rapide expansion telles que Mitel. La raison en est tout simplement qu'il y a là beaucoup d'argent à gagner, et que certains Canadiens n'attendent plus à présent pour chevaucher la seconde vague, moins dangereuse : ils sont au premier rang. « L'Amérique du Nord est un seul et unique marché, observe l'analyste industriel Mark Stirling. Pour les entreprises canadiennes, la clé du succès est de choisir une spécialité, et d'y exceller. » Et, ajoutait John Roberts, directeur du marketing dans une société : « Les technologies de pointe sont potentiellement plus importantes que le pétrole brut. On s'attend que, d'ici à 1995, les marchés mondiaux dépassent les quatre-vingt-quinze milliards de dollars par an. »

Northern Telecom a, pour sa part, investi au cours des dernières années plus d'un milliard de dollars dans la recherche et le développement, avec pour conséquence l'emploi de trente-quatre mille cinq cents personnes dans ses cinquante usines de par le monde. Avec Bell Canada, son plus gros actionnaire, elle a même ouvert son propre laboratoire de recherche, Bell-Northern Research, et a constitué une compagnie de télécommunications unifiée, faisant porter son effort sur des systèmes intégrés sophistiqués pour les bureaux juste au moment où son principal concurrent nord-américain, A.T.T., se voyait démanteler sur ordre du gouvernement et de la cour fédérale.

Mais de nouveaux investissements sont aussi réalisés dans d'autres secteurs. Trois entreprises d'extraction minière, Inco, Falconbridge, et Kidd Creek Mines Ltd, ont créé une société, dont elles se partagent à égalité la propriété, afin d'entreprendre des programmes de recherche conjoints pouvant bénéficier à toutes trois et améliorer leur efficacité dans la rude compétition internationale – une mesure avantageuse pour les unes et les autres, qui pourrait n'être pas approuvée par certains autres gouvernements plus soucieux des problèmes antitrust. Les compagnies pétrolières canadiennes vont proposer outre-mer leurs compétences en matière de conditions limites d'exploitation, afin d'avoir un pied dans divers pays. Dans le monde entier, des noms comme Ranger Oil, Asamera, Inverness Petroleum, Bow Valley Industries, Sulpetro, Spectre Resources, United Canso Oil & Gas et PanCanadian Petroleum apparaissent comme partenaires minoritaires dans de vastes projets d'exploration pouvant permettre d'accéder à de riches filons à moindre risque. Ces sociétés peuvent opérer libres des lourdes contraintes politico-idéalistes que les gouvernements d'autres pays font peser sur leurs entreprises. L'accent est mis sur le commerce plutôt que sur les actions politiques de portée mondiale. « Nous avons décidé, voici déjà longtemps, déclarait un important collaborateur du Premier ministre au magazine *Maclean's*, que si nous commencions à appliquer les critères personnels de bonne conduite canadienne à tous nos partenaires commerciaux, nous n'allions plus pouvoir commercer avec qui que ce soit. »

Dans le domaine des affaires et de la finance également, on assiste à des évolutions nouvelles. Le puissant secteur canadien des assurances projette, en coopération avec le gouvernement provincial de l'Ontario, de créer à Toronto une bourse d'assurances d'un milliard de dollars. Cette bourse, qui serait, de fait, un marché où les compagnies d'assurances pourraient elles-mêmes se garantir contre les risques encourus dans les vastes projets, attirerait une masse considérable de devises étrangères et aiderait à endiguer le flot de centaines de millions de dollars se déversant hors du Canada pour inonder des marchés de réassurances extérieurs, comme ceux de la Lloyd's à Londres et de l'Insurance Exchange de New York.

Brascan a inventé une société d'un nouveau type destinée à faire bénéficier sa clientèle de toutes ses compétences financières. Sous le nom de Trilon Financial Corporation, elle devint, en l'espace de dix mois, la sixième institution financière du pays. Brascan transféra dans cette nouvelle entité ses avoirs dans la London Life, la quatrième compagnie d'assurances canadienne, et dans Royal Trustco, la plus grosse société de gestion de portefeuilles du pays. Pour vendre ses services, la nouvelle société mère pourra puiser dans les dossiers et tirer parti des relations d'affaires déjà bien établies de ses filiales, avec leurs milliers de vendeurs, de sociétés clientes, et leurs centaines de milliers de clients individuels. « J'imagine déjà le jour où une seule société sera chargée de la totalité des services financiers d'une famille », déclara en 1983 Allen Lambert, président de Trilon et ex-président de la Toronto Dominion Bank, à Peter Newman. « En principe, continua-t-il, le Canada est suffisamment petit pour que nous soyons capables de rassembler sur nos ordinateurs toutes les unités familiales, de manière à savoir avec précision quel est l'âge de chacun – quand chaque fils et fille sort de l'université, et est assez vieux pour contracter sa propre police d'assurance. »

Le second domaine d'importance, quoique mal cerné encore, faisant l'objet d'une discussion sérieuse entre Canadiens est la nécessité de changements substantiels dans les relations économiques avec les États-Unis. Les Canadiens étant ce qu'ils sont, ils ne tomberont pas de si tôt d'accord sur un quelconque plan d'action précis. Ils le doivent pourtant, et rapidement, puisque tout ensemble de propositions de la part des États-Unis est condamné, pour l'heure, à l'échec par un peuple dont l'attitude de défense instinctive a souvent, d'ailleurs, paru justifiée. Comme le dit l'ex-Secrétaire d'État américain Dean Rusk en s'adressant à son homologue canadien Paul Martin lors d'une apparition en public : « Parlez d'abord, cher ami, parce que si vous parlez le premier, il se peut que je sois du même avis que vous. Mais, si je parle le premier, vous seriez forcé de ne pas être d'accord. »

Il suffit aux Américains, pour le temps présent, d'accepter leurs étroits liens économiques avec le Canada et de travailler avec plus d'acharnement et d'attention à les renforcer (je dis « il suffit », bien que la tâche soit déjà pour eux assez redoutable, si l'on considère leurs habitudes et le fait que leurs priorités sont traditionnellement situées ailleurs). Mais les Canadiens doivent, eux, faire face aux réalités économiques de leur pays, et se montrer à la hauteur de leur nouvelle stature durement conquise. Ils ont, récemment, tenté d'esquiver le problème (« Pauvre vieux Canada, si grand, et pourtant si petit », lui que Peter Newman appela un jour « le Gulliver du Nord, sans moyens visibles de faire respecter sa volonté »). Ils ont cherché, rappelons-le, une Troisième Option : des liens étroits avec le Marché Commun et l'Asie. La solution était politiquement acceptable (et profitable), mais échoua totalement à modifier les attaches fondamentales du Canada. Rien ne peut les changer, pas même les Nouveaux démocrates.

Ce réajustement mental immédiat pour plus de sereine égalité doit, je le crois, absolument s'opérer des deux côtés, et rapidement. Le professeur Stephen Clarkson, de l'Université de Toronto, décrivait les intérêts des deux pays devant un auditoire de Chicago, en 1983, de la façon suivante : « Je pense, disait-il, qu'ils divergent. Je ne crois pas qu'il soit encore exact de dire que ce qui est bon pour les États-Unis le soit automatiquement pour le Canada. Ce qui est bon pour le Canada n'est pas nécessairement bon pour les États-Unis. » Évoquant les tentatives des Canadiens pour redresser leur balance économique, et les réactions indignées des États-Unis, il mit en garde son public américain : « Des politiciens plus radicaux obtiendront des réponses à leurs appels. Il vaut la peine que vous vous demandiez si vous préféreriez un Papandreou, ou un Olof Palme, à un Trudeau ou un Clark à la tête du système politique de votre allié du Nord. Préférez-vous que le Canada soit régi selon les principes d'une économie mixte de style capitaliste, ou selon ceux d'un régime socialiste?... Je vous demande, en bref, si les États-Unis peuvent se montrer suffisamment larges d'esprit pour laisser leur voisin plus faible être différent, et chercher des solutions personnelles à ses problèmes personnels. Je ne demande pas s'ils peuvent faire la charité au Canada. Personne n'en veut; et aucune ne lui a jamais été faite... ».

Il suffit que les deux camps prennent conscience que le commerce a été, durant les dernières années, l'élément de l'économie mondiale ayant enregistré la croissance la plus rapide, et qu'il n'y a pas deux pays au monde qui aient plus commercé l'un avec l'autre que le Canada et les États-Unis. Un petit peu de sens de l'intérêt personnel, même pas d'altruisme, pourrait fort bien faire l'affaire ici. Même si les gouvernements ne peuvent maîtriser cette immense relation, ils peuvent donner une couleur à son décor – couleurs sombres de l'amertume et du soupçon (« Et voilà qu'ils recommencent »), ou teintes chaudes et rayonnantes (« Nos deux pays... excellents voisins... frontière paisible »). J'ai toujours été stupéfait de voir comment la mémoire américaine pouvait remonter jusqu'aux jours lointains de la Guerre d'Indépendance (« Merci, Lafayette ») pour ces mauvais coucheurs de Français, mais que lorsqu'on en vient au Canada, elle cale à la semaine précédente, au dernier mercredi. De la même façon, les Canadiens préfèrent fermer les yeux sur leur richesse économique, et sur la défense militaire en grande partie gratuite dont ils bénéficient, à la porte de l'Union soviétique (« Ma foi, qui voudrait de cet endroit, de toute façon? »). Le problème, et sa solution, sont étroitement liés à la proximité des deux nations. C'est ce que l'ex-Premier ministre et lauréat du Prix Nobel Lester Pearson appela un jour la « schizophrénie nationale », à savoir le profond désir d'un bien-être matériel assuré, mais aussi d'une indépendance culturelle et politique, deux vœux parfaitement naturels, mais qui ne s'insèrent pas facilement dans le cadre des réalités économiques nées de la situation physique et politique du pays.

Américains et Canadiens ont récemment laissé paraître des lueurs d'une reconnaissance réciproque. Les Américains sont demeurés si sagement bouche cousue sur le sujet du séparatisme québécois qu'aucun des deux camps ne peut y trouver des munitions pour tirer sur les Yankees. Ceux-ci ont élevé les affaires canadiennes dans la hiérarchie du ministère des Affaires étrangères. Et, de l'autre côté, Jean Chrétien, alors ministre de l'Énergie, déclara devant un auditoire new-yorkais : « Nous n'avons pas oublié qu'une grande partie de notre industrie pétrolière existe grâce aux investissements, au savoir-faire et à l'esprit pionnier des chefs d'entreprise américains. » S'il pouvait seulement répéter ces mots dans son pays.

Mais il arrive parfois que cette indépendance acquise inexorablement, construite laborieusement, jour après jour, ne semble pas avoir la même importance une fois obtenue : tout spécialement lorsqu'elle paraît menacer les rapports commerciaux intimes entretenus avec un pays voisin qui achète au Canada, sur une base régulière, environ sept milliards de dollars de plus qu'il ne lui vend. C'est pourquoi les deux peuples risquent d'être les témoins dans les années à venir d'une alternance de périodes d'activité canadienne florissante, à l'intérieur du pays comme à l'étranger, et de périodes d'activité apparemment réduite, c'est-à-dire de moments (également liés aux conditions économiques, aux taux d'intérêt et à la qualité des chefs politiques en fonction) où les Canadiens chercheront agressivement à prendre le contrôle de nouvelles ressources et de nouvelles installations, chez eux et ailleurs, suivis d'autres où ils marqueront un temps d'arrêt, se demandant apparemment si c'est là la bonne chose à faire, ou la bonne manière de s'y prendre.

Dans leur propre intérêt, les Américains peuvent aider et encourager cette croissance inévitable, cette recherche d'une plus grande confiance en soi, en faisant preuve de beaucoup de compréhension et de patience, non pas en se montrant laxistes, mais plutôt convaincus, à la manière d'un frère aîné, que les liens du sang qui les unissent feront prendre aux Canadiens, pour leur propre compte, les justes décisions démocratiques. Et cette attitude s'avérera à la longue beaucoup plus bénéfique pour les États-Unis que les victoires immédiates qu'ils pourraient remporter grâce à des interventions à courte vue.

Les Canadiens chercheront probablement en premier lieu la voie la plus sûre à travers ce territoire inexploré de la maturité économique. Le Canada, a été forcé de miser son avenir économique sur le commerce. « Les ventes à l'étranger signifient des emplois pour le pays », proclame une publicité pour Alcan, une société qui vend soixante-dix pour cent de sa production canadienne hors du Canada. Quoique l'importance du commerce augmente aux États-Unis, il joue un rôle encore plus grand dans l'esprit des Canadiens. Cet état de fait rend le pays et ses habitants exceptionnellement sensibles à toute évocation de protectionnisme, même s'il s'avère parfois d'une parfaite logique sur le plan de la politique interne des États-Unis, et est d'ordinaire dirigé contre d'autres assaillants commerciaux présumés. Les Américains feraient bien de prendre conscience que, proximité mise à part, pour le Canada, le partenaire commercial le plus naturel, c'est-à-dire le pays manquant le plus d'énergie, de denrées alimentaires et de ressources diverses, mais chez qui se trouve en retour une grande abondance de produits de qualité, ce ne sont pas les États-Unis, mais le Japon, lequel a aujourd'hui pris la place de la Grande-Bretagne en tant que second partenaire du Canada.

Les Canadiens feraient bien, pour leur part, de se rappeler, de méditer plutôt le fait que leur relation avec les États-Unis est pour eux vitale, à tous les niveaux, et de s'employer activement à lui donner meilleure forme, au lieu de réagir seulement lorsque semble surgir un motif de récrimination. A leur insu les rapports qu'ils entretiennent avec les États-Unis ont un impact considérable sur leurs relations avec nombre d'autres pays. Beaucoup d'acheteurs et d'investisseurs étrangers perçoivent en effet le Canada à travers un prisme américain : le téléphone arabe du monde international des affaires, les agences d'information, les journaux et les reportages télévisés, ont bien souvent leur base, physique et psychologique, aux États-Unis, et ne couvrent le Canada que par moments, et par coïncidence. Les feuilles d'érable sur le timbre-poste ou sur le sac à dos ne suffisent pas à dissiper l'impression de similarité que Canadiens et Américains dégagent aux yeux d'un grand nombre de personnes étrangères. L'image qu'elles se font du Canada est en fait celle qu'elles se font de la relation économique américano-canadienne. Et si, pour une raison quelconque, les Américains se montrent acerbes envers leur voisin du Nord, alors les autres se montrent acerbes avec lui également.

Les deux pays feraient bien en outre de se rendre à une dure évidence : avec l'importance croissante du commerce extérieur dans la plupart des économies internes, exaltant encore la relation déjà très intime entre eux, plus rien ou presque ne peut être considéré comme de nature purement intérieure.

On a beaucoup discuté au Canada entre gens bien informés sur les nouvelles directions à prendre en matière de politique économique. Certains soutiennent, par exemple, l'idée de la fondation d'entreprises commerciales nationales, sortes de versions étatisées des conglomérats privés qui dominent les ventes et les achats japonais à l'étranger. Afin de mettre fin à ce qui est ressenti comme une concurrence onéreuse entre plusieurs firmes canadiennes, certains fonctionnaires du gouvernement sont partisans de créer des consortiums d'exportation officiellement avalisés, dont le rôle serait de remporter d'importants contrats à l'étranger.

Mais le thème dominant actuel, conscient pour les Canadiens et inconscient pour les Américains, est la formation de liens économiques encore plus étroits entre les deux nations. Grâce au *Canadian-United States Defense Production Sharing Arrangement* de 1946 (Accord américano-canadien sur les industries de défense), leur frontière officielle commune a été pratiquement éliminée en ce qui concerne les produits militaires. Grâce à l'*Automotive Trade Agreement* (Accord en matière de commerce automobile) survenu vingt ans plus tard, cette frontière a été pour ainsi dire effacée en ce qui concerne les produits de l'industrie automobile. Peut-être n'était-ce pas l'objectif initial du pacte; l'idée originelle était simplement de résorber le déficit des Canadiens dans leurs massifs échanges avec les États-Unis dans ce secteur. Mais lorsque tout, depuis les salaires et les avantages divers jusqu'à la longueur et à la forme de la plus petite vis d'un tableau de bord doit être identique dans les deux pays, il en résulte une intégration durable et plus profonde encore.

Sans planification vraiment détaillée, par exemple, les gouvernements du Territoire du Yukon et de l'État d'Alaska se sont associés pour réaliser en commun, dans leurs deux pays, la publicité pour leurs lointains attraits touristiques à l'un et à l'autre. Mais, plus significatif encore, après que les Canadiens ont fait paraître un document extrêmement important qui définissait un programme liant leur avenir économique au commerce, les deux gouvernements commencèrent paisiblement à examiner différentes listes de secteurs où pourraient s'établir des relations de libre-échange, poursuivant en cela le vieux processus d'intégration progressive. On peut voir des accords indépendants s'élaborer dans un nombre de domaines illimité, comprenant la pétrochimie, les aciers spéciaux, le textile, les transports, les meubles, les produits forestiers, le gros équipement électrique ou de télécommunication et les produits chimiques. Pour les Canadiens, ceci pourrait signifier une augmentation importante des ventes aux Américains qui tournent déjà autour de soixante milliards par an.

A long terme, les résultats de cette méthode peuvent se révéler identiques à cette espèce de vaste union proposée de temps à autre par les Américains, et très récemment même, en 1980, par Ronald Reagan, alors candidat à la présidence. Mais ce type de solutions grandioses rencontre immanquablement de nos jours une résistance opiniâtre au Canada. Elles sentent trop l'absorption. Ce que les Canadiens recherchent plutôt aujourd'hui est une série d'accords séparés, négociés sur un pied d'égalité.

Nul encore n'étudie sérieusement un domaine d'une portée économique – et affective – cependant très grande potentiellement. Je veux parler de l'eau, la ressource naturelle absolue. Les gens peuvent extraire du fer en d'autres lieux, mettre en valeur un produit de remplacement écologiquement plus acceptable que l'amiante, cultiver leurs arbres pour la production du bois et du papier sous d'autres climats, ou acheter du pétrole à des revendeurs. Mais à tous, et à tout, l'eau est nécessaire. Et nul ne sait encore fabriquer cette pure et fraîche substance qui fait tellement partie intégrante de la vie des deux pays. J'ai souvent songé que si les Canadiens pouvaient jamais, un jour, s'entendre sur de quelconques armoiries nationales, elles devraient certainement inclure cette eau douce omniprésente.

Tous les week-ends de tous les étés, les riches Canadiens émigrent par milliers vers « le lac », comme s'il ne s'en trouvait qu'un dans tout le pays, ou vers « le cottage », étant sous-entendu que ledit cottage se situe quelque part à proximité d'une masse d'eau douce d'une espèce ou d'une autre. Car elle peut prendre des aspects variés, depuis les hauts-fonds troubles du lac Dauphin dans le Manitoba, jusqu'aux criques étincelantes et virginales de la Baie Géorgienne, loin au nord de Toronto.

Là, des milliers de Canadiens, parmi lesquels le Premier ministre de l'Ontario et un nombre décroissant de riches Américains, ont fait construire leurs résidences d'été en bordure du rivage, ou perchées au sommet des simples affleurements du roc primitif sur le lac. Environnées d'une eau cristalline, ces maisons, qui s'échelonnent jusqu'à l'horizon dans un tranquille désordre, sont signalées par des bouquets d'arbres et par un essaim de mâts rigides dont les drapeaux colorés claquent dans les vents froids qui soufflent constamment du nord-ouest. Ces reposants lieux de séjour, où les Canadiens se réfugient pour échapper aux tensions de l'existence dans leurs villes immaculées, sont reliés au rivage proche par des bataillons de bateaux de plaisance et une belle flotte d'hydravions. Un certain nombre de lacs de l'intérieur des terres sont même raccordés entre eux par des canaux et des écluses.

C'est le « Pays des Cottages », zone mal définie qui n'apparaît sur aucune carte, et qui évoque des images de bourgades campagnardes envahies, durant les chauds week-ends, par des foules de breaks, de remorques de bateaux, et de petits enfants pieds nus en slip de bain. Grâce à des réglementations fiscales favorables aux résidences secondaires, à sa situation géographique, et à sa richesse, le « Pays des Cottages » ou « des Cabanes » n'est, pour toutes sortes de Canadiens, pas tant un endroit qu'un mode de vie. Les employés en parlent avec leurs collègues toute la semaine à l'heure du déjeuner. Le sujet est soulevé dans les cocktails. Le pilote de l'hélicoptère de la radio qui, le vendredi après-midi, plane au-dessus des embouteillages des voies express à l'heure de pointe, guide les automobilistes, non vers leurs demeures, mais vers le Pays des Cottages, quelque part vers le nord.

Jamais on n'a déterminé avec précision le nombre des Canadiens possédant un cottage, ni le nombre de ces cottages, ni même celui des lacs qui attirent ainsi les habitants. Une étude qui ne concernait que Toronto fit apparaître qu'en un vendredi après-midi d'été ordinaire, près d'un demi-million de véhicules se dirigeaient vers le nord, et que cinquante mille autres prenaient le même chemin tôt le samedi matin. En supposant deux personnes en gros par voiture, estimation fort modeste, cela signifie qu'un tiers au moins de la population de la plus grande ville du Canada se déplace chaque week-end vers le nord, vers son Pays des Cottages et vers les lacs, sans compter ceux qui se dirigent d'abord vers l'est ou l'ouest avant de bifurquer dans la même direction.

Il n'existe pas véritablement de définition de ce qu'est un cottage au Canada... une hutte sans chauffage dans les bois, que les humains n'habitent que les week-ends d'été; un poulailler reconverti au bord de l'étang d'une ferme, et loué par un groupe de collègues de bureau; un luxueux chalet, ou une maison en multipropriété, auprès d'un lac. Dans certaines régions, en particulier sur les terres fédérales de l'Arctique, on trouve même des maisons en front de lac n'appartenant à personne, mais à la disposition de tous ceux qui disposent de l'argent nécessaire pour affréter un hydravion pour une heure.

Des Canadiens comme Pat et Robert Varty, avec leur cottage au bord de l'eau, jouent un rôle économique important dans ce genre de régions. Voici cinq ans, Mme Varty s'était mise en quête d'un terrain en compagnie d'un agent immobilier. Elle avait vu un grand nombre de bouts de terres sauvages et de cahutes en ruine avant de se décider pour une parcelle d'une dizaine d'hectares couverte d'arbres, avec une cabane de trois chambres, pleine de fuites, et abritant quantité de souris, d'écureuils rayés et de chauves-souris.

Les Varty ne sont en aucune façon des Canadiens exceptionnels. Leur attachement pour l'eau fait partie du caractère national. L'eau est une chose à chérir et à protéger, une chose de plus à propos de laquelle se sentir menacé. C'est pourquoi leur violente réaction émotionnelle au problème des pluies acides, ou à celui de la vente de l'eau, ne devrait pas surprendre. Le gouvernement américain, qui s'est toujours fait tirer l'oreille pour étudier la question de ces pluies destructrices, en est arrivé, sans le vouloir, à endosser, dans l'esprit du public canadien, la majeure partie de la responsabilité. En encourageant les services publics à passer des coûteuses centrales à fuel à d'autres, fonctionnant au charbon, on a fait se lever le spectre d'une augmentation de la pollution de l'air, ce qui nous procure un nouvel exemple de l'impact qu'a inévitablement, d'un côté de la frontière, une décision économique parfaitement justifiée prise de l'autre.

Toutes les conditions sont réunies pour que de graves problèmes en matière d'eau surviennent dans le futur. Américains comme Canadiens ont toujours été vaguement conscients que celle-ci constituait un lien entre eux. Fleuves et rivières ont été les nationales permettant une bonne partie de l'exploration initiale du continent, en canoës et en péniches. Ils ont été le champ de bataille où les deux peuples s'entre-tuèrent, d'abord pendant la Guerre d'Indépendance et, plus tard, lors de la guerre de 1812. Voici plus d'un siècle, Walt Whitman écrivait : « Le Saint-Laurent et les lacs ne sont pas une frontière, mais un magnifique chenal intérieur ou intermédiaire. » Au tout début du siècle, surgit un sérieux conflit international lorsque Chicago décida d'inverser le cours d'une rivière afin de faire charrier ses eaux usées en direction du Mississippi, loin de la réserve d'eau potable de la ville, le lac Michigan. Les Canadiens jugèrent que ce procédé menaçait le niveau de leur richesse commune des Grands Lacs, la plus grande masse d'eau douce du monde.

Notons aussi que les Canadiens, qui représentent 1/200e de la population mondiale, détiennent entre leurs frontières près du tiers de toute l'eau douce du monde, sans parler des quantités, jamais mesurées, qui coulent, invisibles, dans des cavernes, très loin sous terre. Mais soixante pour cent des flots des cours d'eau canadiens se dirigent vers le nord, où vivent moins de dix pour cent de la population, pour finalement se jeter « inutilement » dans des océans salés. Il y a beaucoup d'eau, énormément; mais, la plupart du temps, elle ne se trouve pas où il le faudrait (ou peut-être est-ce les gens qui ne sont pas au bon endroit).

En revanche, à deux pas, se trouvent les États-Unis, consommateurs d'eau débridés dont les réserves s'épuisent rapidement dans beaucoup de régions. Houston s'enfonce à mesure que ses réservoirs d'eau souterraine se vident par le haut. D'énormes entonnoirs se sont creusés en Floride. La ville de New York doit régulièrement exhorter ses habitants à se rationner. La Californie et le Sud-Ouest rivalisent pour leurs réserves très limitées, et on a vu le Colorado, fleuve jadis puissant se réduire à un filet d'eau salée en arrivant au Mexique. « Nous vivons dans une civilisation d'oasis », déclara le gouverneur du Colorado Richard Lamm, « dans laquelle une personne sur cinq reçoit son eau d'une distance de plus de cent cinquante kilomètres ».

Déjà, certains États, chacun de leur côté, luttent pour réaliser de gigantesques projets de détournement, supposant le déplacement de grandes quantités d'eau des Grands Lacs vers les régions sèches. Les États proches de ces lacs, qui considèrent leurs réserves comme un moyen de contrecarrer la fuite des débouchés économiques vers les États en plein essor de la *Sun Belt*, peuvent avoir ou pas le contrôle sur cette ressource qui baigne leurs rivages. Mais ils ont promis de ne pas en détourner une goutte sans l'accord de leur pair canadien, l'Ontario. Il existe, par ailleurs, entre les deux pays des ententes plus anciennes régissant l'utilisation des masses d'eau communes à des fins de navigation ou de production d'électricité.

Un exportateur a été autorisé à mettre en bouteilles et à expédier vers l'Asie et la Californie de l'eau de Colombie britannique. Il fut également proposé d'envoyer un million cent trente-cinq mille litres d'eau par jour du Canada occidental vers le Moyen-Orient. L'eau, selon l'expression d'un scientifique, a tendance à couler vers l'argent. Deux autres projets particulièrement ambitieux, se chiffrant en milliards de dollars, ont aussi vu le jour. L'un d'eux, proposé par Ralph Parsons, ancien directeur d'une entreprise de construction de Californie, consistait à attirer vers le sud les flots puissants de deux fleuves d'Alaska, le Yukon et le Tanana, pour leur faire traverser le Canada, et aller constituer un réservoir long de huit cents kilomètres dans la Tranchée des Rocheuses. De là, les États et provinces de l'Ouest pourraient puiser dans l'immense réserve.

L'autre projet géant, proposé par Thomas Kierans, un ingénieur-conseil canadien, comprend la construction d'une digue de cent quarante-cinq kilomètres traversant l'embouchure de la Baie James, au nord du Québec et de l'Ontario. Ces travaux empêcheraient l'écoulement de toute l'eau douce des fleuves de la Baie James dans la Baie d'Hudson plus vaste, et, pour finir, dans les océans salés d'alentour. Ce procédé permettrait la constitution d'un vaste réservoir d'eau douce, laquelle serait redirigée vers les Grands Lacs, pour y être utilisée, ou être réexpédiée ailleurs, dans la région des Prairies, ou même au Mexique.

A ce jour, très peu d'études ont été effectuées sur les conséquences possibles de tels projets. Il y a, d'abord, un problème écologique : quels seraient les effets à long terme sur le climat mondial, par exemple, si l'on détournait de si vastes quantités d'eaux plus chaudes, adoucissantes, de leur destination actuelle : l'Arctique? Le second problème est, comme d'habitude, le manque de préparation politique vis-à-vis d'une question absolument vitale pour deux pays qui se rapprochent de plus en plus malgré eux. Les deux camps sont prêts à retomber, instinctivement, dans leurs rôles accoutumés; les États-Unis considérant l'accès à des ressources si importantes comme un droit, parce qu'ils en ont besoin, et leurs politiciens du moment, foncièrement inconscients des nouveaux courants politiques et économiques se dirigeant vers le nord, marmonnant – confidentiellement, bien sûr – qu'ils ne voudraient pas avoir à taper sur la table, mais que, par ailleurs, regardez un peu tout ce que les États-Unis font pour le Canada; le Canada, lui, adoptant une attitude plus possessive encore à l'égard de ses ressources et de ses droits, se redressant, raide et fier, et ses vertueux politiciens du jour jouant sur les vieilles craintes canadiennes pour leur pauvre petit pays, qui vit dans l'ombre dangereuse de la grande brute d'à côté.

Tout ceci semblerait ridiculement mesquin et, surtout, le signe d'une ignorance un peu lassante, si les conséquences pour l'avenir des deux pays et de leurs peuples n'en étaient pas si terribles, et si vaines.

« Nous ne pouvons déménager le Canada d'Amérique du Nord, pas plus que les Américains ne peuvent le faire. Aussi devons-nous nous mettre d'accord pour vivre ici ensemble. »

Gérard Pelletier,
ministre et diplomate canadien.

CINQUIÈME PARTIE

MON CANADA

A mes yeux, le Canada a toujours été un endroit très particulier. Enfant unique grandissant tout à la fois dans ce pays et aux États-Unis dans les années quarante et cinquante, j'associais cette terre nordique à des symboles chaleureux très personnels. Ils étaient simples et élémentaires, et pourtant, comme les objets familiers d'une maison, tranquillement importants.

Les hommes ont besoin de stabilité et d'un peu de monotonie; ils ont besoin de rentrer chez eux et de retrouver, dans un lieu familier, des objets tout aussi familiers à leur place habituelle, très exactement là où ils se souviennent les avoir laissés. C'est une sensation réconfortante. Étant enfant, il me semblait que les choses aux États-Unis changeaient constamment. C'était passionnant et stimulant, mais parfois aussi destructeur. Le changement n'était plus le changement; il était lui-même la norme. Mes parents m'emmenaient chez un dentiste, et, lors de la visite suivante, un nouvel immeuble occupait le parking. Une route à deux voies en avait subitement trois, ou quatre, ou plus. Des amis de la famille habitaient dans une maison lors d'un anniversaire, et dans un autre quartier lors du suivant.

Mais, dans le Canada de ma jeunesse, les choses ne changeaient pas. Point final. Ou, si elles le faisaient, c'était de manière imperceptible. Personne ne klaxonnait ni ne criait. Les Canadiens, semblait-il, attendaient toujours le bus, il allait venir; les Américains, eux, le cherchaient toujours, mais où était-il passé? Le Canada était le seul endroit où je voyais des gens de ma famille autres que mon père et ma mère et où j'éprouvais d'une certaine manière ce chaud sentiment d'être accepté, de « faire partie » de quelque chose, que l'on peut avoir dans les grands regroupements familiaux... même si ces adultes parlaient décidément avec une petite inflexion bizarre pour une oreille de l'Ohio.

Le Canada signifiait grimper sur les genoux d'une grand-mère à la poitrine opulente, assise devant la maison dans un rocking-chair d'osier qui grinçait magnifiquement, sous un porche, pendant ces chaudes soirées d'été où les grillons eux-mêmes stridulaient avec lenteur.

Le Canada, c'était des Indiens à la peau sombre vivant juste un peu plus bas sur la route poussiéreuse et sans trottoir; des poules gloussant à côté d'un champ d'asperges; de drôles de petites couronnes sur les boîtes aux lettres, les timbres et les poteaux indicateurs; et des dollars à l'effigie d'une femme. C'était des marques de bonbons et de sodas différentes, des pièces de cinq cents hexagonales et des glaces au caramel au Grand Bazar de M. Weaver.

Le Canada avait des sonnettes que l'on tournait au lieu de les presser. On y voyait des hommes d'un certain âge qui portaient des gants pour conduire et se servaient de mouchoirs de fil. Ils se mettaient sur leur trente et un pour les déjeuners du dimanche, et allumaient ensuite de gros cigares sous la véranda, où ils ne regardaient pas la télévision : ils parlaient entre eux. Et les gens ne s'embrassaient ni quand ils se rencontraient ni quand ils se quittaient.

Le Canada était aussi un endroit où poussaient les parents, des tas de parents. Ils étaient vieux et robustes, résistants comme des chênes. Les hommes travaillaient dur toute la semaine, ainsi que le samedi, puis, le dimanche, ils s'asseyaient et se reposaient. Les femmes, de leur côté, travaillaient dur toute la semaine et, le samedi et le dimanche, elles travaillaient dur aussi. Elles semblaient comme attirées par leurs cocottes minute argentées (à cause de leur couleur, pensais-je, assortie à celle de leurs cheveux). Et elles se tenaient autour des tables de cuisine, bavardant et pelant des tas absolument énormes de légumes frais. Les hommes buvaient de la bière. Les femmes buvaient du thé ou de l'eau, ou du xérès, parfois, dans les grandes occasions. Elles prêtaient assez d'attention aux remarques d'un certain petit garçon aux cheveux roux. L'accueil était pour elles naturel. Mais que les hommes parlent à un enfant, et c'était une tout autre affaire, quelque chose comme le signe d'une reconnaissance. Les femmes étaient les professeurs, elles corrigeaient fréquemment mes façons de parler ou ma syntaxe, Grand-Mère Malcolm en particulier, une institutrice retraitée qui avait retiré mon père du lycée pour le faire étudier elle-même deux années en une, et le faire entrer à l'université. Au Canada, je pouvais prononcer la lettre Z à la manière canadienne ou à la manière américaine. A l'école, aux États-Unis, dire « zed » au lieu de « zii », c'était s'attirer des coups d'œil interloqués ou de petits rires. J'apprenais ainsi très tôt, et de façon concrète, que les deux peuples étaient différents, et que les Américains ne le savaient pas. Les Canadiens paraissaient plus réceptifs aux différences.

Au Canada, les gens s'asseyaient daňs de grands fauteuils et de grands canapés sans jamais faire tomber ces curieux petits napperons perchés sur leurs bras. Je ne pouvais m'expliquer à quoi ils servaient, sinon à être mis par terre et à faire gronder les petits garçons. Le Canada avait des grands-pères pleins de récits passionnants sur les aventures de leur jeunesse dans les champs pétrolifères, ou sur la Frontière occidentale, où ils avaient chassé des animaux sauvages (j'ignorais alors qu'ils les avaient également tués). Ils avaient conduit des troupeaux de bétail au milieu de blizzards qui forçaient les gens – Grand-Père, ce grand monsieur ici même – à s'abriter sous les bêtes pendant un jour ou deux. Le Canada avait des tramways, et d'énormes locomotives à vapeur qui haletaient en crachant des bouffées de fumée, et, aux passages à niveau, des gardiens qui laissaient les petits garçons abaisser à la main les barrières, qu'ils paraient de lanternes à huile à la fin des longues soirées d'été.

Au Canada, on trouvait un grille-pain électrique d'un genre tout nouveau. Il ne faisait pas sauter la tranche de pain en l'air, il la grillait d'abord d'un côté, et vous pouviez ouvrir une petite porte, et vite retourner le morceau vous-même pour qu'il cuise sur l'autre face. Le Canada avait des téléphones avec des poignées et des manivelles, et tous les demandeurs appelaient « Allô, Central ». Le Canada semblait plus vieux, en quelque sorte, ou plus neuf peut-être – je ne savais pas quel était le cours naturel des choses. Les moteurs Diesel venaient-ils d'abord, puis la vapeur, ou le contraire? Tout ce que je savais était que le Canada faisait partie de moi-même. Et qu'il était différent. Très familier, très amical et très sympathique, mais différent.

Une génération plus tard, je retournai y vivre, poursuivi par la jalousie de mes amis américains, et impatient de découvrir toute cette terre sortie de mon passé. Dans tous les recoins, je cherchais quelque chose, sur le Canada, sur mon passé, sur moi-même. Je trouvai le pays très différent, mais très familier, très amical et très sympathique.

Il était tout à fait moderne, naturellement, un pionnier, même, en matière de santé et d'urbanisme intelligent. L'image de la Reine apparaissait toujours sur les timbres et sur les billets, mais le passage à niveau était muni d'une barrière automatique. Les trains étaient pareils à des caravanes à deux étages, luisantes et argentées, allant et venant d'une ville à l'autre, sans ces fenêtres aux cadres de bois qui remontaient jadis en coulissant pour laisser entrer l'air et l'odeur de la fumée. Le magasin de M. Weaver appartenait à une chaîne de distribution à présent. Le champ d'asperges était devenu le parking d'un centre commercial, et le bord de la pièce de cinq cents s'était arrondi.

Le vieux Toronto collet monté où ma grand-mère et moi allions manger du melon jaune chez *Eaton's* et regarder des films de Jerry Lewis, s'était modifié. La ville avait conservé ses tramways, décision bien canadienne dans sa sagesse! Et elle avait, à sa façon, réussi à se diriger dans les goulets étroits et menaçants du développement; elle constituait un assemblage brillant, passionnant, attachant de nouveau et d'ancien, de familier et d'étranger. Elle était propre et sûre, et bien moins imbue d'elle-même qu'elle ne l'avait été. Pour beaucoup d'Américains, Toronto était devenue ce que chacune de leurs villes rêvait d'être.

Ailleurs, j'allais le découvrir au fil des années, les Canadiens se débattaient encore pacifiquement contre leurs différences linguistiques, construisaient des villes presque entièrement nouvelles, bâtissaient de nouveaux empires économiques pour domestiquer leurs vastes ressources, expérimentaient de nouvelles technologies dans les glaces de l'Arctique, et lançaient une invasion économique agressive sur les États-Unis. Du temps de mon enfance, il m'arrivait de raconter à mes camarades américains les choses du Canada, et jamais ils n'en avaient entendu parler. Maintenant, ils en ont entendu parler, mais ils ne savent pas qu'elles sont du Canada.

Après avoir vécu à New York et dans les villes de l'Asie, je trouvai que les Canadiens avaient l'air le plus pur du monde, l'eau douce la plus abondante, les forêts les plus vastes, les villes les plus propres, les plus sûres et les plus agréables, l'essence la moins chère, les services municipaux les plus commodes et les plus efficaces, le réseau de musées et de parcs témoignant de la plus grande imagination, l'ensemble le plus impressionnant de montagnes imposantes, la Frontière encore sauvage la plus passionnante dans leur *Far North*, et la sélection la plus variée d'activités de plein air à très peu de kilomètres de leurs villes.

Les Canadiens lisant ces lignes se sentiront extrêmement mal à l'aise, et commenceront à penser à tous les « mais » qui pourraient nuancer ces louanges. Mais, nous le savons, c'est là une habitude très enracinée chez eux!

Mon père, né à Calgary, alors ville de bétail, et maintenant symbole du Nouvel Ouest, avait été élevé dans une ferme du Manitoba, au nord-ouest de Winnipeg, où, parmi ses corvées du matin, il lui fallait casser la couche de glace recouvrant le lavabo.

Ma mère avait été éduquée comme une jeune fille convenable à Toronto, le symbole du Vieil Est, la pieuvre économique qui dominait si bien tant de vies canadiennes un peu partout.

Ils se rencontrèrent un dimanche à Toronto, lors d'un déjeuner chez une amie de la famille qui pensait peut-être plus ce jour-là à un mariage qu'à la préparation de son *Yorkshire pudding* [1]. Mon père, ce soir-là, raccompagna ma mère en tramway jusque chez elle. Il attendit un intervalle décent – vingt-quatre ou quarante-huit heures – avant de faire livrer des fleurs et, peu après, de téléphoner pour demander un rendez-vous à dîner, accepté avec une feinte timidité, comme le veut la coutume. Leurs fiançailles durèrent deux ans, un

1. Sorte de pâte à choux salée accompagnant les rôtis de bœuf.

temps relativement habituel pour l'époque, et durant cette période, ils échangèrent de fréquentes lettres, mon père étant parti travailler aux États-Unis, le seul endroit où l'on embauchât à la fin des années trente. Ainsi leur fils unique fut le premier Américain de la famille, élevé comme un « Yank-Canuck » (un Américano-Canadien).

Nous faisions des allées et venues constantes de l'un à l'autre pays, de longs voyages d'une journée entière, qui prennent aujourd'hui moins de six heures. De fait, la première voie express dont je me souvienne fut la « Queen Elizabeth », à la sortie de Toronto. C'était le temps où rouler à quatre-vingts kilomètres à l'heure, c'était aller assez vite, où les essuie-glaces s'arrêtaient aux feux rouges, et où il convenait de saluer d'un coup de klaxon à la vue d'une plaque minéralogique de votre État d'origine.

Une grande surexcitation régnait au cours de ces voyages : le lever en Ohio avant l'aube pour échapper à la circulation; les paysages noirs de la Pennsylvanie; en fin de matinée, dans un parc, quelque part dans l'État de New York, le pique-nique, que l'on sortait d'un panier de métal fleuri que je possède toujours; l'heure de pointe près d'une aciérie à Buffalo, dont les bus municipaux étaient dotés de pare-brise si énormes que je les surnommais « bus aux yeux brillants ». Ces expéditions avaient leur rituel. Je m'asseyais sur la banquette arrière, les jambes de part et d'autre de cette drôle de bosse sur le plancher, et le menton posé sur le dossier devant moi, juste dans la fente du milieu. Cette position me donnait une vue bien dégagée sur le siège avant et, à travers le pare-brise, sur la route, ce qui me permettait de « viser » avec l'ornement du capot les objets qui passaient. Ma mère s'asseyait à la place des femmes, ce siège à droite où elles semblaient toutes s'installer (sauf les grands-mères, qui s'asseyaient à l'arrière avec leurs petits-fils). Mon père bien sûr, conduisait.

De ma position avantageuse au milieu de la banquette, j'avais également une excellente vue sur le sac à main de ma mère, d'où sortait le paquet de *Life Savers*, ces bonbons en forme de bouée de sauvetage. Mon père avait droit au premier – injuste, parce qu'il était toujours à la cerise. Si j'ouvrais moi-même un paquet de *Life Savers*, le premier était toujours au citron ou quelque chose du même genre. Si c'était ma mère qui l'ouvrait, pour offrir le premier à papa, il était toujours à la cerise. La cerise était le parfum le plus important, et c'était toujours papa qui l'avait (être papa signifiait ne jamais avoir à se passer de *Life Savers* à la cerise). Non pas que lui-même se souciât de leur couleur; il prenait n'importe quel parfum, même l'orange (bêrk), le croquait, et tendait la main pour en avoir un second, avant que j'aie pu mettre le premier petit cercle dans ma bouche (et, le croiriez-vous, à l'orange encore!). Je me plaignais toujours qu'il mangeât tous les *Life Savers*, et il trouvait ça drôle. Je pouvais le savoir, même depuis le siège arrière, parce que son oreille droite remontait légèrement lorsqu'il souriait. (Pour mettre cette théorie de l'oreille à l'épreuve, j'avais, sur l'un de ces longs trajets, fait la même remarque tout haut, et, effectivement, voici que l'oreille droite était remontée, juste un petit peu.)

Au moment du crépuscule, nous traversions les terres sablonneuses des pays de vignobles de l'Ontario, et arrivions enfin à l'embranchement familier, près d'Oakville. Et c'était la lente descente de la rue ombragée et sans trottoir, plus familière encore, le cahot sur les rails du chemin de fer, et l'entrée dans l'allée de terre au milieu de laquelle l'herbe poussait, et que bordaient de petits cèdres. Grand-Père et Grand-Mère Bowles étaient là, elle avec son tablier, lui en chemise blanche à col raide mais ouvert, une bretelle sur chaque épaule. Il y avait beaucoup d'exaltation dans l'air, on s'agitait dans tous les sens, et puis voilà que surgissait le grille-pain dernier cri débitant des tranches de pain grillé en nombre illimité, bientôt noyées sous les confitures maison. La radio était parfois encore allumée, et le *Toronto Telegram* de l'après-midi était posé sur une chaise à bascule sous le porche (la maison de Grand-Mère était le seul endroit où je pouvais trouver les bandes dessinées de *Mandrake le Magicien*).

La vie semblait s'écouler beaucoup plus lentement en ce temps-là, et en ces lieux. Je ne portais pas de montre. Des corvées m'étaient confiées, mais elles paraissaient amusantes alors. Nourrir les poules, par exemple. Elles semblaient toujours contentes de me voir, moi, ou du moins ma main leur jetant les grains. Il y avait des remises aux odeurs de moisi et de vastes granges à explorer, des plantes à faucher, de vrais Indiens dans le champ à regarder, et parfois, toutes les une ou deux semaines, Bert faisait une apparition. Bert était un vagabond, un grand bonhomme crasseux vêtu d'un vieux costume deux pièces. Il s'offrait à faire quelques corvées en échange d'un repas, mais il voulait surtout des verres d'eau. Aussi Grand-Mère laissait-elle un petit verre dans un support de fil de fer, dehors, près de la porte de l'abri-tempête. J'avais ordre de ne jamais utiliser ce verre.

Parfois, j'étais admis dans le monde des hommes. J'étais autorisé à aider mon grand-père à emporter les poulets à la gare de Port Credit, pour les expédier. Nous retirions le capot du coffre de sa Ford, qui datait de 1932, y déposions quelques cages, et grimpions dans la cabine à deux places, dont les portières étaient soigneusement fermées par un verrou coulissant. La climatisation était assurée par le pare-brise que l'on inclinait vers l'extérieur, à partir du bas, à l'aide d'une manivelle, et le klaxon était actionné par un petit interrupteur sur le moyeu du volant. Nous bavardions, accompagnés par le teuf-teuf du moteur, tout en descendant lentement la nationale 2.

Aucun de mes grands-pères ne parlait beaucoup. Ils aimaient à entendre disserter les petits garçons, mais eux-mêmes tenaient à s'exprimer plus par hochements de tête et brèves questions que par de longs discours.

C'était le dimanche après-midi que l'on entendait parler les grands messieurs. Ils commençaient à arriver après le déjeuner. Mon père et ma mère n'ayant de frères et de sœurs ni l'un ni l'autre, les gens de la famille étaient tous plus âgés qu'eux. Ce n'est que bien des années plus tard que j'appris qu'oncles et tantes sont les frères et sœurs de vos parents. Je pensais qu'ils étaient nécessairement ceux de vos grands-parents. Tous les miens l'étaient. Les premiers arrivés étaient Oncle George et Tante Bea, lui avec son crâne chauve couronné d'un anneau de cheveux blancs, elle, grande et imposante, avec le rire puissant et la voix magnifique de la chanteuse classique qu'elle avait été. Ensuite venaient les grands-parents Malcolm, lui, sortant de sa Studebaker vert pâle en dépliant son mètre quatre-vingts, elle, petite et corpulente avec ses cheveux retenus en chignon. En raison d'un œil malade, elle tenait d'ordinaire sa tête légèrement tournée sur le côté. Je ne me souviens pas l'avoir jamais entendue rire; elle avait joué un rôle décisif dans la formation du caractère de mon père, de son âpreté et de ses vues calvinistes sur la discipline personnelle.

Arrivaient en dernier, même s'ils venaient de moins loin, Tante Flossie et Oncle Jim, l'un des frères de Grand-Père Bowles, le frère qui avait réussi. C'était pour moi un événement très spécial, et je restais là, debout, émerveillé, juste devant la porte, regardant cet homme frêle exécuter son rituel d'arrivée. Oncle Jim, voyez-vous, était un vieil homme du Vieux Monde. Il possédait une Packard datant de quinze ou vingt ans, qu'il sortait doucement, avec précaution, de son étroit garage, de temps en temps, chaque fois qu'un événement semblait le justifier. Du coup, l'antique véhicule n'avait jamais parcouru que quelques milliers de kilomètres, et on aurait pu le prendre pour quelque modèle d'exposition, brillant, miroitant, reluisant de propreté à l'intérieur, un intérieur qui criait aux petits garçons : « Ne mets pas tes pieds là-dessus, ou tu vas avoir des problèmes. »

La voiture remontait silencieusement la route conduisant à la vieille maison, comme glissant sur le sol sablonneux, et j'émergeais de l'endroit où j'attendais dans les buissons, ceux aux grosses baies blanches qui s'écrasaient avec un bruit sonore, et qu'il ne fallait jamais manger sous peine de mourir comme ça, d'un seul coup. Tante Flossie – une grosse femme (c'était la mode, en ce temps-là, semblait-il) qui, je m'en souviens, portait toujours des robes à larges motifs floraux – quittait très vite le siège du passager, me serrait dans ses bras à m'étouffer, et se précipitait dans la maison pour voir une certaine Jennie. Je me suis souvent demandé de qui il s'agissait : je guettais sur le devant de la maison depuis un long moment, et les seules femmes à l'intérieur, à ma connaissance, s'appelaient Grand-Mère, Grand-Mère Malcolm, Maman (Jennie s'avéra être un nom dont d'autres personnes se servaient pour appeler ma grand-mère).

Mais Oncle Jim était, lui, un homme aux manières particulièrement mesurées, frêle et plein d'élégance. Il sortait de la voiture, et posait le pied sur le marchepied, et ensuite seulement sur le sol, en prenant le plus grand soin de ne pas soulever une poussière qui aurait pu retomber sur ses luisantes chaussures noires. Avec lenteur, il enlevait ses gants de cuir gris et les déposait sur le siège, avec beaucoup de précaution, prêts à être réenfilés plus tard, au moment du retour. Il ôtait sa casquette aussi. Puis venait le tour du long manteau de conduite blanc qu'il portait même aux jours les plus chauds de l'été. Nous étions pourtant alors au milieu du siècle, et les voitures étaient désormais fermées, leur intérieur bien protégé, à l'abri des éléments, mais Oncle Jim portait encore ce long vêtement pour protéger son costume gris de la poussière de la route. Le manteau rejoignait les gants sur le siège. La porte se refermait, mais la fenêtre était laissée ouverte. Oncle Jim rajustait son costume et tirait un peu sur son gilet orné de la chaîne d'or de sa montre. Nous nous serrions la main.

– Comment allez-vous, jeune homme?

– Très bien, merci, Oncle Jim.

Et il pénétrait dans la maison, de cette allure circonspecte qui était la sienne. C'était une autre manière de faire les choses. Une manière toute spéciale. Et cela, semblait-il, ne se produisait qu'au Canada.

Une fois bu un premier verre de *ginger ale* bien frais, rien ne se passait vraiment, du moins sur-le-champ, dans ces réunions. Aussi remontais-je la rue en flânant, jusqu'au Grand Bazar Weaver. Parfois, le vieux M. Weaver était assis en haut des marches dans un rocking-chair. Les gens semblaient craindre qu'il ne leur réplique d'un ton cassant pour un oui ou pour un non, mais nous avions ensemble de longues conversations à travers la grille. Et c'est lui qui, en 1949, me donna mon premier petit animal (si j'en exclus une bande de hamsters obsédés sexuels). C'était un chat très doux, que j'appelai Rusty (Rouille) à cause de sa couleur, et parce que le nom d'« Orange » m'avait paru idiot. Rusty le Canadien allait devenir américain, et confirmer l'une des théories préférées de mon père, à savoir que toute jeune personne, et de temps à autre les plus vieilles aussi, a besoin d'un autre être à ses côtés, pour apprendre l'interdépendance, et échanger de l'affection.

De l'autre côté de la rue se trouvait une station d'essence. J'adorais cet endroit. Il était sale, il y régnait une odeur inhabituelle, et les hommes y faisaient des choses mystérieuses, que je ne pouvais voir, aux moteurs sous les capots. Pour cela, ils se servaient de nombreux outils aux formes étranges, et les outils se salissaient. Un jour, j'obtins mon premier travail rémunéré. Le patron me demanda de nettoyer tout son matériel, en échange de quoi il me paierait tout un *quarter* (vingt-cinq cents). J'exécutai ma tâche avec empressement, et fis le pied de grue jusqu'après la fermeture dans l'attente, vaine de mon salaire. Le lendemain, je revins traîner par là plusieurs fois, mais l'homme me dit qu'il était trop occupé. Le surlendemain, il déclara avoir changé d'avis. Un soir, à dîner, tout le monde voulut savoir comment j'allais dépenser mon salaire, et lorsque j'annonçai qu'il n'y en avait pas, parce que l'homme avait changé d'avis, les femmes durent empêcher Grand-Père de prendre la porte et de foncer jusqu'à la station d'essence. Ce soir-là, c'est lui qui me donna mes vingt-cinq cents. S'il ne s'était agi d'une somme aussi énorme, capable de financer l'achat de cinq boîtes de caramels durs Mackintosh, je crois que j'aurais gardé la pièce en souvenir. Des années plus tard, je retournai dans le même magasin, agrandi entre-temps, et achetai une autre boîte écossaise rouge de caramels Mackintosh. Ce geste me procura un curieux sentiment de plénitude et de continuité.

Mais les boîtes de bonbons disparaissaient quand commençait le compte à rebours, deux heures avant le déjeuner. Ces repas étaient toute une affaire... viande, petits plats cuits au four, légumes des jardins des uns et des autres. Mais jamais vous ne pouviez dire qu'ils venaient de chez vous. C'était à quelqu'un d'autre d'attirer l'attention sur le fait que les haricots jaunes venaient du jardin des Malcolm, les asperges de celui des Bowles, et le maïs de celui de Tante Bea. Et le jambon de plus haut dans la rue. Et que Grand-Mère avait fait les tourtes. Des tourtes magnifiques, tout le monde en tombait d'accord. Mais pour que sa modestie n'en souffre pas, il fallait qu'elle refuse les compliments. Elle faisait remarquer quelque chose qui n'allait pas dans leur croûte. Et tout le monde, sauf moi, de la contredire (les enfants n'étaient pas supposés contredire les grands; un permis de contradiction est mystérieusement délivré plus tard, à un certain moment, dans l'âge adulte).

Autre chose arrivait à l'âge adulte d'une manière inconnue, c'était les moustaches. Un grand nombre de Canadiens en portaient à l'époque. Je pensais que c'était le Canada qui les avait inventées. Elles étaient magnifiques, pensais-je, longues et distinguées, ou courtes et bien taillées. Mon arrière-grand-père Andrew en avait une. Oncle Jim aussi. Et jamais je n'ai vu mon père sans cet ornement. Aussi, lorsque mes jours à l'université touchèrent à leur fin, il fallut que moi aussi j'aie une moustache. Et mes enfants ne m'ont jamais vu sans elle.

Après le déjeuner du dimanche, les hommes passaient sous le porche devant la maison. On sortait les cigares, de longs objets bruns produisant de gros nuages de fumée qui s'éloignaient lentement à travers les roses trémières. Chacun en sectionnait l'une des extrémités à l'aide d'une paire de petits ciseaux tirée de la poche de son gilet. Puis ils sortaient de longues allumettes de bois. Et cela les faisait tous parler du passé. Une époque pleine d'histoires merveilleuses et terribles, me semblait-il, ces débuts des années 1900...

Grâce, en partie, à l'autobiographie inédite, intitulée *J'ai pris la route*, qu'il laissa derrière lui, ce sont les récits de Grand-Père Malcolm qui m'ont laissé les souvenirs les plus précis. Son père, fabricant de fromages né en Écosse, avait émigré vers l'ouest depuis l'Ontario, de la seule manière possible : en passant par

Chicago en train, et en remontant, ou plutôt, en redescendant la Red River jusqu'à Winnipeg, puis en continuant de là, dans des chariots, jusqu'à un endroit nommé Minnedosa. Une sécheresse, dans les années 1880, anéantit leur petite exploitation, et la famille dut émigrer en plein hiver à travers les monts Riding jusqu'à Dauphin. Le froid durant ce voyage coûta ses orteils à mon arrière-grand-père, mais la famille trouva une terre fertile, distribuée gratuitement à ceux qui s'engageaient à l'exploiter, et chacun des huit garçons fit une demande pour avoir son propre terrain.

Grand-Père Malcolm racontait comment il avait grandi dans les campagnes du Manitoba sans aucune connaissance livresque, il évoquait sa fascination, à Winnipeg, devant une invention appelée chasse d'eau, et son émerveillement quand à des époques fastes il pouvait mettre du sucre dans son porridge, il parlait des voyageurs qui faisaient dégeler leurs longues barbes au-dessus du fourneau de la cabane avant le dîner, des chandelles à la graisse d'élan, du foin pour le couchage, et des trois frères dans le même lit. Et puis, était venu ce jour terrible où John, l'aîné, avait annoncé qu'il partait vivre sa propre vie. Son père était allé jusqu'à une boîte dans la cuisine, et en avait sorti tout son argent : deux dollars soixante. « Je suis désolé, John, avait-il dit. C'est tout ce que j'ai. »

Ce n'est qu'à l'adolescence que Grand-Père Malcolm était entré dans une école pour y apprendre à lire et à écrire. Il avait eu quelques difficultés à glisser sous les petits bureaux son grand corps dégingandé, mais il était déterminé à « échapper à l'odeur de l'étable ». Il en apprit assez pour entrer à la faculté, et gagna suffisamment grâce aux tournées qu'il faisait en été dans les églises presbytériennes pour payer ses études. Parfois, durant ces longs voyages solitaires, il passait par mégarde la frontière non signalée des États-Unis, et priait avec des Américains. En d'autres temps, plus à l'ouest, en Alberta, il avait chassé et posé des pièges afin de se nourrir et de se vêtir.

« Nous avions appris, écrira-t-il plus tard, que nécessité n'a pas de loi, et qu'il n'y a pas de honte à être pauvre. La richesse que constituait la beauté de la nature autour de nous ne laissait pas de place en nos cœurs pour la convoitise d'autres plaisirs matériels. Tous nous étions heureux et satisfaits. Ce n'était pas comme aujourd'hui, où, plus les gens veulent ce qu'ils n'ont pas, moins ils veulent ce qu'ils ont. »

De telles philosophies de la vie semblaient revenir sans cesse au cours des réunions familiales du dimanche. On lançait des dictons tels que : « La vie, c'est un peu comme la chasse : prévoir vous aide à bien viser. » Alors Oncle George, Oncle Jim, Grand-Père Bowles, Grand-Père Malcolm et papa approuvaient invariablement d'un hochement de tête. Les cigares n'étaient plus que des mégots lorsque les femmes rejoignaient le groupe. Quelqu'un faisait le tour du porche en pulvérisant de l'insecticide en direction de quelque chose, dehors, dans l'obscurité, et, parfois, on me laissait aider. Ensuite, je grimpais sur les genoux de Grand-Mère Bowles pour un câlin, chose pour laquelle je trouvais les Canadiens très doués.

Certains dimanches, nous nous rendions dans d'autres maisons.

La maison de Grand-Père Malcolm était située à la périphérie de Toronto. Elle avait un immense jardin avec un sentier qui descendait jusqu'à un ruisseau où je m'entraînais à construire des barrages, et où j'appris que le métier d'ingénieur était moins facile qu'il n'y paraissait.

La maison de Tante Bea et d'Oncle George se trouvait, quant à elle, dans une pittoresque petite ville du nom de Galt, plus tard rebaptisée Cambridge. De l'autre côté de la rue s'étendait un grand parc avec de vrais cerfs, auxquels on pouvait donner à manger, et, le dimanche, des tas d'hommes en costume blanc couraient en tous sens, des pagaies de bois à la main, tapant dans une grosse balle, en bois elle aussi, puis se précipitant d'un petit piquet à un autre. C'était un jeu très courageux qui portait le nom d'un de mes insectes favoris, le *cricket*.

Oncle Jim et Tante Flossie avaient quelque part dans Toronto une petite maison lugubre, une de ces images décousues qui flottent çà et là dans la mémoire d'un enfant, ou dans les souvenirs d'enfance d'un adulte. Je ne savais pas vraiment où elle se trouvait. Tante Flossie nous servait toujours des petits *cookies*, pas plus gros que le tiers d'une bouchée. Je me disais que les vieilles dames devaient avoir les plus petites bouches du monde si c'était là tout ce qu'elles pouvaient y mettre. Chez eux, Oncle Jim me laissait faire semblant de conduire sa Packard dans le garage. Mais le véritable attrait de la maison de Tante Flossie, c'était sa fourmilière personnelle. En plein dans la cour de devant. Et en ville! Pendant que tout le monde buvait le thé à petites gorgées dans la sombre salle de séjour, je pouvais farfouiller dans cette petite colline pendant des heures (certaines de ces bestioles avaient des ailes!). Je pouvais aussi jeter un coup d'œil en direction de la grand-route juste au bas de la rue paisible, là où les tramways rouge et crème passaient avec des bruits métalliques, évoquant l'existence d'un monde plus vaste quelque part au loin.

Des années plus tard, après avoir exploré de bons morceaux d'une partie du monde, j'évitai de justesse un accident, alors que je descendais en voiture la route de Mount Pleasant à Toronto. La rue décrivait une très légère courbe, rien de remarquable, mais ce fut pour ma mémoire un étrange choc. Je me garai et sortis pour regarder autour de moi. J'avais l'impression d'avoir déjà vu cet endroit. Les tramways avaient disparu. Mais, juste là, exactement où il devait être, se trouvait un angle très familier. En descendant cette rue, voyons voir, par là exactement, je devrais... Oui, elle était là, la maison de Tante Flossie! Les fourmis avaient déménagé. Mais un autre morceau de mon passé avait retrouvé sa place.

Ce sentiment de *me* retrouver, j'allais l'éprouver à de nombreuses reprises au Canada – même dans des lieux où je n'étais jamais allé auparavant, même avec des gens que je n'avais jamais rencontrés. La plupart du temps, cette quête n'était pas véritablement consciente.

Sur le pont du *Saint-Barnabé*, croisant sur le Saint-Laurent, se tenaient quarante humains blottis les uns contre les autres, scrutant sans faiblir la vaste étendue d'eau avec cette détermination que partagent les saumons remontant le courant au moment du frai.

Un cri joyeux s'éleva :

– En voilà une!

Et des profondeurs, sombre, pesante et incroyablement immense, émergea au loin une baleine bleue géante. Indifférente aux observateurs, elle s'avança lentement, remplissant ses muscles et ses tissus d'oxygène, pendant quarante-cinq secondes peut-être – nul ne songea à vérifier. Puis, avec un petit sursaut, elle arqua le dos, ne laissant pourtant voir encore que la moitié de son volume et de sa longueur, et replongea à la recherche de nouvelles nourritures.

– Mon Dieu, fit un homme.

Et le silence s'établit.

Durant des siècles, un tel spectacle n'aurait entraîné qu'une réaction : le lancer d'un harpon. Mais en ce week-end peu ordinaire, j'avais emmené Spencer, alors âgé de six ans, sur ce bateau d'observation uniquement pour voir dans leur élément les plus gros mammifères du monde.

Les baleines, que l'on ne chasse plus au large du Canada oriental depuis 1972, montent et descendent très régulièrement le long de la côte est, des Bahamas jusqu'à la Terre de Baffin. Elles remontent le Saint-Laurent en grand nombre, au mois de mai ou de juin, et y restent jusqu'aux premiers gels, en novembre.

On avance plusieurs théories pour expliquer les raisons qu'ont les baleines d'aimer ce fleuve – où elles sont protégées depuis la Première Guerre mondiale. On dit qu'elles viennent pour y voir les humains, lesquels font leur apparition à partir de mai ou de juin pour contempler les eaux en tenant d'étranges lunettes noires devant leurs yeux. Une autre raison avancée, peut-être plus proche de la vérité, est qu'elles suivent leur nourriture, dont elles doivent consommer des quantités prodigieuses – environ cinq pour cent de leur poids chaque jour.

Nous étions montés à bord très tôt le samedi matin et avions mis le cap sur l'endroit où la profonde et froide rivière Saguenay vient se jeter dans le Saint-Laurent, moins profond, provoquant une remontée du plancton et autres formes de vie marine. Les premières heures s'étaient écoulées sans incidents. Les amateurs d'oiseaux purent consigner de nombreuses observations, et quelques phoques passèrent par là. L'eau était calme, signe encourageant, puisque les baleines s'attardent plus longtemps sur les surfaces lisses. Quelques personnes somnolaient sous le pâle soleil. Mais la première apparition mit fin à ces rêveries.

– C'est un petit rorqual, dit M. Kozicki.

La baleine, d'une longueur de six mètres soixante-dix peut-être, émergea juste à l'avant et continua lentement vers la droite pendant une demi-minute avant de replonger. Six minutes plus tard, elle réapparaissait à l'arrière du bateau qui glissait sur son erre, déclenchant une course effrénée vers la poupe.

Les baleines, comme les humains, peuvent se montrer très curieuses, et un bateau dérivant paisiblement peut constituer un objet fascinant. Cependant le trafic animé du Saint-Laurent leur est familier. Tandis que replongeait hors de notre vue la première apparition de la journée, le bateau poursuivit son chemin dans le bruit haletant de son moteur. Ce fut l'unique fois où tout le monde eut une certitude sur le nombre d'animaux aperçus. Suivirent coup sur coup toute une série d'apparitions diverses, qui précipitèrent les curieux d'un bord à l'autre et de la proue à la poupe. Des petits rorquals. Des rorquals communs. Des paquets de bélugas. Certains étaient pressés. Quelques-uns se prélassaient. D'autres plongeaient en décrivant très distinctement un cercle, rassemblant les bancs de poissons effrayés avant d'y piquer de la tête. Impossible de tous les photographier, ni même de continuer à en faire le compte; on ne pouvait que se délecter de leur compagnie.

Soudain, quelqu'un vit un jet d'eau. Ou crut en avoir vu un. C'était à une grande distance. Peut-être seulement un peu de vapeur. Ou de brouillard. Quelqu'un d'autre l'avait vu également, ou pensait l'avoir vu. Lentement, le bateau avançait. Dix minutes. Quinze minutes. Vingt. Des yeux se tournèrent dans une autre direction. Le jet d'eau était là de nouveau. En êtes-vous sûr? Oui, absolument. Puis, en chœur :

– Je le vois!

– Ce pourrait en être une bleue.

Eh bien non. C'en était deux.

Vues de loin, on aurait pu les prendre pour des rondins de bois. Mais, de trois cents ou trois cent cinquante mètres, on ne pouvait plus douter. Elles vivaient. Lentement, pesamment, elles se glissaient hors de l'eau – «pesamment» n'est pas un mot assez gracieux. Chacune faisait plus de vingt mètres de long.

D'abord jaillissent les embruns, sur une hauteur de six mètres. Un instant après, le bruit parvient jusqu'au bateau : comme un brusque rugissement à l'instant où quelque cinq cent cinquante litres sont expulsés en moins d'une seconde par un évent de la taille d'une pièce de monnaie. Puis, sous le nuage des gouttelettes qui retombent, apparaît un dôme sombre, comme un ballon de basket, qui grandit, grandit, jusqu'à atteindre la taille d'un divan, peut-être. Puis d'une voiture. D'un camion. De plus en plus du corps massif et luisant continue à se dévoiler, douce courbe entre les vagues. Il monte, monte sans cesse. Alors, surgit une nageoire minuscule. La montée se prolonge. Puis c'est la redescente.

Les deux baleines répétèrent ce manège une demi-douzaine de fois peut-être. Puis elles replongèrent pour environ quinze minutes. Et refirent surface pour recommencer.

Ces baleines bleues furent la matière première d'heures de conversations enfiévrées durant le dîner sur le bateau et le retour en bus jusqu'au motel. On aperçut d'autres animaux le jour suivant, qui se leva froid et humide de crachin, contraignant souvent même les plus hardis observateurs à rentrer pour se réchauffer. Comme l'aiguillon de la nouveauté commençait à s'émousser, quelques passagers entamèrent des parties de Scrabble ou s'installèrent devant le téléviseur. Une idylle se noua même sur le pont.

Mais le cri énergique de « Baleine en vue! » lancé par M. Plaskett ramenait immanquablement tout le monde à l'extérieur au pas de course. Un cétacé se montra pendant une seconde juste à côté de la proue, assez près, jurèrent certains témoins trempés, pour qu'on en ait vu la bouche. L'événement fut l'occasion de nouvelles conversations entre ces gens qui n'étaient les uns pour les autres qu'étrangers anonymes le samedi matin, et s'appelaient par leurs prénoms le dimanche.

Lors d'un autre voyage, je refis, sur les pas de mon arrière-grand-père, le chemin de sa migration vers le nord, de Minnedosa à Dauphin, là où mon père avait grandi dans une ferme.

En voiture, c'était peu de chose un siècle après les faits – cent vingt kilomètres, peut-être –, mais je conduisis lentement, en essayant d'imaginer ces temps où le courrier n'arrivait qu'une ou deux fois par mois, où les cours d'eau sans ponts pouvaient emporter des chariots entiers de ravitaillement et de biens, où les Indiens nomades passaient pour échanger leur savoir-faire de tanneurs de peaux contre du lait. J'avais entendu de nombreuses histoires sur la vie en ces lieux de la bouche de mon père et de mon grand-père. J'invitai le premier à m'accompagner dans ce voyage sentimental; il refusa. L'endroit était, j'imagine, chargé de trop de souvenirs inexprimés. « Si les prairies ont l'air solitaires, m'avait-il dit un jour, c'est parce qu'elles le sont. »

A Dauphin, je trouvai un parent éloigné, Bob Malcolm, camarade de jeux de mon père voilà bien longtemps. Il ne parvenait pas à comprendre comment un Malcolm, quel qu'il soit, avait pu devenir un de ces « satanés Yankees », mais il se montra hospitalier, m'hébergea, et nous cherchâmes maladroitement un terrain d'entente.

Ce soir-là, j'achetai une longue rallonge pour brancher l'appareil de chauffage de ma voiture sur le porche de Bob car la température était tombée à moins trente-sept. Nous fîmes un copieux repas en compagnie d'une amie, Marian Campbell, qui nous joua quelques hymnes sur l'orgue. Le matin, je parvins à décider le vieil homme à faire route avec moi dans le froid, le long des chemins toujours pas goudronnés où avaient glissé autrefois des traîneaux tirés par des chevaux, avec leurs passagers emmitouflés dans des couvertures, leurs pieds bottés posés sur des briques chaudes. Je voulais désespérément voir l'ancienne propriété. Malgré les vents furieux et la neige qui soufflait, il me guida parmi les congères, le long des limites des champs qui, dans les campagnes d'Amérique, filent, droites comme des flèches.

– Voilà, c'est là, dit-il. C'est là que votre père a grandi.

C'était excitant, mais ce n'était pas sur une colline. La route était au bon endroit, mais je m'étais toujours représenté la maison sur un petit tertre. J'abandonnai mon ami dans la voiture, en laissant fonctionner le chauffage et la radio; il ne parvenait pas à croire que quiconque puisse sortir par une journée pareille pour retourner dans un endroit où sa famille avait travaillé si dur pour pouvoir s'en aller. Le vent rabattit la capuche de mon parka sur ma tête avant que j'aie pu l'enfiler. La neige arrivait à hauteur de hanches, et je haletais lorsque j'atteignis les bâtiments croulants, à une centaine de mètres de là.

La maison, une cabane trapue, était faite de rondins que l'on avait calfatés à l'aide d'une boue qui maintenant se désagrégeait. Le toit avait disparu. La porte également. Le terrain était vaste. Très vaste. Mais la cour était petite. Ce devait être par là, m'imaginai-je d'après les récits de mon père, qu'un fermier et son fils avaient chargé tout leur foin sur un chariot pour le ramener chez eux en passant par le lac... ensuite personne ne les avait plus jamais vus. Là, près des arbres, c'était l'étable où l'on trayait les vaches. Aucun fil électrique n'y pénétrait. Papa y avait chargé le lait pour l'emporter en ville. Ses autres tâches incluaient les visites aux acheteurs de lait en retard dans leurs paiements. Ses traits se durcissaient toujours lorsqu'il en parlait. Je savais que les pierres des murs de ces bâtiments avaient été traînées jusque-là une à une, depuis les champs environnants; Grand-Père disait toujours qu'il faisait pousser les meilleures pierres qu'on puisse trouver à des kilomètres à la ronde.

J'aimerais retourner là-bas un jour au printemps, quand les oiseaux gazouillent, et que le paysage est moins monochrome, quand la manifeste puissance des forces de la nature paraît moins mortelle, quand l'homme dépose son empreinte sur la terre en sillons réguliers.

Revenant vers ma voiture, je remarquai que les violents assauts du vent avaient effacé mes traces, comme si je n'étais jamais passé par là.

– Eh bien, dit Bob, qu'avez-vous trouvé? Juste un tas de neige, pas vrai?

– Oui, dis-je, et toutes les pierres.

– Bien sûr, dit-il en hochant la tête, les pierres, certain qu'elles seraient encore là.

Les Indiens ont très longtemps fait partie de mon image du Canada, comme de mon image des États-Unis. Je ne les avais vus aux États-Unis que dans les films, mais au Canada ils vivaient juste au bas de la rue de Grand-Père Bowles. Et ils travaillaient pour lui. Moins violents que leurs cousins américains, les Canadiens ont, dit-on, su résoudre avec plus d'humanité et moins de massacres le problème de leurs aborigènes.

En apparence, le rassemblement de la tribu des Indiens Dogrib en ce milieu d'hiver était identique à ce qu'il est depuis nombre de générations du côté du cercle arctique, dans les Territoires du Nord-Ouest, une région que Robert Service, le poète, a si justement appelée la « Grande Solitaire ». Pour les Dogrib, le milieu de l'hiver signifie commerce des fourrures, visites à la famille, mariages à la mission catholique, danses au son des tambours, et festins de caribou bouilli et de morceaux de saindoux.

Cependant, on peut distinguer les marques du grand bouleversement qui, tout doucement, s'opère au sein des minuscules groupes d'Indiens – huit mille cinq cents Indiens au total – disséminés parmi les forêts d'arbrisseaux rabougris du *Far North* canadien. Ce changement, seuls le remarquent les anciens et les vétérans de l'Arctique, mais il menace le fragile tissu de la société indienne, et jusqu'à l'existence de certaines tribus.

– Les jeunes, déclare Herbert Zimmerman, ne veulent plus aller poser des pièges pour prendre des fourrures parce que là-bas, dans la nature, ils n'ont pas d'oranges ni de télé.

Herb Zimmerman *nohtsi enitl'e-cho dok'e wots'ikw'o ha tlichoyati k'alaiwo*. Ou, pour dire les choses autrement, Herb Zimmerman est en train de traduire la Bible dans un langage indien, le dogrib.

Traduire la Bible est, en soi, une tâche difficile. De plus, M. Zimmerman s'adresse là à une culture à laquelle sont, entre autres, totalement étrangers les rois, les lavages de pied cérémoniels, et même les bergers. Enfin, le dogrib est une langue qui jamais ne fut écrite avant que sa femme et lui-même ne s'y soient appliqués. Aussi, afin de ne pas perdre sa pratique orale, même après plus de vingt années passées comme missionnaire parmi les Indiens, M. Zimmerman, un après-midi aux alentours du Nouvel An, était monté en ma compagnie dans une voiture, à Yellowknife, et nous nous étions enfoncés dans les étendues sauvages sur la piste de terre gelée menant à Rae, à cent quatre kilomètres de là. Il faisait moins quarante-deux. Nous avions été invités au banquet.

C'était un joyeux banquet, célébration de la tradition, de la nourriture et de la vie – même si cette vie était en train de changer. Quatre mariages avaient eu lieu. Ces mariages ne font en général que légaliser une situation déjà existante, et il ne s'agit pas de cérémonies pompeuses suivies de longues lunes de miel. Six des nouveaux époux devaient reprendre leur travail dès le lundi matin.

– En cela, déjà, on constate un changement. Voici douze ans, aucun de ces couples n'aurait eu d'emploi rémunéré à plein temps, dit le Révérend Jean Amours, missionnaire catholique arrivé de France à Rae en 1951, une époque où j'aidais encore Grand-Père en pourchassant les poules à Toronto.

Durant des siècles, les nomades dogrib, qui furent, croit-on, repoussés vers le nord par des tribus plus belliqueuses, coururent les forêts hostiles de la région, d'abord chassant, puis plus tard posant des pièges pour répondre à la demande en fourrures de lointaines contrées. Il leur arrivait de s'aventurer au-delà de la limite nord des arbres, dans l'Arctique stérile, mais celui-ci fut généralement laissé aux Inuit.

Trois fois par an – au milieu de l'hiver, à Pâques et en été – les Indiens se rassemblaient à Rae pour célébrer l'anniversaire de leur traité avec la Grande-Bretagne. Ils commerçaient, faisaient des connaissances, se mariaient, mangeaient, dansaient et recevaient les versements de leur gouvernement. Puis ils repartaient dans les bois, où les lois de la survie étaient dures mais familières. Une partie des deux mille cinq cents Dogrib subsistant encore vivent toujours de cette manière. Mais leurs rangs s'éclaircissent, et leurs enfants n'apprennent plus toujours les anciennes techniques.

– Un homme seul peut encore vivre des ressources de la terre, dit Peter Andersen, un fonctionnaire municipal, mais une famille entière ne le peut plus.

Pour des raisons complexes et très entremêlées, les anciens usages se sont vus minés, en général sans qu'on y prît garde.

Selon le père Amours, cette évolution serait due en partie aux tentatives du gouvernement pour améliorer les soins de santé, ce qui réduisit la mortalité et contribua à la constitution de familles plus importantes. Ce phénomène gêne les déplacements, et rend nécessaires des revenus familiaux plus élevés. L'amélioration des soins médicaux a aussi allongé l'espérance de vie, ce qui signifie que la prise en charge des parents âgés par les jeunes familles, obligation traditionnelle, se prolonge beaucoup plus longtemps, et coûte beaucoup plus cher.

Cette nouvelle économie fondée sur des salaires a en outre entamé la notion de partage communautaire. Mais ces salaires, plus conséquents que les revenus retirés de la pose des pièges, s'avèrent par ailleurs nécessaires pour satisfaire les besoins et les désirs nouveaux suscités par l'éducation scolaire et la télévision. Ces dernières, enfin, font que l'apprentissage des enfants ne dépend plus seulement de leur père, comme il en était autrefois.

Aucun de ces changements néanmoins n'occupa, même brièvement, l'esprit de quiconque cette nuit-là, où cinq cents Indiens et deux visiteurs, dont l'un parlait couramment le dogrib, s'étaient réunis pour le banquet sur le sol du foyer de la communauté – les chefs devant, les hommes à droite, les femmes, accompagnées d'une foule d'enfants sages, sur la gauche.

Autrefois, la nourriture aurait surtout consisté en viandes. Cette fois, les hommes chargés de servir les invités assis par terre en tailleur, passaient de l'un à l'autre en piochant dans des monceaux d'aliments achetés dans des magasins ou offerts par eux. Sur deux cuillerées de riz en bouillie fut répandu un jus de framboise. On ajouta aux monticules un ou deux œufs durs, et l'on entoura le tout de deux ou trois saucisses de Francfort crues. Dans une assiette à part, on disposa de gros morceaux de caribou séché à mastiquer, ainsi que des biscuits, du beurre, du jambon et une grosse tranche de saindoux qu'un homme prélevait dans un seau à l'aide d'un grand couteau de chasse. Des pêches, des oranges, des pommes, des abricots et des tasses de thé froid nous furent également distribués. Presque tout le monde alors attaqua son repas. Beaucoup d'aliments passèrent d'une assiette à l'autre – les plus âgés, par exemple, donnant leurs portions de biscuits aux plus jeunes en échange de leurs œufs durs, qui avaient pris une couleur pourpre dans le jus de framboise.

Le dîner étant déjà très avancé, le chef Joe Miquie, qui ne parlait que le dogrib, souhaita officiellement la bienvenue à ses visiteurs, déclenchant une salve d'applaudissements enthousiastes. Son discours fut le premier d'une série d'autres allocutions, brèves ou moins brèves, prononcées par certains des hommes, tous des anciens éprouvant le désir de s'adresser à leur tribu pour saluer les durs travaux de l'année écoulée. On raconta quelques histoires drôles, et le chef remercia aussi Dieu pour ses généreux dons de nourriture et de fourrures, et pour avoir protégé, cette année en tout cas, les trappeurs et leurs familles.

Vers onze heures du soir, les nouveaux mariés avaient pris congé de tout le monde, les restes du repas avaient été emportés, et les hommes avaient nettoyé la grande salle. Les chefs et les anciens observaient par-dessous les visières de leurs casquettes molletonnées. Et sept hommes se mirent à frapper sur des tambours ayant l'aspect de grands tambourins. Au commencement, personne ne bougea. Le chef nous dit qu'il fallait quelque temps pour que les esprits s'éveillent. Vingt minutes plus tard, des danseurs se plaçant l'un derrière l'autre commençaient à sautiller et à frotter leurs pieds sur le sol, psalmodiant en cadence et formant des cercles. Soudain, soixante hommes furent sur la piste. Puis cent. Puis deux cents et plus. Heure après heure, ils dansèrent, ne faisant que de courtes pauses pour tenter d'avaler Coca ou Pepsi durcis par le gel à l'extérieur. Les membres blancs de la communauté – des policiers, le directeur du magasin, un ou deux prêtres – firent de brèves apparitions de courtoisie, pour bavarder un peu, regarder les danses, et vider une boisson non alcoolisée. (Les Territoires du Nord-Ouest étant théoriquement « secs » – l'alcool y est officiellement prohibé –, on ne distinguait aucun spiritueux dans les parages. La police avait même arrêté ma voiture sur la nationale en dehors de la ville et l'avait fouillée de fond en comble pour vérifier s'il ne s'y trouvait pas quelque boisson illicite.)

Petit à petit, le tempo s'accéléra. Les parkas tombèrent, et les franges décorant les vestes rebondirent de plus en plus vite. Les sourires s'élargissaient, des applaudissements et des cris de joie éclataient. Les enfants trop jeunes pour évoluer sur la piste saisirent pourtant l'état d'esprit, et commencèrent à courir en tous sens parmi la foule. Même les anciens se mirent de la partie. Le plancher tremblait, et la température à l'intérieur montait. Et l'on continua ainsi, jusqu'à cinq heures du matin. Alors, à regret, les gens de la fête renfilèrent leurs parkas et sortirent dans le froid retrouver leurs brillantes autoneiges, leurs puissants pick-up ou leurs voitures pour les quarante-cinq secondes de trajet qui les ramèneraient dans leurs maisons chauffées à l'huile, où l'omniprésente télévision était restée en marche, et diffusait une nouvelle journée d'émissions descendues des satellites loin au-dessus d'eux.

– C'est une gageure, dit M. Zimmerman.

J'étais en visite chez lui et il me parlait de sa traduction en dogrib de la Bible.

M. Zimmerman était originaire de Moline, dans l'Illinois, et âgé de cinquante ans lorsque je le rencontrai pour la première fois. Les Zimmerman, tous deux membres de l'*Evangelical Free Church of America* (Église évangélique libre d'Amérique) considèrent cette traduction comme une mission divine. Ils arrivèrent dans les Territoires du Nord-Ouest en février 1964, il faisait moins trente-sept, et Mme Zimmerman était enceinte de six mois. Durant quatorze mois, ils vécurent dans un campement isolé de tentes et de huttes, et il leur fallut concilier de nombreux travaux à temps partiel pour joindre les deux bouts. Ils doivent collecter eux-mêmes l'argent de leur subsistance, par l'intermédiaire de la *Wycliffe Bible Translators* (association des traducteurs de la Bible de Wycliffe) située à Huntington Beach, en Californie. Lorsque leur traduction sera terminée, une société évangélique se chargera de la publication.

Chaque jour, durant des années, les deux époux peinèrent pour apprendre les consonnes et les tonalités gutturales du dogrib, une langue qui semble apparentée au navajo, et ainsi nommée parce que les personnes qui la parlent croient que Dieu a créé le premier Indien à partir de la côte d'un chien (en anglais : *dog's rib*). Une fois appris, ce langage oral devait trouver une écriture. Des règles devaient donc être, tant bien que mal, formulées. Lors de ma visite dans la dix-septième année de leur projet, ils avaient terminé l'Évangile selon saint Marc et dix pour cent de ceux de Luc et de Jean. M. Zimmerman calculait qu'il lui faudrait huit ans encore pour achever le Nouveau Testament et certaines parties de l'Ancien.

– C'est comme les montagnes russes, me dit-il. On ne monte que très lentement durant l'étude de la langue. Mais ensuite, en descendant, les choses s'accélèrent considérablement.

Le couple n'était nullement troublé par le fait que moins de trois mille personnes dans le monde parlent le dogrib, et que la moitié d'entre elles ont déjà appris l'anglais.

– Voyez-vous, disait M. Zimmerman, des pasteurs passent leur vie entière auprès d'une assemblée de deux cents fidèles. Peut-être le fait d'avoir une Bible dans leur langue donnera-t-il aux Dogrib une raison pour la conserver. Et puis, que la « Version du Roi Jacques [1] » survive depuis près de quatre cents ans ne signifie pas que toute traduction doive rester en usage aussi longtemps.

Outre le vocabulaire (huit mots pour « glace ») et la grammaire (les pronoms sont insérés au milieu du verbe), les Zimmerman durent apprendre les usages indiens. Ainsi, il est impoli de la part d'un nouveau venu d'attendre l'invitation d'un voisin. Il doit immédiatement faire la tournée des foyers pour présenter ses respects. Les Zimmerman passèrent des heures innombrables à rendre des visites et à travailler avec les Indiens, pour mériter leur confiance et acquérir leur langue.

Ils apprirent que la communication interculturelle est semée de pièges.

– Je passe des jours et des jours sur une quarantaine de lignes, dit-il, puis je passe le texte en revue avec plusieurs personnes différentes. Vous savez, en demandant : « Cette phrase veut-elle bien dire ce que je veux lui faire dire? »

D'autre part, certains termes, comme « bains publics » par exemple, rendent nécessaires des notes explicatives en bas de page, les bains, même privés, ne faisant pas partie des rituels quotidiens de tout un chacun. D'autres thèmes peuvent être simplement adaptés. Les trois Rois Mages deviennent trois chefs et, au lieu d'animaux étranges comme les chameaux, c'est à dos de cheval, animal déjà suffisamment exotique, qu'ils voyagent. Et du moins existe-t-il un mot pour « cheval ». Mais puisqu'il n'en existe pas, par contre, pour dire « frère » au sens spirituel – on ne connaît que les frères plus vieux, plus jeunes, ou jumeaux, et celui qui est d'un autre sang ne peut en aucune façon être un frère –, une explication, assortie de recherches considérables sur la généalogie des familles de la Bible, s'avère nécessaire.

Les Indiens ayant un sens aigu de la propriété communautaire, les possessifs ne peuvent s'appliquer qu'au corps et aux membres de la famille (« mon bras », « mon père »). Pour les objets inanimés vous

---

1. La « King James Version », version de la Bible établie en 1611 sous le patronage du roi Jacques Ier, l'une des deux versions utilisées par les protestants.

appartenant, il faut dire, par exemple : « Ce traîneau qui est à moi. » L'un des principaux problèmes de M. Zimmerman, cependant, concerna le mot et la notion de « berger », avec sa connotation spirituelle de soins et d'amour portés à un troupeau dépendant de vous. En tant que nomades, les Indiens n'avaient pas de troupeaux domestiqués, et tout mouton rencontré dans les montagnes était abattu sur-le-champ et mangé. Aussi se décida-t-il finalement pour le mot *gikedi* (« quelqu'un qui s'occupe des gens »).

J'ai appris qu'il existe pour les Indiens plusieurs catégories d'hommes blancs : les *qwheti* (« les gens des maisons de pierre »), les *molah* (« les gens avec beaucoup de boutons sur leurs vête-ments », c'est-à-dire, les trappeurs canadiens français qui passaient par là), et enfin les *beicho* (« les gens aux grands couteaux », à savoir les Américains aux immenses *Bowie knives*, ces couteaux de chasse très pointus, longs d'environ quarante centimètres, inventés par Rezin P. Bowie, et très populaires au siècle dernier). J'ai retenu quelques mots faciles. *Nohtsi* veut dire Dieu, ou le « Créateur ». *Enitl'e-cho* signifie la Bible, ou « Grand Livre ». Et *lanecha*, c'est ce que M. Zimmerman a entrepris, « un important travail ».

Bien que les Dogrib vivent à moins de trois cents kilomètres les uns des autres, les Zimmerman doivent compter avec les dialectes régionaux. A Yellowknife, « avion » se dit *tseta*. A Rae, à cent kilomètres de là, il s'appelle *enitl' ek'et'a*, c'est-à-dire « avion de papier », un mot rappelant les premiers appareils couverts de toile.

Nous voyons là un exemple extrême du style de myopie régionale persistante qui, pour moi, permet une meilleure définition du mot « provincial ».

Même dans le domaine de la météo, les Canadiens sont parvenus à se couper les uns des autres. Lorsque Reggie Bouffard, mineur québécois, quitta sa province d'origine pour se rendre à la porte à côté, en Ontario, c'est en vain qu'il se mit à l'affût de bulletins météo détaillés concernant les événements de chez lui, à l'est du Québec. Il remarqua que sur les chaînes américaines, les Américains, eux, présentaient des températures et des précisions. C'est une leçon que les nouveaux propriétaires et rédacteurs en chef canadiens du *Houston Post* durent apprendre par eux-mêmes. L'une de leurs premières actions, après avoir pris possession de ce journal améri-cain, avait été de substituer à l'ancienne carte météo une nouvelle carte régionale, insistant sur le Texas aux dépens du reste du pays, exactement comme ils l'auraient fait chez eux : des protestations s'étant élevées dans la région, la seconde chose que les nouveaux venus avaient dû faire avait été de remplacer leur nouvelle carte par l'ancienne.

De plus, nous le savons, toutes sortes de désunions régionales, profondément ancrées, se retrouvent aux niveaux suprêmes de l'État. Lorsque Pierre Elliott Trudeau, alors Premier ministre, s'en fut rendre visite aux électeurs de Colombie britannique, il commença par déclarer à ses hôtes, qui avaient payé chacun cent cinquante dollars pour avoir le privilège de dîner avec le chef de la nation :

– Vous êtes terriblement inconscients de ce qui est en train de se produire dans ce pays, terriblement inconscients. Vous savez, ceux qui vivent au pied des grandes montagnes sont très souvent les derniers à les escalader, justement parce qu'elles sont là.

– Vous nous insultez, s'écria quelqu'un dans l'assistance.

– Eh bien, répliqua le Premier ministre, si je vous insulte, je le regrette. En réalité, j'accordais plus de crédit à votre intelligence que vous ne le méritez.

Cette hargne, ces constantes railleries, ce que certaines publications appellent le « mal canadien », persistent, en dépit du développement permanent d'une économie nationale unique, d'une culture nationale caractéristique, et d'une poussée économique remarquablement offensive vers l'extérieur du pays. « Il semble que nous ayons perdu de vue que les problèmes sur lesquels nous nous querellons sont en réalité, dans une large mesure, des problèmes nés de l'abondance, faisait remarquer Rowland C. Frazee, président de la Royal Bank of Canada. Nous nous disputons à propos de la distribution de notre substantielle richesse. » On assiste à de longues batailles entre gouvernements au sujet du partage des revenus pétroliers. On a vu des bagarres à propos des politiques bilingues du pays, du dessin du drapeau national, du fait qu'une province empêchait l'entrée des ouvriers d'une autre, de la manière de répartir les dépenses de santé et les aides de l'État, et même de la formulation de l'hymne national. Certaines sections du gouvernement se disputèrent longtemps sur l'opportunité de la construction d'un monument aux Canadiens tués en Corée et pendant la Seconde Guerre mondiale. Ceux qui s'y opposaient craignaient qu'il ne déprécie un autre monument, déjà existant, aux morts de la Première Guerre mondiale. Solution typiquement canadienne, on inscrivit les dates des guerres les plus récentes sur le flanc du monument aux guerres précédentes, et l'on procéda à une nouvelle cérémonie de dédicace. Bien sûr, tous les pays libres ont leurs conflits d'attributions, leurs divergences sur les mesures à prendre, et même leurs stupides querelles affectives. Mais les constantes chamailleries du Canada ressemblent souvent plus à celles d'un couple, si bien habitué à des prises de bec permanentes qu'elles lui semblent normales.

Quant à la « timidité » canadienne – autre trait encore aujourd'hui caractéristique et dont j'ai souvent parlé – je ne puis résister à en citer un exemple qui me vient de mon grand-père Malcolm.

Dans les derniers temps de sa carrière au service du gouvernement, mon grand-père était agent du service de l'immigration délégué en Écosse. Il devait réunir les candidats désirant partir pour le Canada et opérer une sélection parmi eux. Il racontait combien ces hommes avaient travaillé dur pour obtenir cette possibilité de réaliser leur rêve d'un avenir nouveau dans ce pays inconnu, dont ils prononçaient le nom doucement, avec respect, et dont ils voulaient devenir citoyens. Il nous avait parlé d'une visite faite un soir dans la demeure nettoyée à fond d'un certain Jimmy Muir. Sa femme et ses enfants étaient alignés là, dans leurs plus beaux vêtements, pour faire bonne impression sur le fonctionnaire du Canada. Après l'entrevue, M. Muir avait levé les yeux vers mon grand-père et dit : « Pensez-vous, monsieur Malcolm, qu'ils seront assez bons pour le Canada ? »

« J'hésitai, écrivit plus tard mon grand-père, car je me demandais si le Canada était assez bon pour eux. »

Au fil du temps, les immigrants répandirent dans le pays une certaine envie de partir à la découverte, envie qui avait souvent fait défaut auparavant. Mais explorer le Canada est une entreprise très onéreuse. Un jour où, pour trois cent cinquante dollars, les compagnies aériennes proposaient un aller et retour entre Toronto et l'Angleterre, j'en ai payé mille cinquante pour un trajet par avion d'une durée équivalente, mais droit vers le nord et l'Arctique canadien. Ceci peut en partie expliquer pourquoi peu des voyageurs que j'ai pu voir là-haut avaient choisi la formule de luxe.

Par contre, j'ai rencontré des errants comme Buzz Kuhns, qui passait son vingt-troisième anniversaire à pédaler sur le cercle arctique, à plusieurs milliers de kilomètres de sa maison du Connecticut. Il avait éprouvé le désir de voir l'Amérique du Nord à travers champs, et de tout près.

— Je dois faire à peu près huit kilomètres par sandwich au beurre de cacahuète, dit-il avec un sourire.

Il redescendait la route Dempster, la longue route de terre de sept cent quarante kilomètres reliant Inuvik, dans les Territoires du Nord-Ouest, à Dawson, dans le Yukon. En chemin, il s'était arrêté pour bavarder avec deux cyclistes de vingt et quelques années se dirigeant, eux, vers le nord : Mike Wyllie, de Colombie britannique, et son ami Ron Deffenbaugh, du Montana. Il les avait mis en garde contre l'état des routes et les conditions atmosphériques qu'ils allaient trouver plus loin, puis leur avait transmis la nouvelle la plus importante de la journée : il avait vu deux Américains, Cindy Beyer et Janet Ellis, environ cent soixante kilomètres plus haut. Les deux jeunes gens s'étaient regardés en silence, avaient fait des adieux amicaux et réenfourché leurs bicyclettes.

Se promenant également dans les parages à l'époque, on pouvait rencontrer trois motocyclistes, Lance Hill, un Australien, et Frosty et Rex Woolridge, deux frères de Lansing, dans le Michigan, tous deux entre trente et quarante ans. Une année sur deux, ils travaillent six mois dans leur État comme serveurs dans un bar, professeurs de danse, chauffeurs de camions ou cultivateurs d'arbres de Noël, afin de gagner une somme suffisante pour partir ailleurs à l'aventure pendant les dix-huit autres mois.

En cette matinée d'août dans l'Arctique, Frosty descendit de son énorme moto à écran pare-pierres (œuvre du propriétaire), et chargée, à l'arrière, d'un gros tas de matériel de camping. Il fit glisser la fermeture de sa veste de cuir noir, laissant apparaître la poitrine vigoureuse d'un ancien défenseur de l'équipe de football américain du Michigan. Il ôta son casque luisant, se gratta la barbe et, avec une vive étincelle dans les yeux, déclara :

— Je veux explorer la vie dans toute sa multiplicité.

L'idée de leurs équipées leur était venue d'un motocycliste rencontré un jour, qui leur avait déclaré vivre depuis sept ans le rêve de toute sa vie : une éternelle odyssée le menant dans tous les endroits où il le désirait. Ils me racontèrent combien froide était la pluie, puis combien le soleil pouvait sembler chaud à travers leurs vêtements, comment des crevaisons, même répétées, pouvaient être drôles lorsqu'on est entre amis, et combien il serait agréable de prendre une douche bien chaude, plus tard dans la journée. Ils me dirent aussi à quel point ils s'étaient mis à aimer le Canada, simplement en s'y promenant. Ils avaient entendu les publicités canadiennes invitant à découvrir le pays... mais n'avaient pas vu beaucoup de ses habitants sur les routes.

— Je me sens comme un cerf-volant ici, ajouta Rex. Filant au long des routes, avec la poussière qui se soulève derrière moi, et le soleil au-dessus, et ce monde si propre et si frais. Vous vous emplissez de tous ces jours de joie passés ici, sur votre moto, et après vous arrivez bien à supporter les quelques mauvais jours passés ailleurs.

Le chaud soleil disparut dès que claqua la porte de l'ascenseur. Les grincements et les gémissements du moteur électrique nous accompagnèrent dans notre plongée, loin dans les profondeurs de la terre. J'avais erré sur toute la superficie du Canada, m'étais-je dit. Il était temps maintenant de voir un peu ce qui vivait au-dessous.

Pour les travailleurs des mines d'amiante du Québec, qui passent un tiers de leur existence à trois cents mètres sous leur maison, le voyage commence comme celui de n'importe quel employé de bureau : devant un ascenseur. La différence étant que, dans leur métier, l'ascenseur descend en début de journée, et remonte à la fin. Le trajet vertical quotidien prend plus de deux minutes. Les hommes, vêtus de combinaisons et de bottes de caoutchouc et d'acier, bardés de ceintures de sécurité et coiffés de casques lumineux alimentés par piles, débouchent dans un réseau compliqué de galeries et de rails rendant nécessaire l'usage de cartes routières souterraines.

Un voyage dans une mine d'amiante moderne est une excursion dans un monde bruyant et inquiétant de ténèbres, de boue et de poussière, où soufflent des vents furieux, et où les lumières et les sons annonçant l'approche d'un train ne se distinguent dans le puits, plus loin devant vous, que pour disparaître brusquement quelques instants plus tard.

A tout moment, une centaine d'hommes sont au travail chez Bell Asbestos Mines. Ils travaillent une semaine de nuit, une semaine de jour, et une semaine en soirée, en une rotation sans fin. Certains travaillent à moins quatre cent soixante mètres, plaçant des explosifs et creusant les rampes et les puits qui seront exploités dans les années à venir. D'autres entretiennent les galeries secondaires horizontales, ou surveillent les énormes machines qu'il a fallu descendre par morceaux depuis la surface. D'autres encore évident les niches latérales.

On découvre de longs tronçons de galeries obscures entrelacées de rails d'acier, une salle de repas propre et lumineuse, avec assiettes chaudes et réfrigérateurs, et même un « garage » souterrain aux allures de caverne, où l'on répare les machines.

Mais aucune salle ne peut être trop vaste, car la roche serpentine environnante, molle, chargée de fibres d'amiante, s'effondrerait. Les galeries, dont certaines s'enfoncent dans quinze centimètres de boue, sont tapissées de grillages d'acier de consolidation, et plusieurs centimètres de béton soutiennent les parois. De puissants ventilateurs aèrent la plupart des puits. Ils améliorent la circulation d'air, mais sont capables de renverser les imprudents. Des niches de la taille, environ, d'une grande salle de séjour sont ménagées à l'explosif sur les deux côtés et tout le long des puits principaux. Là, attendent des chargeurs de formes trapues, conduits par des hommes portant casques et masques de l'âge de l'espace pour faire circuler de l'air pur jusqu'à leurs visages à partir d'appareils fixés sur leurs dos. Ces robustes machines ramassent la roche gris sombre et la transportent à cent quatre-vingts mètres de là vers des broyeurs, grosses perforatrices hydrauliques qui percent les morceaux de roche et les pressent à travers des grilles de métal pour commencer à en réduire les dimensions.

Par le simple effet de la pesanteur, les débris descendent quinze mètres plus bas jusqu'à la galerie secondaire suivante, où un toboggan répartit quelque six tonnes et demie dans chacune des bennes qui attendent sur leurs rails étroits. Par trains de douze wagonnets progressant en grinçant le long de virages aigus, la roche est emportée jusqu'à des ascenseurs, puis à la surface, pour qu'y soient écrasées de nouveau, ensuite classées et mises en sacs les fibres blanc cassé – le tout étant exécuté automatiquement par des machines à système de contrôle intégré, signalant leur position par des lumières dans une salle de contrôle close. Les résidus, dits schlamms, sont hissés jusqu'aux montagnes dressées par l'homme autour du site.

Sous terre, chaque période de huit heures se termine dans un sourd grondement de tonnerre, au moment où les experts en explosifs placent avec soin et font partir l'une après l'autre les cinquante-trois charges destinées à préparer des décombres pour la prochaine équipe. Le roulement profond et le souffle des déflagrations, qui consomment une demi-tonne d'explosifs chaque jour, sont programmés pour se produire quand les hommes sont déjà dans les ascenseurs boueux et bondés, à l'heure d'affluence des retours au foyer. Leur brève absence permet à la poussière et à la dangereuse brume de nitroglycérine de se redéposer dans les puits.

– Il faut être prudent, dit Gerald Verret, un ingénieur, en retrouvant le soleil une fois encore. Vous pouvez attraper des maux de tête là-bas au fond.

On a envie quelquefois de s'attabler devant un bon repas consistant, avec, peut-être, un peu de tendre bacon canadien. Mais, comme je le découvris, il existe dans le monde un pays où il est impossible de se procurer du bacon canadien. Le Canada, bien sûr.

De fait, il est probable qu'un Américain demandant au Canada du bacon canadien se verra adresser 1° un regard inexpressif, 2° un Egg McMuffin, ce plat composé d'œufs et de bacon servi en Amérique pour le petit déjeuner par les restaurants Macdonald, 3° une plaisanterie sur le maigre intérêt de la nationalité d'un porc d'un point de vue gastronomique, ou 4° les trois à la fois.

Le Canada a bien de ces curieuses petites tranches rondes de viande rose qui ressemblent à du jambon mais n'ont pas le goût du bacon. Pourtant, ici, c'est bacon « dorsal » qu'on les nomme (en France : le bacon, simplement). Elles deviennent de plus en plus populaires aux États-Unis, tant comme élément du petit déjeuner que pour un *brunch* paisible de week-end, ou comme petit à-côté égayant un dîner fait de restes. Mais, au Canada, l'approvisionnement en bacon canadien diminue régulièrement (c'est de la faute du Japon).

Nul ne sait avec certitude où et comment est née l'appellation « bacon canadien ». Charles Lindsay, de Canada Packers Inc, les plus gros traiteurs de viande du pays, suggère que ce pourrait être la faute des Anglais. « Je crois, dit-il, que c'était le nom que les colons américains donnaient à la variété de bacon qui venait de l'autre colonie nord-américaine de l'Angleterre. »

L'Amérique du Nord se présente de plus en plus comme un marché unique pour certains produits – ainsi de l'automobile. Mais en d'autres domaines une confusion considérable peut exister entre ceux qui parlent l'américain et ceux qui parlent le canadien, deux langues qui peuvent paraître identiques jusqu'au moment où l'on entame une discussion sur le bacon.

Aux États-Unis, le bacon, c'est le bacon (notre « poitrine »), ces longues et fines bandes de porc soigneusement disposées dans des sachets de plastique pour cacher tout le gras qu'elles contiennent et mettre en valeur leur fine couche de viande maigre. Mais pour un Canadien, le bacon américain, c'est du bacon « de poitrine » parce qu'il provient de la poitrine du porc, ou du bacon « de petit déjeuner » parce que c'est souvent à cette occasion qu'il est consommé.

Pour un Américain, le bacon canadien, qui ne vient pas du Canada, est un bacon spécial, un article de luxe – d'importation, semble-t-il. Afin d'éviter tout malentendu géographique, les lois américaines sur l'étiquetage exigent que cette variété de bacon soit appelée bacon « à la canadienne ». Au Canada, par contre, le bacon américain « à la canadienne » n'existe pas. On l'appelle bacon « dorsal ». Ceci, parce qu'on le prélève dans la région dorsale du porc (le filet). Compris? Et, de toute façon, il n'est pas tellement populaire.

A une époque, l'Ontario et le Québec, les plus grandes régions productrices de porc du pays, expédiaient de grandes quantités de bacon « dorsal » vers le sud, aux États-Unis, où il devint du bacon canadien. Les Canadiens estimaient avoir une meilleure race de porc, plus maigre. Et puisque le filet, le plus cher des morceaux de cet animal, ne peut être congelé, il fallait trouver le moyen d'en tirer parti.

Aujourd'hui, pourtant, les réglementations gouvernementales à observer sont plus nombreuses. Les Américains élèvent de meilleurs cochons, qui peuvent se transformer en bacon canadien. Selon le mot de M. Lindsay : « Il serait plutôt stupide d'expédier du porc en Iowa ou en Illinois [1]. » Aussi trouve-t-on aujourd'hui un plus grand nombre de sociétés américaines produisant du bacon canadien, dont une partie peut même retourner au Canada en tant que bacon canadien américain. Le résultat est que, de nos jours, beaucoup des filets de porc canadiens en excédent sont transformés en cette denrée alimentaire jadis anglaise que les Américains appellent bacon canadien, et expédiés au Japon, où les consommateurs doivent sans doute se demander comment les nommer.

Un individu de toute autre nationalité pourrait se sentir déconcerté en débarquant à Vancouver, Toronto ou Montréal un certain dimanche de novembre, à l'apogée de la frénésie nationale qui, une fois par an, donne au Canada le puissant sentiment de son unité, et dément toutes ces sornettes qui veulent que ses habitants soient des gens si rassis. Car c'est le jour, ou plutôt la semaine, de la *Grey Cup* (la « Coupe Grise », qui est en réalité argentée), trophée remis à

1. Ces deux États de la zone de culture du maïs sont eux-mêmes de gros éleveurs de porcs.

l'équipe championne de football (américain) professionnel canadien.

C'est le plus long week-end de l'année, un temps où, de l'avis des habitants, il est tolérable que les Canadiens dansent, boivent, chantent, boivent, fassent la fête, boivent, crient, soufflent dans des cors, boivent, mangent et reboivent d'une manière débridée habituellement associée à l'image d'un autre peuple nord-américain. On ne sait comment, au milieu de toutes les réjouissances, dans les bars, les hôtels, les restaurants et les salles de séjour, quelques personnes trouvent même le temps de regarder le match – match jugé, de fait, si important pour le pays qu'une loi exige que soit octroyé gratuitement le droit de couvrir l'événement à toute chaîne de télévision canadienne le désirant.

Le jour de la *Grey Cup*, les Canadiens sont, certes, encore divisés – cette fois à cause de leurs fidélités sportives respectives – mais ils sont d'accord sur un point : passer un fameux bon moment, ce que les journaux du pays appellent le *Grand National Drunk* (la « Grandiose Beuverie Nationale »). Le nom de la coupe vient du comte Grey, l'ancien gouverneur général (représentant du roi ou de la reine) qui en fit don au pays, et le lieu de déroulement du match est transféré de ville en ville pour que soient partagés bénéfices et dégâts.

Une semaine avant le coup d'envoi, les hôtels du centre ville commencent à mettre en lieu sûr tout leur mobilier, cendriers et autres objets pouvant se briser si l'on venait, disons, à les jeter contre un mur. On triple les commandes d'alcool. Pour prendre en main les bandes de poivrots bon enfant amassés dans les rues du centre, on fait venir des policiers supplémentaires, dont certains à cheval. Officiellement, les festivités débutent le mercredi, mais, officieusement, les téléviseurs commencent à voler par les fenêtres le dimanche précédent, lorsque sont déterminées les deux meilleures équipes.

Les rédacteurs en chef des journaux réunissent leurs équipes pour mettre au point une attaque éclair (à spectacles spéciaux, sections spéciales) et pour décider du thème de l'année : la revanche de l'une des équipes pour une raclée essuyée en milieu de saison; la rage de vaincre de l'autre après une absence de vingt-cinq ans du match de championnat... On interviewe les joueurs américains (dits « importés ») appartenant aux équipes canadiennes. Poliment, ils déclarent que c'est le plus grand moment de leur vie. Les joueurs canadiens – qu'on appelle « non importés », pour des raisons qui ne paraissent logiques qu'à leurs compatriotes – sont également interviewés. Ils sont calmes, polis, et profondément honorés.

Alors vient le temps de tous les déjeuners *Grey Cup*, des conférences de presse de la *Grey Cup*, des séances de photos, des cérémonies de remise des récompenses, et des essaims de beautés frissonnantes posant dans des jupes trop étroites – pour le concours de Miss Grey Cup, bien sûr.

La nuit avant la rencontre, des milliers de supporters traînent par les rues du centre ville, buvant, beuglant, poussant des hourras et secouant les voitures prises dans les joyeux embouteillages. Mais le soir de la fête, ils sont tous, réunis par petits groupes, devant des téléviseurs... et des bouteilles.

Les réunions commencent avant l'heure du match, on y sert des plats chinois, du poulet ou des pizzas livrés directement par l'un de ces restaurants préparant des plats à emporter. La plupart d'entre eux font de la publicité pour leurs livraisons de « spéciaux Grey Cup ». Les invités ont choisi leur camp. Et le lundi matin, l'absentéisme au travail sera important. Mais ceux qui parviendront à ne pas voir double pourront trouver dans le journal l'identité du vainqueur.

Le long hiver dans lequel les Canadiens entrent définitivement après la *Grey Cup* n'est pas tant une interruption de la vie normale qu'une partie intégrante de celle-ci.

J'ai constaté que les hivers de nos voisins du Nord pouvaient devenir déprimants par leur longueur, mais jamais dans leurs aspects : la neige splendide, molle et soulevée par le vent, ou dure et entassée ; la glace tenace, et la griffe d'acier qu'elle pose sur les choses ; les vents puissants et le pâle soleil ; et les journées d'automne fraîches et vivifiantes qui sont comme un avertissement ; et l'exaltant sentiment de libération à l'arrivée du printemps.

Les Canadiens récriminent toujours contre leurs hivers. Mais je remarque que même ceux d'entre eux qui, chaque année, fuient vers des climats plus chauds, ne s'en vont jamais avant que l'hiver ne soit bien installé, et reviennent toujours avant qu'il ait pris fin.

J'ai remonté avec mon fils Christopher l'étroit fjord de la Terre de Baffin s'étendant de Pangnirtung jusqu'au cercle polaire. Tandis que nous avancions, l'austère beauté du site et son immensité nous imposaient le silence. Les nuages, légers en ce jour d'octobre, étaient empalés sur les sommets des montagnes qui luisaient, roses à travers la brume, dans le soleil déclinant. Sur le cercle polaire, malgré le vent cinglant, nous avons ramassé quelques pierres en guise de souvenirs. Nous avons parlé de la distance à laquelle nous nous trouvions des hommes et nous sommes demandé si, en cet instant précis, les yeux d'une créature quelconque nous observaient. Nous avons contemplé tout ce vide somptueux dont la paix semblait avoir cette fragilité des verres les plus fins. Et nous nous sommes pris par la main. Nous avons peu parlé sur le chemin du retour, nous contentant de regarder les eaux noires et bleu sombre, et les minces couches de glace nouvelle glissant lentement dans la baie. Et lorsque nous fûmes de retour en ville sains et saufs, nos amis de la région ne voulurent rien entendre du paysage ni de sa beauté, mais seulement savoir à quelle distance se trouvait la glace. Lorsqu'ils entendirent qu'elle commençait juste à se former au milieu de la baie, ils hochèrent la tête de concert, rassurés de voir que les choses suivaient leur cours naturel, comme il se devait.

Des mois après la *Grey Cup*, survient une autre journée particulière ne figurant sur aucun calendrier. De nombreuses villes canadiennes célèbrent à leur façon la fin de l'hiver.

A Saint-Georges, au Québec, les habitants enchaînent une vieille voiture au milieu de la rivière, puis vendent des tickets vous donnant le droit de parier sur la date, l'heure et la minute exactes où la carcasse plongera à travers la glace amincie par l'approche des beaux jours. J. M. Careless, professeur d'histoire à l'Université de Toronto, a sa théorie personnelle sur l'arrivée du printemps au Canada en général, et dans cette ville en particulier. Selon lui, chaque année, aux alentours du milieu ou de la fin mai, se situe une nuit très longue où ce sont les équipes des services municipaux, sillonnant dans leurs camions silencieux les nombreux kilomètres de rues bien entretenues, qui remplacent les hauts arbres dénudés qui se sont tenus là, austères, depuis l'automne. Le lendemain matin, quand les habitants mettent le nez aux fenêtres de leurs chambres, ils trouvent des régiments d'arbres verts et de feuilles ondulant dans de douces et chaudes brises. Le professeur n'a pas encore complété sa thèse ni expliqué pourquoi, vienne septembre, et ces mêmes équipes municipales répandent dans chaque cour des tonnes de feuilles sèches, que les résidents doivent repousser dans les rues à l'aide de râteaux et que les lents bulldozers de la ville enlèvent. Mais la théorie doit être exacte.

Les hivers canadiens peuvent être neigeux ou secs, ou les deux, ensoleillés ou brumeux, ou les deux, froids ou doux, ou les deux. Mais presque partout ils sont longs, toujours longs, très longs. Souvent, en mars, survient un faux printemps taquin, histoire de faire rêver les gens à de belles journées sans manteaux, de les faire bavarder, pleins d'espoir, en attendant leurs bus, et projeter de remiser leurs bottes aux semelles éloquemment cerclées de lignes blanches laissées par le sel. Les hauts et volumineux amas de neige, d'un gris sale à présent, commencent à rétrécir. Ils peuvent même disparaître. Mais le sol – qui sait, lui – reste dur comme du roc. Et, effectivement, l'hiver revient toujours, pour de nombreuses semaines, qui vous semblent plus longues encore.

Mais ensuite, sans prévenir, voici qu'arrive ce jour de mai tant attendu. Les rues des villes sont de nouveau ombragées. Les fenêtres des chambres, soigneusement calfeutrées avec du papier adhésif pour faire échec aux courants d'air sournois, sont rouvertes. Elles laissent entrer, dans les fins de soirée, le son feutré du trottinement des joggers suant et transpirant, et celui, plus sonore, de la police montée municipale patrouillant à l'aube dans les divers quartiers. Les chevaux sont maintenant délivrés de leurs lourdes couvertures, et les policiers ont abandonné leur toque d'hiver aux allures cosaques. La section des motards elle-même se modifie ce jour-là : on range pour quatre ou cinq mois les side-cars adjoints en hiver aux motos pour améliorer leur stabilité sur les routes verglacées. Subitement, c'est une explosion de tulipes sur les larges terre-pleins centraux des avenues, où les cascades des fontaines font flotter dans l'air frais une odeur d'humidité. Les cafés fleurissent sur les trottoirs. Et, tous les midis, des milliers d'employés de bureau flânent sur les larges places, prenant le soleil et s'observant mutuellement.

Les quartiers résidentiels s'imprègnent de l'odeur des pelouses fraîchement taillées, où, chaque week-end, surgissent des armées de pissenlits et s'installent des petites braderies d'objets devenus inutiles. Des hommes déjà âgés arpentent les trottoirs, une clochette à la main, avec leurs petites charrettes et leurs meules de pierre, invitant les habitants à procéder à l'aiguisage de printemps de leurs couteaux de cuisine, pour une somme à négocier, qui pourra être ou non signalée au percepteur.

Même dans les soirées encore froides, partout dans les rues les enfants retrouvent leurs matchs de hockey, sans officiels et sans pénalisations, seulement interrompus par des voitures passant par là avec prudence et lenteur. Très jeunes et très vieux semblent revenir avec les fleurs durant ce court printemps-été. C'est un temps où aucun passage pour piétons verglacé ne menace de vous briser les hanches, et où l'on ne voit plus de parents, chargés de petits paquets enveloppés de couvertures roses et bleues, se précipitant de leurs voitures bien chauffées à des bâtiments tout aussi chauffés.

Bien sûr, le printemps n'apporte pas que de bonnes choses. C'est aussi l'époque des impôts fonciers. Et c'est un jour comme celui-là que le compteur d'eau de mon sous-sol me fit la surprise d'une petite fuite printanière. J'appelai le Service des Travaux Publics à midi dix. Au bout du fil, j'eus un employé municipal enjoué, qui me dit qu'il regrettait : c'était l'heure du déjeuner, voyez-vous, et une si belle journée... pour la première fois depuis des mois les équipes mangeaient leurs sandwichs à l'extérieur de leurs camions, loin de leurs radios. Alors, la réparation du compteur serait peut-être retardée d'une petite demi-heure.

Vous devez vous attendre à ce genre d'horribles désagréments lorsque le printemps s'abat sur le Canada.

J'avais à l'esprit des souvenirs analogues, un jour où j'étais dans le train qui me ramenait de New York à Toronto, via Buffalo et Hamilton. Les trains sont des endroits merveilleux pour penser. Ils offrent ce cliquetis semi-monotone qui me berce, et m'assure de ma progression vers ma destination. C'était en fin de journée, peu de temps avant que mon séjour au Canada s'achève. Désœuvré, je regardais par la fenêtre défiler le paysage. Les poteaux téléphoniques au bord de la voie n'étaient que des taches, filant, indistinctes. Mais plus loin dans les champs, à cent ou deux cents mètres, mon regard pouvait se fixer sur des scènes précises : un chien aboyant silencieusement après cette machine qui passait ; un véhicule de ferme en stationnement; un arbre noueux; une grange; de petites exploitations se préparant à un nouveau crépuscule.

Le Canada oriental, avec ses clôtures et ses champs bien ordonnés, ses routes pavées, son histoire, ne me donne pas le même sentiment d'expansion que l'Ouest avec ses gratte-ciel, sa nouveauté, ses champs immenses, ses vastes horizons dégagés. L'Ouest est un nouveau Canada en train de naître au sein de l'ancien. L'Est, pour moi, est plein d'histoire et de souvenirs.

Je songeais à de petites choses, en vérité, de ces choses humaines qui font pour moi du Canada un endroit tout particulier. Je pensais à Sam Luciani, qui avait passé le plus clair de sa vie au nord du cercle polaire. « Ce n'est pas un mauvais pays, en fait », disait-il. Je pensais à Terry Fox, cet unijambiste atteint d'un cancer, qui surmonta sa maladie pour traverser à la course une bonne partie de son pays avant que la maladie ne vienne à bout de lui. « Je crois aux miracles, avait-il déclaré, il le faut bien. » Je pensais au vieux Gus Heitmann, ce prospecteur du Yukon qui aujourd'hui encore garde un fer à cheval accroché à la porte de sa roulotte et le tapote chaque fois qu'il sort.

Et je songeais à mes grands-parents, qui auraient bien dû utiliser un fer à cheval quelquefois. Ils s'en étaient allés à présent, et reposaient ensemble dans un bout de terre près de cette même voie ferrée qui passait près de leur ancienne maison, celle où nous nous réunissions tous, en ces dimanches après-midi d'il y a si long-temps.

Quand chacun était rentré chez soi, mes grands-parents et moi descendions la main dans la main leur allée sablonneuse, et parcourions d'un pas de promenade les cent cinquante ou cent quatre-vingts mètres qui nous séparaient de la gare locale. Ce pèlerinage, je l'ai fait, m'a-t-on dit, alors même que je n'étais qu'un bambin dans une poussette, réclamant des cailloux pour jouer en chemin.

La gare n'était qu'une baraque en réalité. Mais j'éprouvais une fascination inexplicable pour ces fameux trains. Je regardais avec insistance les rails tout au loin, et ne voyais rien. Et au moment précis où je me retournais une seconde pour pourchasser une grenouille ou autre chose de ce genre, puis regardais de nouveau, waouh! voici qu'avait surgi le petit point chauffé à blanc du phare d'une locomotive. Je ne pouvais l'entendre encore, pas même en plaquant mon oreille sur le sol près des rails d'acier, mais je savais que quelque chose arrivait, quelque chose de très gros, de très rapide, de très fort. (Certains soirs, il passait deux ou trois trains; trains de marchandises pour la plupart à cette heure de fin de soirée. D'autres soirs, il n'en passait qu'un : « Oh grand-père, encore cinq minutes, s'il te plaît. Je sais qu'il va en arriver un bientôt. ») Puis la lumière devenait plus grande, plus brillante, et encore plus grande et plus brillante. J'étais cloué sur place au bord de la voie. Il semblait que le train ne pouvait manquer de m'écraser, et je voulais m'enfuir en courant. Mais cela m'était impossible, car, alors, je ne l'aurais pas vu.

Enfin je pouvais l'entendre approcher – une cloche quelquefois; quelquefois, comble de joie, ce magnifique sifflement funèbre. Parfois, je n'entendais que le puissant grondement de toute cette masse lancée à toute vitesse, et c'était très bien aussi. Sans un mot, Grand-Père et Grand-Mère me faisaient reculer de quelques pas. Nous savions tous que quelque chose de particulier allait se produi e. Mais, chaque fois, c'était de nouveau un merveilleux mystère. Mes yeux ne quittaient pas cette puissante locomotive qui approchait. Soudain, elle semblait prendre de la vitesse, beaucoup de vitesse. Elle venait droit sur nous! Droit sur nous! Alors, dans un rugissement terrifiant, la machine brûlante, fumante, passait dans un souffle d'explosion. Et l'air tout autour de nous était agité de tourbillons et de rafales furieuses. Le sol tremblait. Les rails d'acier ployaient. Mes oreilles étaient tellement remplies du bruit de tonnerre du métal que je ne pouvais m'entendre hurler ma joie. Il était difficile de croire qu'il y eût un homme à l'intérieur de cette locomotive. Parfois pourtant, il faisait un signe de la main. Et je répondais, d'un signe de main frénétique, pendant l'instant fugitif où je pouvais l'apercevoir, tout là-haut, baissant les yeux vers nous.

Avec leurs noms de Canadian National et de Canadian Pacific comme des blasons près de leurs portes d'acier ondulé, tous les wagons de marchandises qui passaient ensuite étaient beaux et bruyants, eux aussi. Mais rien ne pouvait surpasser la locomotive. Mystérieusement, le fourgon de queue, lorsque venait son tour, avec sa lanterne rouge se balançant à l'arrière, semblait rouler beaucoup plus lentement que les voitures de tête. Et j'y voyais une logique, à l'époque; il était à la traîne, pas vrai?

Et, tandis que mes grands-parents et moi rentrions lentement à la maison, il m'arrivait parfois d'entendre le sifflement mélancolique plus bas sur la voie, au passage à niveau suivant. Je m'imaginais que c'était un gémissement d'adieu.

Tard, en ces chaudes nuits d'été, j'étais étendu sur mon lit au premier étage de la maison de Grand-Mère. Certaines fois, j'attendais en vain, et glissais doucement dans le sommeil au bourdonnement des papillons de nuit et des gros phyllophages verts. Mais, la plupart des nuits, ma patience se voyait récompensée. J'entendais le sifflement approcher. Et je me préparais. Je ne pouvais voir le train, mais si je me plaçais contre le frais mur de plâtre vert, je pouvais sentir dans mon dos, lorsqu'elle était plus près, la puissance fracassante de cette chose. La maison tremblait. La lampe de verre cliquetait. Parfois, si j'avais beaucoup de chance et avais été très sage, deux trains dépassaient la maison de Grand-Mère en même temps, produisant une double vibration. On pouvait les entendre approcher chacun par une fenêtre différente. Je me représentais les deux monstres d'acier fumant, fonçant à toute allure à la rencontre l'un de l'autre. Je me figurais les grands remous désordonnés de l'air lorsque se mêlaient les tourbillons soulevés par chacun. Et je voyais les rails fléchir, les buissons des bords de voie s'agiter en tous sens sous le souffle, et les wagons d'un brun rougeâtre suivre avec obéissance, puis s'éloigner dans le lointain avec leurs secrets chargements, leurs petites lanternes rouges se balançant silencieusement à l'arrière.

Je fus brusquement tiré de ma rêverie sur les jours enfuis par ce que je vis de la fenêtre du train moderne où je me trouvais. Seigneur! C'était la maison de ma grand-mère, là-bas, dehors, dans le crépuscule! Je me redressai tout droit sur mon siège, et tournai la tête pour la suivre des yeux tandis que, très vite, nous la dépassions. C'était impossible. Et pourtant, c'était elle! C'était bien le porche d'entrée. Les cigares. Les hommes. Les rocking-chairs. Quelques arbres avaient disparu. Mais l'allée était toujours là. Les volets aussi. Ainsi que le vieux paratonnerre avec sa boule de céramique. C'est derrière ce même mur du premier étage qu'un petit garçon était resté étendu tant de nuits, rêvant des trains et du Canada. Il se demandait toujours où ils allaient.

QUELQUES DATES

Fin ixe siècle : Premières mentions historiques : Des Irlandais sur la rive nord du Saint-Laurent.

1497 : Jean Cabot le long de Terre-Neuve et du Cap-Breton.

1524 : Verrazano, au nom de François Ier, baptise la Nouvelle-France.

1534-1535 : Jacques Cartier découvre le Canada et remonte le Saint-Laurent jusqu'aux sites actuels de Québec et de Montréal.

1604-1605 : De Monts fonde Port-Royal en Acadie.

1608 : Champlain fonde Québec.

1613 : Les Anglais détruisent les établissements français d'Acadie.

1627 : Richelieu crée la Compagnie de la Nouvelle-France.

1629 : Les Anglais prennent Québec.

1632 : Le traité de Saint-Germain rend Québec à la France.

1642 : Fondation de Montréal.

1649 : Les Iroquois détruisent la Huronie.

1654 : Les Anglais prennent Port-Royal.

1660 : Dollard des Ormeaux sauve Montréal.

1667 : Le traité de Breda rend l'Acadie à la France.

1670 : Fondation de la Compagnie de la Baie d'Hudson.

1673 : Louis Jolliet et le père Marquette découvrent le Mississippi.

1710 : Nouvelle prise de Port-Royal par les Anglais.

1713 : Le traité d'Utrecht cède l'Acadie et Terre-Neuve à l'Angleterre.

1720 : Organisation de la colonie britannique de Nouvelle-Écosse.

1745 : Première chute de Louisbourg.

1759 : Défaite de Montcalm aux Plaines d'Abraham.

1763 : Le traité de Paris cède la Nouvelle-France à l'Angleterre.

1774 : L'*Acte du Québec* organise la nouvelle colonie anglaise et garantit aux Canadiens le libre exercice de leur religion.

1783 : Après le traité de Versailles qui reconnaît l'indépendance des

États-Unis, émigration vers le Canada de *loyalistes* (colons américains fidèles à l'Angleterre).

1784 : Création de la colonie britannique du Nouveau-Brunswick.

1791 : L'*Acte constitutionnel* crée le Haut et le Bas Canada.

1812-1814 : Guerre entre les États-Unis et le Canada.

1821 : Fusion des deux grandes compagnies de fourrures rivales : la Compagnie du Nord-Ouest et la Compagnie de la Baie d'Hudson.

1837 : Rébellion de Mackenzie contre le *Pacte de famille* et de Louis-Joseph Papineau contre les abus du régime.

1840 : L'*Acte d'union* crée le Canada-Uni avec une assemblée législative élue par le peuple.

1854 : Traité de réciprocité commerciale avec les États-Unis.

1er juillet 1867 : Création de la Confédération du Canada. L'*Acte de l'Amérique britannique du Nord* est la Constitution du nouvel État, union du Canada-Uni et des Provinces Maritimes.

1870 : Le Manitoba rejoint la Confédération.

1871 : La Colombie britannique entre dans la Confédération.

1873 : L'Ile-du-Prince-Édouard entre dans la Confédération.

1896 : Ruée vers l'or du Klondyke.

1905 : Création des provinces de l'Alberta et du Saskatchewan.

1919 : Le Canada est un des signataires du traité de Versailles.

1921 : Établissement du suffrage féminin.

1926 : La Conférence impériale reconnaît l'entière indépendance politique du Canada à l'égard de la métropole.

1931 : Le *Statut de Westminster* consacre l'égalité de statut entre la Grande-Bretagne et le dominion canadien.

1949 : Terre-Neuve devient la dixième province canadienne.

1965 : Adoption du drapeau canadien.

1982 : La Constitution canadienne (*Acte de l'Amérique britannique du Nord*, acte du Parlement britannique) est rapatriée.

TABLE

Cet ouvrage a été réalisé sur
Système Cameron
par la SOCIÉTÉ NOUVELLE FIRMIN-DIDOT
Mesnil-sur-l'Estrée
le 8 décembre 1987

Imprimé en France
Dépôt légal : décembre 1987
N° d'impression : 7100